TRWY

HANES CYMDE

1962–1992

Trwy Ddulliau Chwyldro . . .?

Hanes Cymdeithas yr Iaith Gymraeg, 1962–1992

Dylan Phillips

GOMER

Argraffiad cyntaf 1998

ISBN 1 85902 594 3

Ⓗ Dylan Phillips

Mae Dylan Phillips wedi datgan ei hawl dan Ddeddf Hawlfraint,
Dyluniadau a Phatentau 1988 i gael ei gydnabod fel awdur y llyfr hwn.

Dymuna'r cyhoeddwyr gydnabod cymorth Cyngor Llyfrau Cymru.

Argraffwyd yng Nghymru gan
Wasg Gomer, Llandysul, Ceredigion

I Carys

CYNNWYS

Cydnabyddiaeth

Gan mai ffrwyth doethuriaeth Prifysgol Cymru yw'r llyfr hwn, yr wyf yn ddyledus iawn i nifer o bobl am eu cymorth. Dymunaf ddiolch yn ddiffuant i'm cyfarwyddwr, yr Athro Geraint H. Jenkins, am ei anogaeth hael a'i gefnogaeth ddi-ball wrth baratoi'r traethawd a'r llyfr hwn. Y mae fy nyled iddo yn anhraethol fawr gan mai wrth ei draed ef y bwriais fy mhrentisiaeth gyntaf fel cyw hanesydd. Bu ei arweiniad dysgedig yn ysbrydoliaeth i mi trwy gydol fy nghyfnod yn y coleg a byth oddi ar hynny. Hoffwn gydnabod hefyd fy nyled i staff Adran Hanes a Hanes Cymru, Prifysgol Cymru, Aberystwyth, yn enwedig Dr Paul B. O'Leary, am ei sylwadau gwerthfawr, a Delyth Fletcher am bob caredigrwydd. Pleser yw diolch i staff Llyfrgell Genedlaethol Cymru (yn enwedig staff yr Adran Llyfrau Printiedig a'r Adran Llawysgrifau a Chofysgrifau) am eu cynhorthwy, ac i staff Canolfan Uwchefrydiau Cymreig a Cheltaidd Prifysgol Cymru. Braint yw cael gweithio gyda thîm o gyfeillion ar brosiect iaith y Ganolfan, a hoffwn estyn fy niolch iddynt am nifer o gymwynasau.

Yr wyf hefyd yn ddyledus i amryw o arweinwyr a chyn-arweinwyr Cymdeithas yr Iaith Gymraeg, gan gynnwys John Davies, Helen Greenwood, Angharad Tomos, Arwel Jones, Geraint Jones, Dafydd Iwan, a Gareth Miles. Byddwn wedi hoffi cyf-weld rhagor o aelodau'r mudiad, ond nid oedd amser yn caniatáu. Fodd bynnag, ceir yng nghyfrol Gwilym Tudur, *Wyt Ti'n Cofio?*, gipolwg gwerthfawr iawn ar brofiadau personol y prif ymgyrchwyr. Gwerthfawrogaf yn fawr bob cynhorthwy a gefais gan Dafydd Morgan Lewis yn Swyddfa'r Gymdeithas yn Aberystwyth a chan gadeirydd presennol y mudiad, Gareth Kiff, am ei frwdfrydedd heintus wrth arwain y frwydr.

Yr wyf yn hynod ddiolchgar i Glenys Howells am ddarllen y gwaith â gofal a manylder mawr ac i William Howells am baratoi'r mynegai. Diolch i staff Gwasg Gomer am eu harweiniad wrth lywio'r gyfrol hon drwy'r wasg, yn enwedig Dr Dyfed Elis-Gruffydd. Yn olaf, carwn ddiolch yn gynnes iawn i'm rhieni am eu cefnogaeth a'u cynhaliaeth ac, yn bennaf oll, i'm gwraig Carys. Trwy gydol y pum mlynedd rhwng dechrau'r ymchwil a chyhoeddi'r llyfr bûm yn ffodus iawn i fedru dibynnu ar ei hanogaeth gyson a'i hamynedd rhyfeddol. Iddi hi y cyflwynir y gyfrol hon.

Awst 1998   *Dylan Phillips*

TABLAU, GRAFFIAU A MAPIAU

Tudalen

BYRFODDAU

PAPURAU A CHYFNODOLION

CHC: *Cylchgrawn Hanes Cymru*
CN: *Cambrian News*
DdG: *Y Ddraig Goch*
LDP: *Liverpool Daily Post*
TDd: *Tafod y Ddraig*
WM: *Western Mail*
WN: *Welsh Nation*

CASGLIADAU LLAWYSGRIFAU

LlGC: Llyfrgell Genedlaethol Cymru
PCYIG: Papurau Cymdeithas yr Iaith Gymraeg
PJD: Papurau Dr John Davies
PRhW: Papurau Rhodri Williams

Rhagarweiniad

Colli tir ar raddfa garlamus fu hanes yr iaith Gymraeg oddi ar ddechrau'r ugeinfed ganrif. Er bod ymron miliwn o Gymry yn medru siarad Cymraeg yn ôl Cyfrifiad 1901, sef tua hanner poblogaeth y wlad, dirywiodd y sefyllfa gymaint yn ystod y trigain mlynedd ganlynol fel mai 26 y cant yn unig o drigolion Cymru a siaradai Gymraeg erbyn Cyfrifiad 1961. At hynny, yr oedd pob math o wahanol elfennau yn milwrio yn erbyn parhad yr iaith, megis diboblogi cefn gwlad, mewnlifiad teuluoedd di-Gymraeg, dirywiad diwydiannau traddodiadol y broydd Cymraeg, cyfundrefn addysg a chyfryngau torfol Saesneg eu hiaith a Seisnig eu harlwy, diffyg statws cyfreithiol a gweinyddol y Gymraeg, a diffyg awydd ymhlith y Cymry eu hunain i drosglwyddo'r iaith o'r naill genhedlaeth i'r llall. Nid oes ryfedd, felly, fod llawer o garedigion yr iaith wedi dechrau gwangalonni ynglŷn â'i dyfodol, a'u bod wedi derbyn yn drist mai dweud y gwir plaen a wnaeth Saunders Lewis pan gyhoeddodd yn ddwys rybuddiol ar y radio ym mis Chwefror 1962 'y bydd terfyn ar y Gymraeg yn iaith fyw, ond parhau'r tueddiad presennol, tua dechrau'r unfed ganrif ar hugain'.[1]

Hawdd y gellid bod wedi diystyried bygythiadau Lewis yn ei ddarlith radio *Tynged yr Iaith*. Er gwaethaf y parch mawr tuag ato fel ysgolhaig a llenor disglair, ac fel llywydd cyntaf Plaid Genedlaethol Cymru rhwng 1925 a 1939, yr oedd ei allu a'i barodrwydd i gyffroi a dychryn ei gynulleidfa yn ddiarhebol yn ei ymdrechion i daenu ei broffes. Ond yr oedd digon o achos gan garedigion yr iaith i ofidio ynghylch dyfodol y Gymraeg ar achlysur darlledu'r ddarlith. Yr oedd yn anodd credu bod ei sefyllfa wedi dirywio cymaint mewn cyn lleied o amser. Ar droad y ddeunawfed ganrif yr oedd oddeutu saith ym mhob deg o holl drigolion y wlad yn siarad y Gymraeg fel eu hunig iaith. Serch bod canrannau'r siaradwyr Cymraeg wedi disgyn erbyn diwedd y bedwaredd ganrif ar bymtheg, yr oedd eu niferoedd yn parhau i fod yn sylweddol, a hawdd cytuno â Hywel Teifi Edwards pan ddywedodd, 'chwerw yw pondro'r hyn y gellid fod wedi'i gyflawni pan oedd hanner miliwn o'r boblogaeth, yn ôl Cyfrifiad 1891, yn Gymry uniaith a phedwar can mil arall yn ddwyieithog'.[2]

Meddai Saunders Lewis ei hun: 'Bu amser . . . y buasai'n ymarferol sefydlu'r Gymraeg yn iaith addysg a'r Brifysgol, yn iaith y cynghorau sir newydd, yn iaith diwydiant. Ni ddaeth y cyfryw beth i feddwl y Cymry.'[3] Oherwydd hynny gostyngai nifer y Cymry Cymraeg ar raddfa frawychus, ac erbyn ail hanner yr ugeinfed ganrif yr oedd y Gymraeg yn colli cymaint â dau gant o siaradwyr bob wythnos, neu un bob tri-chwarter awr. Hyd yn oed yn ei chadarnleoedd yn y gorllewin a'r gogledd, lle'r oedd naw o bob deg yn siarad Cymraeg fel iaith gyntaf ym 1901, yr oedd yr iaith wedi dioddef dirywiad difrifol, gan ostwng i dri ym mhob pedwar. Lle gynt y bu'r Gymraeg yn iaith lafar fyw dros ran helaeth o Gymru, yr oedd ei chadarnleoedd yn awr yn prysur ddiflannu a'r Fro Gymraeg yn crebachu'n arw. Dyfodol tywyll iawn a oedd i'r iaith Gymraeg erbyn dechrau'r chwedegau. Fel y dywedodd John Aitchison a Harold Carter: 'By 1961 the situation appeared parlous.'[4]

At hynny, ychydig o statws swyddogol a feddai'r Gymraeg. Yn gyfreithiol ni fu ganddi unrhyw fath o statws swyddogol oddi ar i Ddeddf Uno 1536 orchymyn:

> . . . from henceforth no Person or Persons that use the Welsh Speech or Language shall have or enjoy any Manner Office or Fees within the Realm of England, Wales, or other the King's Dominion, upon Pain of forfeiting the same Offices or Fees, unless he or they use and exercise the English Speech or Language.[5]

Bedair canrif yn ddiweddarach, yn sgil ei hesgymuno i bob pwrpas o gyfraith, gwleidyddiaeth a gweinyddiaeth Cymru, nid oedd i'r Gymraeg unrhyw le ym mywyd swyddogol y wlad. Saesneg oedd unig iaith llywodraeth ganol a llywodraeth leol yng Nghymru, a Saesneg oedd iaith yr awdurdodau cyhoeddus a'r llysoedd barn. Amlygid diffyg statws yr iaith gan y cannoedd o filoedd o arwyddion cyhoeddus uniaith Saesneg a frithai ffyrdd a strydoedd Cymru. Yn yr un modd ni cheid yr un fersiwn Cymraeg o'r ffrwd niferus a chynyddol o ffurflenni a gohebiaethau yr oedd disgwyl i ddinas-yddion eu trafod a'u llenwi. Dim ond 16 o'r 154 o gynghorau dosbarth yng Nghymru a ddefnyddiai'r Gymraeg yn eu cyfarfodydd, ac os dymunai Cymro Cymraeg roi tystiolaeth mewn llys barn yn ei famiaith yr oedd yn rhaid iddo yn gyntaf brofi ei fod dan anfantais yn siarad Saesneg ac yna dalu am y fraint o gael cyfieithydd yn bresennol yn y llys. Cael ei wawdio a'i watwar y byddai'r sawl a fynnai ddefnyddio'r Gymraeg wrth ymwneud â'r byd swyddogol.

Saesneg hefyd oedd iaith ysgolion Cymru oddi ar Ddeddf Addysg 1870 pan sefydlwyd trefn addysg wladwriaethol am y tro cyntaf ledled Prydain. Araf iawn fu'r Gymraeg i ennill unrhyw fath o statws yn y gyfundrefn addysg, er i waith diflino unigolion megis Dan Isaac Davies ac O. M. Edwards sicrhau hawl athrawon i ddysgu Cymraeg yn ysgolion Cymru. Serch hynny, ni sefydlwyd yr ysgol cyfrwng Cymraeg cyntaf tan 1939 pan agorwyd ysgol gynradd annibynnol yn Aberystwyth trwy ymdrech ac ymroddiad Ifan ab Owen Edwards ac aelodau eraill o Urdd Gobaith Cymru. Bu'n rhaid aros tan 1951 cyn i'r ysgol dderbyn nawdd a chefnogaeth yr awdurdod addysg lleol. Yn y cyfamser agorwyd ysgol Gymraeg yn Llanelli gan Awdurdod Addysg Sir Gaerfyrddin ym 1947, ac erbyn 1953 ceid ysgolion cynradd Cymraeg yn sir Gaernarfon, sir Ddinbych, sir Forgannwg a sir Y Fflint. Yn wahanol i ysgolion cynradd yr ardaloedd Cymraeg eu hiaith, ni ddefnyddid y Gymraeg yn gyfrwng addysg mewn ysgolion uwchradd yn unrhyw ran o Gymru, ac achosai hynny rwystredigaeth a dicter. Bu raid aros tan 1956 cyn sefydlu'r ysgol uwchradd swyddogol gyntaf, sef Ysgol Glan Clwyd, a than 1962 cyn sefydlu Ysgol Rhydfelen ym Morgannwg. Am weddill ysgolion Cymru, Saesneg oedd cyfrwng yr addysg, a Seisnig oedd ei chynnwys. At hynny, ni ddysgid un pwnc trwy gyfrwng y Gymraeg ym Mhrifysgol Cymru, heblaw, wrth gwrs, am y Gymraeg ei hun, a phrin iawn oedd y cyrsiau a ddysgid trwy gyfrwng y Gymraeg mewn colegau addysg uwch.

Llawer mwy arwyddocaol o ran diffyg statws y Gymraeg oedd ei hisraddoldeb ym myd newydd a chyffrous y cyfryngau torfol technolegol. Ar ddechrau'r chwedegau darlledid cyfanswm o 16.4 awr o raglenni Cymraeg ar y radio a'r teledu bob wythnos, sef 9.6 awr o radio ar Radio 4, 3.3 awr o deledu ar BBC Wales a 3.5 awr o deledu ar TWW. Golygai hynny mai dim ond un awr o wasanaeth radio a geid yn Gymraeg am bob 31 awr yn Saesneg, ac un awr o deledu am bob pymtheg. Darlledid llawer o raglenni Cymraeg yn hwyr y nos neu yn ystod oriau anghyfleus yn y dydd. At hynny, yr oedd dylanwad y cyfryngau newydd hyn yn peri gofid mawr i lawer o garedigion y Gymraeg oherwydd eu dylanwad ar iaith eu plant. Yn eu tyb hwy, yr oedd y cyfryngau, yn enwedig y teledu, yn arwain at unffurfiaeth ac yn chwalu amrywiaeth, drwy i werthoedd ac arferion Eingl-

Americanaidd gael eu darlledu i gartrefi Cymraeg ledled y wlad. Ofnid bod y teledu yn cyflwyno Saesneg i blentyn yn llawer rhy gynnar yn ei ddatblygiad ieithyddol, gan beri meithrin rhugledd mewn Saesneg, a chyflwyno geirfa ac ieithwedd ffasiynol-lithrig y byd 'pop' Saesneg yn hytrach na phriod-ddulliau a dywediadau cysefin y Gymraeg. Ofnid hefyd am effaith seicolegol y teledu, oherwydd hawdd y gallai plentyn gredu mai Saesneg oedd iaith y byd modern cyffrous, lliwgar, a soffistigedig. Yn wahanol i lawer o fygythiadau eraill a wynebai'r Gymraeg, amhosibl bron oedd dianc rhag dylanwad y cyfryngau gan gryfed eu gallu i gyrraedd hyd yn oed ardaloedd mwyaf anghysbell y wlad.

Ynghyd â diffyg statws, yr oedd y Gymraeg yn wynebu bygythiad difrifol iawn o du nifer o ffactorau economaidd a chymdeithasol. Gwanhawyd seiliau economaidd llawer o gymunedau Cymraeg eu hiaith gan ddirywiad graddol y diwydiant glo yng nghymoedd y de a'r chwareli llechi yn y gogledd-orllewin. At hynny, yr oedd y chwyldro amaethyddol a brofwyd yn sgil yr Ail Ryfel Byd wedi arwain at ddiboblogi sylweddol ac uno ffermydd. Gorfodid pobl ifainc i adael eu broydd genedigol er mwyn canfod gwaith, ac ar yr un pryd cafwyd mewnlifiad sylweddol o deuluoedd di-Gymraeg o Loegr yn bennaf. Wrth bod niferoedd cynyddol yn symud i gefn gwlad Cymru er mwyn dianc o'r maestrefi diwydiannol Seisnig, neu er mwyn sefydlu busnes bychan neu ymddeol, Seisnigwyd ardaloedd helaeth iawn o Gymru. Gosodai hyn bwysau aruthrol ar y Gymraeg wrth bod Cymry ifainc lleol yn gorfod symud o'u cynefin gan nad oeddynt yn gallu cystadlu â'r prisiau chwyddedig a dalai'r mewnfudwyr am eu tai, ac wrth i blant y mewnfudwyr newid iaith yr ysgolion cynradd. Fel y nododd Harold Carter, gellid awgrymu'n gryf felly, 'fod poblogaeth mewnfudol o'r tu allan i Gymru yn gysylltiedig â cholli'r iaith'.[6]

Canlyniad yr holl ddylanwadau amrywiol hyn oedd bod sefyllfa'r Gymraeg yn bur argyfyngus erbyn dechrau'r chwedegau, ac nid yw'n syndod fod gobeithion caredigion yr iaith am ei dyfodol yn pylu. Ychydig o ewyllys da at yr iaith a geid mewn cylchoedd cyhoeddus, a brwydr barhaus oedd ceisio hawlio iddi unrhyw barch ym maes addysg a'r cyfryngau torfol. Eto i gyd, y broblem fwyaf oedd bod miloedd o Gymry Cymraeg yn troi cefn ar eu mamiaith am na thybient fod unrhyw werth na mantais yn perthyn iddi ac mai ofer fyddai trosglwyddo iaith mor israddol a di-statws i'w plant. Yr oedd y fath waseidd-dra yn ganlyniad canrifoedd o gyflyru, ond yr oedd Saunders Lewis yn llawdrwm iawn ar ddifaterwch ei gyd-wladwyr: 'Trown gan hynny at y Cymry eu hunain, rhag bod brycheuyn yn llygad y Sais yn peri na welom y trawst yn llygad y Cymro.' Ni allai Lewis faddau i'r Cymry am ganiatáu i'w hiaith drengi'n dawel heb godi blaen bys i'w diogelu. Wrth gwrs, gwyddai fod llawer o waith da wedi ei gyflawni yn ystod y ganrif gan nifer o garedigion ymroddedig i'r iaith, a dichon y byddai mewn cyflwr llawer iawn gwaeth oni bai am eu llafur caled hwy. Serch hynny, cystwyai'r Cymry am beidio â throi'r ymdrechion hyn i adfer bri a pharch y Gymraeg yn frwydr wleidyddol. Gofynnodd:

A oes o gwbl draddodiad o amddiffyn politicaidd i'r iaith Gymraeg? Nid gofyn yr wyf a oes traddodiad o frolio'r iaith mewn areithiau politicaidd neu gan wleidyddion ar lwyfan eisteddfod. Yn hytrach gweld yr iaith fel y mae Llywodraeth Loegr wedi ei gweld hi erioed, yn fater politicaidd, ac o'i gweld hi felly ei chodi hi'n faner i frwydr?[7]

Rai misoedd yn ddiweddarach, sefydlwyd mudiad newydd gan garfan fechan o genedlaetholwyr gyda'r nod o ymgyrchu'n ddygn a digyfaddawd o blaid y Gymraeg. Cychwynnwyd cyfnod newydd yn yr ymdrech i ddiogelu a dyrchafu'r Gymraeg ym 1962, ac erbyn heddiw gellir dweud yn hyderus mai Cymdeithas yr Iaith Gymraeg yw un o grwpiau protest ieithyddol mwyaf effeithiol a dylanwadol Ewrop.

Bwriad y llyfr hwn yw bwrw golwg beirniadol dros hanes Cymdeithas yr Iaith yn ystod ei deng mlynedd ar hugain gyntaf a cheisio cloriannu prif gerrig milltir ei chynnydd a'i datblygiad. Ym 1983 honnodd Angharad Tomos, wrth ddathlu ugain mlynedd o brotestio gan y Gymdeithas, fod gan Gymdeithas yr Iaith Gymraeg hanes sy'n werth ei gofnodi, 'ac mae ymwybyddiaeth o hanes, o fod yn rhan o olyniaeth anrhydeddus, yn gallu bod o gymorth mawr i aelodau unrhyw fudiad'.[8] Ni ellir ond gobeithio y bydd y penodau sy'n dilyn yn cyrraedd y nod hwnnw.

Trwy Ddulliau Chwyldro . . .?

Nodiadau

1 Saunders Lewis, *Tynged yr Iaith* (Caerdydd, 1962), t.7.
2 Hywel Teifi Edwards, 'Helynt Homersham Cox', yn idem, *Codi'r Hen Wlad yn ei Hôl, 1850–1914* (Llandysul, 1989), t.186.
3 Lewis, *Tynged yr Iaith*, t.22.
4 John Aitchison a Harold Carter, *A Geography of the Welsh Language 1961–1991* (Caerdydd, 1994), t.41.
5 27 Henry 8, c.26, par.20. Ivor Bowen (gol.), *The Statutes of Wales* (London, 1908), t.87.
6 Gw. Janet Davies, *The Welsh Language* (Caerdydd, 1993); Meic Stephens (gol.), *The Welsh Language Today* (argraffiad diwygiedig, Llandysul, 1979); Aitchison a Carter, *A Geography of the Welsh Language*; Harold Carter, *Mewnfudo a'r Iaith Gymraeg* (Caerdydd, 1988).
7 Lewis, *Tynged yr Iaith*, tt.19–20.
8 Angharad Tomos, 'Yn ôl i bont Trefechan', *TDd*, 160 (3/1983).

'Filwyr Ewn Rhyfel yr Iaith': Aelodaeth Cymdeithas yr Iaith Gymraeg

Ffurfiwyd Cymdeithas yr Iaith Gymraeg yn ystod degawd tymhestlog y chwedegau. Y mae blynyddoedd cynhyrfus a chyffrous y degawd hwnnw yn enwog am ganu pop y Beatles a'r Rolling Stones, llofruddiaeth yr Arlywydd John F. Kennedy a Martin Luther King, y ras i'r gofod, 'cariad rhydd', mariwana, a phatrymau seicedelig. Cyfnod o wrthryfel, herio a phrotest hefyd oedd y chwedegau, cyfnod pan ddechreuodd cenhedlaeth newydd o bobl ifainc herio'r ffordd draddodiadol o fyw. Gwelwyd heddychwyr yn ymgasglu yn Washington D.C. ac yn Sgwâr Trafalgar i brotestio yn erbyn y dechnoleg niwclear fodern ac ymyrraeth Unol Daleithiau America yn Fietnam; pobl dduon yn America yn ymladd dros eu hawliau sifil ym Montgomery a Birmingham, Alabama; myfyrwyr yn cicio yn erbyn y tresi mewn colegau a phrifysgolion yn California, Llundain, a Pharis; llenorion yr Undeb Sofietaidd yn protestio yn erbyn sensoriaeth y wladwriaeth gomiwnyddol; a thrigolion nifer o wledydd Affrica ac Asia, megis Algeria, Rhodesia, Kenya, Indonesia a'r Congo, yn ymgyrchu yn erbyn eu hen feistri imperialaidd.

Ym mis Chwefror 1962, sef yr adeg pan ddarlledwyd *Tynged yr Iaith*, y ddarlith radio enwog gan Saunders Lewis a fu'n rhannol gyfrifol am sefydlu Cymdeithas yr Iaith, yr oedd protestiadau treisgar yn digwydd ym Mharis yn erbyn polisi llywodraeth Ffrainc yn nhrefedigaethau Algeria, a gwelwyd rhai cannoedd o fyfyrwyr yn gorymdeithio i'r Tŷ Gwyn yn Washington D.C. i brotestio yn erbyn y Rhyfel Oer ac i erfyn am heddwch. Ym mis Awst 1962, yr union adeg pan ffurfiwyd Cymdeithas yr Iaith Gymraeg yn Ysgol Haf Plaid Cymru ym Mhontarddulais, rhyddhawyd Dr Martin Luther King gan lys barn yn Albany, Georgia, wedi iddo ef a'r Parchedig Ralph Abernathy dreulio pythefnos yn y carchar am darfu ar yr heddwch yn ystod protest a arweiniwyd ganddynt y tu allan i Neuadd y Sir. Blynyddoedd cythryblus oedd y chwedegau ledled y byd, ac yng

Nghymru cafwyd ralïau, gwrthdystiadau a 'sit-ins' gan ddegau a channoedd o Gymry Cymraeg a oedd yn benderfynol o ddyrchafu statws eu mamiaith.

Yng nghanol awyrgylch cyffrous a newydd y chwedegau, cafwyd cynnydd aruthrol yn nifer mudiadau gwasgedd a grwpiau protest y gorllewin. Yn y *Guardian Directory of Pressure Groups and Representative Associations*, rhestrir dros 600 o fudiadau gwasgedd amrywiol ym Mhrydain, ac o'r rhai hynny y gellir dyddio eu cychwyn, sefydlwyd ymhell dros eu hanner ar ôl 1960. Lluosogai mudiadau protest, yn enwedig rhwng 1955 a 1970, a chynrychiolent nifer fawr o ddiddordebau ac achosion newydd. Gwelwyd y cynnydd mwyaf ymhlith mudiadau ideolegol, hynny yw, mudiadau a ymgyrchai dros bwnc, cred neu ddelfryd arbennig, yn hytrach na mudiadau economaidd a masnachol a ymgyrchai dros hawliau defnyddwyr a phobl broffesiynol. At hynny, yr oedd y rhan fwyaf o'r mudiadau ideolegol hyn yn rhai rhyddfrydol, diwygiadol a radical.[1]

Yr oedd y chwedegau yn gyfnod o godi gobeithion. Dechreuodd pobl ymwrthod â hen agweddau ymostyngol a chwilio am atebion gwleidyddol amgenach. Un o arweinwyr amlycaf y mudiad newydd hwn yn Lloegr oedd Des Wilson, ymgyrchwr proffesiynol ar ran amryw o grwpiau gwasgedd y chwedegau, gan gynnwys 'Shelter', 'Child Poverty Action Group', 'Cyngor Cenedlaethol dros Hawliau Gwleidyddol a Sifil' (NCCL), a 'Chyfeillion y Ddaear' (FoE). Yn ei dyb ef:

> It was a time when it seemed possible to try anything and do anything. It was a marvellous decade and I only wish such a decade could return. A lot of younger people were coming into all sorts of activity; unaware of the rules and normal ways of doing things and 'doing their own thing'. You could say it was the arrival on the scene of the newly educated class of this country; the product of all the changes that had taken place since the Second World War.[2]

Rhaid yn gyntaf geisio deall paham yr oedd y chwedegau mor wahanol i'r cyfnodau a'u rhagflaenodd, a hefyd paham y penderfynodd dinasyddion y chwedegau, boed yng Nghymru, Ewrop neu America, brotestio mor chwyrn ynglŷn ag amryw byd o faterion.

Oes y cynnwrf
Cafwyd yn sgil yr Ail Ryfel Byd nifer o newidiadau cymdeithasol ac economaidd a effeithiodd yn drwm iawn ar gymdeithas. Erbyn y pumdegau yr oedd dinasyddion gwledydd y gorllewin ar gyfartaledd yn gyfoethocach nag y buont erioed o'r blaen. Deuai mwy o arian i'r cartref yn sgil codiadau mewn cyflogau a chynnydd yn nifer y gwragedd a oedd yn gweithio. Yr oedd safon byw yn codi, amodau gwaith yn gwella ac nid oedd diweithdra cynddrwg ag yr ydoedd cyn y rhyfel. Gellid dewis gyrfa ac, yn bwysicach na dim, fanteisio ar gyfleoedd newydd i gael addysg. Wrth geisio esbonio gwreiddiau'r cynnydd mewn mudiadau gwasgedd, cyfeiriodd Geoffrey Alderman at swyddogaeth addysg yn y chwyldro cymdeithasol a ddigwyddodd wedi'r rhyfel: 'The expansion of educational opportunities has brought into existence a new middle class, concerned with its environment and well able to articulate demands and to organize group activity.'[3] Awgrymodd Michael Young, cymdeithasegydd a sefydlydd 'Cymdeithas y Defnyddwyr' a'r Brifysgol Agored, a chadeirydd cyntaf y 'Social Science Research Council' (1965–8), fod cynnydd y grŵp lobi yn y chwedegau yn ganlyniad, ymhlith pethau eraill, i'r cynnydd mewn addysg:

> Another factor is the extension of education, including higher education, producing more people with more ideas about what should be done in the way of improvement in society in this country and on a world scale. There are a lot of loose supporters for good causes that have been produced by education.[4]

Ond prif nodwedd y cyfnod newydd hwnnw oedd y 'chwyldro ieuenctid'. Yr oedd rhyw ddwy filiwn o ddynion wedi gadael y fyddin ar ddiwedd y rhyfel ym 1945, gan ddychwelyd i'w cartrefi a dechrau magu teuluoedd. Cynyddodd poblogaeth sawl gwlad orllewinol yn sgil yr hyn a alwyd yn *baby-boom* gan sylwebyddion y cyfnod, fel y dengys y cyfrifiadau. Trwy gydol plentyndod y genhedlaeth niferus hon yn y pumdegau, yr oedd rhyw gyffro ar gerdded. Amlygid ef gan y Teddy Boys a'r bariau coffi, dyfodiad Rock'n Roll i Brydain a'r canu gwerin newydd; fe'i crisialwyd yn nrama John Osborne, *Look Back in Anger* (1956), ac yng ngweithiau Sartre, Brecht a Pasternak. Yn ôl Daniel Bell, yr oedd y pumdegau yn gyfnod pan beidiodd yr hen ideolegau: 'one simple fact emerges: for the radical intelligentsia, the old ideologies have lost their "truth" and their power to persuade'.[5] Erbyn 1964 byddai'r genhedlaeth newydd hon yn ddeunaw oed, ar fin gadael yr ysgol ac efallai â'u bryd ar fynd ymlaen i'r coleg. A hwythau wedi eu magu mewn cyfnod cyffrous a welodd gryn dipyn o wrthdaro rhwng cenhedlaeth eu rhieni a chenhedlaeth eu rhieni hwythau – cyfnod a brofodd 'argyfwng gwacter ystyr', chwedl yr Athro J. R. Jones – pa ryfedd eu bod yn barod i wrthryfela yn erbyn holl gonfensiynau cymdeithasol y gorffennol? Fe'u dadrithiwyd gan athroniaeth, syniadau, delfrydau a thraddodiadau'r genhedlaeth hŷn, a gwrthodasant lynu wrth yr hen gonsensws diwylliannol a seiliwyd i raddau helaeth ar barch, cyfrifoldeb a dyletswydd. Datblygodd y genhedlaeth ifanc ei diwylliant gwleidyddol ei hun ac erbyn y chwedegau yr oedd gwleidyddiaeth wedi ymdreiddio i bob agwedd ar fywyd. Yr oedd hyd yn oed arwyddocâd gwleidyddol yn perthyn i iaith a steil gwallt. Mary Quant a'r Beatles fyddai proffwydi'r genhedlaeth newydd, a heddwch hipïaidd trwy 'gariad rhydd' a 'flower power' oedd eu delfryd.[6] Gwrthryfelodd y genhedlaeth iau yn erbyn y genhedlaeth hŷn ac yn erbyn cymdeithas gonfensiynol.

Yr oedd diwedd y pumdegau hefyd yn dyst i ddechrau dadrithiad mawr yn y proses gwleidyddol cyfansoddiadol ac yng ngallu'r pleidiau i greu amgenach byd. Oherwydd llwyddiant Prydain yn y rhyfel, teimlai'r llywodraeth nad oedd hawl gan neb na dim i herio, na hyd yn oed i amau, ei phenderfyniadau ar bolisïau cymdeithasol, addysgol a thramor. Teimlid rhwystredigaeth gan lawer o bobl oherwydd y ffordd y gwneid y penderfyniadau polisi hyn i gyd gan *élite* gwleidyddol. Gwelwyd hyn yn glir yn hanes yr Ymgyrch dros Ddiarfogi Niwclear (CND), yn enwedig pan gafwyd protestiadau enfawr yn Aldermaston yn erbyn polisi arfau'r llywodraeth. Nid rhyfedd, felly, fod llawer wedi cefnu ar bleidiau gwleidyddol ffurfiol ac wedi dewis ffurfio, neu ymuno â, mudiadau gwasgedd. At hynny, yr oedd y pleidiau gwleidyddol traddodiadol yn rhy ddigroeso, yn rhy fiwrocrataidd, ac yn ymhél gormod â dogma i ddenu pobl ifainc a oedd yn ysu am gyfle i newid cymdeithas.[7] Rhwystredigaeth a barodd i nifer o aelodau amlwg o'r Blaid Lafur sefydlu CND ym 1958.[8]

Cydredai'r cynnydd syfrdanol yn nifer aelodaeth y mudiadau gwasgedd â lleihad mawr yn aelodaeth y pleidiau gwleidyddol a pharch y cyhoedd yn gyffredinol at aelodau seneddol. Nododd S. E. Finer fod y nifer o bobl a oedd heb bleidleisio mewn etholiadau

cyffredinol ym Mhrydain wedi cynyddu ar gyfartaledd o 20.2 y cant
o'r etholwyr yn y pum etholiad rhwng 1950 a 1964 i 25.6 y cant yn y
pum etholiad er 1966.[9] Cafwyd prawf o'r un dadrithiad yng Nghymru
lle y cynyddodd y nifer na phleidleisiodd yn yr etholiadau o 17.7 y
cant rhwng 1950 a 1964 i 21.7 y cant rhwng 1966 a 1979.[10] Yr oedd
canlyniadau nifer o arolygon barn hefyd wedi dangos bod teimlad
cryf o rwystredigaeth ac anallu ymhlith etholwyr Prydain a'u bod yn
synied yn isel iawn am y proses etholiadol ac am wleidyddion a'r
Senedd yn gyffredinol.[11] Meddai Trevor Smith:

> The substitution of administration for politics, which, in short, is the
> fundamental change which has been wrought by consensual
> technocracy, promoted apathy and cynicism among . . . what
> previously would have been the politically active minority . . . and one
> result of this is to be seen in the continuing decline of the individual
> memberships of the political parties since the mid-1950s. In retreating
> from the parties, the activists resorted to protest in order to give
> expression to their convictions and aspirations.[12]

Y mae'r cyfryngau torfol, ac yn enwedig y teledu, wedi eu
crybwyll yn ogystal fel elfennau sydd wedi cyfrannu at y llanw mawr
mewn protestio gwleidyddol. Yn wir, awgrymodd Adroddiad
Cameron ar achosion y gwrthdrawiadau treisgar yn Belfast, Gogledd
Iwerddon, a ddechreuodd ar 5 Hydref 1968, nad oedd yn 'wholly
accidental that the events of last autumn occurred at a time when
throughout Europe, as well as in America, a wave of reaction against
constituted authority in all its aspects, and in particular in the world of
universities and colleges, was making itself manifest in violent
protests, marches and street demonstrations of all kinds'.[13] Annoeth
fyddai honni bod yr holl gyhoeddusrwydd a roddid gan y cyfryngau
a'r wasg i'r protestiadau yn Ewrop ac America wedi ysbrydoli
aelodau a chefnogwyr Cymdeithas yr Iaith yng Nghymru i gicio yn
erbyn y tresi, ond ni ellir gwadu eu bod wedi peri i Gymry ifainc ddod
yn fwyfwy ymwybodol o barodrwydd pobl eraill i brotestio ac
ymgyrchu dros eu hawliau, eu rhyddid a'u hachosion arbennig.
Gwelir yr ymwybyddiaeth hon yn nodiadau golygyddol Gareth Miles
yn *Tafod y Ddraig,* misolyn y Gymdeithas, yn Chwefror 1965, wrth
iddo olrhain hanes ymgyrchoedd yr iaith yn Llydaw, Gwlad y Basg,
Catalunya, a gwledydd eraill. Fe'i gwelir hefyd gan Dafydd Iwan,

cadeirydd enwog y Gymdeithas rhwng 1968 a 1971, yn ei araith 'O Gwmpas dy Draed' ym 1969, lle y cymherir ymgyrch y Gymdeithas dros yr iaith ag ymgyrchoedd y bobl dduon dros hawliau cyfartal a phrotestiadau'r heddychwyr yn erbyn y rhyfel yn Fietnam.[14]

Dyma'r cyfnod pan oedd 'Oes y Dychryn' ar ei hanterth, a'r Rhyfel Oer ar ei oeraf. O gofio bod tri bygythiad o ryfel niwclear eisoes wedi bod er 1945, yn Korea, Fietnam, a'r diweddaraf yng Nghiwba ar 25 Hydref 1962, a bod America, yr Undeb Sofietaidd, Prydain, Ffrainc a Tsieina yn arbrofi ag arfau niwclear, nid oes ryfedd fod yr ifainc wedi ymuno â phrotestiadau na welwyd mo'u tebyg o'r blaen yn erbyn methiant gwleidyddion i drafod yn gyhoeddus y pynciau hynny a oedd yn llywio tynged dynolryw. Yn Lloegr cynhaliwyd cyfres o wrthdystiadau enwog gan CND yn erbyn y bom, gyda'r cyntaf ym 1958 y tu allan i Sefydliad Ymchwil Arfau Niwclear, Aldermaston, a'r uchafbwynt ar 15 Ebrill 1963 pan orymdeithiodd 70,000 o wrthdystwyr trwy ganol Llundain i brotestio yn erbyn polisi arfau niwclear y llywodraeth. Yn sgil y gwrthwynebiad i arfau niwclear, hoeliwyd sylw'r byd ar y rhyfel yn Fietnam. Yn America cafwyd cyfres o brotestiadau ffyrnig iawn yn y brifddinas, Washington, megis y rali ar 27 Tachwedd 1965 pan orymdeithiodd 50,000 o brotestwyr i'r Tŷ Gwyn, a rali arall ar 21 Hydref 1967 pan geisiodd protestwyr feddiannu swyddfeydd yn y Pentagon. Cafwyd protestiadau, ralïau a gwrthdystiadau ledled America, o Efrog Newydd i Galifornia, ac yn fynych bu ymladd treisgar rhwng protestwyr a chefnogwyr y rhyfel a'r heddlu. Yn Lloegr cafwyd gorymdeithiau a ralïau enfawr yn Sgwâr Trafalgar, megis pan arestiwyd 200 o brotestwyr y tu allan i Lysgenhadaeth America ar 17 Mawrth 1968.[15]

Dyma gyfnod protestiadau pobl dduon America a'r pwyso am hawliau cyfartal â'r bobl wynion. Dan ddylanwad yr arweinydd carismatig Martin Luther King, cafwyd protestiadau a gwrthdystiadau niferus trwy America gydol y chwedegau, megis y 'sit-in' gan bedwar myfyriwr du mewn lle bwyta yn Greensboro, Gogledd Carolina, ar 1 Chwefror 1960, a gorymdaith 25,000 o ymgyrchwyr sifil ym Montgomery, Alabama, ym mis Mawrth 1965. Trodd y protestiadau yn dreisgar, fodd bynnag, gan arwain at ymladd a sawl terfysg ledled America. Lladdwyd degau o bobl yn enw mudiad y duon, gan gynnwys Malcolm X, cyn-arweinydd y Mwslemiaid Duon, ar 21 Chwefror 1965, a Martin Luther King ar 4 Ebrill 1968 ym Memphis,

Tennessee. Bu hefyd bwyso am ddiarddel De Affrica o'r chwaraeon rhyngwladol hyd nes iddynt ddiddymu trefn anghyfiawn apartheid. Gwrthododd 32 o genhedloedd Affrica gymryd rhan yng Ngemau Olympaidd Mexico ym 1968 am fod De Affrica wedi cael gwahoddiad i gystadlu. Cafwyd protestio chwyrn adeg teithiau timau rygbi a chriced De Affrica ym Mhrydain ar ddiwedd y chwedegau, gan gynnwys protest ffyrnig y tu allan i faes rygbi Twickenham pan geisiodd rhai o'r protestwyr gipio bws tîm De Affrica. Bu'r protestiadau yn erbyn teithiau'r Springbok nid yn unig yn fodd i fynegi gwrthwynebiad at apartheid, ond hefyd yn gyfle i'r ifainc fynegi eu rhwystredigaeth a'u hanniddigrwydd cynyddol ynglŷn â'r math o wleidyddiaeth ffurfiol, bleidiol, a oedd wedi methu dymchwel anghyfiawnder apartheid.[16]

Cafwyd protestiadau difrifol hefyd gan fyfyrwyr ledled Ewrop, ac yn enwedig yn America. Buont yn pwyso ac yn ymgyrchu am newidiadau o fewn y prifysgolion am flynyddoedd; galwent am gynrychiolaeth ar gyrff llywodraethol, a mwy o drafod ar gynnwys cyrsiau, dulliau dysgu ac arholi. Serch hynny, treuliai'r myfyrwyr y rhan fwyaf o'u hamser yn ymgyrchu o blaid rhyddid barn, yn erbyn y rhyfel yn Fietnam, a thros hawliau cyfartal pobl dduon. Yn America cychwynnodd protestiadau'r myfyrwyr ym Mhrifysgol Berkeley, California, lle'r arestiwyd yr arweinydd Mario Savio yn ystod cyfarfod cyhoeddus a drefnwyd er mwyn galw am ryddid barn a'r hawl i gynnal protestiadau, ac a fynychwyd gan 13,000 o fyfyrwyr. Yn fuan wedyn lledodd y protestiadau i brifysgolion ledled America, i Efrog Newydd, Chicago, Texas, Boston, a hyd yn oed i Yale a Harvard. Yn Ffrainc ar 3 Mai 1968 arweiniwyd protest enfawr yn y Sorbonne, Prifysgol Paris, gan Daniel Cohn-Bendit o'r Chwith Newydd, pryd y meddiannwyd adeiladau gan fyfyrwyr. Ysbrydolwyd gweithwyr y wlad i fynd ar streic gyffredinol mewn protest yn erbyn polisïau de Gaulle, a bu bron iddynt ddymchwel llywodraeth y wlad. Trodd rhai protestiadau yn ffyrnig: anafwyd myfyrwyr yn ystod protest yn y London School of Economics ar 31 Ionawr 1967; ym Mhrifysgol Berkeley ym mis Mai 1969 ymosododd yr heddlu ar fyfyrwyr â drylliau a nwy dagrau; ac yn ystod protestiadau ym Mhrifysgol Genedlaethol Mexico City ym mis Medi a mis Hydref 1968 lladdwyd 49 o fyfyrwyr gan filwyr y wlad.[17]

Y cynnwrf yng Nghymru

Yng nghanol y berw rhyngwladol hwn, felly, y sefydlwyd Cymdeithas yr Iaith Gymraeg. Yr oedd Cymru, fel gweddill gwledydd Ewrop, wedi profi newidiadau cymdeithasol ac economaidd tra sylfaenol er yr Ail Ryfel Byd. Ym 1939 yr oedd 145,867 o'r boblogaeth yswiriedig yn ddi-waith. Erbyn 1962 yr oedd y ffigur brawychus hwnnw wedi gostwng i 36,590, sef 3.8 y cant o'r boblogaeth yswiriedig. Cafwyd cynnydd mewn cyflogau rhwng 1950 a 1960, ac wrth i wragedd gael gwell cyfleoedd i weithio yr oedd enillion teuluol gryn dipyn yn fwy.[18] Yn sgil gwell amodau gwaith, cododd safon byw y Cymry.[19] Ym 1956 daeth dogni i ben. Yr oedd cyfoeth modern wedi cyrraedd Cymru yn ogystal â gweddill gwledydd y gorllewin. Adlewyrchid hynny yn nifer y bobl a oedd yn berchen ceir – yn ôl John Davies, ceid 110,000 o geir trwyddedig yng Nghymru ym 1951, ond erbyn 1971 yr oedd cynifer â 606,000. Erbyn 1960 yr oedd set deledu gan gymaint â 60 y cant o deuluoedd Cymru.[20] Amlhaodd y cyfleoedd am addysg, yn enwedig addysg brifysgol: cynyddodd nifer y myfyrwyr ym Mhrifysgol Cymru o 4,863 ym 1951 i 14,915 ym 1971.[21]

Gwelwyd, felly, yr un patrwm yn union o newidiadau cymdeithasol ac economaidd yng Nghymru yn sgil yr Ail Ryfel Byd ag a gafwyd yng ngweddill gwledydd y gorllewin megis Lloegr, Ffrainc, ac America, sef y rhai a brofodd gynnwrf gwrthdystiadau. Ond yn bwysicach na dim yr oedd y *baby-boom* a ddaeth yn sgil rhyddhau'r milwyr o'u byddinoedd ar ôl y rhyfel wedi effeithio ar Gymru yn yr union fodd yr effeithiodd ar y gwledydd eraill.[22] Trigai 2,644,000 o bobl yng Nghymru ym 1961, yn ôl tystiolaeth y cyfrifiad, ond erbyn 1971 yr oedd y nifer yn 2,731,000.[23] Daeth cenhedlaeth ifanc newydd i'w hoed yng nghanol y chwedegau. Yr un hefyd fyddai prif nodwedd y chwedegau yng Nghymru ag ym mhobman arall, sef gwrthdaro rhwng y to ifanc a'r to hŷn.

Datblygodd y genhedlaeth newydd ei gwerthoedd ei hun, ac yr oedd y rheini yn fynych yn dra gwahanol i werthoedd eu rhieni. Ymroes yr ifainc i feithrin diwylliant poblogaidd a beiddgar, a fyddai, yn eu tyb hwy, yn cyd-fynd â'u delwedd o'r Gymru newydd. Gwelwyd hynny yng nghaneuon angerddol Dafydd Iwan, yn nofelau mentrus John Rowlands, ac yn rhai o gyhoeddiadau rhyfygus Robat Gruffudd yng ngwasg Y Lolfa.[24] Gallai'r diwylliant ifanc fod yn amharchus o herfeiddiol, fel y dengys tudalennau *Lol,* ond rhan annatod o'r is-ddiwylliant ieuenctid rhyngwladol oedd yr awydd i dynnu blewyn o drwyn ac i godi braw ar y genhedlaeth hŷn. Gwelai meibion y mans fel Dafydd Iwan y chwedegau fel:

> . . . cyfnod o ymryddhau nid yn unig oddi wrth ormes Seisnigrwydd a Phrydeindod, ond hefyd i raddau helaeth oddi wrth ormes gwaethaf Anghydffurfiaeth a Phiwritaniaeth. Roedd mynd i dafarn ynddo'i hun yn weithred oedd yn herio'r drefn roedd y rhan fwyaf ohonom wedi cael ein magu ynddi, lle roedd y dafarn a'r ddiod yn bechod anfaddeuol.[25]

Yn ogystal â'r hwyl yr oedd gan y gwerthoedd newydd hyn oblygiadau gwleidyddol pwysig. Yn ôl Emyr Humphreys: 'the cause is that much more attractive to the young because it is flatly opposed to the materialism and economic determinism of the ruling party'.[26] Ond ni fu holl newidiadau cymdeithasol ac economaidd Cymru yn sgil y rhyfel yn rhai bendithiol. Bu rhai newidiadau ar raddfa mor eang ac mor drylwyr fel y trawsffurfiwyd cymdeithas ac economi Cymru bron yn gyfan gwbl. Ni fyddai glo bellach yn brif gynnyrch Cymru; ni fyddai Ymneilltuaeth bellach yn brif grefydd y Cymry; ni fyddai'r cylchgrawn a'r papur newydd bellach yn brif gyfrwng y Cymry; ac ni fyddai'r Gymraeg bellach yn famiaith i fwy nag odid chwarter y boblogaeth.

    Yr oedd y bygythiad i ddyfodol y Gymraeg yn fwy yn ail hanner yr ugeinfed ganrif nag erioed o'r blaen. O ganlyniad i rym newydd y cyfryngau torfol a symudoledd y boblogaeth, ymdreiddiodd dylanwadau Seisnig fwyfwy i'r ardaloedd anghysbell hynny lle'r oedd y Gymraeg yn iaith naturiol. Wrth i Gymru apelio fwyfwy at Saeson fel cyrchfan twristaidd, a hyd yn oed fel lle i sefydlu cartref newydd, gwelwyd crebachu sylweddol ar yr hyn a elwid 'Y Fro Gymraeg'. Nid oedd gan y Gymraeg unrhyw statws swyddogol mewn gweinyddiaeth, cyfraith, llywodraeth ganol na lleol. Er ei bod yn cael ei dysgu mewn nifer o ysgolion cynradd ac uwchradd trwy Gymru, nid oedd iddi statws 'craidd' ac arswydid rhag ei 'gorfodi' ar blant. Dewisai llawer o rieni i'w plant ddysgu Ffrangeg neu ryw bwnc arall yn hytrach na'r Gymraeg. Profiad cyffredin oedd darllen llythyrau tebyg i eiddo'r rhiant hwn o Foncath, Sir Benfro, yn y wasg yn ystod y chwedegau:

The Welsh Language is for us, the Welsh people, to speak amongst ourselves. Let us not force it on English people who do not want it. If we want our children to be well-educated and get good jobs, subjects in English are essential, as English is a world language.[27]

Ym 1951 yr oedd 84 y cant o fyfyrwyr Prifysgol Cymru yn hanu o Gymru, 13 y cant o weddill gwledydd Prydain, ac un y cant o wledydd tramor. Erbyn 1971 deuai 37 y cant yn unig o Gymru, tra deuai 59 y cant o weddill gwledydd Prydain a 4 y cant o wledydd tramor.[28] Yr oedd y proses o Seisnigo Cymru, ei sefydliadau, ei broydd a'i phobl yn digwydd yn gyflymach a ffyrnicach nag erioed o'r blaen. Pan gyhoeddwyd canlyniadau Cyfrifiad 1961 (ychydig wythnosau ar ôl darlledu *Tynged yr Iaith*) dangoswyd mai 26 y cant o boblogaeth Cymru yn unig a fedrai siarad yr iaith, gostyngiad o 8.2 y cant er 1951.[29]

Gofid enbyd i lawer iawn o Gymry oedd gweld y fath drawsffurfiad yn digwydd yng nghymdeithas Cymru a'r iaith Gymraeg ar y goriwaered. Er eu bod yn cydnabod bod angen ateb gwleidyddol i'r problemau hyn, yr oedd yr ymdeimlad o ddadrith lawn mor gryf yng Nghymru ag yr ydoedd yn Ffrainc neu America. Erbyn 1962 yr oedd y Blaid Geidwadol wedi bod mewn grym ym Mhrydain ers dros ddeng mlynedd, er na chawsai fwyafrif o'r bleidlais yng Nghymru erioed. Prif blaid Cymru, yn ôl maint y teyrngarwch a hawliai gan etholwyr y wlad oedd y Blaid Lafur, ac er bod amryw o'i haelodau yn Gymry cefnogol i'r Gymraeg, megis James Griffiths, S. O. Davies a Cledwyn Hughes, yr oedd yn ei rhengoedd hefyd rai fel George Thomas, Ness Edwards, Leo Abse, a Iori Thomas a oedd yn elyniaethus i'r iaith Gymraeg ac yn casáu cenedlaetholdeb a chenedlaetholwyr â chas perffaith.[30] Yn yr un modd, ni allai Plaid Cymru ychwaith hawlio ymddiriedaeth lwyr y to ifanc yn y chwedegau.

Nid oedd Plaid Cymru wedi ennill sedd yn yr un etholiad cyffredinol na lleol er ei ffurfio ym 1925, ac yr oedd ei chefnogwyr ifainc yn prysur golli amynedd. Methiant fu Etholiad Cyffredinol mis Hydref 1959 i Blaid Cymru, hyd yn oed ym Meirionnydd, lle'r ymladdai ei gobaith pennaf, sef Gwynfor Evans, llywydd y Blaid. Methiant fu etholiadau lleol 1962 hefyd i bob pwrpas, er bod maint y bleidlais dros Blaid Cymru a'r Rhyddfrydwyr wedi cynyddu yn ne

Cymru. Cafwyd cyfle eto ym 1962, gydag isetholiad sir Drefaldwyn yn sgil marw Clement Davies. Cynigiodd y Blaid y llenor adnabyddus Islwyn Ffowc Elis fel ei hymgeisydd, ac yr oedd gobeithion mawr gan ei chefnogwyr mai hon fyddai eu sedd gyntaf. Ond collodd y Blaid ei hernes yn yr isetholiad. Collwyd hefyd yr isetholiad ar gyfer Cyngor Rhydaman, lle y rhoddwyd llawer o sylw i'r Blaid o ganlyniad i lwyddiant ei hymgeisydd, Gwynfor S. Evans, yn ennill hawl gyfreithiol bwysig ym Mai 1962 pan fynnodd gael ffurflenni enwebu Cymraeg. Ni chawsai ei enwebiad ei dderbyn yn lleol ar sail y ffaith iddo wrthod llenwi ffurflen enwebu Saesneg. Yn sgil penderfyniad pwysig yr Uchel Lys fod y ffurflen Gymraeg yn ddilys am mai'r Gymraeg oedd iaith mwyafrif y boblogaeth leol, galwyd am ailymladd yr isetholiad er bod yr ardal eisoes wedi ethol yr ymgeisydd sosialaidd. Yr oedd Plaid Cymru yn hyderus wedi'r holl sylw a gawsai, ond collwyd yr isetholiad ac aeth y Blaid yn gyff gwawd.[31]

Ond diau mai achos pennaf y rhwystredigaeth â Phlaid Cymru erbyn 1962 oedd ei methiant i rwystro Corfforaeth Dŵr Lerpwl rhag boddi pentref Capel Celyn. Yr oedd y ffaith fod trigolion Glannau Mersi wedi cael cyflenwad o ddŵr trwy foddi pentref a chymuned a oedd yn nodweddiadol o'r gymdeithas wledig, Gymraeg, draddodiadol yn dân ar groen y Cymry, boed yn genedlaetholwyr ai peidio, a'r ffaith eu bod wedi llwyddo i wneud hynny er gwaethaf gwrthwynebiad y farn gyhoeddus yng Nghymru a mwyafrif llethol aelodau seneddol Cymru wedi achosi i lawer golli ffydd yn y gyfundrefn wleidyddol. At hynny, yr oedd methiant Plaid Cymru i fanteisio ar y teimladau cryfion a fynegwyd gan Gymry o bob rhan o'r wlad ac o bob cefndir gwleidyddol wedi creu ymdeimlad cryf o rwystredigaeth ymhlith yr ifainc.[32] Rhoddwyd mynegiant i'r rhwystredigaeth hon yng ngweithred David Walters a David Pritchard, dau aelod o Blaid Cymru yn sir Fynwy, yn difrodi peiriannau yn Nhryweryn ym Medi 1962, ac yna ym mis Chwefror 1963, pan ddifrodwyd rhagor o beiriannau'r gronfa ddŵr â ffrwydron gan Emyr Llewelyn Jones, mab y bardd a'r llenor T. Llew Jones, ynghyd â dau arall. Dedfrydwyd Emyr Llew i flwyddyn o garchar yn sgil hynny. Yna, ym mis Ebrill 1963, difrodwyd peilon yng Ngellilydan, ger Trawsfynydd, gan ddau ŵr ifanc, un ohonynt, Owain Williams, yn gadeirydd cangen ieuenctid Plaid Cymru ym Mhwllheli. Carcharwyd yntau am flwyddyn.[33]

O ganlyniad i'r rhwystredigaeth lethol hon, gwelwyd rhwygiadau amlwg yn rhengoedd Plaid Cymru, gyda charfan helaeth yn pwyso am newid yn ei strategaeth, ei dulliau a'i harweinyddiaeth. Ym mis Hydref 1960 cynhaliwyd cyfarfod yng ngwesty'r Belle Vue yn Aberystwyth i drafod dulliau cyfansoddiadol ac anghyfansoddiadol o hybu cenedlaetholdeb. Yn y grŵp a elwid 'Cymru Ein Gwlad', ceid nifer o aelodau a chefnogwyr anniddig y Blaid a oedd hefyd yn gefnogol i'r syniad o ddefnyddio dulliau mwy uniongyrchol o hyrwyddo achos Cymru.[34] Nid oedd llawer o'r genhedlaeth iau ychwaith yn fodlon â safiad Plaid Cymru ar fater yr iaith, gan iddi gael ei denu i ymgyrchu fwyfwy ym mroydd di-Gymraeg y de diwydiannol ac anghofio, pan oedd hynny'n gyfleus, fod mater yr iaith yn destun gofid i lawer o'i haelodau.

Yr oedd cryn anniddigrwydd, felly, yn bodoli yn rhengoedd Plaid Cymru pan ddarlledwyd darlith radio flynyddol y BBC yng Nghymru – *Tynged yr Iaith* – ar nos Fawrth, 13 Chwefror 1962, a thrwy alw ar y Blaid a'i harweinwyr i roi'r gorau i'w hymgyrchoedd etholiadol ac i ddefnyddio'r iaith Gymraeg fel erfyn gwleidyddol, llwyddodd Saunders Lewis i beri i garfan o aelodau anfoddog sefydlu mudiad y tu allan i Blaid Cymru, sef Cymdeithas yr Iaith Gymraeg. Deil yr hanesydd John Davies y gellir ystyried y ddarlith radio a sefydlu'r Gymdeithas fel 'cynnyrch yr ymryson a fu yn rhengoedd y cenedlaetholwyr Cymreig yn y blynyddoedd ar ôl etholiad 1959'.[35]

Pwy oedd aelodau Cymdeithas yr Iaith?

Trown yn awr at aelodau ac arweinwyr Cymdeithas yr Iaith Gymraeg.[36] Yn ôl y ddelwedd a gyflwynwyd gan y cyfryngau trwy gydol y chwedegau, y saithdegau a'r wythdegau, ciwed swnllyd ac anaeddfed o fyfyrwyr gwyllt, hwliganaidd, a oedd yn peintio a difrodi arwyddion ffyrdd, yn eistedd ar balmentydd, yn meddiannu tai haf, ac yn dringo mastiau a pheintio sloganau oedd aelodau'r Gymdeithas. Gan fod y wasg a'r awdurdodau yn fynych yn elyniaethus i brotestiadau'r Gymdeithas, yr oeddynt yn awyddus i feithrin a chynnal delwedd anffafriol o'r mudiad, ac i annog y cyhoedd i'w hystyried yn ddim namyn ffurf Gymreig ar brotestwyr croch a hirwallt America a Ffrainc.

Fodd bynnag, dengys astudiaeth o gefndir y dwsin a oedd yn bresennol yng nghyfarfod sefydlu Cymdeithas yr Iaith ym

Mhontarddulais ym 1962 fod aelodau cyntaf y mudiad yn dra gwahanol i'r ddelwedd honno. Carfan o bobl addysgedig, ddosbarth-canol, yn amrywio o ran oed oedd yr arweinwyr cyntaf, ac nid ciwed afreolus o fyfyrwyr uchel eu cloch. Cyfartaledd oed y sylfaenwyr oedd 27 oed; yr oedd yr ieuengaf yn 19 oed a'r hynaf yn 47 oed. Yr oedd deg o'r deuddeg yn ddynion, pedwar yn fyfyrwyr, er bod tri o'r rheini yn fyfyrwyr ymchwil neu'n fyfyrwyr a oedd yn dilyn cwrs ymarfer dysgu, a'r gweddill mewn gwaith llawnamser. O'r rhai a oedd mewn gwaith, yr oedd dau wedi sefydlu fferm gydweithredol yn Nhalgarreg, dau yn athrawon, un yn newyddiadurwr, un yn ddarlithydd prifysgol, ac un yn ysgrifenyddes. Yr oedd pawb ond un wedi derbyn addysg brifysgol. O ran cefndir, yr oedd y mwyafrif yn perthyn i'r dosbarth canol, gan fod nifer o'u rhieni yn feddygon, gweinidogion, darlithwyr, athrawon a swyddogion cyfrifon. Yn ddaearyddol, hanai tua eu hanner yn wreiddiol o Forgannwg (Caerdydd, Castell-nedd, Rhondda, Abertawe), a'r hanner arall yn wreiddiol o Wynedd, Dyfed a Chlwyd (Trefor, Caernarfon, Rhandir-mwyn, a'r Rhyl). Erbyn sefydlu'r Gymdeithas ym 1962, fodd bynnag, yr oedd hanner y sylfaenwyr hyn yn byw yn Nyfed (Talgarreg, Rhandir-mwyn, a Choleg Prifysgol Cymru, Aberystwyth), a'r gweddill yn byw ym Merthyr Tudful, Bangor, Y Rhyl, Casnewydd a Chaer-grawnt. Gellir casglu, felly, fod rhai patrymau pendant i'w canfod trwy astudio'r rheini a oedd yn bresennol yn y cyfarfod sefydlu yn Awst 1962.

Mudiad i oedolion ifainc, yn enwedig myfyrwyr, oedd Cymdeithas yr Iaith Gymraeg trwy gydol y cyfnod rhwng 1962 a 1992.[37] Yn ystod tair blynedd gyntaf y mudiad, fodd bynnag, cododd cyfartaledd oed swyddogion ac aelodau Pwyllgor Canol y Gymdeithas o 27 i 29 oed wrth i'r aelodau osod y cyfrifoldeb am arwain y mudiad yn nwylo swyddogion mwy profiadol a oedd, yn naturiol, ychydig yn hŷn.[38] Disgyn yn raddol, fodd bynnag, a wnaeth y cyfartaledd oed gydag amser. Rhwng 1965 a 1968 disgynnodd i 26 oed, yn bennaf oherwydd bod aelodau newydd, iau, wedi ymuno â'r Pwyllgor Canol, patrwm a welir yn gyson trwy gydol hanes y mudiad. Erbyn 1968–9 yr oedd y cyfartaledd wedi disgyn i 25 oed, ac erbyn 1970–1 i 24 oed.

Drwy gydol y saithdegau, arhosodd cyfartaledd oed aelodau'r Senedd, sef corff llywodraethol Cymdeithas yr Iaith er 1971, oddeutu 22–24 oed. Y saithdegau oedd cyfnod euraid y diwylliant ieuenctid Cymraeg, ac adlewyrchir miri'r ymgyrch arwyddion ac ymgyrch y

Trwy Ddulliau Chwyldro . . .?

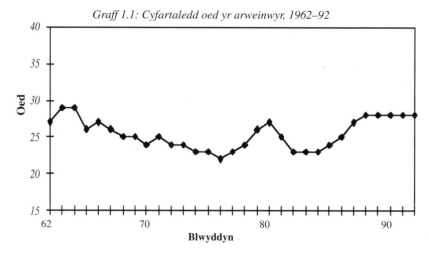

Graff 1.1: Cyfartaledd oed yr arweinwyr, 1962–92

sianel deledu Gymraeg yng nghaneuon protest Dafydd Iwan, megis 'Peintio'r Byd yn Wyrdd', a chaneuon hwyliog grwpiau megis y Tebot Piws, a'u cân 'Ie, Ie, 'Na Fe', a oedd yn gyforiog o gyfeiriadau at yr hwyl a'r asbri a geid yn ymgyrchoedd y Gymdeithas.[39] Erbyn 1980, fodd bynnag, yn sgil methiant y Refferendwm ar Ddatganoli, ac ethol Llywodraeth Geidwadol, gwelwyd y Gymdeithas yn ymdrechu yn fwriadol i recriwtio nifer o aelodau hŷn i'r Senedd. Cododd y cyfartaledd oed i 27 oed (amrywiai oed yr aelodau o 19 oed i 61 oed). Y bwriad oedd ceisio profi i'r byd a'r betws fod y mudiad yn un aeddfed a difrifol. Cafwyd ambell sylw i'r perwyl hwnnw gan y cadeirydd ym 1981, sef Meri Huws. Cydnabu fod y Gymdeithas yn y gorffennol wedi tueddu i fod yn fudiad ar gyfer myfyrwyr, a mynegodd ei hawydd i sicrhau lle i bawb – yn fyfyrwyr, teuluoedd a phobl ganol-oed – o fewn ei rhengoedd.[40] Rhaid cydnabod, wrth gwrs, fod y Gymdeithas hefyd wedi apelio fwyfwy at y genhedlaeth hŷn oherwydd canlyniad siomedig y Refferendwm ym 1979 a'r dadrithiad â'r proses gwleidyddol a'r pleidiau gwleidyddol cyfansoddiadol.

Beth bynnag oedd gobeithion y cadeirydd ym 1981, dengys Graff 1.1 mai disgyn eto a wnaeth cyfartaledd oed aelodau'r Senedd yn yr wythdegau cynnar i tua 24 oed. Gwelwyd aelodau newydd yn mynd a dod o hyd, gan gadw'r cyfartaledd oed yn isel. Ond erbyn diwedd y deng mlynedd ar hugain gyntaf yn hanes y mudiad yr oedd y cyfartaledd oed wedi codi eto i 28 oed. Parhaodd y cyfartaledd yn uchel o ganlyniad i'r ffaith fod nifer o arweinwyr diweddar y mudiad wedi cadw'n ffyddlon iddo, ac wedi parhau yn aelodau o'r Senedd am gyfnod hwy na'r cyffredin. Yr oedd gan y 52 aelod o'r Senedd ym 1991–2 gyfanswm o 222 mlynedd o brofiad o arwain y mudiad, ac yr oedd pum cyn-gadeirydd a phum cyn is-gadeirydd yn eu plith. Ym 1992, 35 y cant yn unig o aelodau'r Senedd a oedd yn iau na 25 oed, o gymharu â'r sefyllfa ym 1976 pan oedd dros 80 y cant o'r aelodau yn 25 oed neu'n iau.

Gwahanol iawn yw patrwm cyfartaledd oed y gweithredwyr a fu'n ymgyrchu a phrotestio yn enw'r Gymdeithas, fel y dengys Graff 1.2.[41] Ym mlynyddoedd cychwynnol y mudiad, ychydig iawn o weithredu uniongyrchol a gafwyd, heblaw, wrth gwrs, am y digwyddiad y tu allan i Swyddfa'r Post yn Aberystwyth a drodd o fewn awr neu ddwy yn brotest enwog pont Trefechan. Myfyrwyr, yn fwy na heb, a ymunodd â'r ymgyrch gyntaf dros wysion llys Cymraeg, gan dorri'r gyfraith yn fwriadol. Allan o'r chwech a arestiwyd yn yr ymgyrch, yr oedd pedwar yn fyfyrwyr a dau yn ddarlithwyr yng Ngholeg y Brifysgol yn Aberystwyth. Myfyrwyr hefyd oedd mwyafrif y protestwyr yn y brotest fawr ar bont Trefechan, y rhan fwyaf ohonynt wedi cerdded o'u neuaddau preswyl yn y dref neu wedi teithio mewn bws o Fangor. Cyfartaledd oed y gweithredwyr hyn yn y cyfnod o 1963 i 1965 oedd rhwng 24 a 25 oed. Ond pan gychwynnodd yr

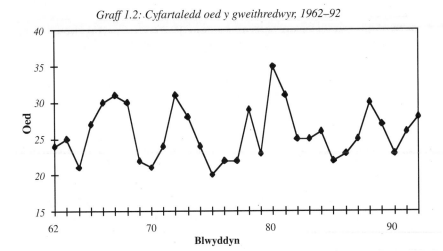

Graff 1.2: Cyfartaledd oed y gweithredwyr, 1962–92

ymgyrchu go iawn, sef yr ymgyrch treth ffordd ar gyfer cerbydau ym 1965–6, cododd y cyfartaledd oed i 29 oed, a'r rheswm am hynny, wrth gwrs, oedd bod yn rhaid bod yn berchen ar gar cyn y gellid ymladd y frwydr arbennig honno.

Disgynnodd cyfartaledd oed y gweithredwyr i 24 oed erbyn diwedd y chwedegau a chychwyn yr ymgyrch arwyddion ffyrdd, oherwydd gallai aelodau o bob oedran ymuno yn yr hwyl o beintio arwyddion uniaith Saesneg liw nos. Apeliai'r ymgyrch hon yn arbennig at ieuenctid y wlad, a chafwyd rhai mor ifanc â 15 ac 16 oed yn ymddangos o flaen y llysoedd yn ystod y saithdegau cynnar am ddifrodi arwyddion ffyrdd. Yn y saithdegau hefyd y dechreuwyd ymgyrchu o ddifrif dros sianel deledu Gymraeg, a chafwyd ymgyrch fawr i wrthod talu trwyddedau teledu ym 1972 a 1973. Cymerodd nifer fawr o'r genhedlaeth hŷn ran yn yr ymgyrch honno, gan fynegi eu hawydd i ddangos eu cefnogaeth i'r genhedlaeth ifanc a'u brwydr dros y Gymraeg. Hyn sydd i gyfrif am y cynnydd sydyn a welir yng nghyfartaledd oed y gweithredwyr yng Ngraff 1.2. Ymunodd llawer o bobl barchus â'r ymgyrch ddarlledu, gan gynnwys nifer fawr o aelodau, a hyd yn oed swyddogion, Plaid Cymru. Yr hynaf o blith 'troseddwyr' yr ymgyrch ddarlledu ym 1972 oedd William Henry Roberts, 83 mlwydd oed, a chyn-swyddog cangen Plaid Cymru yn Llanbadarn Fawr.[42] Yn ystod y saithdegau cynnar, y cyfartaledd oed ar gyfer yr ymgyrch arwyddion ffyrdd oedd oddeutu 22 o'i gymharu ag oddeutu 40 ar gyfer yr ymgyrch ddarlledu.

Ailadroddwyd yr un patrwm eto ym 1976–7 pan ailgychwynnwyd yr ymgyrch i wrthod talu am drwyddedau teledu, ac eto ym 1979–80, pan ymunodd aelodau Plaid Cymru, ac eraill, yn swyddogol â'r ymgyrch. Aelodau ifainc Cymdeithas yr Iaith a fyddai'n cymryd rhan yn yr ymgyrchoedd anghyfansoddiadol mwyaf milwriaethus, trwy feddiannu tai haf a dringo mastiau teledu, tra ymgyrchai'r genhedlaeth hŷn dros sianel deledu Gymraeg drwy wrthod talu am eu trwyddedau. Parhau oddeutu 23–24 oed a wnaeth y cyfartaledd oed yn yr wythdegau cynnar, gyda'r ymgyrchu anghyfansoddiadol yn lleihau a'r mudiad yn profi cyfnod tawel yn sgil brwydr ddrud y sianel. Ond wrth i'r ymgyrch dros Ddeddf Iaith ddiwygiedig godi stêm ar ddiwedd y degawd, penderfynodd llawer o aelodau a chefnogwyr canol-oed weithredu yn enw'r Gymdeithas trwy wynebu achosion llys er mwyn rhoi mwy o hygrededd i'r achos ac ennill mwy o sylw o du'r cyfryngau. Hyn a oedd yn gyfrifol unwaith eto am y cynnydd sydyn a welir yng nghyfartaledd oed gweithredwyr y Gymdeithas ym 1988 a 1990 yng Ngraff 1.2. Serch hynny, gan na chododd cyfartaledd oedran arweinwyr y Gymdeithas dros 29 oed, na chyfartaledd oedran ei gweithredwyr dros 35 oed trwy gydol y deng mlynedd ar hugain dan sylw, diogel yw casglu mai mudiad i oedolion ifainc oedd Cymdeithas yr Iaith.[43]

Fel y dengys Tabl 1.1 a Thabl 1.2 isod, atgyfnerthwyd y ddelwedd ifanc a feddai'r Gymdeithas gan y cyfartaledd uchel o fyfyrwyr a disgyblion ysgol a geid o fewn ei rhengoedd. Bu myfyrwyr yn amlwg iawn fel arweinwyr y mudiad trwy gydol ei hanes. Gwelwyd eisoes fod traean yr unigolion hynny a oedd yn bresennol yng nghyfarfod sefydlu'r Gymdeithas ym 1962 yn fyfyrwyr, a dengys Tabl 1.1 gymaint o ddylanwad a gafodd myfyrwyr coleg ar arweinyddiaeth y mudiad:

Tabl 1.1: Canran yr arweinwyr a oedd yn fyfyrwyr a disgyblion ysgol, 1962–92

Cyfnod	Myfyrwyr	Disgyblion
1962–5	28%	0%
1966–70	29%	0%
1971–5	46%	0%
1976–80	34%	2%
1981–5	36%	4%
1986–90	28%	9%
1991–2	23%	7%

Bu myfyrwyr yn amlwg iawn yn rhengoedd y Pwyllgor Canol rhwng 1962 a 1970, gan gynrychioli 29 y cant o'r holl arweinwyr (yn wir, yr oedd myfyrwyr yn cynrychioli dros hanner aelodau Pwyllgor Canol 1968–9). Yn ystod y saithdegau, cynrychiolid cymaint â 40 y cant o aelodau Senedd y mudiad gan fyfyrwyr. Yr oedd aelodau ifainc y Gymdeithas yn fwy amlwg a gweithgar yn y saithdegau nag mewn unrhyw ddegawd arall, fel y tystia ffigurau cyfartaledd oed yr arweinwyr. Yr oedd hynny'n ganlyniad i'r ymchwydd mewn hunaniaeth a balchder cenedlaethol a brofwyd yng Nghymru yn y cyfnod hwnnw, wrth i genedlaetholwyr ethol tri aelod seneddol i San Steffan yn ail etholiad 1974, ac wrth iddynt baratoi'n hyderus ar gyfer y frwydr dros ddatganoli. Gan mai Cymdeithas yr Iaith oedd adran ieuenctid y mudiad cenedlaethol i bob pwrpas, cynyddai ei rhengoedd wrth i fyfyrwyr Cymraeg gymryd rhan fwy uniongyrchol mewn gwleidyddiaeth brotest nag erioed o'r blaen. Glynai myfyrwyr yn dynn wrth arweinyddiaeth y mudiad trwy gydol yr wythdegau hefyd, er bod y cyfartaledd, sef 32 y cant, dipyn yn is, ac erbyn 1992 yr oedd cyfartaledd aelodau Senedd y Gymdeithas a oedd yn fyfyrwyr wedi disgyn i 25 y cant. Gwelir bod hyn eto yn cyd-fynd â'r newid a gafwyd yng nghyfartaledd oedran aelodau'r Senedd ym 1992, a oedd wedi codi i 28 oed.

Dengys Tabl 1.1 hefyd mai ychydig iawn o gyfle a roddid i ddisgyblion ysgol i fod yn arweinwyr ar y mudiad. Peth naturiol oedd i aelodau ychydig yn hŷn fel rheol arwain mudiad fel Cymdeithas yr Iaith. Serch hynny, syndod yw gweld cyn lleied o ddisgyblion ar ei Phwyllgor Canol a'i Senedd, yn enwedig o gofio, fel y cawn weld yn nes ymlaen, mai dyna oedd cymaint o'r aelodau cyffredin. Mewn cyfarfod o'r Senedd ym 1985, rhybuddiwyd yr arweinwyr eu bod wedi colli cysylltiad â thrwch yr aelodaeth gan na roddwyd cynrychiolaeth deg i ddisgyblion ar y corff rheoli.[44] Yn sgil hynny ffurfiwyd ffederasiynau ysgolion y Gymdeithas er mwyn sicrhau eu bod yn cael cyfrannu'n llawn i weithgareddau'r mudiad; hyn sy'n esbonio'r cynnydd bychan a welir yn Nhabl 1.1 yn y ganran o aelodau'r Senedd a oedd yn ddisgyblion. Er hynny, parhau yn lleiafrif a wnaent, a gellir priodoli hynny i ryw barchedig ofn o rai arweinwyr hŷn yn hytrach nag i ddiffyg democratiaeth yng nghyfansoddiad y mudiad.

Digon tebyg yw natur yr ystadegau am weithredwyr Cymdeithas yr Iaith. Ymddengys mai myfyrwyr coleg unwaith eto oedd trwch gweithredwyr y mudiad. Yr oeddynt hwy yn fwy na pharod i dorri'r gyfraith o blaid yr iaith, er mai araf oeddynt, o ran niferoedd, i wneud hynny ar y dechrau. Serch mai myfyrwyr oedd y rhan fwyaf o'r troseddwyr yn ymgyrch y gwysion llys ar ddechrau'r chwedegau, fel y dengys Tabl 1.2, enillwyd y blaen arnynt gan aelodau ychydig yn hŷn yn yr ymgyrch treth ffordd, a ddechreuodd pan ddygwyd Geraint Jones gerbron ynadon Castell-nedd ym mis Ebrill 1965.

Tabl 1.2: *Canran y gweithredwyr a oedd yn fyfyrwyr a disgyblion ysgol, 1962–92*

Cyfnod	Myfyrwyr	Disgyblion
1962–5	72%	0%
1966–70	47%	2%
1971–5	39%	5%
1976–80	65%	6%
1981–5	64%	4%
1986–90	42%	13%
1991–2	64%	0%

Ni fyddai myfyrwyr yn llywodraethu ymgyrchoedd y Gymdeithas tan 1969, sef adeg cychwyn yr ymgyrch arwyddion ffyrdd dwyieithog. Yn y flwyddyn honno disgynnodd cyfartaledd oedran y gweithredwyr yn sydyn iawn o 30 oed (1968) i 22 oed (1969). Diau y denid yr ifainc gan yr hwyl a'r asbri a geid wrth beintio arwyddion, ac fe welir hynny'n amlwg iawn yn y ffaith mai myfyrwyr oedd 47 y cant o'r aelodau a ddygwyd gerbron llys barn rhwng 1965 a 1970.

Hawdd esbonio paham y bu cymaint o fyfyrwyr mor barod i gymryd rhan yn ymgyrchoedd anghyfansoddiadol y Gymdeithas. Yr oedd Cymdeithas yr Iaith yn cynnig achos anrhydeddus i fyfyrwyr ifainc cenedlaetholgar; yr oedd llawer o hwyl i'w gael wrth dorri'r gyfraith a herio awdurdod a rhyw ramant mewn aberthu a dioddef dros yr iaith Gymraeg; a hwythau yn ddibriod, nid oedd ganddynt gyfrifoldebau teuluol na swyddi i'w diogelu na morgeisi i'w talu. Trwy gymryd rhan yn ymgyrchoedd y Gymdeithas yr oeddynt yn cael bod yn rhan o ddiwylliant rhyngwladol y rebel, profiad cynhyrfus a chyffrous i genedlaethau o Gymry ifainc.[45] Eto i gyd, nid peth hawdd oedd troseddu yn fwriadol ar ddechrau'r chwedegau, yn enwedig yn y Gymru Gymraeg, lle'r oedd dangos parch at y gyfraith yn ddisgwyliedig, a herio llywodraeth gwlad yn bechadurus. Ond herio'r gyfraith a holl reolau cymdeithas a wnaed, a hynny yn ddi-ofn a digyfaddawd trwy ddefnyddio anufudd-dod sifil a phrotest, sef arfau'r ifainc ym mhedwar ban byd yn ystod y chwedegau.

Yn ystod hanner cyntaf y saithdegau, yr oedd myfyrwyr neu ddisgyblion ysgol yn cynrychioli 44 y cant o holl weithredwyr y

Gymdeithas (39 y cant yn fyfyrwyr, 5 y cant yn ddisgyblion ysgol). Myfyrwyr a disgyblion ysgol, bron yn ddieithriad, a oedd yn weithgar yn yr ymgyrch arwyddion ffyrdd, ac athrawon, gweinidogion a phobl broffesiynol a oedd yn weithgar yn yr ymgyrch ddarlledu. Ni chymerodd aelodau ifainc fawr ddim sylw o'r ymgyrch ddarlledu nes y dechreuwyd meddiannu stiwdios teledu a dringo mastiau. Erbyn 1977 yr oedd dros 70 y cant o'r aelodau a ddaeth o flaen y llysoedd oherwydd eu rhan mewn ymgyrchoedd torcyfraith yn fyfyrwyr ac yn ddisgyblion ysgol, a dengys Tabl 1.2 fod cymaint â 68 y cant o'r gweithredwyr yn fyfyrwyr ac yn ddisgyblion ysgol yn ystod hanner cyntaf yr wythdegau. Erbyn diwedd yr wythdegau yr oedd y genhedlaeth hŷn wedi ymwrthod ag ymgyrchoedd torcyfraith y Gymdeithas, heblaw am yr ymgyrch dros Ddeddf Iaith ddiwygiedig pan ymunodd nifer o bobl amlwg a 'pharchus' Cymru â'r protestwyr. Wedi hynny, gyda degawd newydd o frwydro yn gwawrio, disgynnodd y cyfrifoldeb am barhau â brwydr yr iaith unwaith yn rhagor ar ysgwyddau'r ifainc.

Nid myfyrwyr a disgyblion ysgol yn unig a oedd yn weithgar yn y mudiad; yr oedd carfan bur sylweddol o bobl broffesiynol yn perthyn iddo hefyd. Dengys Tabl 1.3 ddosbarthiad arweinwyr y Gymdeithas yn ôl eu galwedigaeth. Gellir gweld bod 27 y cant o arweinwyr y mudiad rhwng 1962 a 1992 yn athrawon a darlithwyr, 14 y cant yn dal swyddi clerigol, a 15 y cant yn perthyn i alwedigaethau proffesiynol eraill, megis y gyfraith, meddygaeth, llyfrgellyddiaeth, a'r cyfryngau. Yr oedd gan athrawon broffil uchel ar y Pwyllgor Canol hyd 1970; dyna oedd gwaith traean o'r arweinwyr yn ystod y chwedegau (h.y. yr oedd cymaint â 5 arweinydd o bob 8 yn athro ym 1966–7). Gwelwyd patrwm cyson yn y Pwyllgor Canol yn ystod y tair blynedd gyntaf, gyda chyfartaledd uchel iawn o ddarlithwyr ac athrawon (dros 60 y cant) yn aelodau ohono. Y mae hynny'n esbonio'r ffaith mai 29 oedd cyfartaledd oedran aelodau'r Pwyllgor Canol ar y pryd.

Yn ystod y saithdegau, fodd bynnag, wrth i'r Gymdeithas gael ei harwain gan genhedlaeth newydd o fyfyrwyr, disgynnodd cyfartaledd yr arweinwyr hynny a oedd mewn swyddi proffesiynol. Disgynnodd canran yr athrawon ar y corff rheoli o 35 y cant yn ystod y chwedegau i 17 y cant yn ystod y saithdegau, a chanran y darlithwyr o 22 y cant i un y cant. Yr unig alwedigaethau a oedd i brofi cynnydd oedd y

Tabl 1.3: *Dosbarthiad yr arweinwyr yn ôl gwaith, 1962–92*

Gwaith	1962–5	1966–70	1971–5	1976–80	1981–5	1986–90	1991–2	Cyfdd.
Cyfreithwyr	0%	3%	0%	0%	1%	1%	0%	1%
Darlithwyr	35%	8%	0%	2%	3%	1%	0%	7%
Athrawon	25%	42%	22%	12%	15%	13%	13%	20%
Cyfryngau	3%	0%	2%	4%	1%	2%	5%	2%
Meddygon	0%	0%	0%	1%	3%	0%	0%	1%
Llyfrgellwyr	0%	3%	4%	4%	3%	5%	7%	4%
Byd busnes	0%	1%	7%	3%	2%	5%	9%	4%
Gwaith cymdeithasol	0%	0%	0%	1%	1%	3%	5%	1%
Gweinidogion	0%	0%	4%	2%	2%	1%	0%	1%
Awduron	0%	0%	0%	0%	0%	2%	4%	1%
Swyddi clerigol	3%	4%	7%	25%	19%	19%	20%	14%
Crefftwyr	0%	6%	5%	5%	6%	7%	5%	5%
Ffermwyr	6%	4%	2%	3%	1%	0%	0%	2%
Gwragedd Tŷ	0%	0%	0%	0%	0%	1%	1%	0%
Llafurwyr	0%	0%	1%	0%	1%	1%	1%	1%
Di-waith	0%	0%	0%	2%	2%	2%	0%	1%
Wedi ymddeol	0%	0%	0%	0%	0%	0%	0%	0%
Myfyrwyr	28%	29%	46%	34%	36%	28%	23%	32%
Disgyblion	0%	0%	0%	2%	4%	9%	7%	3%

cyfryngau, y weinidogaeth, a'r swyddi clerigol. Sylwer hefyd fod cynnydd wedi digwydd yng nghanran y rheini a oedd yn berchenogion busnesau neu siopau. Yr oedd hyn yn ganlyniad uniongyrchol i fenter aelodau amlwg megis Gwilym a Megan Tudur yn sefydlu Siop y Pethe yn Aberystwyth, Robat ac Enid Gruffudd yn sefydlu gwasg Y Lolfa yn Nhal-y-bont, Dafydd Iwan a Huw Jones yn sefydlu cwmni recordiau SAIN, a Ffred a Meinir Ffransis yn sefydlu cwmni crefftau CADWYN. Dengys Tabl 1.3 mai ffigurau tebyg a gafwyd ar gyfer dosbarthiad arweinwyr yn ôl galwedigaeth yn yr wythdegau; eto i gyd dylid nodi'r cynnydd bychan yng nghanran yr arweinwyr a oedd yn perthyn i fyd y cyfryngau.

Dengys Tabl 1.4 ddosbarthiad gweithredwyr y Gymdeithas yn ôl eu galwedigaeth. Er mai myfyriwr oedd yr aelod cyntaf i'w arestio yn enw Cymdeithas yr Iaith, rhaid cofio mai athrawon, darlithwyr a phobl broffesiynol eraill, gan mwyaf, oedd yr aelodau a gawsai eu harestio a'u herlyn yn yr ymgyrch treth ffordd. Fel y dangoswyd eisoes, bu'r genhedlaeth hŷn yn amlwg yn yr ymgyrch ddarlledu trwy gydol y saithdegau. Ar gyfartaledd, yr oedd 16 y cant o'r rheini a fu gerbron llys barn rhwng 1962 a 1992 yn athrawon a darlithwyr, 6 y cant yn dal swyddi clerigol, a 10 y cant mewn swyddi proffesiynol eraill.

Tabl 1.4: Dosbarthiad y gweithredwyr yn ôl gwaith, 1962–92

Gwaith	1962–5	1966–70	1971–5	1976–80	1981–5	1986–90	1991–2	Cyfdd.
Cyfreithwyr	0%	0%	0%	0%	0%	0%	0%	0%
Darlithwyr	14%	0%	4%	1%	0%	0%	0%	3%
Athrawon	14%	29%	20%	9%	8%	10%	2%	13%
Cyfryngau	0%	0%	2%	0%	4%	3%	2%	2%
Meddygon	0%	1%	1%	0%	0%	0%	0%	0%
Llyfrgellwyr	0%	3%	1%	2%	4%	5%	0%	2%
Byd busnes	0%	2%	1%	2%	4%	3%	6%	3%
Gwaith cymdeithasol	0%	2%	1%	0%	0%	3%	0%	1%
Gweinidogion	0%	2%	6%	1%	0%	0%	0%	1%
Awduron	0%	0%	1%	1%	0%	3%	2%	1%
Swyddi clerigol	0%	4%	6%	5%	8%	5%	16%	6%
Crefftwyr	0%	3%	3%	5%	0%	5%	2%	3%
Ffermwyr	0%	4%	3%	2%	0%	0%	0%	1%
Gwragedd Tŷ	0%	1%	3%	0%	0%	0%	2%	1%
Llafurwyr	0%	0%	1%	1%	4%	3%	0%	1%
Di-waith	0%	0%	1%	0%	0%	5%	2%	1%
Wedi ymddeol	0%	0%	2%	0%	0%	0%	2%	1%
Myfyrwyr	72%	47%	39%	65%	64%	42%	64%	56%
Disgyblion	0%	2%	5%	6%	4%	13%	0%	4%

Dylid nodi bod athrawon, sy'n cynrychioli 8 y cant yn unig o'r aelodaeth gyfan rhwng 1962 a 1992, yn cynrychioli 13 y cant o'r gweithredwyr ac 20 y cant o'r arweinwyr. Hynny yw, yr oedd athrawon ddwywaith yn fwy tebygol nag unrhyw grŵp galwedig-aethol arall i gymryd rhan mewn protestiadau anghyfansoddiadol ac i gyflawni torcyfraith, a theirgwaith yn fwy tebygol i fod yn aelodau o'r Pwyllgor Canol neu'r Senedd (ac eithrio pobl mewn swyddi clerigol a oedd yn cynrychioli 14 y cant o arweinwyr y mudiad).

    Serch hynny, dengys yr astudiaethau hyn mai myfyrwyr a disgyblion ysgol oedd y garfan fwyaf o arweinwyr rhwng 1962 a 1992 (35 y cant), a'r garfan fwyaf o droseddwyr (60 y cant). Anos yw ceisio dadansoddi cyfartaledd oedran a gwaith aelodau cyffredin y mudiad, gan na ofynnwyd am unrhyw wybodaeth amgen nag enw a chyfeiriad ar ffurflen ymaelodi'r Gymdeithas tan 1976. Fodd bynnag, nododd John Davies, un o ysgrifenyddion cyntaf y Gymdeithas, mai myfyrwyr oedd trwch yr aelodaeth yn y blynyddoedd cynnar, hynny yw, rhwng 1962 a 1966, ac mai athrawon a gwŷr proffesiynol a oedd newydd gael swyddi oedd yr ail ddosbarth mwyaf niferus.[46] Y mae'r wybodaeth a geir yn y ffurflenni ymaelodi wedi 1976 yn bur ddadlennol, ac yn ddefnyddiol o ran casglu ystadegau ar natur gwaith a chefndir cymdeithasol aelodau'r mudiad. Dengys Tablau 1.3 a 1.4 mai myfyrwyr oedd carfan fwyaf Cymdeithas yr Iaith, yn ôl eu hamlygrwydd fel arweinwyr a gweithredwyr, ac mai lleiafrif oedd y disgyblion ysgol. Dim ond 3 y cant o arweinwyr y Pwyllgor Canol a'r Senedd a oedd yn ddisgyblion ysgol, a dim ond 4 y cant o'r gweithredwyr a fu gerbron llysoedd barn. Fodd bynnag, dengys y ffurflenni ymaelodi fod carfan helaeth iawn o'r aelodau cyffredin yn ddisgyblion ysgol. Dengys Tabl 1.5 isod ganrannau aelodau cyffredin Cymdeithas yr Iaith a oedd yn fyfyrwyr coleg neu'n ddisgyblion ysgol:

Tabl 1.5: Nifer a chanran yr aelodau cyffredin a oedd yn fyfyrwyr a disgyblion ysgol, 1962–92

Blwyddyn	Myfyrwyr nifer	canran	Disgyblion nifer	canran
1976–7	374	37%	258	26%
1980–1	200	24%	258	31%
1986–7	191	28%	189	28%
1990–1	518	29%	713	40%

Noder mai 29 y cant o'r holl aelodau ym 1990–1 a oedd yn fyfyrwyr, tra oedd 40 y cant yn ddisgyblion ysgol, cynnydd sylweddol sy'n dadlennu symudiad pwysig o ran oed yn rhengoedd y Gymdeithas. Felly, o gofio bod cymaint â 60 y cant o holl aelodau Cymdeithas yr Iaith Gymraeg rhwng 11 a 24 oed, nid oes unrhyw amheuaeth nad mudiad pobl ifainc yn y bôn oedd y Gymdeithas yn y cyfnod rhwng 1962 a 1992.

Ond er mai oedolion ifainc oedd mwyafrif yr arweinwyr, y gweithredwyr ac aelodau'r Gymdeithas, rhaid peidio ag anwybyddu cyfraniad y genhedlaeth hŷn i frwydrau'r mudiad, sef cyfraniad cenhedlaeth rhieni llawer o'r aelodau, pobl ganol-oed a pharchus. Bu cyfraniad y genhedlaeth hŷn i frwydr yr iaith yn werthfawr iawn, a diau iddo ysbrydoli'r to iau a oedd yn fwy rhydd i gyflawni protestiadau mwy beiddgar. O du'r genhedlaeth hŷn y deuai llawer o'r gefnogaeth foesol ac athronyddol yr oedd ei hangen ar y Gymdeithas. Dro ar ôl tro cafwyd gwŷr amlwg megis Alwyn D. Rees, yr Athro J. R. Jones, Dr Pennar Davies, Dr Meredydd Evans a Gwilym R. Jones yn datgan eu cefnogaeth i'w hymgyrchoedd, yn amddiffyn ei gweithredoedd, ac yn annog eraill i'w chefnogi. Yr oedd cefnogaeth y genhedlaeth hŷn yn gaffaeliad mawr, yn enwedig yn wyneb beirniadaeth lem o du'r wasg. Er enghraifft, ymosododd golygydd y *Western Mail* ar aelodau'r Gymdeithas ym mis Hydref 1976, gan ddweud:

> It is, of course, no coincidence that the average age of the Welsh Language Society members is very low, that there is no apparent awareness of the financial costs of the actions they plan, that they see no further than their noses and that they do not appear to take into account the long term consequences or costs of their actions, demands and ambitions.[47]

Cefnogai'r genhedlaeth hŷn aelodau'r Gymdeithas trwy ymuno'n uniongyrchol â'u protestiadau, trwy ysgrifennu llythyrau o gefnogaeth i'r wasg, trwy eu hamddiffyn ar goedd mewn cyfarfodydd, a thrwy dalu dirwyon ar eu rhan. Canlyniad hyn oedd fod y genhedlaeth hŷn yn rhoi hygrededd i'r mudiad.

Ym 1969, wedi blynyddoedd o ymgyrchu o blaid cael ffurflen a disg treth ffordd yn Gymraeg yr ymunodd y genhedlaeth hŷn â'r ymgyrch. Yn nodiadau golygyddol *Barn* ym mis Mawrth 1969, datganodd Alwyn D. Rees fod y misolyn am gychwyn ymgyrch treth ffordd ar gyfer cefnogwyr hŷn yr iaith Gymraeg er mwyn dwyn pwysau ar y Weinyddiaeth Drafnidiaeth i gynhyrchu ffurflenni a disgiau treth ffordd dwyieithog.[48] Er nad oedd Alwyn D. Rees yn disgwyl y byddai mwy na 200 o bobl yn ymuno â'r ymgyrch, erbyn diwedd haf 1969 yr oedd 642 o bobl wedi ymrwymo i wrthod arddangos y ddisg treth ffordd Saesneg hyd nes y ceid addewid gan y llywodraeth y paratoid ffurflenni a disgiau dwyieithog. Allan o'r 642 hynny, yr oedd 263 (sef 41 y cant o'r cyfanswm) yn athrawon, 90 yn ddarlithwyr (sef 14 y cant), a 90 yn weinidogion. Yn ogystal, yr oedd 17 yn aelodau o staff hŷn y BBC, 9 yn swyddogion gydag Urdd Gobaith Cymru, dau yn gyn-Archdderwyddon, a dau yn aelodau o banel ymgynghorol y llywodraeth ar gyfieithu ffurflenni i'r Gymraeg. Yng ngeiriau Alan Butt Philip:

> Once again it was the schoolmasters and ministers who formed the backbone of the protest, as they have formed the backbone of so many aspects of the nationalist movement in Wales.[49]

Yn rhifyn Medi y cylchgrawn *Barn* cyhoeddodd Alwyn D. Rees y newyddion am fuddugoliaeth yr ymgyrch.[50] Bu'r to hŷn hefyd yn weithgar yn yr ymgyrchoedd o blaid sefydlu sianel deledu Gymraeg, Corff Datblygu Addysg Gymraeg, a Deddf Iaith ddiwygiedig. Ym 1988 bu sêr y cyfryngau – yn eu plith John Ogwen, Maureen Rhys, Dyfan Roberts, Llion Williams, Sharon Morgan, a Cefin Roberts – yn gefn i'r ymgyrch dros Ddeddf Iaith, gan ymddangos o flaen Llys Ynadon Caerdydd am beintio sloganau yn galw am 'Ddeddf Iaith Newydd' ar furiau adeilad y Swyddfa Gymreig.

Fodd bynnag, nid oedd y berthynas rhwng y to hŷn a'r to iau bob amser yn ddedwydd. Ar ddechrau'r saithdegau sefydlwyd mudiad newydd o'r enw 'Cyfeillion yr Iaith Gymraeg' ar gyfer y bobl hynny a oedd yn teimlo bod Cymdeithas yr Iaith Gymraeg yn rhy filwriaethus a digywilydd. Tra byddai aelodau'r Gymdeithas yn peintio a symud arwyddion, yn dringo mastiau a meddiannu stiwdios, byddai'r Cyfeillion yn deisebu ac yn llythyru. Er gwaethaf cefnogaeth 'Cyfeillion yr Iaith' i ymgyrchoedd Cymdeithas yr Iaith, achoswyd cryn dipyn o ddrwgdeimlad yn rhengoedd y Gymdeithas gan y symudiad hwn oherwydd y perygl o rannu adnoddau a gwanhau ymgyrchoedd. O ganlyniad peidiodd protestiadau'r Cyfeillion am ychydig, cyn ailgychwyn unwaith yn rhagor ym 1977. Achoswyd cryn ymgecru pan ymosododd Wynfford James ar Maldwyn Jones am awgrymu bod angen 'creu'r tir canol',[51] ond diflannodd y Cyfeillion am byth ym mis Mawrth 1978 pan gytunodd y Gymdeithas i'w hymgorffori o fewn ei rhengoedd yn Ysgol Basg Llandysul. Eto i gyd, nid bychan na diddylanwad fu cyfraniad y to hŷn i weithgarwch y Gymdeithas trwy gydol y cyfnod dan sylw.

Gan fod cymaint o arweinwyr, gweithredwyr ac aelodau cyffredin y Gymdeithas yn fyfyrwyr, a charfan fawr arall yn athrawon a darlithwyr, afraid pwysleisio mai aelodaeth addysgedig a oedd gan y mudiad. Yr oedd deuparth holl aelodau Pwyllgor Canol a Senedd y Gymdeithas rhwng 1962 a 1992 wedi derbyn addysg golegol neu brifysgol, ac yr oedd yr un peth yn wir am o leiaf dri chwarter y gweithredwyr a fu gerbron y llysoedd barn yn yr amrywiol ymgyrchoedd. Dylid nodi bod pob un o gadeiryddion y Gymdeithas trwy gydol y deng mlynedd ar hugain dan sylw wedi derbyn addysg bellach, boed ym Mhrifysgol Cymru neu goleg diwinyddol.

Dengys Tabl 1.6 fod o leiaf hanner yr aelodau cyffredin a oedd mewn gwaith llawnamser hefyd yn perthyn i alwedigaethau 'addysgedig'. Sylwer y byddai canran aelodaeth gyffredin 'addysgedig' y Gymdeithas yn uwch oni bai am y ffaith fod nifer o ddisgyblion ysgol yn rhengoedd y mudiad yn rhy ifanc i fynychu coleg. Y mae oblygiadau cymdeithasol pwysig iawn yn perthyn i'r ystadegau moel hyn. Y mae'n amlwg fod gan y Gymdeithas gefnogaeth *élite* deallusol y Gymru Gymraeg, gan mai oedolion ifainc addysgedig a oedd yn ffurfio'r corff mwyaf yn y Gymdeithas ac mai pobl hŷn addysgedig a oedd yn datgan eu cefnogaeth iddi. Ni fu'r Gymdeithas erioed yn brin o feddylwyr ac athronwyr, ac yr oedd y ffaith fod cymaint o'i haelodau yn bobl addysgedig yn rhoi mwy o hygrededd iddi. Er y gallai'r cyfryngau gyhuddo'i harweinwyr o fod yn anaeddfed a naïf, ni allent ar unrhyw gyfrif eu cyhuddo o fod yn dwp.

Oherwydd natur eu gwaith, perthynai mwyafrif arweinwyr, gweithredwyr ac aelodau cyffredin Cymdeithas yr Iaith yn ddiogel i'r dosbarth canol, fel y gwelir yn Nhabl 1.7. Dengys yr ymchwil fod mwy na deuparth holl aelodau'r Gymdeithas a oedd mewn gwaith llawnamser rhwng 1962 a 1992 yn perthyn i grwpiau economaidd-gymdeithasol o fewn y dosbarth canol.[52]

At hynny, gan fod cymaint â thraean o holl aelodau'r mudiad yn fyfyrwyr coleg, ac yn debygol o fynd i swyddi proffesiynol a chanolraddol wedi iddynt orffen eu haddysg bellach, gellir casglu bod seiliau economaidd-gymdeithasol Cymdeithas yr Iaith wedi eu gwreiddio yn ddwfn iawn yn y dosbarth canol Cymraeg. Sylwodd y cymdeithasegwr Bud B. Khleif o Brifysgol New Hampshire, America, ar ddatblygiad y dosbarth canol Cymraeg newydd yn y cyfnod ar ôl yr Ail Ryfel Byd. Dengys ei waith ef mai'r dosbarth newydd hwn – a oedd yn cynnwys athrawon, gweinidogion, darlithwyr prifysgol a

Tabl 1.6: *Dosbarthiad yr aelodau cyffredin yn ôl gwaith, 1962–92*

Galwedigaeth	1976–7	1980–1	1986–7	1990–1	Cyfartaledd
Cyfreithwyr	0%	1%	1%	1%	1%
Darlithwyr	3%	2%	3%	1%	2%
Athrawon	10%	10%	7%	3%	8%
Cyfryngau	1%	2%	3%	5%	3%
Meddygon	0%	1%	2%	1%	1%
Llyfrgellwyr	0%	1%	1%	1%	1%
Byd busnes	2%	1%	1%	2%	1%
Gwaith cymdeithasol	1%	2%	2%	1%	2%
Gweinidogion	0%	1%	1%	1%	1%
Awduron	0%	0%	1%	1%	0%
Swyddi clerigol	7%	8%	7%	4%	7%
Crefftwyr	4%	5%	4%	3%	4%
Ffermwyr	1%	1%	1%	1%	1%
Gwragedd Tŷ	3%	3%	2%	1%	2%
Llafurwyr	2%	1%	1%	1%	1%
Di-waith	2%	4%	4%	2%	3%
Wedi ymddeol	1%	2%	3%	2%	2%
Myfyrwyr	37%	24%	28%	29%	30%
Disgyblion	26%	31%	28%	40%	31%

Tabl 1.7: *Dosbarthiad yr arweinwyr, y gweithredwyr a'r aelodau cyffredin yn ôl grwpiau economaidd-gymdeithasol, 1962–92*

Grwpiau Economaidd-Gymdeithasol		Arweinwyr	Gweithredwyr	Aelodau Cyffredin
I	Swyddi Proffesiynol	13%	11%	13%
II	Swyddi Canolraddol	56%	60%	52%
III	Swyddi Hyfforddedig	30%	25%	31%
IV	Swyddi Rhannol Hyfforddedig	1%	4%	4%
V	Swyddi Anhyfforddedig	0%	0%	0%

phobl addysgedig eraill – a fyddai'n arwain y gymdeithas Gymraeg yn ystod y chwedegau a'r saithdegau.[53]

Dengys yr ystadegau hefyd, fodd bynnag, fod carfan tra sylweddol o arweinwyr, gweithredwyr a hefyd aelodau cyffredin y mudiad yn perthyn i'r dosbarth gweithiol uwch, gan gynnwys pobl mewn swyddi clerigol, a chrefftwyr megis seiri, adeiladwyr a pheirianwyr. Yr oedd oddeutu 2 y cant o aelodau'r mudiad yn wragedd tŷ (swydd lawnamser na chaiff ei chynnwys yn nosbarthiad economaidd-gymdeithasol y cyfrifiad), a 3 y cant yn ddi-waith. (Ar ddechrau'r wythdegau, pan oedd ffigur diweithdra yng Nghymru ar ei uchaf er 1945, sef 17 y cant ym mis Rhagfyr 1982, yr oedd cymaint ag 8 y cant o aelodau Senedd y Gymdeithas yn ddi-waith.) Rhaid peidio ag anwybyddu cyfraniad y gwahanol grwpiau hyn i arweiniad ac ymgyrchoedd torcyfraith y Gymdeithas. Bu amryw ffermwyr, crefftwyr a gwragedd tŷ yn sefyll gyfysgwydd â myfyrwyr, darlithwyr ac athrawon yn peintio ac yn malurio arwyddion ffyrdd, ac yn gwrthod talu eu trwydded deledu. Serch hynny, rhaid cydnabod mai Cymry dosbarth-canol a oedd fwyaf amlwg yng ngweithgareddau Cymdeithas yr Iaith fel arweinwyr, gweithredwyr ac aelodau cyffredin trwy gydol y cyfnod dan sylw.

Pwysig hefyd yw sylwi ar y dosbarthiad rhyw yn rhengoedd Cymdeithas yr Iaith. Yn ôl tystiolaeth Angharad Tomos, un o ffigurau amlycaf y Gymdeithas trwy gydol yr wythdegau a'r nawdegau, nid oes raid diffinio cyfraniad neilltuol menywod i'r mudiad gan na fu ganddo erioed adran fenywod ac na fu gan yr aelodau benywaidd nod gwahanol i'r aelodau gwrywaidd. Yr oedd cyfartaledd y dynion a'r menywod ar gyrff rheoli'r mudiad yn weddol gyfartal, a'r menywod yr un mor barod â'r dynion i dorri'r gyfraith yn enw'r iaith. Yn ôl Angharad Tomos:

> From the beginning, when it was decided on that February afternoon in 1963 to form a blockade on Trefechan Bridge in Aberystwyth to protest about the lack of Welsh in public life, no one segregated the men from the women. Everyone who was willing to risk being arrested was in. There was no shortage of women . . . In the direct action record, men and women have served on an equal basis.[54]

Serch hynny, yn raddol ac yn araf iawn y daeth menywod Cymdeithas yr Iaith i gyfrannu'n llawn i weithgareddau ac arweinyddiaeth y mudiad.

Rhaid cofio, er gwaethaf ymgyrch enwog y *suffragettes* i ennill hawl menywod i'r bleidlais yn ystod degawdau cyntaf yr ugeinfed ganrif, mai araf iawn oedd menywod i sicrhau unrhyw fath o ddylanwad gwleidyddol yng ngwledydd y gorllewin tan yn gymharol ddiweddar. Erbyn 1945 dim ond pedair ar hugain o fenywod a oedd yn aelodau seneddol yn San Steffan.[55] Serch hynny, cyfrannodd

menywod lawer iawn i wleidyddiaeth Prydain, fel y dengys hanes y
mudiad heddwch; dylid nodi eu rhan allweddol yn yr ymdrech i
ffurfio a chynnal CND yn y pum a'r chwedegau a'u llwyddiant yn
cychwyn cyfnod newydd o brotest yn erbyn taflegrau niwclear
Prydain yn sgil gorymdaith 36 menyw o Gaerdydd i Gomin
Greenham ym mis Awst 1981.[56] Fodd bynnag, fel yng ngweddill
gwledydd Prydain, araf oedd menywod Cymru i ennill eu plwyf ym
maes gwleidyddiaeth. Dengys astudiaeth Charlotte Aull Davies mai
bychan ac arwynebol at ei gilydd oedd y lle a roddid i fenywod yng
ngwleidyddiaeth Cymru tan y ddau ddegawd ar ôl yr Ail Ryfel Byd,
sef y cyfnod pan roddwyd iddynt well cyfle am waith.[57] Tan y
chwedegau, unigolyddol fu cyfraniad menywod i'r mudiad
cenedlaethol, ac yn enwedig i Blaid Cymru. Ni wnâi 'Adran Merched'
Plaid Cymru, fel y'i gelwid tan yr wythdegau, lawer mwy na threfnu
gweithgareddau codi arian. Er bod yr adran honno wedi ei sefydlu yn
Ysgol Haf cychwynnol 1926, ni fu iddi erioed ran amlwg yn
nhrefniadaeth y Blaid.[58] Bu'n rhaid i nifer o fenywod ymladd am
gydraddoldeb o fewn pwyllgorau, gweithgorau, ac arweinyddiaeth y
Blaid. Tan hynny, nid oedd disgwyl y byddai menywod yn cymryd
rhan amlwg mewn *gwleidyddiaeth* yng Nghymru. Yr oedd hynny i
gyd wedi newid erbyn cyfnod Cymdeithas yr Iaith Gymraeg.

Fel yr awgrymodd Angharad Tomos, yr oedd lle pendant iawn i
fenywod yn rhengoedd y Gymdeithas, ond nid oedd hwnnw'n lle
penodedig. At hynny, er i fenywod fod yn amlwg fel arweinwyr,
gweithredwyr ac aelodau cyffredin trwy gydol hanes y Gymdeithas,
dim ond yn raddol y daethant i gyfrannu'n llawn i waith y mudiad.

Tabl 1.8: Dosbarthiad yr aelodau cyffredin yn ôl rhyw, 1962–92

Blwyddyn	Dynion		Menywod	
	nifer	canran	nifer	canran
1964–5	159	63%	92	37%
1971–2	1052	52%	961	48%
1976–7	529	53%	469	47%
1980–1	468	57%	348	43%
1986–7	376	55%	311	45%
1990–1	797	45%	974	55%

Gwelwyd eisoes mai dwy yn unig o'r dwsin a oedd yn bresennol yng nghyfarfod sefydlu'r mudiad ym 1962 a oedd yn fenywod. Am ddwy flynedd wedi hynny, ni chafwyd yr un fenyw ar Bwyllgor Canol y Gymdeithas, a rhwng 1965 a 1970 dim ond un fenyw allan o ryw 15 aelod o'r corff rheoli a oedd ymhlith yr arweinwyr bob blwyddyn. Er mai 8 y cant yn unig o'r corff rheoli a oedd yn fenywod yn ystod y cyfnod cynnar, dengys Tabl 1.8 fod o leiaf 37 y cant o'r aelodaeth gyffredin yn fenywod. Dynion ifainc oedd y rhai cyntaf i herio'r gyfraith yn fwriadol er mwyn tynnu sylw at yr anghyfiawnderau a wynebai'r iaith Gymraeg, a dynion oedd y cyntaf hefyd i wynebu achosion llys, dirwyon, a charchar. Eto i gyd, yr oedd menywod yn ogystal â dynion yn bresennol yn y brotest fawr gyntaf yn Aberystwyth, lle y torrwyd y gyfraith yn un haid dorfol. Y weithredwraig gyntaf i dorri'r gyfraith a chael ei herlyn gan y llysoedd oedd Gwyneth Wiliam, athrawes yn ysgol gynradd Gymraeg Aberdâr a yrrodd ei char trwy strydoedd Pen-y-bont ar Ogwr heb dreth ffordd. Fe'i dygwyd gerbron Llys Ynadon Pontypridd ar 11 Mai 1966 a'i dirwyo £8, ynghyd â £5 o gostau, ac oherwydd iddi wrthod talu, hi oedd y ferch gyntaf ymhlith aelodau Cymdeithas yr Iaith i'w charcharu.[59] Amhosibl yw ceisio pwyso a mesur beth oedd canrannau'r menywod o'u cymharu â'r dynion a oedd yn mynychu gorymdeithiau a ralïau, er bod un adroddiad yn *Y Cymro* am brotest a gynhaliwyd yn Swyddfa'r Post Llangefni ym mis Chwefror 1967 yn honni mai merched ifainc oedd mwyafrif y protestwyr.[60]

Rhwng dechrau'r saithdegau a diwedd yr wythdegau gwelwyd canran y ddwy ryw yn rhengoedd y mudiad yn closio at ei gilydd, fel y gwelir yng Ngraff 1.3. Arhosodd cyfartaledd yr aelodau cyffredin gwrywaidd oddeutu 54 y cant a'r aelodau benywaidd oddeutu 46 y cant. Ond ym mlwyddyn aelodaeth 1990–1 gwelwyd am y tro cyntaf yn hanes y mudiad fod nifer yr aelodau benywaidd (55 y cant) yn uwch na'r aelodau gwrywaidd (45 y cant). Diau y gellir esbonio hyn trwy gyfeirio at y safle mwy cyfartal a fwynhâi menywod yng ngwaith a chymdeithas Cymru a'u cyfraniad amlycach i wleidyddiaeth yn gyffredinol.[61] Adlewyrchid y cynnydd hwn yng nghanran yr aelodau a oedd yn fenywod a chan y cynnydd a welwyd yn nifer y menywod ar Senedd y Gymdeithas, sef oddeutu 23 y cant o aelodau'r Senedd yn ystod y saithdegau, 34 y cant yn yr wythdegau, a 31 y cant yn y nawdegau. Ond sylwer ei fod yn dal yn amlwg mai lleiafrif oedd menywod ymhlith arweinwyr y mudiad. Yn wir, ni etholwyd menyw i swydd bwysig yn y

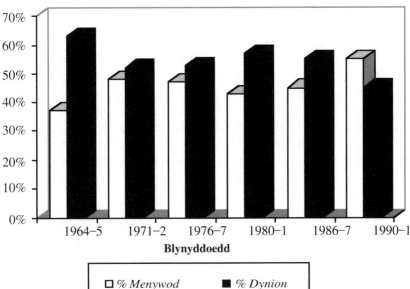

Graff 1.3: Dosbarthiad yr aelodaeth yn ôl rhyw, 1962–92

☐ % Menywod   ■ % Dynion

Gymdeithas nes penodi Angharad Tomos, a oedd ar y pryd yn astudio ar gyfer gradd yn y Gymraeg ym Mangor, yn is-gadeirydd cysgodol ar Senedd 1978–9. Ni chafwyd menyw yn llenwi cadair Cymdeithas yr Iaith nes i Meri Huws, gweithwraig gymdeithasol yng Ngwynedd, gael ei hethol ym 1981 i olynu Wayne Williams. Gwelir yn Nhabl 1.9 ffigurau ar gyfer cyfraniad menywod i weithgaredd Cymdeithas yr Iaith fel aelodau o'r cyrff rheoli ac fel gweithredwyr:

Tabl 1.9: Cyfraniad menywod i weithgaredd Cymdeithas yr Iaith, 1962–92

Cyfnod	Arweinwyr	Gweithredwyr
1962–5	8%	9%
1966–70	8%	18%
1971–5	17%	36%
1976–80	28%	32%
1981–5	34%	38%
1986–90	34%	36%
1991–2	31%	44%
Cyfartaledd	23%	30%

Ym marn Charlotte Aull Davies, yr hyn a oedd yn bennaf cyfrifol am y diffyg cynrychiolaeth benywaidd hwn oedd y dybiaeth gref mai'r prif gyfraniad y gellid ei ddisgwyl gan fenyw wedi iddi dreulio blwyddyn neu ddwy neu dair yn ymgyrchu a phrotestio oedd priodi a chenhedlu plant a fyddai'n siarad Cymraeg ac, yn y pen draw, yn fodlon brwydro dros yr iaith. Y mae cân Dafydd Iwan yn dyddio o ganol y saithdegau, 'Baled yr Hogan Eithafol', yn mynegi'r agwedd hon. Beth bynnag am y disgwyliadau ar gyfer menywod, yn sgil cadeiryddiaeth Meri Huws, bu dwy fenyw yn dal swydd is-gadeirydd a thair yn dal swydd cadeirydd. Esbonia Charlotte Aull Davies hynny fel 'a development that appears to be related to the less restricted career expectations of educated women influenced by the women's movement'.[62]

Cynyddodd canran y menywod a ymddangosodd gerbron y llysoedd barn i oddeutu 34 y cant yn y saithdegau, 37 y cant yn yr wythdegau, a 44 y cant yn y nawdegau. Er bod menywod yn parhau yn lleiafrif y mae hwn yn gynnydd amlwg ac yn awgrymu'n gryf fod cyfraniad dynion a gwragedd yr un mor bwysig â'i gilydd. Rhaid sylwi hefyd fod amlygrwydd menywod yng ngweithgareddau'r Gymdeithas trwy gydol yr wythdegau yn cyd-ddigwydd â chynnydd mawr ym mhroffesiynoldeb y mudiad, diolch yn bennaf i waith diflino a nodedig Helen Greenwood a fu'n ysgrifennydd a swyddog gweinyddol am chwe blynedd rhwng 1985 a 1991. Yr oedd y cynnydd hefyd yn cyd-ddigwydd â chyfnod arweiniad un fenyw yn arbennig, sef Angharad Tomos, y bu ei hystyfnigrwydd di-dderbyn-wyneb a'i dewrder yn ysbrydoliaeth i gynifer o ddynion a menywod fel ei gilydd.

Awgrymodd Bud B. Khleif ym 1975 fod arweinwyr Cymdeithas yr Iaith yn hanu, gan mwyaf, o'r ardaloedd gwledig yng ngogledd a de Cymru, ac mai yn anfynych iawn y deuent o ardaloedd diwydiannol a threfol fel Caerdydd, Abertawe neu Wrecsam.[63] Ond sylwyd eisoes fod hanner y rhai a oedd yn bresennol yng nghyfarfod sefydlu'r Gymdeithas ym 1962 yn hanu o Forgannwg, tra deuai'r gweddill o'r gogledd a'r gorllewin. Felly, yn gwbl groes i farn Khleif, yr oedd nifer o'r sylfaenwyr yn hanu o'r ardaloedd diwydiannol Saesneg, ond yn tueddu i fyw yn yr ardaloedd mwy gwledig, Cymraeg eu hiaith. Fodd bynnag, er bod carfan nid ansylweddol o'r aelodaeth yn hanu o'r ardaloedd di-Gymraeg, yn enwedig De Morgannwg a Chaerdydd,

Map 1.1: Dosbarthiad yr arweinwyr yn ôl man geni, 1962–92

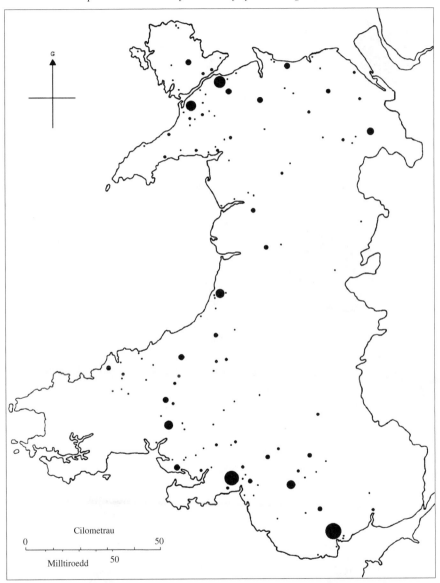

Map 1.2: *Dosbarthiad yr arweinwyr yn ôl cartref, 1962–92*

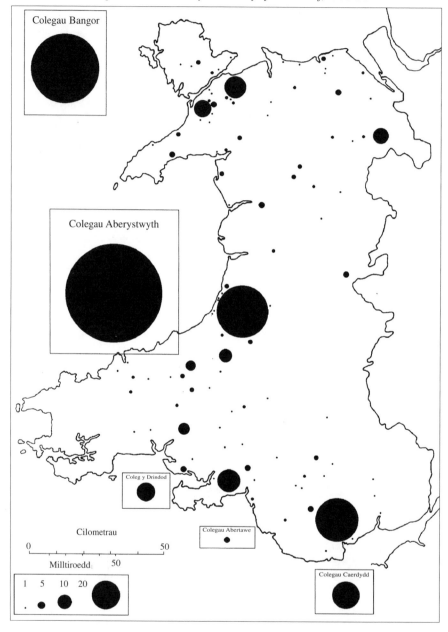

gwelwn yn Map 1.1 fod y rhan fwyaf o arweinwyr Cymdeithas yr Iaith yn ystod y cyfnod 1962–92 wedi eu geni yng Ngwynedd (34 y cant) ac yn Nyfed (25 y cant). Yr oedd 30 y cant o holl arweinwyr y mudiad rhwng 1962 a 1992 yn hanu o siroedd Morgannwg a Gwent (gydag 11 y cant o'r rheini yn dod yn wreiddiol o Gaerdydd).

Y mae'r ystadegau ar gyfer dosbarthiad daearyddol yr arweinwyr ar adeg eu hymwneud â'r Pwyllgor Canol neu'r Senedd yn wahanol. Dengys Map 1.2 mai byw yn Nyfed a wnâi'r rhan fwyaf o arweinwyr y Gymdeithas ar adeg eu hymwneud â'r mudiad (44 y cant), gan dystio i'r ffaith fod Coleg Prifysgol Aberystwyth yn ganolog i hanes a llwyddiant y Gymdeithas. Trigai'r ail grŵp mwyaf yng Ngwynedd (25 y cant), ardal a oedd yn gartref i nifer gynyddol o'r arweinwyr yn ystod yr wythdegau. Trigai 23 y cant o'r arweinwyr ym Morgannwg a Gwent. Digon tebyg yw'r ystadegau am y gweithredwyr, gyda 37 y cant yn byw yng Ngwynedd a 35 y cant yn byw yn Nyfed. O Wynedd hefyd y deuai mwyafrif aelodau cyffredin y mudiad, er mai yn Nyfed, ac yn enwedig Ceredigion, y trigai'r rhan fwyaf o'r aelodau ym 1964–5. Heblaw am hynny, y mae'r ffigurau yn weddol o gyson, gyda chyfartaledd o 35 y cant o'r aelodau yn dod o Wynedd, 24 y cant o Ddyfed, 10 y cant o Glwyd, 3 y cant o Bowys, 7 y cant o Orllewin Morgannwg, 6 y cant o Forgannwg Ganol, 8 y cant o Dde Morgannwg, a 2 y cant o Went. Diddorol hefyd yw sylwi bod cymaint â 5 y cant o holl aelodau cyffredin y mudiad rhwng 1962 a 1992 yn byw y tu allan i Gymru, a bod rhai ohonynt yn byw mor bell i ffwrdd ag America, Awstralia, a Japan. Yn wir, ym 1990–1 yr oedd mwy o aelodau'r Gymdeithas yn byw yn Lloegr nag ym Mhowys a Gwent gyda'i gilydd. Yr ardaloedd mwyaf ffrwythlon i'r Gymdeithas yng Nghymru, yn sicr, oedd Arfon a Cheredigion, dau ranbarth nodedig am eu cenedlaetholdeb (er nad etholwyd ymgeisydd yn enw Plaid Cymru i etholaeth Ceredigion a Gogledd Penfro tan 1992), ac am ddylanwad eu Colegau Prifysgol. Yr ardaloedd gorau yn y Gymru ddi-Gymraeg am gynhyrchu aelodau Cymdeithas yr Iaith oedd Dwyrain Clwyd, yn enwedig Yr Wyddgrug a Wrecsam. Trigai nifer helaeth yn Abertawe a threfi Taf-Elái, ac yr oedd y brifddinas yn fynych yn gartref i fwy o aelodau na rhai ardaloedd yn Y Fro Gymraeg.

Dengys yr ystadegau hyn mai mudiad a oedd yn cynnwys disgyblion ysgol, myfyrwyr a phobl broffesiynol, ddosbarth-canol, ifainc, oedd y Gymdeithas, a'i bod yn ffynnu gan mwyaf yn yr ardaloedd Cymraeg eu hiaith, er bod ganddi hefyd gefnogaeth gref yn yr ardaloedd Saesneg. Yr oedd menywod a dynion yn aelodau cyfartal ohoni, yn cyflawni'r un gwaith, yn gwrthdaro â'r un awdurdodau, ac yn cyflawni'r un troseddau â'i gilydd, er efallai fod menywod wedi tueddu yn ystod y blynyddoedd cynnar i fod yn lleiafrif o fewn ei rhengoedd. At ei gilydd, pobl ddiffuant ac ymroddedig oeddynt. Talwyd sawl teyrnged iddynt gan amryw o bobl uchel eu parch: fe'u disgrifiwyd gan Gwilym R. Jones, golygydd *Y Faner* (1945–77), fel 'y to gorau o ieuenctid a welodd ein cenedl ni ers amser maith',[64] ac ym marn Cynog Dafis, meithrin y genhedlaeth radical hon o aelodau i fod yn Gymry cydwybodol, gwleidyddol – y *sabras* Cymreig fel y'u disgrifiwyd ganddo – oedd prif gyfraniad Cymdeithas yr Iaith trwy gydol ei hanes.[65]

Mudiadau gwasgedd eraill

Ymhlith mudiadau gwasgedd a phrotest enwocaf ein hoes y mae CND, 'Cyfeillion y Ddaear', a 'Greenpeace'. Gwelir bod Cymdeithas yr Iaith Gymraeg yn ymdebygu i'r rhain nid yn unig o ran ei phwyslais ar ddefnyddio dulliau uniongyrchol, di-drais o weithredu, ond hefyd o ran ei chyfansoddiad a natur ei haelodaeth. Y mae'n debyg fod tuedd gan grwpiau gwasgedd, yn enwedig ym Mhrydain, i ddenu cyfran helaeth o aelodau dosbarth-canol, addysgedig. Meddai W. L. Miller: 'It seems protest is a middle-class faith and a middle-class activity, a part of the culture of the middle class.'[66] Mewn arolwg cymdeithasol o orymdeithwyr CND i Aldermaston ym 1959 datgelodd y cylchgrawn *Perspective* mai 4 y cant yn unig o'r rheini a gyfwelwyd a ellid eu galw yn 'ddosbarth gweithiol'. Athrawon a oedd yn ffurfio'r grŵp galwedigaethol mwyaf, ac eithrio'r myfyrwyr, gyda chyfran helaeth hefyd o lyfrgellwyr, gweithwyr clerigol, a gweision sifil.[67] Dywed Philip Lowe a Jane Goyder: 'members of environmental groups are predominantly middle class'.[68] Golyga hynny fod aelodau'r grwpiau gwasgedd, oherwydd eu hoed, eu cefndir a'u haddysg, yn meddu ar yr hunanhyder angenrheidiol i areithio a thrafod yn gyhoeddus ac i gyfansoddi adroddiadau a dogfennau polisi deallus. Honnodd Bud B. Khleif fod meibion a merched y dosbarth canol Cymraeg newydd yn fwy hunanhyderus na chenhedlaeth eu rhieni, gan briodoli hynny i ddylanwad yr ysgolion cyfrwng Cymraeg.[69] Y mae eu cefndir hefyd yn golygu eu bod yn deall y gyfundrefn wleidyddol yn bur dda, a bod ganddynt ddigon o amser hamdden i ymddiddori mewn gwleidyddiaeth. Y mae Jonathon Porritt a David Winner hwythau wedi cyfaddef bod 'the stereotype of the typical environmental activist as a university-educated middle class professional is pretty close to the truth'. Dangosodd arolwg o aelodau 'Cyfeillion y Ddaear' ym 1989 fod 87 y cant o'u haelodaeth yn dal swyddi rheoli, neu swyddi gweinyddol, academaidd, technegol neu wyddonol, a bod 15 y cant yn athrawon a darlithwyr. At ei gilydd, yr oedd 70 y cant o aelodau 'Cyfeillion y Ddaear' wedi derbyn addysg bellach o'i gymharu ag 8 y cant o boblogaeth Prydain yn gyffredinol.[70]

Yn ogystal â bod yn ddosbarth canol ac addysgedig, y mae'r rhan fwyaf o aelodau'r grwpiau gwasgedd a phrotest yn bobl ifainc. Mudiadau poblogaidd iawn ymhlith yr ifainc yw rhai fel 'Greenpeace', 'Earth-First' a'r 'Hunt Saboteurs Association', gan eu bod yn rhoi cyfle i wrthdaro yn erbyn awdurdod ac i wneud hynny mewn dull cyffrous ac anturus. Yr oedd CND, er enghraifft, yn fudiad poblogaidd iawn ymhlith yr ifainc yn ystod y pumdegau. Nododd Christopher Driver fod holl swyddogion pwyllgor cenedlaethol CND ym 1958 yn eu hugeiniau cynnar, a dangosodd arolwg *Perspective* ym 1959 fod 41 y cant o orymdeithwyr Aldermaston yn y flwyddyn honno dan 21 oed.[71] Fel y nodwyd ar ddechrau'r bennod hon, myfyrwyr oedd mwyafrif helaeth protestwyr y mudiad heddwch yn America, er y gellid dadlau mai'r protestio a oedd yn bwysig i ieuenctid America erbyn dechrau'r saithdegau yn hytrach na'r achos ei hun. Nododd Peter Hain hefyd mai'r ieuenctid, yn bennaf, a oedd y tu cefn i ymgyrch 'Stop the Seventy Tour', ac mai pwyllgor bychan o fyfyrwyr a oedd yn gyfrifol am droi'r ymgyrch yn fudiad torfol i wrthwynebu teithiau timau rygbi a chriced De Affrica i Brydain ym 1970.[72]

Ceir sawl cymhariaeth bwysig hefyd rhwng natur aelodaeth Cymdeithas yr Iaith ac aelodaeth ac arweinyddiaeth Plaid Cymru. Dangosodd Butt Philip fod y mwyafrif llethol o aelodau Plaid Cymru ym 1968 yn ddynion ifainc rhwng 21 a 35 oed ac yn byw yng ngogledd neu orllewin Cymru. Dangosodd hefyd fod y mwyafrif llethol o arweinwyr Plaid Cymru yn wŷr proffesiynol – yn athrawon neu'n ddarlithwyr – a'u bod wedi derbyn addysg ramadeg ac addysg brifysgol. Nododd y derbyniai'r Blaid lawer o gefnogaeth gan yr ieuenctid, ffaith a oedd yn wir am bob mudiad gwladgarol, a bod 37.5 y cant o'i haelodaeth ym 1962–3 yn fyfyrwyr coleg neu'n ddisgyblion ysgol.[73] Gwelwyd eisoes fod y darlun a luniwyd gan Butt Philip yn wir hefyd am aelodau Cymdeithas yr Iaith.

Nid yw'r cymariaethau hyn, wrth gwrs, yn peri llawer o syndod. Er nad yw Cymdeithas yr Iaith wedi cefnogi yn swyddogol unrhyw blaid wleidyddol,[74] y mae yn fudiad cenedlaetholgar sy'n debygol o dynnu ei aelodau a'i gefnogwyr o'r un cylchoedd â Phlaid Cymru. Sylwodd Butt Philip yng nghynhadledd flynyddol Plaid Cymru yn Aberystwyth ym 1968 fod 5 o'r 26 o gynadleddwyr y bu ef yn eu holi hefyd yn aelodau o'r Gymdeithas.[75] Gwyddom hefyd fod llawer o aelodau, a hyd yn oed rai swyddogion o'r Blaid, wedi cymryd rhan yn ymgyrchoedd y Gymdeithas, er i arweinyddiaeth y Blaid fod yn wyliadwrus, onid yn feirniadol, ohonynt.

Y mae gwreiddiau'r Gymdeithas i'w canfod yn ddwfn yn hanes Plaid Cymru. Anelwyd darlith radio Saunders Lewis ym 1962 at aelodau ac arweinwyr Plaid Cymru er mwyn eu cymell i ddefnyddio'r iaith yn erfyn gwleidyddol yn y gobaith 'y dygai'r iaith hunan-lywodraeth yn ei sgil'.[76] Arestio Gareth Miles, aelod o gangen Aberystwyth o Blaid Cymru, ar 28 Chwefror 1962 a roes gychwyn i ymgyrch y Gymdeithas dros wysion Cymraeg, a hynny rai misoedd cyn sefydlu'r mudiad. Pleidwyr oedd pob un a fynychodd y cyfarfod sefydlu a gynhaliwyd yn Ysgol Haf y Blaid ym Mhontarddulais ym mis Awst 1962. Trefnwyd y cyfarfod hwnnw yn sgil cynnig gan gangen tref Aberystwyth 'bod y Gynhadledd yn galw ar ganghennau'r Blaid i drefnu gweithgareddau a fyddai'n gorfodi'r awdurdodau i roi statws swyddogol i'r Gymraeg', yn unol â dymuniad Saunders Lewis.[77] Nododd Gwilym Tudur mai 'criw bychan o gyfeillion ym Mhlaid Cymru oedd y Gymdeithas o hyd' yn ystod yr ychydig flynyddoedd cyntaf, a 'gweithwyr amlwg y blaid genedlaethol oedd y mwyafrif o'r ymgyrchwyr'.[78] Ymddengys mai prin oedd y gefnogaeth a gâi mudiad ieuenctid y Blaid yn ystod y chwedegau a'r saithdegau, hyd yn oed ar ôl buddugoliaeth enwog Gwynfor Evans yn isetholiad Caerfyrddin ym 1966. Tueddai'r Cymry Cymraeg ifainc i droi eu hegnïon i felin Cymdeithas yr Iaith, a chollodd y Blaid gyfraniad llawer o genedlaetholwyr ifainc, disglair. Bron na ellid dadlau mai'r Gymdeithas *oedd* adran ieuenctid y Blaid, cymaint oedd y gorgyffwrdd rhyngddynt.

Mewn gwirionedd, profodd y Gymdeithas yn dipyn o ddraenen yn ystlys Plaid Cymru. Cafodd ei beio am lawer o fethiannau etholiadol y Blaid, gan gynnwys hyd yn oed etholiadau lleol 1963, pan nad oedd yr ymgyrchu difrifol dros yr iaith wedi cychwyn. Er hynny, yn ôl Butt Philip, collwyd llawer iawn o dir yn yr ardaloedd hynny yn ne Cymru lle y bu'r Blaid yn ymgyrchu'n ddygn er 1960, yn rhannol o ganlyniad i weithgareddau cenedlaetholwyr milwriaethus y flwyddyn flaenorol, sef, mae'n debyg, protest pont Trefechan. Er bod Gwynfor Evans wedi llongyfarch aelodau'r Gymdeithas ar lwyddiant y brotest honno, bu'n rhaid i'r Blaid geisio ei hysgaru ei hun oddi wrth weithgareddau torcyfraith y Gymdeithas ar sawl achlysur. Ym mis Rhagfyr 1963 cyhoeddodd Emrys Roberts, ysgrifennydd cyffredinol Plaid Cymru, wrth drafod ymgyrchu anghyfansoddiadol amryw o genedlaetholwyr yng Nghymru:

> . . . we criticise the activists for their lack of political judgement . . . Any widespread campaign of violent action in Wales today would be morally unjustifiable and politically foolish. It would alienate rather than win support. We in Plaid Cymru would have nothing to do with such a campaign and would condemn it.[79]

Bwriad John Davies ac E. G. Millward wrth sefydlu'r Gymdeithas oedd gwrthwynebu galwad Saunders Lewis i droi'r Blaid yn fudiad gwasgedd, ac osgoi sefyllfa lle y byddai'r ymgyrch iaith yn gwneud drwg i obeithion etholiadol Plaid Cymru yn y de-ddwyrain, lle y buwyd yn cenhadu'n ddygn ers blynyddoedd lawer.[80] Ond hyd yn oed wedi iddynt ffurfio mudiad iaith y tu allan i'r Blaid, ac yn annibynnol arni, cysylltid y ddwy yn reddfol gan y cyhoedd, er mawr ofid i arweinwyr Plaid Cymru. Yr oedd y ffaith fod y wasg yn rhoi sylw helaeth i weithgareddau'r cenedlaetholwyr milwriaethus ifainc yn digio arweinwyr y Blaid gan eu bod yn credu bod protestiadau'r Gymdeithas yn peri bod Plaid Cymru yn fwyfwy amhoblogaidd gyda'r etholwyr. Gan nad oedd gan y Blaid unrhyw ddylanwad dros y protestwyr iaith, nid oedd modd iddynt eu disgyblu ychwaith. Ymosodwyd arnynt sawl tro gan Dr Phil Williams, aelod amlwg o'r Blaid yn ne-ddwyrain Cymru, gan eu cyhuddo o 'alienating increasing numbers of the population', ac o greu 'hostility to the Welsh language'.[81]

Diau mai un o'r cyfnodau anoddaf ym mherthynas aelodau Plaid Cymru ac aelodau'r Gymdeithas oedd y flwyddyn 1969, pan enillodd y Gymdeithas sylw mawr yn sgil ei phrotestiadau yn erbyn yr Arwisgo a'r ymgyrch arwyddion ffyrdd. Bu'r protestiadau yn erbyn yr Arwisgo yn ddraenen arbennig o boenus yn ystlys y Blaid, wrth i'r Gymdeithas ei herio hi a'i llywydd, Gwynfor Evans, i gondemnio'r seremoni yn gyhoeddus. Hefyd galwyd yn daer ar y Gymdeithas gan arweinwyr y Blaid i roi'r gorau i'w hymgyrch peintio arwyddion ffyrdd. Apeliwyd ar aelodau'r Gymdeithas droeon gan swyddogion Plaid Cymru mewn amryw o etholaethau ar hyd a lled Cymru i gadw draw o'u hardaloedd, rhag iddynt ddigio'r etholwyr, a gofynnwyd hyd yn oed i rai Pleidwyr amlwg a oedd hefyd yn aelodau o'r Gymdeithas i beidio â thrafferthu i'w helpu i ganfasio cyn etholiad rhag ofn iddynt ddrygu enw da'r Blaid.[82] Deil Gwynfor Evans iddo golli sedd Caerfyrddin ym 1970 yn rhannol o ganlyniad i ymateb yr etholwyr i ymgyrchoedd milwriaethus y Gymdeithas yn erbyn yr Arwisgo ac arwyddion ffyrdd uniaith Saesneg.[83]

Ond annheg fyddai awgrymu mai gwrthdaro fu hanes Plaid Cymru a'r Gymdeithas byth oddi ar sefydlu'r mudiad iaith. Yr oedd argyfwng yr iaith yn fater o ofid mawr i lawer o gefnogwyr y Blaid, ac yr oeddynt yn edmygus falch o ymdrechion y Gymdeithas i dynnu sylw at yr argyfwng hwnnw. Ymunodd llawer o aelodau'r Blaid â phrotestiadau'r Gymdeithas, yn enwedig yn yr ymgyrch ddarlledu. Cafwyd penderfyniad yng Nghynhadledd Plaid Cymru ym 1979, yn sgil cynnig gan Dafydd Iwan, fod aelodau'r Blaid yn cychwyn ymgyrch anghyfansoddiadol eu hunain i wrthod talu am eu trwydd-edau teledu. Bu hyd yn oed Gwynfor Evans, Dafydd Wigley a Dafydd Elis Thomas gerbron llysoedd barn ym 1980 am y drosedd honno. Er mai perthynas ddigon anodd a oedd rhwng y Blaid a'r Gymdeithas ar brydiau, yr un oedd gobeithion a breuddwydion y ddwy am ddyfodol yr iaith a'r genedl. Meddai Dafydd Iwan, cyn-gadeirydd y Gymdeithas ac wedi hynny ymgeisydd seneddol Plaid Cymru:

> Dwi erioed wedi peidio â bod yn aelod o Blaid Cymru, hyd yn oed yn y chwedegau, ac yn hyn o beth roeddwn i'n wahanol i nifer fawr o aelodau eraill Cymdeithas yr Iaith. Roedd gwrthdaro, yn naturiol, yn codi rhwng y Gymdeithas a'r Blaid yn ystod y chwedegau a dechrau'r saithdegau. Ond i mi dwy ochr i'r un geiniog fu'r Gymdeithas a'r Blaid erioed. Roedd i Gymdeithas yr Iaith, ac y mae iddi heddiw, bwrpas pendant, sef ymgyrchu'n uniongyrchol i newid agwedd pobl tuag at yr iaith Gymraeg ac i greu'r amodau a fydd yn ei gwneud hi'n bosib i'r

iaith fyw i'r dyfodol fel iaith gyflawn. Mae gwaith Plaid Cymru'n ehangach ac yn dilyn llwybr ychydig yn wahanol o ran dull a thacteg. Ond yn y pendraw yr un yw'r nod a'r un yw'r cyfeiriad.[84]

Nid oedd pob aelod o Gymdeithas yr Iaith hefyd yn perthyn i rengoedd Plaid Cymru, wrth gwrs, gan fod natur brotestgar y Gymdeithas wedi denu o'r cychwyn unigolion anfoddog o bob lliw gwleidyddol. Gan fod llawer o bobl ifainc yn gweld ymgyrchoedd y mudiad yn gyfle i wrthryfela yn erbyn gwerthoedd a chredoau eu rhieni, yr oedd yn anorfod y denid amryw o aelodau'r Gymdeithas o aelwydydd a fuasai'n driw i'r Blaid Lafur ac i'r Rhyddfrydwyr, yn enwedig o gofio mai'r pleidiau hynny a gâi gefnogaeth mwyafrif llethol etholwyr Cymru. Gwaetha'r modd, fodd bynnag, oherwydd na ofynnwyd ar y ffurflen aelodaeth i'r aelodau nodi eu tueddfryd gwleidyddol, nid oes modd gwybod, erbyn heddiw, pa mor amryliw oedd yr aelodau o ran eu gwleidyddiaeth bleidiol.

Serch hynny, rhaid cydnabod mai Plaid Cymru oedd cartref gwleidyddol traddodiadol y rhan fwyaf o aelodau'r Gymdeithas a'u rhieni. Peth anghyffredin oedd gweld cefnogwyr amlwg i'r Blaid Lafur neu i'r Rhyddfrydwyr yn cymryd rhan flaenllaw yng ngweithgareddau'r Gymdeithas, a llai fyth gefnogwyr y Blaid Geidwadol. Pan hysbysebodd y Gymdeithas swydd trefnydd y de ym 1989 mynegwyd amheuon gan rai aelodau o'r Senedd ynglŷn â chymhwyster Ceri Evans i'r swydd oherwydd ei fod yn aelod gweithgar o'r Blaid Lafur. Bu'n rhaid darbwyllo rhai swyddogion mai aelod 'adweithiol' ydoedd o'r Blaid Lafur ac na fyddai hynny yn effeithio ar ei waith nac yn gwanhau ei ymroddiad i amcanion y Gymdeithas. Ni fynegwyd amheuon tebyg erioed am gymhwyster holl gefnogwyr Plaid Cymru a fuasai'n weithgar gyda'r Gymdeithas ar hyd y blynyddoedd. Serch hynny, yn sgil ymroddiad llwyr a dygnwch Ceri Evans bu'n rhaid i'r Senedd ei ganmol o fewn tri mis i'w benodiad am gyflawni gwyrthiau yn rhanbarthau'r de, a bu ei waith caled yn gaffaeliad mawr i'r mudiad yn ystod y cyfnod byr y bu'n gweithio yno.[85]

Nid profiad unigryw oedd y berthynas agos rhwng y Gymdeithas a Phlaid Cymru. Nododd Marion Löffler fod rhestrau aelodaeth Plaid Cymru ac Undeb Cenedlaethol y Cymdeithasau Cymraeg (un o ragflaenwyr y Gymdeithas rhwng y ddau Ryfel Byd) hefyd yn gorgyffwrdd.[86] Ychydig iawn o fudiadau gwasgedd, mewn gwirionedd, sy'n llwyddo i sefyll uwchlaw gwleidyddiaeth plaid a pharhau yn niwtral. Gellir ystyried grwpiau gwasgedd ar un olwg yn gystadleuwyr yn erbyn y pleidiau, yn enwedig i'r graddau eu bod yn cystadlu am aelodau, gweithredwyr a dylanwad. Oherwydd hynny, gall y berthynas rhwng plaid wleidyddol a mudiad gwasgedd amrywio o fod yn gyfeillgar gefnogol i fod yn ffyrnig elyniaethus.

Y mae'n anorfod y cyfyd adegau pan fydd grwpiau gwasgedd yn cydweithio ag un blaid arbennig. Cafwyd cysylltiadau agos rhwng CND a'r Blaid Lafur, ac yn wir, ym mis Chwefror 1958, pan ffurfiwyd CND, yr oedd o leiaf 10 o'r 19 aelod o bwyllgor gwaith cenedlaethol y mudiad yn aelodau amlwg iawn o'r Blaid Lafur. Cafwyd pum aelod seneddol o'r Blaid Lafur ar yr orymdaith gyntaf i Aldermaston yn ystod Pasg 1958.[87] Aelodau seneddol Llafur megis Leo Abse, A.S. Pont-y-pŵl, a oedd fwyaf cefnogol hefyd i'r ymgyrchoedd o blaid diddymu'r gosb eithaf, ac i ddiwygio'r cyfreithiau yn ymwneud ag erthyliad ac ysgariad.[88] Yr oedd cysylltiadau agos iawn rhwng y Blaid Ryddfrydol ac ymgyrch 'Stop the Seventy Tour' gan mai un o ffigurau amlycaf yr ymgyrch a'r mudiad gwrth-apartheid ym Mhrydain oedd Peter Hain, un o arweinwyr mudiad Ieuenctid y Rhyddfrydwyr yn ystod y chwedegau a'r saithdegau cynnar.[89] Er bod tuedd i fudiadau protest gael eu cysylltu â phleidiau'r chwith yn hytrach na'r dde, yn ystod y pumdegau blinwyd y Blaid Geidwadol gan weithgareddau y 'League of Empire Loyalists', a oedd yn breuddwydio am gael dychwelyd i ddyddiau 'hirfelyn tesog' yr Ymerodraeth Brydeinig.[90]

Nid dedwydd a llyfn fyddai perthynas y mudiadau gwasgedd hyn â'u hoff bleidiau gwleidyddol hwythau bob tro. Achoswyd sawl pen tost i Hugh Gaitskell a'r Blaid Lafur gan ymgyrchwyr CND, a geisiai yn fynych ymyrryd â gweithgareddau'r blaid trwy darfu ar gyfarfodydd cyhoeddus, poeni siaradwyr â chwestiynau, a cheisio llywodraethu cynadleddau. Cafwyd uchafbwynt yng nghynhadledd y Blaid Lafur yn Scarborough ym 1960 pan enillwyd buddugoliaeth enwog gan y mudiad diarfogi, a bu raid i Gaitskell ymladd yn daer i adfer ei awdurdod dros ei blaid wedi hynny.[91] Dioddefodd hyd yn oed y Blaid Geidwadol wrth i aelodau'r 'League of Empire Loyalists' ddefnyddio tactegau tarfu, megis torri ar draws cynadleddau a chyfarfodydd. Cafwyd uchafbwynt i'r ymgyrch honno ym 1958 pan lwyddodd aelodau'r Cynghrair i gael mynediad i gynhadledd flynyddol y Ceidwadwyr yn Blackpool gyda'r bwriad o darfu ar araith y Prif Weinidog, ond fe'u taflwyd allan mewn dull pur dreisgar.[92]

Peth cyffredin, felly, oedd gweld perthynas agos rhwng mudiadau gwasgedd arbennig a phleidiau gwleidyddol, gan fod mudiadau yn debygol o ochri'n reddfol â rhai pleidiau yn fwy na'i gilydd. Plaid Cymru fyddai dewis blaid y rhan fwyaf o aelodau'r Gymdeithas, yn enwedig o gofio hanes dechreuadau'r mudiad a'r ffaith mai cenedlaetholwyr oedd y mwyafrif o'r aelodau beth bynnag. At hynny, gan Blaid Cymru yr oedd yr unig bolisi iaith gwerth sôn amdano ymhlith holl bleidiau Cymru, ac felly hi oedd yr unig ddewis, yn ôl barn caredigion yr iaith. Y mae modd, felly, nodi cymariaethau tra phwysig rhwng aelodaeth Cymdeithas yr Iaith Gymraeg a mudiadau gwasgedd eraill. Unigolion ifainc, dosbarth-canol, addysgedig oedd asgwrn cefn y rhan fwyaf o fudiadau gwasgedd, boed y rheini yn fudiadau amgylcheddol, gwleidyddol, neu hawliau sifil. Yr oeddynt hefyd, fel unigolion ac fel aelodau o fudiadau, yn debygol o fod yn gysylltiedig ag un blaid wleidyddol arbennig, er mawr ofid i arweinyddiaeth y blaid honno. Nid oedd profiad a pherthynas Plaid Cymru a Chymdeithas yr Iaith Gymraeg yn unigryw yn hynny o beth.

Trefnu'r aelodau

Er bod y Gymdeithas wedi ei chreu ym mis Awst 1962, ni chynhaliwyd y cyfarfod swyddogol cyntaf tan ganol mis Hydref y flwyddyn honno.[93] Ni ddechreuwyd casglu aelodau tan 1963. Mewn llythyr a anfonwyd yn enw John Davies i rifyn cyntaf *Y Crochan,* 'cylchgrawn cenedlaetholwyr Coleg Aberystwyth', cafwyd apêl gyhoeddus gyntaf Cymdeithas yr Iaith am aelodau. Awgrymai hynny mai'r colegau fyddai prif ffynhonnell aelodaeth y mudiad o'r cychwyn cyntaf:

Annwyl Syr,

Hoffwn dynnu sylw eich darllenwyr at fodolaeth Cymdeithas yr Iaith Gymraeg. Y mae aelodaeth yn y Gymdeithas yn agored i bawb a fyn statws swyddogol i'r iaith Gymraeg yng Nghymru, ac a fyddai'n barod i wneud rhywbeth amgen dros y cyfryw nod na gwisgo bathodyn brithliw . . .[94]

Argraffwyd cardiau aelodaeth cyntaf y mudiad y flwyddyn honno, a pharatowyd ffurflen gais ar lun hysbyseb i'w gosod yn *Y Faner* a'r *Cymro:* cyhoeddwyd y gyntaf ar dudalen 4 *Y Faner,* 6 Mehefin 1963. Y tâl aelodaeth oedd 2s. 6d.[95]

Ni fu niferoedd y rhai a ymaelododd â Chymdeithas yr Iaith Gymraeg erioed yn anferthol ac ni fu'r Gymdeithas erioed ychwaith yn fudiad 'torfol'. Ond llwyddwyd i rwydo carfanau sylweddol. Fel y gellid disgwyl, nid oedd ganddi yn ystod ei blynyddoedd cynnar fwy nag oddeutu 140 neu 150 o aelodau, yn ôl tystiolaeth John Davies, un o'r ysgrifenyddion cyntaf.[96] Erbyn 1964–5 dengys y rhestrau aelodaeth fod cynnydd wedi digwydd a bod 251 o aelodau wedi eu cofrestru.[97] Serch hynny, ni chynyddodd y niferoedd yn sylweddol tan ddiwedd y degawd, ac awgryma adroddiadau'r wasg yn y cyfnod hwnnw fod yr aelodaeth oddeutu 500 o bobl.[98]

Yn sgil cychwyn yr ymgyrch beintio arwyddion ffyrdd uniaith Saesneg ym 1969, cynyddodd nifer yr aelodau yn sylweddol iawn. Oherwydd apêl yr ymgyrch hon i'r genhedlaeth ifanc newydd a oedd mor awyddus i fod yn rhan o fudiad cyffrous ac i gicio yn erbyn y tresi, chwyddodd y rhengoedd y tu hwnt i bob disgwyl. Lle cynt y rhifai'r aelodaeth oddeutu 500 ar y mwyaf, erbyn 1971 gallai'r Gymdeithas glochdar fod ganddi dros ddwy fil o aelodau llawn.[99] Mynnai adroddiadau yn y wasg fod ganddi hyd yn oed fwy na hynny – 3,780 o aelodau oedd amcangyfrif y *Western Mail* ar 22 Tachwedd 1972. Byddai'r Gymdeithas bob tro yn honni bod ganddi fwy o aelodau nag oedd ganddi mewn gwirionedd, ac fel pob mudiad arall, tueddai i orliwio ychydig, fel y dengys Graff 1.4.[100] Mewn gwirionedd, ni fu aelodaeth y Gymdeithas erioed yn fwy na 2,087 (1972–3) o aelodau llawn, er bod y rhestrau aelodaeth ar gyfer sawl blwyddyn bellach ar goll, ac ni ŵyr neb yn iawn faint yn union o aelodau a oedd ganddi yn ystod y blynyddoedd hynny.

Nid oes amheuaeth, fodd bynnag, nad dechrau'r saithdegau oedd awr anterth y Gymdeithas o ran nifer, a hyd yn oed barchusrwydd, ei haelodau, gan fod llawer iawn o unigolion o'r genhedlaeth hŷn yn barod y pryd hwnnw i gael eu cysylltu'n agored â hi. Tra oedd yr ymgyrch arwyddion ar ei hanterth, a chydymdeimlad carfan helaeth o'r cyhoedd ganddi, mwynhaodd y Gymdeithas 'awr fawr' yn ei hanes. Y rhain oedd blynyddoedd yr hwyl a'r asbri, ac yr oedd bod yn rhan o'r miri hwnnw yn denu ieuenctid o bob rhan o Gymru i

Graff 1.4: Nifer yr aelodaeth, 1962–92

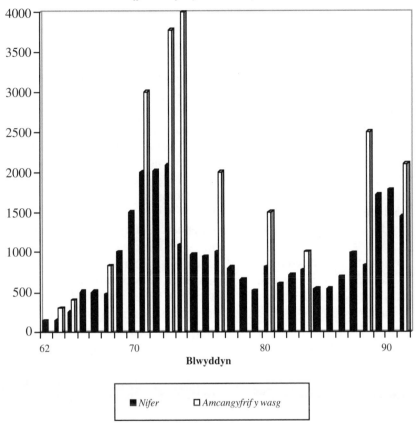

rhan o'r miri hwnnw yn denu ieuenctid o bob rhan o Gymru i
ymaelodi â'r mudiad. Tystia Dafydd Iwan i hynny yn ei hunangofiant:

> Er mor ddwys a difrifol oedd y sefyllfa, ac er mor gynhyrfus y
> teimlem, roedd hwyl yn y gwmnïaeth bob amser. Fedra' i ddim
> pwysleisio gormod ar hyn oherwydd roedd yn nodwedd o holl
> gwmnïaeth ac ymgyrchoedd Cymdeithas yr Iaith Gymraeg yn ystod y
> blynyddoedd hynny. Credem i gyd yn gryf ac yn ddwfn yn yr achos yr
> ymladdem drosto. Ond doedd hynny byth yn trechu'r hwyl a'r asbri
> naturiol oedd yn rhan ohonom. Ymhob sefyllfa roedd yna achos i
> dynnu coes ac i chwerthin. Oni bai am hynny, mae'n debyg, byddai
> wedi bod yn llawer iawn anos dioddef yr amgylchiadau.[101]

Ond tynnwyd y gwynt o hwyliau'r Gymdeithas yn sydyn iawn ar anterth yr ymgyrch peintio arwyddion gan ddedfryd gyfrwys iawn ar ddiwedd achos cynllwynio yn erbyn wyth o arweinwyr y mudiad ym mis Mai 1971. Yr oedd wyth aelod ac un cyn-aelod o Senedd y Gymdeithas wedi eu cyhuddo o gynllwynio yn anghyfreithlon i symud, difetha a lladrata arwyddion ffyrdd trwy Gymru. Fodd bynnag, a'r ymgyrch arwyddion ar ei hanterth a'r mudiad wedi paratoi ar gyfer saith carchariad, dedfrydwyd y saith gan y Barnwr Mars Jones yn Llys y Goron, Abertawe, i gyfnodau o flwyddyn, chwe mis a thri mis o garchar, yn ohiriedig am dair blynedd. Gan na charcharwyd yr un o'r diffynyddion, ni allai'r Gymdeithas elwa ar 'ferthyrdod' tybiedig ei harweinwyr. Collwyd momentwm a chollwyd cefnogaeth. Gostyngodd nifer yr aelodau er gwaethaf ymdrechion ar ran y Gymdeithas i boblogeiddio'r ymgyrchoedd darlledu a thai haf, ond ymddengys nad oedd y garfan fawr o barchusion y genhedlaeth hŷn, a oedd wedi bod yn gefnogol hyd hynny, yn awyddus iawn i barhau'n driw iddi wedi'r siom na charcharwyd neb yn sgil yr achos yn Abertawe.

Erbyn 1979–80 yr oedd cyfanswm yr aelodaeth wedi gostwng i 515,[102] y nifer isaf er canol y chwedegau, ac er y cafwyd ychydig o gynnydd wedi buddugoliaeth y sianel deledu Gymraeg (cynyddodd i 816 ym 1981), ni chafwyd dim byd tebyg i niferoedd oes aur y saithdegau. Trwy gydol yr wythdegau, yr oedd yr aelodaeth oddeutu 700, gan gyrraedd isafbwynt o 531 ym 1985–6, ac yna uchafbwynt o 989 ym 1987–8.[103] Cynyddodd nifer aelodau llawn y Gymdeithas yn ystod y nawdegau (yr oedd yn 1,771 ym 1990–1),[104] yn bennaf o ganlyniad i'r ymgyrch o blaid Deddf Iaith Newydd, ymgyrch a brofodd bron mor boblogaidd â'r ymgyrchoedd statws a darlledu yn y saithdegau.

Ni roes y Gymdeithas, fodd bynnag, erioed lawer iawn o sylw i gyfanswm ei haelodaeth, gan mai nifer yr ymgyrchwyr a oedd yn bwysig iddi. Yng Nghyfarfod Cyffredinol 1973 penderfynwyd:

> Gan gydnabod na ellir creu chwyldro cenedlaethol heb sylfaen helaeth o gefnogwyr a chroes-doriad ehangach o weithredwyr, a chan sylwi ar ymdrechion o du'r awdurdodau i'n hynysu oddi wrth ein pobl, fe ddylem wneud ymdrech benderfynol yn 1974 i gyrraedd ein pobl a'u tynnu i mewn i'r frwydr.[105]

Penderfynwyd mewn cyfarfod o Senedd y Gymdeithas ar 13 Medi 1975 drefnu ymgyrch aelodaeth ym mhob ardal yng Nghymru,[106] ond

bach iawn a wnaethpwyd i geisio cynnal ymgyrch lwyddiannus. Ym
1979 cyhoeddwyd casgliad o ysgrifau gan aelodau hŷn a pharchus y
Gymdeithas yn esbonio *Pam 'da ni'n Aelodau o Gymdeithas yr Iaith
Gymraeg,* er mwyn chwyddo'r aelodaeth.

Yng Nghyfarfod Cyffredinol 1981 penderfynwyd 'fod y Gymdeithas
yn sefydlu'r swydd o ysgrifennydd aelodaeth a'i unig swyddogaeth
fyddai bod yn gyfrifol am ymgyrch aelodaeth effeithiol . . .'.[107] Llanwyd
y swydd yn wreiddiol gan Helen Greenwood, a chan ei bod yn drefnus
a phroffesiynol rhoes gychwyn da i'r swydd, gan gylchlythyru cyn-
aelodau a chefnogwyr, a hyd yn oed aelodau Plaid Cymru.
Cyhoeddwyd llyfr bychan, *Dewch Gyda Ni . . .*, i ddenu aelodau
newydd trwy esbonio cefndir y Gymdeithas, ei hymgyrchoedd, ei
dulliau a'i hamcanion, a gorchmynnwyd i aelodau'r Senedd gasglu deg
aelod newydd yr un.[108] Gwaetha'r modd, newidiai'r ysgrifennydd
aelodaeth bron yn flynyddol, a gwaith anodd oedd cynnal yr ymgyrch.
Hefyd, o gymharu â'r £334,000 a wariwyd gan yr RSPB ar recriwtio
ym 1980, truenus o fach oedd buddsoddiad ariannol y Gymdeithas yn y
dasg o ennill aelodau newydd.[109] Nod ymgyrch aelodaeth y Gymdeithas
ym 1981–2 oedd casglu 6,500 o aelodau erbyn 1986, targed a oedd yn
rhy uchelgeisiol o lawer ac ni wireddwyd mohono.

Yn Eisteddfod Genedlaethol yr Urdd ym 1985, yn sgil crechwen y
wasg, trefnodd y Gymdeithas ymgyrch aelodaeth arbennig wedi ei
hanelu at ddisgyblion ysgol. Mewn cyfarfod ar fore Gwener yr ŵyl,
sefydlwyd ffederasiynau ysgolion rhanbarthol, yn rhannol er mwyn
rhoi mwy o gynrychiolaeth i ddisgyblion ysgol yn y Gymdeithas (a
oedd bellach yn cynrychioli dros chwarter holl aelodau'r mudiad) ac
yn rhannol er mwyn denu mwy o aelodau.[110] Nodwyd bod dros hanner
aelodau'r Gymdeithas bob blwyddyn yn ymaelodi naill ai yn ystod
Eisteddfod yr Urdd neu yn ystod yr Eisteddfod Genedlaethol.
Ymaelododd 131 o aelodau yn Eisteddfod Genedlaethol yr Urdd yng
Nghwm Gwendraeth, a 600 yn Eisteddfod Genedlaethol Dyffryn
Conwy ym 1989.[111] Ym 1989 hefyd penodwyd yr actor John Ogwen
yn ysgrifennydd aelodaeth y Gymdeithas yn y gobaith y gallai ef, yn
rhinwedd ei enwogrwydd, ddenu rhagor o aelodau.

Fel y dywedwyd, ni sefydlwyd 'cyfundrefn' aelodaeth effeithlon gan
y Gymdeithas nes creu swydd ysgrifennydd aelodaeth ym 1981. Yn
ystod y chwedegau cedwid enwau a chyfeiriadau'r aelodau ar restrau
papur, wedi eu dosbarthu yn ôl siroedd ac yn nhrefn yr wyddor gan

Llinos Lewis ym 1968, a'u cadw yng ngofal ysgrifennydd y Pwyllgor Canol hyd nes yr agorwyd swyddfa gyntaf y mudiad ym 1970. Parhaodd y tâl aelodaeth yn 2s. 6d. hyd 1968, pan gododd i 5s. (10s. yn cynnwys tanysgrifiad i'r misolyn *Tafod y Ddraig*).[112] Codwyd y tâl i £1 ym 1973, a bu hynny'n rhannol gyfrifol, yn ôl barn swyddogion y cyfnod, am leihad yn nifer yr aelodau llawn.[113] Fel popeth arall, codi a wnâi'r tâl aelodaeth yn raddol, nes ei fod, erbyn 1992, yn £2 ar gyfer disgyblion ysgol, £3 ar gyfer pensiynwyr, myfyrwyr a'r di-waith, a £6 ar gyfer pobl mewn gwaith.[114] Erbyn hynny hefyd, yr oedd yr holl restrau aelodau yn cael eu cadw ar gyfrifiadur.

Peth anghyffredin, mewn gwirionedd, ydyw i fudiadau gwasgedd a phrotest gael 'aelodau' rhagor na 'chefnogwyr'. Meddai Frank Parkin:

> Mass movements have 'followings' or 'supporters' rather than members, and their characteristic mode of operation is not through committees or formal procedures but through the mobilization of supporters in public demonstrations or similar techniques which by-pass the orthodoxies of the political process and democratic machinery . . .[115]

Credai trefnwyr CND, er enghraifft, y gallai 'aelodau' a chanddynt 'hawliau' fod yn fwy o rwystr nag o fudd. Gan y gallai 'aelodaeth' mewn trefn ddemocrataidd lesteirio cynnydd a chyfeiriad yr ymgyrch, penderfynwyd sefydlu cyfundrefn a fyddai'n caniatáu i 'gefnogwyr' dalu am y fraint o gael defnyddio'r teitl hwnnw.[116] Yr un yw cyfundrefn 'Greenpeace', sy'n gofyn i bobl dalu am y fraint o gael bod yn 'gefnogwyr', ond nid yn 'aelodau'. Meddai un o bamffledi 'Greenpeace' ym 1981: 'We do not have an official membership as we feel the amount of time and energy involved in assembly and maintenance of membership files would be better spent in organising campaigns.'[117] Y mae gan rai o'r grwpiau gwasgedd hyn lawer iawn o 'gefnogwyr': ym 1989 yr oedd gan yr RSPB 561,000 o gefnogwyr, tra gallai 'Greenpeace' ddatgan bod ganddynt hwy 2.5 miliwn.[118] Awgrymodd Lowe a Goyder ym 1983 fod gan y mudiadau amgylcheddol gyfanswm o ryw dair miliwn o aelodau ym Mhrydain yn unig.[119] 'More usually,' medd W. N. Coxall, 'membership is numbered in a few thousands or even in hundreds; 5,000 is a good membership for a "cause" group and 10,000 is exceptional.'[120]

Yn ôl R. Presthus ym 1974, 'size and quality of membership are probably among the major political resources of interest groups'.[121] Yr

arian a gesglid trwy ffïoedd aelodaeth yw un o brif ffynonellau
ariannol y rhan fwyaf o fudiadau gwasgedd, a pharodrwydd yr
aelodau i weithredu yn unol â pholisïau'r mudiadau yw hanfod eu
grym a'u dylanwad gwleidyddol.[122] Rhaid cydnabod bod CND a
'Greenpeace' wedi bod yn llwyddiannus iawn yn ystod eu gyrfa
wleidyddol, yn bennaf o ganlyniad i faint eu haelodaeth a
pharodrwydd eu haelodau i weithredu. Efallai fod niferoedd aelodaeth
Cymdeithas yr Iaith yn fychan iawn o'u cymharu â'r rhain, ond rhaid
cofio bod ansawdd aelodaeth Cymdeithas yr Iaith lawn cystal ag
unrhyw fudiad arall, gan eu bod yn bobl ifainc ymroddedig a
brwdfrydig. Rhaid cofio hefyd, fel y dywedodd Alec Barbrook a
Christine Bolt, 'success depends only in part upon the size of the
pressure group . . . In reality, small pressure groups can be very
effective if they reflect some strand of contemporary thinking'.[123] Gan
fod y Gymdeithas yn adlewyrchu awydd y rhan fwyaf o Gymry
Cymraeg i adfer yr iaith ac ennill iddi statws swyddogol cyfartal,
ynghyd ag addysg Gymraeg a darlledu Cymraeg, yr oedd modd iddi
fod yn fudiad grymus tu hwnt. Yn wir, awgrymodd Ned Thomas fod
mil o aelodau Cymdeithas yr Iaith, o'u hystyried yng nghyd-destun
cyfanswm y siaradwyr Cymraeg yng Nghymru, yn cynrychioli
oddeutu can mil o bobl mewn cyd-destun Prydeinig.[124] Pe soniem am
'gefnogwyr' Cymdeithas yr Iaith, diau y byddai eu niferoedd yn fwy o
lawer na chyfanswm ei haelodau. Er enghraifft, awgrymodd John
Owen-Davies ym 1972 fod gan y Gymdeithas gymaint â 5,000 o
gefnogwyr.[125]

Ond faint yn union o'r aelodau hyn a oedd yn weithgar fel
arweinwyr a gweithredwyr? Ar sail yr ymchwil a wnaed ar gyfer yr
astudiaeth hon, cyfran fechan o'r aelodaeth gyfan a fu'n weithgar yn
rhengoedd y Gymdeithas drwy fod yn aelodau o'r corff rheoli. Dim
ond 337 o aelodau'r Gymdeithas a fu'n aelodau o'r Pwyllgor Canol
neu'r Senedd ar unrhyw adeg rhwng 1962 a 1992; bu 160 o'r rheini
am gyfnod o flwyddyn yn unig. Yn wir, dim ond tair blynedd, ar
gyfartaledd, y byddai aelodau'r Gymdeithas yn parhau fel arweinwyr
ar gorff rheoli'r mudiad. Yr oedd oblygiadau pwysig iawn i hyn, gan y
byddai'r newid cyson yn arweinyddiaeth y mudiad yn achosi
problemau dilyniant yn yr ymgyrchoedd. Serch hynny, yr oedd y
chwistrelliad cyson o egni a syniadau newydd a geid yn gymorth
mawr i finiogi ymgyrchoedd a pholisïau'r mudiad. Fodd bynnag,

rhaid ychwanegu bod rhai aelodau unigol o gorff rheoli'r Gymdeithas wedi gwasanaethu am flynyddoedd lawer. Yr enghraifft loywaf yw Ffred Ffransis.

Tra gwahanol yw nifer yr aelodau a oedd yn fodlon gweithredu yn anghyfansoddiadol neu fynd gerbron llysoedd barn neu gael eu carcharu.[126] Awgrymodd Clive Betts ym 1977 mai rhyw 330 yn unig o aelodau'r Gymdeithas (allan o 998) a oedd yn barod i dorri'r gyfraith fel rhan o ymgyrchoedd y mudiad, ac o'r rheini dim ond rhyw 80, oherwydd ymrwymiadau eraill, a fyddai'n debygol o dorri'r gyfraith yn ystod un brotest fawr.[127] Mewn gwirionedd, ni chafwyd un brotest yn hanes y Gymdeithas lle y torrwyd y gyfraith yn fwriadol gan gymaint ag 80 o aelodau a chefnogwyr. Serch hynny, yr oedd nifer y rhai a weithredodd yn anghyfansoddiadol yn ystod yr ymgyrchoedd a gynhaliwyd rhwng 1962 a 1992 yn sylweddol iawn, fel y dengys Tabl 1.10.[128] Yn ôl yr ystadegau hyn, araf iawn oedd ymgyrchoedd anghyfansoddiadol y Gymdeithas i ddenu cyfran helaeth o gefnogaeth weithredol. Rhwng 1962 a 1965, dim ond deg unigolyn gwahanol a fu gerbron y llysoedd yn enw'r Gymdeithas.

Tabl 1.10: Nifer yr unigolion a fu gerbron llysoedd, a nifer yr unigolion a garcharwyd, 1962–92

Cyfnod	Nifer a fu gerbron Llysoedd	Carchariadau
1962–5	10	1
1966–70	132	40
1971–5	585	102
1976–80	305	44
1981–5	122	13
1986–90	167	21
1991–2	54	10
Cyfanswm	1105	171

Yr oedd prinder gweithredwyr yn destun pryder i nifer o'r arweinwyr yng nghanol y chwedegau. Mewn anerchiad i'r aelodau yn *Tafod y Ddraig* ym 1968, sylwodd Gareth Miles, y cadeirydd, mai rhyw ugain o bobl yn unig a oedd wedi cymryd rhan yn yr ymgyrch treth ffordd, a bod y rheini bron yn ddieithriad yn bobl ifainc, a'u bod wedi dioddef achosion llys, dirwyon a charchar. Onid pobl ddosbarth-canol, genedlaetholgar oedd corff aelodaeth y Gymdeithas, gofynnodd, ac os felly 'Sut y bu i gyn lleied o'r garfan fodurgar hon ymuno yn y frwydr dros y ffurflen?...'[129] Mewn anerchiad a draddodwyd mewn rali brotest yng Nghaerdydd, 11 Mai 1968, meddai Emyr Llewelyn:

> Gadwch i ni, cyn galw enwau ar neb arall, ein holi ein hunain, a ydyn ni wedi ymdaflu i frwydr yr iaith fel dylen ni? Y gwir trist yw mai tenau yw'r rhengoedd ar faes y gad. Bu yna rai fel Geraint Jones, Neil Jenkins, Gwyneth Wiliam, y teulu Beasley, Hywel ap Dafydd a Dafydd Iwan yn ymladd yn ddewr yn y rheng flaen. Bu'r frwydr yn hir eisoes, onid oes rai ohonom ni sy'n ifanc yn barod i gamu i flaen y frwydr i roi gorffwys i'r rhai a fu'n brwydro mor ddygn a di-ildio cyhyd?[130]

Ond er mai araf oedd trwch aelodau'r Gymdeithas i arddel dulliau anghyfansoddiadol o weithredu ac i dorri'r gyfraith yn fwriadol, dros dro yn unig y parhaodd y broblem hon. Rhwng 1971 a 1975 bu 585 o unigolion gwahanol gerbron y llysoedd yn sgil ymgyrchoedd y mudiad, a 209 o'r rheini ym 1973 yn unig, gan dystio i boblogrwydd yr ymgyrch arwyddion ffyrdd a'r ymgyrch ddarlledu. Ar ffurflenni ymaelodi 1976–7 gofynnwyd i aelodau nodi eu parodrwydd i gymryd rhan yn ymgyrchoedd cyfansoddiadol ac anghyfansoddiadol y Gymdeithas: nododd 221 eu bod yn fodlon cymryd rhan mewn gweithgareddau cyfansoddiadol yn unig, tra oedd 271 yn barod i gymryd rhan mewn gweithgareddau anghyfansoddiadol a thorcyfraith (h.y. 22 y cant yn gyfansoddiadol, a 27 y cant yn anghyfansoddiadol). Ni roes y gweddill dic yn y naill flwch na'r llall.[131] Erbyn 1980 yr oedd oddeutu 900 o unigolion gwahanol wedi ymddangos gerbron y llysoedd barn yn ystod y degawd blaenorol. Gostwng a wnaeth nifer yr unigolion gwahanol a fu'n gweithredu yn enw'r Gymdeithas yn ystod yr wythdegau, a hynny oherwydd diffyg ymgyrchoedd torfol ar raddfa ymgyrchoedd y saithdegau.

Fel arfer, ar un achlysur yn unig y byddai unigolion yn torri'r gyfraith yn enw'r Gymdeithas. Ym 1973 a 1980 dygwyd cynifer ag 20 y cant o 'droseddwyr un achlysur' gerbron eu gwell, y mwyafrif llethol ohonynt yn bobl a oedd wedi gwrthod talu am eu trwydded deledu.

Trwy Ddulliau Chwyldro . . .?

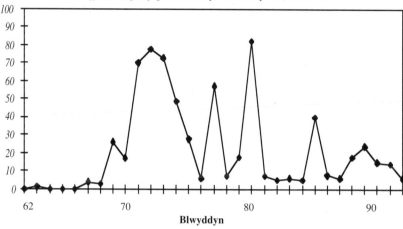

Graff 1.5: Nifer y gweithredwyr 'un achlysur', 1962–92

Dengys Graff 1.5 ym mha flynyddoedd rhwng 1962 a 1992 y bu'r nifer fwyaf o weithredwyr 'un achlysur' gerbron llysoedd barn. Serch hynny, yr oedd llawer o'r aelodau a dorrai'r gyfraith yn enw'r Gymdeithas wedi troseddu sawl tro o'r blaen, ac yn 'repeat offenders', yn ôl terminoleg y gyfraith. O'r 1,105 o unigolion a fu gerbron y llysoedd rhwng 1962 a 1992, yr oedd eu hanner, o leiaf, wedi troseddu fwy nag unwaith, gan wynebu achosion llys, dirwyon a hyd yn oed garchar ar amryw o adegau; bu 25 ohonynt gerbron y llysoedd ar fwy na deg achlysur. At hynny, carcharwyd 171 o unigolion rhwng 1962 a 1992 yn sgil 250 o wahanol achosion. Bu Ffred Ffransis, y 'champion gaol-bird', yn ôl un newyddiadurwr, gerbron y llysoedd am 36 o wahanol droseddau. Ei drosedd gyntaf, ym 1968, oedd gyrru cerbyd heb dreth ffordd, a'i drosedd olaf, yn y cyfnod dan sylw, oedd iddo, ym 1989, achosi gwerth £5 o ddifrod trwy dorri gwifrau ffôn y Swyddfa Gymreig yng Nghaerdydd.[132] Treuliodd ef gyfanswm o dair blynedd mewn carchar yn ystod y saithdegau, ar saith achlysur gwahanol ac mewn wyth carchar gwahanol. Er mai llai na thraean o aelodau'r Gymdeithas a oedd yn fodlon torri'r gyfraith a chymryd cyfrifoldeb am eu gweithredoedd, yr oedd hefyd garfan sylweddol ac ymroddedig yn barod i aberthu eu rhyddid er mwyn hyrwyddo'r achos. Yr ymroddiad a'r brwdfrydedd hyn oedd arfau pennaf Cymdeithas yr Iaith Gymraeg.[133]

Mudiad yw Cymdeithas yr Iaith Gymraeg sydd wedi dibynnu'n llwyr ar ymroddiad ac egnïon ei aelodau er mwyn cyflawni ei amcanion. Y 'milwyr ewn' hyn, chwedl Huw Llew Williams, a fu'n gyfrifol i raddau helaeth iawn am gyfeiriad a llwyddiant y mudiad iaith yng Nghymru er dechrau'r chwedegau.[134] Sefydlwyd y Gymdeithas o ganlyniad i rwystredigaeth cenedlaetholwyr ifainc a oedd yn argyhoeddedig na ellid datrys argyfwng yr iaith Gymraeg trwy ddefnyddio'r gyfundrefn wleidyddol a'r dulliau a fodolai yng Nghymru cyn y chwedegau. Er na fu rhengoedd y Gymdeithas erioed yn anferthol o fawr mewn unrhyw gyfnod, credai'r aelodau'n gryf mai 'trwy ddulliau chwyldro yn unig' y gellid achub yr iaith Gymraeg, ac aethant ati yn eu dull dihafal eu hunain i ymgyrchu er mwyn sicrhau statws cyfartal llawn i'w mamiaith. Erbyn heddiw, prin y gellir gwadu nad Cymdeithas yr Iaith yw un o'r mudiadau gwasgedd pwysicaf a mwyaf dylanwadol a welodd Cymru yn ystod yr ugeinfed ganrif. Gall y Gymdeithas ymhyfrydu yn y ffaith fod ganddi aelodaeth o safon uchel iawn o ran gallu, gweithgarwch, ymroddiad a brwdfrydedd, er nad pawb, mae'n siŵr, a fyddai'n fodlon cytuno â'r defnydd a wneir o'r adnoddau hynny.

Nodiadau

1 Peter Shipley, *The Guardian Directory of Pressure Groups and Representative Associations* (London, 1976), t.21; David Marsh, *Pressure Politics: Interest Groups in Britain* (London, 1983), t.4.

2 Dyfynnwyd yn Malcolm Davies, *Politics of Pressure* (London, 1985), t.18.

3 Geoffrey Alderman, *Pressure Groups and Government in Great Britain* (New York, 1984), tt.16–17.

4 Dyfynnwyd yn Davies, *Politics of Pressure*, t.21.

5 Daniel Bell, *The End of Ideology: On the Exhaustion of Political Ideas in the Fifties* (New York / London, 1965), t.373. Dyfynnwyd yn Alec Barbrook a Christine Bolt, *Power and Protest in American Life* (Oxford, 1980), t.266.

6 Peter Cadogan, 'From Civil Disobedience to Confrontation', yn Robert Benewick a Trevor Smith (goln.), *Direct Action and Democratic Politics* (London, 1972), tt.166–74.

7 Wyn Grant, *Pressure Groups, Politics and Democracy in Britain* (argraffiad cyntaf, Hertfordshire, 1989), t.156.

8 Christopher Driver, *The Disarmers: A Study in Protest* (London, 1964), tt.51–62.

9   S. E. Finer, *The Changing British Party System* (Washington D.C., 1980), tt.129–35. Dyfynnwyd yn Alderman, *Pressure Groups and Government*, tt.123–4.

10 Gw. Arnold J. James a John E. Thomas, *Wales at Westminster: A History of the Parliamentary Representation of Wales 1800–1979* (Llandysul, 1981); Ian McAllister, 'The Labour Party in Wales: the dynamics of one-partyism', *Llafur*, 3/2 (1981), tt.79–89.

11 Finer, *The Changing British Party System*, tt.129–35.

12 Trevor Smith, 'Protest and Democracy', yn Benewick a Smith (goln.), *Direct Action and Democratic Politics*, t.309.

13 Adroddiad Comisiwn Cameron, *Disturbances in Northern Ireland* (1969), par. 126. Dyfynnwyd yn David G. T. Williams, 'Policy-Making', ibid., t.223. Am hanes y mudiad hawliau sifil yng Ngogledd Iwerddon, gw. Bob Purdie, *Politics in the Streets: The Origins of the Civil Rights Movement in Northern Ireland* (Belfast, 1990).

14 Gareth Miles yn *TDd*, 17 (cyfres I, 2/1965); Dafydd Iwan, 'O gwmpas dy draed', cyhoeddwyd yn *TDd*, 17 (1/1969).

15 Ar hanes protestiadau CND, gw. Driver, *The Disarmers*; Frank Parkin, *Middle Class Radicalism: The Social Bases of the British Campaign for Nuclear Disarmament* (Manchester, 1968). Am brotestiadau heddwch America yn erbyn y rhyfel yn Fietnam, gw. Tom Wells, *The War Within: America's Battle Over Vietnam* (California, 1994).

16 Ar brotestiadau pobl dduon America, gw. August Meier ac Elliot Rudwick, *Black Protest in the Sixties* (Chicago, 1970); Mary Ellison, *The Black Experience: American Blacks Since 1865* (London, 1974); Norman F. Cantor, 'Black Liberation in the United States', yn idem, *The Age of Protest* (London, 1970), tt.227–59. Ar brotestiadau gwrth-apartheid yn Lloegr a Chymru, gw. Peter Hain, *Don't Play with Apartheid* (London, 1971).

17 Ar brotestiadau myfyrwyr, gw. Seymour Martin Lipset (gol.), *Student Politics* (ail argraffiad, London, 1967); Patrick Seale a Maureen McConville, *French Revolution 1968* (London, 1968); Norman F. Cantor, 'The French Crisis', yn idem, *The Age of Protest*, tt.316–23; Harriet Crawley, *A Degree of Defiance: Students in England and Europe Now* (London, 1969).

18 Gwyn A. Williams, 'Women workers in contemporary Wales, 1968–82', *CHC*, 11/4 (1983), tt.530–48; Victoria Winckler, 'Women in post-war Wales', *Llafur*, 4/4 (1987), tt.69–77.

19 Brinley Thomas, 'Post-War Expansion', yn idem, *Welsh Economy: Studies in Expansion* (Caerdydd, 1962), tt.30–50; Dennis Thomas, 'Economi Cymru 1945–1995', yn Geraint H. Jenkins (gol.), *Cof Cenedl XI* (Llandysul, 1996), tt.147–79.

20 John Davies, *Hanes Cymru* (London, 1990), t.611. Gw. hefyd Kenneth O. Morgan, *Rebirth of a Nation. Wales 1880–1980* (ail argraffiad, Oxford, 1990), tt.340–75.

21 Davies, *Hanes Cymru*, t.615.

22 J. Parry Lewis, 'Population', yn Thomas, *Welsh Economy*, tt.179–88.

23 Davies, *Hanes Cymru*, t.604.

24 Ibid., tt.616–18; John Davies, 'Wales in the nineteen-sixties', *Llafur*, 4/4 (1987),

[24] Ibid., tt.616–18; John Davies, 'Wales in the nineteen-sixties', *Llafur,* 4/4 (1987), tt.78–88. Gw. hefyd Morgan, *Rebirth of a Nation,* tt.340–75.

[25] Dafydd Iwan, *Dafydd Iwan* (Caernarfon, 1981), t.52.

[26] Emyr Humphreys, 'The Welsh condition', *The Spectator,* 28/3/1970.

[27] Llythyr rhiant o Foncath i'r *Western Telegraph.* Dyfynnwyd yn *TDd,* 4 (11/1967).

[28] Davies, *Hanes Cymru,* t.616. Gw. hefyd, Geraint H. Jenkins, '"Prif faen clo cenedl y Cymry"': Prifysgol Cymru 1893–1993', yn idem (gol.), *Cof Cenedl X* (Llandysul, 1995), tt.121–52.

[29] Aitchison a Carter, *A Geography of the Welsh Language 1961–1991,* tt.42–3. Gw. hefyd Harold Carter, 'Dirywiad yr iaith Gymraeg yn yr ugeinfed ganrif', yn Geraint H. Jenkins (gol.), *Cof Cenedl V* (Llandysul, 1990), tt.147–76; Davies, *The Welsh Language,* tt.67–76.

[30] Gw. Morgan, *Rebirth of a Nation,* tt.376–408; J. Graham Jones, 'Y Blaid Lafur, datganoli a Chymru, 1900–1979' yn Geraint H. Jenkins (gol.), *Cof Cenedl VII* (Llandysul, 1992), tt.167–200.

[31] Alan Butt Philip, *The Welsh Question: Nationalism in Welsh Politics 1945–1970* (Caerdydd, 1975), tt.85–91.

[32] Am hanes boddi Capel Celyn a Chwm Tryweryn, gw. Watcyn L. Jones, *Cofio Tryweryn* (Llandysul, 1988), tt.155–283; Gwynfor Evans, *We Learn from Tryweryn* (Caerdydd, 1958?); idem, 'Gwersi Tryweryn', *Rhagom i Ryddid* (Bangor, 1964), tt.34–54. Am hanes y rhwystredigaeth oddi mewn i Blaid Cymru yn sgil Tryweryn, gw. Butt Philip, *The Welsh Question,* Pennod 5.

[33] Rhyddhawyd John Albert Jones yn amodol am gyfnod o dair blynedd. Ceir hanes gweithred Tryweryn yng nghyfrol Owain Williams, *Cysgod Tryweryn* (Caernarfon, 1979).

[34] Butt Philip, *The Welsh Question,* tt.88–92.

[35] John Davies, 'Blynyddoedd Cynnar Cymdeithas yr Iaith Gymraeg', yn Aled Eirug (gol.), *Tân a Daniwyd: Cymdeithas yr Iaith 1963–76* (Abertawe, 1976), tt.5–6.

[36] Yn yr astudiaeth hon cyfeirir at 'aelod', 'arweinydd', a 'gweithredwr' wrth drafod natur aelodaeth y Gymdeithas. Defnyddir y term 'aelod' i olygu unigolyn a oedd wedi talu tâl aelodaeth i Gymdeithas yr Iaith ac wedi ei gofrestru yn rhestrau aelodaeth y mudiad. Defnyddir y term 'arweinydd' i olygu unigolyn a oedd wedi ei ethol neu ei gyfethol yn aelod o gorff rheoli'r mudiad, sef y Pwyllgor Canol neu'r Senedd. Ni chynhwysir swyddogion celloedd na rhanbarthau yn y term 'arweinydd', heblaw am gynrychiolwyr cyfetholedig y rhanbarthau ar y corff rheoli. Defnyddir y term 'gweithredwr' i olygu unigolyn a fu gerbron llys barn am gymryd rhan yn ymgyrchoedd torcyfraith y mudiad. Oherwydd natur gweithredu Cymdeithas yr Iaith a'r ffynonellau hanesyddol ni chynhwysir yn y term 'gweithredwr' yr holl unigolion hynny a fu'n cyfrannu at weithgaredd y mudiad trwy ddulliau cyfansoddiadol, nac unigolion a fu'n gweithredu yn anghyfansoddiadol ond heb dderbyn cyfrifoldeb am eu trosedd.

[37] Gwaetha'r modd, ni ofynnwyd am ddyddiad geni ar ffurflenni ymaelodi Cymdeithas yr Iaith.

[38] Noder mai 'Pwyllgor Canol' Cymdeithas yr Iaith oedd y ffurf gyntaf ar gorff

rheoli'r mudiad, a'i fod yn cynnwys y cadeirydd, yr ysgrifenyddion, a'r trysorydd. Yng Nghyfarfod Cyffredinol 1970 newidiwyd enw'r corff rheoli yn 'Senedd', a gwnaethpwyd amryw o ddiwygiadau gweinyddol eraill. Am fanylion cyrff rheoli'r Gymdeithas, gw. Pennod 2.

39 Diau fod gostwng oedran pleidleisio o 21 oed i 18 oed ym 1967 hefyd wedi cael effaith ar y gostyngiad a welwyd yng nghyfartaledd oedran aelodau'r Gymdeithas trwy ddenu mwy o bobl ifainc.

40 Cyfweliadau â Meri Huws yn *Y Cymro*, 13/10/1981, a'r *LDP*, 16/10/1981.

41 Ar sail yr aelodau hynny a fu gerbron llysoedd barn y cafwyd y cyfartaledd oed, gan mai amhosibl fyddai ceisio dyfalu oedran pawb a fu'n gweithredu ar ran y mudiad. Noder, felly, fod y dull hwn o amcangyfrif cyfartaledd oed yn gyfyng iawn. Diau hefyd fod llawer mwy o aelodau a chefnogwyr dan ddeunaw oed wedi cymryd rhan weithredol yn ymgyrchoedd y Gymdeithas (yn enwedig yn yr ymgyrch arwyddion).

42 Gw. *WM* a'r *LDP*, 23/2/1973; *TDd*, 58 (3/1973).

43 Mewn astudiaeth ddiddorol ym 1979, dangosodd W. L. Miller fod pobl ifainc yn llawer mwy parod i gefnogi dulliau anghyfansoddiadol o wleidydda nag unrhyw grŵp arall yng Nghymru. W. L. Miller et al., 'Democratic or Violent Protest? Attitudes Towards Direct Action in Scotland and Wales', *Studies in Public Policy*, 107 (Glasgow, 1982), tt.20–3.

44 LlGC, PCYIG 30. Senedd, 6/7/1985.

45 Gw. Iwan, *Dafydd Iwan*, t.48.

46 John Davies, 'Blynyddoedd Cynnar', tt.19–20.

47 'Internal danger to the language', *WM*, 18/10/1976.

48 *Barn*, 77 (1969).

49 Butt Philip, *The Welsh Question*, t.247.

50 Gw. yr adroddiadau a'r rhestrau yn *Barn*, 77–83 (1969).

51 Wynfford James, llythyr, 'Pa werth sydd i griw'r tir canol?', *Y Cymro*, 21/6/1977.

52 Defnyddiwyd dosbarthiad economaidd-gymdeithasol y cyfrifiad wrth ddadansoddi cefndir dosbarth aelodau Cymdeithas yr Iaith: *Classification of Occupations* (HMSO, 1960).

53 Bud B. Khleif, *Language, Ethnicity, and Education in Wales* (The Hague, 1980), tt.77–8.

54 Angharad Tomos, 'A Welsh Lady', yn Jane Aaron (gol.), *Our Sisters' Land* (Caerdydd, 1994), tt.259–66.

55 Angela Holdsworth, *Out of the Doll's House: The Story of Women in the Twentieth Century* (ail argraffiad, London, 1991), tt.179–202.

56 Jill Liddington, *The Long Road to Greenham. Feminism and Anti-Militarism in Britain since 1820* (London, 1989), tt.172–286.

57 Charlotte Aull Davies, 'Women, Nationalism and Feminism', yn Aaron (gol.), *Our Sisters' Land*, tt.242–55.

58 D. Hywel Davies, *The Welsh Nationalist Party 1925–45: A Call to Nationhood* (Caerdydd, 1983), t.70, tn.25. Dyfynnwyd yn Charlotte Aull Davies, 'Women, Nationalism and Feminism', t.245. Gw. hefyd Manon Rhys (gol.), *Bywyd Cymro* (Caernarfon, 1982), tt.208–9.

59 Gw. adroddiadau papur newydd yn *Y Cymro*, 9/6/1966; *WM*, 9/6/1966; a'r *Faner,* 16/6/1966.

60 'Rhybuddio'r Llythyrdy i gydnabod y Gymraeg a hynny'n ddioed', *Y Cymro*, 23/2/1967.

61 Gw. Teresa Rees, 'Women in Post-War Wales', yn Trevor Herbert a Gareth Elwyn Jones (goln.), *Post-War Wales* (Caerdydd, 1995), tt.78–106.

62 Charlotte Aull Davies, 'Women, Nationalism and Feminism', t.254.

63 Khleif, *Language, Ethnicity, and Education in Wales*, t.77.

64 Gwilym R. Jones, 'Barn ein gwŷr amlwg', *TDd*, 4 (11/1967).

65 Cynog Davies, 'Cymdeithas yr Iaith Gymraeg', yn Meic Stevens (gol.), *The Welsh Language Today* (Llandysul, 1979), t.280.

66 W. L. Miller et al., 'Democratic or Violent Protest?', t.47.

67 Dyfynnwyd yn Driver, *The Disarmers*, tt.59–60. Gw. Parkin, *Middle Class Radicalism*, tt.175–92.

68 Philip Lowe a Jane Goyder, *Environmental Groups in Politics* (London, 1983), t.10.

69 Khleif, *Language, Ethnicity, and Education in Wales*, t.78.

70 Jonathon Porritt a David Winner, *The Coming of the Greens* (London, 1988), t.182.

71 Parkin, *Middle Class Radicalism*, tt.140–74; Driver, *The Disarmers*, tt.50, 60.

72 Peter Hain, 'Direct Action and the Springbok Tours', yn Benewick a Smith (goln.), *Direct Action and Democratic Politics*, t.196.

73 Butt Philip, *The Welsh Question*, tt.153–70. Cafwyd casgliadau tebyg iawn gan Denis Balsom yn 'The Nature and Distribution of Support for Plaid Cymru', *Studies in Public Policy,* 36 (Glasgow, 1979), tt.8–18.

74 Ailgyhoeddwyd yng Nghyfarfod Cyffredinol 1987: 'fod Cymdeithas yr Iaith Gymraeg yn fudiad annibynnol nad yw'n atebol i unrhyw blaid na mudiad arall ac nad oes bwriad i newid y sefyllfa yma.' LlGC, PCYIG 24. Cyf. Cyff. 1987.

75 Butt Philip, *The Welsh Question*, tt.159–60.

76 Lewis, *Tynged yr Iaith*, t.26.

77 John Davies, 'Blynyddoedd Cynnar', tt.5–7. Gw. hefyd LlGC, Archif Plaid Cymru 476/27. Cofnodion Cangen Tref Aberystwyth, Plaid Cymru.

78 Gwilym Tudur, *Wyt Ti'n Cofio?* (Talybont, 1989), t.21.

79 'Violence if need be — Nationalists', yn *WM*, 12/12/1963, t.1.

80 John Davies, 'Blynyddoedd Cynnar', tt.8–9.

81 Dyfynnwyd yn Butt Philip, *The Welsh Question*, t.186.

82 Ibid., t.240. Y mae'n debyg y bu swyddogion Plaid Cymru yn ymbil yn daer ar y Gymdeithas i beidio â threfnu protestiadau ar adeg etholiad mor gynnar â haf 1964, pan orfu i arweinwyr y Gymdeithas ohirio protest a drefnwyd ar gyfer Swyddfa'r Post yn Nolgellau, am fod swyddogion etholaeth Meirionnydd, Plaid Cymru, yn ofni effeithiau protest ar obeithion eu hymgeisydd gorau, Elystan Morgan, o gael ei ethol yn Aelod Seneddol. Am yr hanes, gw. John Davies, 'Blynyddoedd Cynnar', t.32.

83 'Plaid leader blames Language Society for loss of seat', *WM*, 15/3/1971. Gw. hefyd Butt Philip, *The Welsh Question*, tt.239–40; Gwynfor Evans, 'Hanes twf

Plaid Cymru 1925–1995', yn Geraint H. Jenkins (gol.), *Cof Cenedl X* (Llandysul, 1995), t.176.

[84] Iwan, *Dafydd Iwan*, t.49.

[85] LlGC, PCYIG 30. Senedd, 7/10/1989, 13/1/1990.

[86] Marion Löffler, '"Gwnewch bopeth yn Gymraeg" – The work and effect of the Undeb Cenedlaethol y Cymdeithasau Cymraeg 1913 to 1941' (papur anghyhoeddedig ar gyfer seminar yn Y Ganolfan Uwchefrydiau Cymreig a Cheltaidd, Mawrth 1995), tt.8–9.

[87] Parkin, *Middle Class Radicalism*, tt.110–24; Driver, *The Disarmers*, tt.56, 83–97.

[88] Peter G. Richards, *Parliament and Conscience* (London, 1970), tt.179–96. Dyfynnwyd yn Bridget Pym, *Pressure Groups and the Permissive Society* (Newton Abbott, 1974), tt.111–14.

[89] Hain, *Don't Play with Apartheid*, tt.166–7.

[90] George Thayer, *The British Political Fringe: A Profile* (London, 1965), tt.53–65.

[91] Driver, *The Disarmers*, tt.83–97; Gavin Drewry, 'Political Parties and Members of Parliament', yn Benewick a Smith (goln.), *Direct Action and Democratic Politics*, t.257.

[92] Thayer, *The British Political Fringe*, t.60.

[93] John Davies, 'Blynyddoedd Cynnar', t.12.

[94] John Davies, llythyr agored yn *Y Crochan*, 1 (1963), t.2.

[95] Tudur, *Wyt Ti'n Cofio?*, t.21.

[96] John Davies, 'Blynyddoedd Cynnar', tt.21–3.

[97] LlGC, Papurau Ymchwil Dylan Phillips 3. Rhestr aelodaeth 1964–5.

[98] *LDP*, 21/3/1967.

[99] LlGC, PCYIG 8/1–4. Llyfrau aelodaeth 1971–4.

[100] E.e., yn y llyfr poced *Bywyd i'r Iaith* honnodd y Gymdeithas fod ganddi 'rhwng 4,000 a 5,000 o aelodau ym mhob rhan o Gymru'. *Bywyd i'r Iaith* (Aberystwyth, 1973), t.36.

[101] Iwan, *Dafydd Iwan*, t.82.

[102] LlGC, PCYIG 25. Ffurflenni aelodaeth 1979–81.

[103] LlGC, PCYIG 25, 26, 27, 28, 29. Ffurflenni aelodaeth 1980–90.

[104] PCYIG, Swyddfa Aberystwyth. Rhestrau Aelodaeth 1990–2.

[105] LlGC, PCYIG 17/2. Cyf. Cyff. 1973.

[106] LlGC, PCYIG 4/3. Senedd, 13/9/1975.

[107] LlGC, PCYIG 30. Cyf. Cyff. 1981.

[108] LlGC, PCYIG 30. Senedd, 24/10/1981.

[109] Lowe a Goyder, *Environmental Groups in Politics*, tt.38–9.

[110] 'Denu Disgyblion', *Y Cymro*, 21/5/1985.

[111] LlGC, PCYIG 30. Senedd, 10/6/1989, 2/9/1989.

[112] LlGC, PCYIG 1/4. Pwyllgor Canol, 28/4/1968, 9/6/1968.

[113] Cwynodd Meg Elis mewn llythyr i'r *Cymro*, 9/7/1974, fod lleihad yn nifer aelodau'r Gymdeithas wedi cyd-ddigwydd â chodi'r tâl aelodaeth 75 ceiniog.

[114] PCYIG, Swyddfa Aberystwyth. Senedd, 11/3/1992.

[115] Parkin, *Middle Class Radicalism*, t.10.

[116] Driver, *The Disarmers*, tt.65–6; Alderman, *Pressure Groups and Government*,

116 Driver, *The Disarmers,* tt.65–6; Alderman, *Pressure Groups and Government,* t.47.
117 Dyfynnwyd yn Lowe a Goyder, *Environmental Groups in Politics,* t.41.
118 Grant, *Pressure Groups, Politics and Democracy,* t.13.
119 Lowe a Goyder, *Environmental Groups in Politics,* t.1.
120 W. N. Coxall, *Parties and Pressure Groups* (London, 1981), tt.92–5.
121 Robert Presthus, *Elites in the Policy Process* (Cambridge, 1974), t.111.
122 Lowe a Goyder, *Environmental Groups in Politics,* t.40.
123 Alec Barbrook a Christine Bolt, 'The Power of the Group: Has it been Overrated?', idem, *Power and Protest in American Life,* t.288.
124 Ned Thomas, *The Welsh Extremist: Modern Welsh Politics, Literature and Society* (argraffiad diwygiedig, Talybont, 1991), t.96.
125 John Owen-Davies, 'Inside the Welsh Language Society: are young revolutionaries being bred in the schools?', *WM,* 22/11/1972.
126 Ni ellir amcangyfrif faint o aelodau'r Gymdeithas a gymerodd ran yn ralïau a phrotestiadau cyfansoddiadol y mudiad heb gael eu herlyn gan mai amhosibl oedd cadw unrhyw gofnod manwl. Diau, felly, fod llawer mwy o'r aelodaeth gyffredin wedi cymryd rhan ym mhrotestiadau'r mudiad nag a nodir yn yr ystadegau hyn.
127 Clive Betts, 'Inside the Welsh Language Society', *WM,* 5/7/1977.
128 Yn Nhabl 1.10 nodir niferoedd yr unigolion gwahanol a fu o flaen y llysoedd ac a garcharwyd yn ystod y cyfnodau dan sylw. Bu rhai unigolion yn weithgar yn ystod mwy nag un cyfnod, ac felly fe'u cynhwysir yn ystadegau sawl cyfnod yn y tabl. Fodd bynnag, y mae'r cyfansymiau ar waelod y tabl yn mesur nifer yr unigolion gwahanol a fu'n weithgar trwy gydol y cyfnod 1962–92.
129 Gareth Miles, 'Y frwydr', *TDd,* 12 (8/1968).
130 Cyhoeddwyd fel 'Seithennyn sâf di allan', *Y Faner,* 23/5/1968.
131 LlGC, PCYIG 19. Ffurflenni aelodaeth 1976–7.
132 Gw. adroddiadau yn *WM,* 9/5/1968, 18/10/1989.
133 Pwysleisiodd Ffred Ffransis fod ansawdd ac ymroddiad gweithredwyr Cymdeithas yr Iaith yn bwysicach na nifer ei haelodau. Ffred Ffransis, *Daw Dydd* (Dinbych, 1974), t.50.
134 Huw Llew Williams, 'Dafydd Iwan', yn Elwyn Edwards (gol.), *Cadwn y Mur: Blodeugerdd Barddas o Ganu Gwladgarol* (Barddas, 1990), t.583.

'Gweithio i'r Iaith, Rhag ei Thranc': Cyfundrefn Weinyddol Cymdeithas yr Iaith Gymraeg

Nid bwriad Saunders Lewis wrth draddodi ei ddarlith radio oedd ffurfio mudiad iaith o'r newydd, ond yn hytrach annog swyddogion Plaid Cymru i wneud y Gymraeg yn brif ffocws ei strategaeth wleidyddol. Er gwaethaf hynny, canlyniad y ddarlith oedd ysbrydoli criw bychan o aelodau cangen tref Aberystwyth o Blaid Cymru i lunio cynnig i'w osod gerbron Ysgol Haf y Blaid ym Mhontarddulais, ym mis Awst 1962, yn galw am ymgyrch ddifrifol o blaid yr iaith. Wrth gyflwyno'r cynnig, cyfeiriodd E. G. Millward at achos yn ymwneud â Gareth Miles, a oedd wedi derbyn gŵys uniaith Saesneg gan ynadon Aberystwyth am gario cyfaill ar biliwn ei feic. Dywedodd y byddai'r safiad o blaid gŵys ddwyieithog 'gymaint yn fwy effeithiol . . . pe bai nerth mudiad y tu ôl iddo'.[1] Eiliwyd y cynnig gan John Davies ac fe'i derbyniwyd yn ddiwrthwynebiad gan y cynadleddwyr. Fodd bynnag, nid oedd gan neb unrhyw gynlluniau pendant ynglŷn â sut i drefnu'r fath fudiad. Casgliad o unigolion a chanddynt un uchelgais gyffredin, sef sicrhau statws swyddogol i'r iaith Gymraeg, oedd y rheini a gefnogodd y syniad o sefydlu mudiad newydd. Nid oedd gan y mudiad unrhyw fath o aelodaeth na threfniadaeth ffurfiol, ac eithrio dau gyd-ysgrifennydd, John Davies ac E. G. Millward, a etholwyd yn y Cyfarfod Sefydlu ac a siarsiwyd i bwyso am wysion llys Cymraeg gan ynadon Aberystwyth ac, yn niffyg hynny, i drefnu 'gweithgarwch pellach'.[2] Go brin y gellid honni, felly, fod Cymdeithas yr Iaith o'r cychwyn cyntaf yn fudiad iaith cenedlaethol effeithiol.

Cynhaliwyd cyfarfod swyddogol cyntaf y mudiad newydd pan gyfarfu aelodau o gangen leol Plaid Cymru yn nhafarn y Ceffyl Gwyn yn Aberystwyth ym mis Hydref 1962. Penderfynwyd ar ddiwyg papur swyddogol ar gyfer holl waith gohebu y swyddogion, a lluniwyd rhestr o gŵynion ynghylch safle israddol y Gymraeg mewn bywyd cyhoeddus. Erbyn hynny yr oedd Huw T. Edwards, yr undebwr llafur enwog, wedi cytuno i fod yn Llywydd Anrhydeddus, ond prin y golygai hynny nemor mwy na chaniatáu i'w enw gael ei osod ar bapur swyddogol y Gymdeithas. Yn y cyfarfod cyntaf hwnnw hefyd y cefnogwyd awgrym E. G. Millward y dylid galw'r mudiad yn 'Cymdeithas yr Iaith Gymraeg', gan adfer enw mudiad iaith Dan Isaac Davies a sefydlwyd ym 1885 gyda'r nod o ennill lle teilwng i'r Gymraeg yn y gyfundrefn addysg.[3] Nid oedd pawb yn hapus â'r teitl newydd gan fod y gair 'Cymdeithas' yn sawru o'r elfen 'glustogaidd-gapelaidd-bwyllgorol', ac awgrymodd rhai y byddai 'Cyfamodwyr yr Iaith Gymraeg' (yn nhraddodiad Emrys ap Iwan) yn fwy priodol.[4]

Ar wahân i ddewis enw, llywydd, a phapur, ni chyflawnwyd llawer o waith yn ystod y pedwar mis cyntaf hynny, a rhaid nodi mai'r ddau ysgrifennydd a'r papur swyddogol oedd yr unig dystiolaeth ddiriaethol o fodolaeth y Gymdeithas tan y brotest enwog ar bont Trefechan ym mis Chwefror 1963. Gan nad oedd gan y Gymdeithas, yn ôl John Davies, unrhyw drefniadau ffurfiol ar gyfer ei gweinyddu, 'dim aelodaeth ffurfiol, dim amcanion pendant a dim arian', cynhaliwyd Cyfarfod Cyffredinol yn Aberystwyth ar 18 Mai 1963 er mwyn llunio rhaglen waith a cheisio gosod trefn ar gyfansoddiad y mudiad. Etholwyd yn gadeirydd Siôn Daniel, mab i'r Athro J. E. Daniel a darlithydd athroniaeth yn y Brifysgol yn Aberystwyth, a chadarnhawyd John Davies ac E. G. Millward yn ysgrifenyddion.[5]

Trôi cyfundrefn weinyddol Cymdeithas yr Iaith o gwmpas y ddau ysgrifennydd hyn yn ystod ei blynyddoedd cychwynnol, gyda John Davies, myfyriwr ymchwil o Fwlch-llan a oedd ar y pryd yn astudio yn Rhydychen, yn canolbwyntio ar ohebiaeth, ac E. G. Millward, darlithydd ifanc yn Adran y Gymraeg, Coleg Prifysgol Cymru, Aberystwyth, yn gyfrifol am yr ochr ariannol. Yn y dyddiau hynny nid oedd ganddi gorff rheoli cenedlaethol na phwyllgor canolog. Gohebu oedd prif nodwedd yr ymgyrchu: gohebu ag ynadon yn mynnu gwysion Cymraeg neu ddwyieithog; gohebu â Swyddfa'r Post yn gofyn am ddatganiad ynglŷn â lle'r Gymraeg yn ei gwasanaeth; a phwyso ar awdurdodau lleol i fabwysiadu enwau Cymraeg ar eu harwyddion ffyrdd, ac yn y blaen.[6] Un o brif gampau'r mudiad yn y blynyddoedd cyntaf hyn oedd arolwg manwl John Davies o arferion ieithyddol y cynghorau dosbarth a'r bwrdeistrefi sirol yng Nghymru. Anfonodd lythyr Cymraeg at 158 o gynghorau yn holi am yr henebion

Saunders Lewis, 1962

Protest Swyddfa Bost Aberystwyth, 13 Chwefror 1963

Geoff Charles/Llyfrgell Genedlaethol Cymru

Peter Hughes Griffiths yn annerch rali brotest yn erbyn yr Arwisgo, Caernarfon, 1 Mawrth 1969

Geoff Charles/Llyfrgell Genedlaethol Cymru

Protest yn erbyn carcharu 7 aelod o'r Gymdeithas yng Ngharchar Walton am achosi difrod i arwyddion ffyrdd, Mawrth 1970

Geoff Charles/Llyfrgell Genedlaethol Cymru

Cassie Davies yn annerch rali o blaid cadw ysgol gynradd Bryncroes ar agor, Mai 1970

Geoff Charles/Llyfrgell Genedlaethol Cymru

hanesyddol yn eu hardaloedd er mwyn gweld ym mha iaith y byddent yn ateb. Atebwyd y llythyr yn Gymraeg gan 39 cyngor, yn Saesneg gan 46 cyngor, ac anwybyddwyd y llythyr yn gyfan gwbl gan 83 o gynghorau.[7] Nid yw'n syndod mai gwaith digon di-nod a gyflawnwyd yn y cyfnod cynnar hwn, o gofio mai dim ond tri swyddog a oedd gan y Gymdeithas, ac nad oedd ganddi gyfundrefn effeithiol i ddwyn rhagor o aelodau i mewn i'r gweithgarwch.

Nid oedd cyfundrefn weinyddol amaturaidd fel hon yn nodwedd anghyffredin mewn mudiadau gwasgedd tebyg i Gymdeithas yr Iaith. Yr oedd yn arferol i grwpiau gwasgedd yn y pum a'r chwedegau fod yn hamddenol iawn eu trefniadaeth a'u strwythur gweinyddol. Rhaid cofio mai dyma gyfnod cychwyn y mudiadau gwasgedd modern a'u bod wrth reswm yn anaeddfed eu gweinyddiaeth yn ogystal â'u hymgyrchoedd. Wrth drafod mudiadau diwygio cymdeithasol megis mudiadau dros ddiddymu'r gosb eithaf a thros ddiwygio deddfau ysgariad a gwrywgydiaeth, dywedodd Bridget Pym:

> these groups started out virtually as groups of friends who believed that 'something should be done'. In their early meetings, generally held monthly, they were hectically busy approving pamphlets stating their aims, building a panel of distinguished supporters for their letterheads, and arranging inaugural meetings. All of them had some degree of formality in the keeping of minutes and the allocating of posts, but the atmosphere was predominantly informal and exciting.[8]

Llwyddodd ymgyrch 'Stop the Seventy Tour' i gyflawni cryn dipyn, o gofio mai mudiad *ad hoc* ydoedd, heb na chyfundrefn weinyddol nac arweinyddiaeth ganolog ffurfiol.[9] I lawer o grwpiau gwasgedd y pum a'r chwedegau, yn enwedig mudiadau protest myfyrwyr yn America, Ffrainc a Phrydain, hwyl y gweithredu a'r ymgyrchu a oedd yn bwysig, ac eilbeth oedd y manylion gweinyddol. Fodd bynnag, y mae hefyd yn wir i ddweud bod grwpiau gwasgedd yn gyffredinol erbyn diwedd y chwedegau a dechrau'r saithdegau wedi sylweddoli'r angen am gyfundrefn weinyddol ffurfiol ac effeithiol, ac wedi gorfod datblygu trefniadaeth a strwythurau proffesiynol.

Corff rheoli ac arweinyddiaeth

Profwyd cynnydd a datblygiad sylweddol ym mheirianwaith corff rheoli Cymdeithas yr Iaith rhwng 1962 a 1992. Wrth i'r maes ymgyrchu ehangu a'r aelodaeth gynyddu sylweddolodd yr arweinwyr fod angen cyfundrefn weinyddol amgenach, ac felly, ym 1965, sefydlwyd Pwyllgor Canol Cymdeithas yr Iaith. Etholwyd Cynog Dafis yn gadeirydd i olynu Siôn Daniel, a phenderfynwyd rhannu'r dyletswyddau ysgrifenyddol, gan benodi ysgrifennydd cyffredinol, ysgrifennydd ariannol ac ysgrifennydd cofnodion. Cyfetholwyd tri aelod cyffredin (h.y. aelodau heb swyddi penodol), gan chwistrellu trawslifiad o waed newydd i'r arweinyddiaeth, a threfnwyd i gyfarfod yn fisol. Yn sgil y datblygiadau hyn dychwelodd E. G. Millward i fynwes Plaid Cymru, a dilynwyd ef yn fuan gan John Davies. Ym 1966 penderfynwyd ychwanegu at nifer y swyddogion. At hynny, cytunodd Saunders Lewis i olynu Huw T. Edwards fel Llywydd Anrhydeddus, gan roi sêl ei fendith ar y ffaith fod y Gymdeithas yn annibynnol ar Blaid Cymru.[10] Yn sgil y˜ newid hwn yn yr arweinyddiaeth a'r gyfundrefn weinyddol, cafwyd newid mawr yn strategaeth yr ymgyrchu. Bellach yr oedd gan y Gymdeithas gorff rheoli ffurfiol a democrataidd a fyddai'n gyfrifol am lywio ac arwain ei holl weithgareddau a'i hymgyrchoedd, ac yn fodd i ymestyn ei grym a'i heffeithlonrwydd.

Erbyn diwedd y degawd, fodd bynnag, a rhengoedd y Gymdeithas bellach yn rhifo dros fil o aelodau, yr oedd yn bryd adolygu'r gyfundrefn weinyddol unwaith eto. Yng Nghyfarfod Cyffredinol 1970 penderfynwyd sefydlu 'Senedd' i ddisodli'r Pwyllgor Canol. Gan fod y Gymdeithas yn aeddfedu yn wleidyddol ac yn ehangu gorwelion trwy gyfrwng ei hymgyrchoedd, rhaid oedd iddi hefyd ddatblygu yn weinyddol er mwyn gallu dygymod â'r galwadau cynyddol arni. Er bod ffurfio'r Pwyllgor Canol ym 1965 yn gam pwysig ar y pryd, buan y sylweddolwyd mai ychydig y gallai pedwar swyddog ei gyflawni a hwythau ond yn cyfarfod am ryw deirawr unwaith y mis. Yn ôl Ffred Ffransis, prif bensaer y newidiadau ym 1970, 'yr oedd hi'n gwbl amhosibl i'r pwyllgor achlysurol hwn drefnu ymgyrchoedd ar bob ffrynt a'u gweinyddu o ddydd i ddydd'.[11] Ad-drefnwyd strwythur y Gymdeithas, gan sefydlu Senedd yn cynnwys dwsin o swyddogion wedi eu hethol gan yr aelodau. Etholwyd cadeirydd, is-gadeirydd, dau ysgrifennydd, trysorydd, a golygydd i *Tafod y Ddraig* yn swyddogion gweinyddol y Senedd, ynghyd â chynrychiolwyr o'r rhanbarthau. Fel rhan o'r datblygiad newydd hwn, rhannwyd gweithgareddau'r Gymdeithas yn gyfres o ymgyrchoedd, gan greu grwpiau sefydlog ac arweinwyr grŵp mewn amryw o feysydd, megis Statws yr Iaith, Addysg, Darlledu, ac Adfywio'r Ardaloedd Cymraeg. Penderfynwyd y byddai'r Senedd yn cyfarfod yn rheolaidd bob mis i drafod strategaeth a pholisïau, ac i roi arweiniad i'r mudiad.[12]

Pwrpas y drefn newydd oedd dosbarthu adnoddau prin y Gymdeithas mewn dull mwy effeithiol a llwyddiannus er mwyn elwa ar aelodaeth, cyllid a pholisïau'r mudiad. Conglfaen llwyddiant cyfundrefn weinyddol y Gymdeithas ar ddechrau'r saithdegau oedd brwdfrydedd yr aelodau a'r arweinwyr yn sgil y gefnogaeth aruthrol a gawsai'r ymgyrchoedd anghyfansoddiadol o blaid arwyddion ffyrdd dwyieithog a'r sianel deledu Gymraeg. Er bod yr aelodaeth yn parhau i fod yn gymharol fychan (2,013 o aelodau ym 1971) a'r gyfundrefn weinyddol yn weddol amrwd, nid amharodd hynny ar lwyddiant y mudiad. Dadleuodd Wyn Grant fod hanes yn profi mai grwpiau gwasgedd a chanddynt aelodaeth fechan, glòs, yw'r grwpiau mwyaf effeithiol, ac mai'r rheini sydd â'r gyfundrefn weinyddol symlaf yn fynych yw'r rhai mwyaf llwyddiannus. Ym marn Ned Thomas, symlder y drefniadaeth oedd un o gryfderau pennaf y Gymdeithas, gan iddi arwain at natur ddigymell y gweithredu.[13] Dengys poblogrwydd yr ymgyrch arwyddion ffyrdd ar ddiwedd y chwedegau a dechrau'r saithdegau nad oedd angen cyfundrefn weinyddol gymhleth a soffistigedig i gynnal ymgyrch lwyddiannus.

Cafwyd ad-drefniant mawr arall – a'r olaf yn hanes corff rheoli'r Gymdeithas yn y cyfnod dan sylw – ym 1987, pan awgrymwyd mai'r ffordd orau i 'ryddhau egnïon pawb i weithio yn y dull mwyaf effeithiol' dros y mudiad oedd diwygio'r gyfundrefn weinyddol unwaith yn rhagor. Diddymwyd yr hen grwpiau gweinyddol ac ymgyrchu, a gosodwyd yn eu lle grwpiau ymgyrchu craidd, a fyddai'n gyfrifol 'am bolisi, tystiolaeth a strategaeth ymgyrchu mewn meysydd sylfaenol' (sef Statws yr Iaith, Addysg, Cyfryngau Torfol, a Chynllunio Economaidd); pwyllgorau sefydlog, 'i drin meysydd penodol a pharhaol yng ngwaith y Gymdeithas' (sef Cyllid, Cyfathrebu, Cysylltiadau Rhyngwladol, Undebau Llafur, Dysgwyr, Mentrau Masnachol, ac Addysg Wleidyddol); a gweithgorau, 'i lywio a hybu ymgyrchoedd penodol dan oruchwyliaeth gyffredinol y Grŵp Ymgyrchu. Byddai'r rhain i'w sefydlu gan y Senedd yn ôl yr angen ac am gyhyd ag y pery'r ymgyrch benodol' (megis Nid yw Cymru ar Werth, a Rhyddid i'r Ifanc).[14] Llwyddodd y diwygiadau hyn i ailddiffinio dyletswyddau a chyfrifoldebau'r gwahanol grwpiau yn arweinyddiaeth y Gymdeithas, a chwistrellwyd ychydig o fywyd yn ôl i'r gweithgareddau, a oedd, erbyn canol yr wythdegau, wedi dechrau pylu a cholli momentwm.

Ond yn sgil y peirianwaith newydd daeth hefyd fiwrocrateiddio difrifol. Gan fod rhwng dwsin a deg ar hugain o bobl ar gorff rheoli'r mudiad yn ystod y saith a'r wythdegau, a phob un yn cynrychioli ymgyrch arbennig neu agwedd arbennig o'r gyfundrefn weinyddol, byddid yn treulio oriau meithion yn trafod manylion gweinyddol, strategaeth a dulliau, a hynny ar draul gweithredu ac ymgyrchu. Eisoes ym 1970, yr oedd Ffred Ffransis wedi rhag-weld y broblem: 'rhaid i ni gofio mai unig swyddogaeth trefniadaeth ydi hyrwyddo gweithgarwch, ac nid yw trefniadaeth yn nod pwysig ynddo'i hun'.[15] Fodd bynnag, wrth ddarllen cofnodion Senedd y saith a'r wythdegau, ceir yr argraff fod y swyddogion yn fynych yn gaeth i fanylion trefniadaeth. Y mae ymsonau meithion Ffred Ffransis yng nghyfarfodydd Senedd y Gymdeithas yn ddihareb bellach i genedlaethau o ymgyrchwyr yr iaith. Gellir gweld y duedd hon yn eglur yn hanes y Cyfarfodydd Cyffredinol. Nid profiad anghyffredin fyddai treulio dau ddiwrnod llawn yn trafod tomen anferth o gynigion a dderbynnid, fel rheol, yn ddiwrthwynebiad gan yr aelodau. Anodd deall paham nad ychwanegwyd cymal at 'Reolau Sefydlog Cyfarfodydd Cyffredinol' y Gymdeithas, a gyhoeddwyd ym 1977, yn cyfyngu ar nifer y cynigion y gellid eu cyflwyno bob blwyddyn, yn enwedig yn sgil Cyfarfod Cyffredinol 1976 pan ddaeth dros hanner cant o gynigion a gwelliannau gerbron.[16] Hyd yn oed wedyn, nid oedd yr holl benderfyniadau yn cael eu gweithredu. Yng nghyfarfodydd cyffredinol 1977, 1982 a 1987, bu'n rhaid cyfarwyddo'r Senedd i ymchwilio i benderfyniadau cyfarfodydd y pum mlynedd a aeth heibio, 'gan fod cymaint o gynigion blaenorol nas gweithredwyd'.[17]

Yn sgil y biwrocrateiddio, daeth aneffeithlonrwydd, a beirniadwyd arweinyddiaeth a chyfundrefn weinyddol y Gymdeithas ar sawl achlysur am hyn. Cafwyd cyfnod anodd ym 1974, er enghraifft, pan feirniadwyd y Senedd yn llym iawn gan aelodau o gell colegau Bangor am fod yn wan ac aneffeithiol. Yn rhifyn Awst 1974 o *Tafod y Ddraig,* cafwyd tystiolaeth bellach o'r anesmwythyd a deimlid o fewn y Gymdeithas. Rhybuddiodd y golygydd, Dafydd Iwan, rhag y chwiw hunan-ddadansoddol a oedd mor amlwg wedi tyfu yn obsesiwn ymhlith rhai aelodau. Cyhoeddwyd erthygl yn enw Edryd Gwyndaf a John Glyn Jones, cell colegau Bangor, yn galw am ad-drefnu'r gyfundrefn weinyddol; cafwyd ysgrif gan Emyr Hywel, y cadeirydd, yn galw am ragor o weithredu milwriaethus; mewn llythyr gan Gethin Clwyd cyhuddwyd yr aelodau cyffredin o ddiffyg ymroddiad i'r achos; a galwodd Ffred Ffransis am lai o athronyddu a mwy o weithredu.[18] Rhybuddiwyd y Senedd ddwy flynedd yn ddiweddarach fod y mudiad yn wynebu argyfwng o ganlyniad i nychdod difrifol yn y rhengoedd a'r arweinyddiaeth. Cytunai pawb a oedd yn bresennol mai 'clwb clebran' oedd y Senedd yn y bôn, bod y swyddogion wedi colli cyfeiriad, a bod gweledigaeth y chwyldro wedi pylu.[19] Yr oedd yr arweinyddiaeth yn ymwybodol iawn o'r problemau gweinyddol a oedd yn llethu gweithgaredd y mudiad ac ymdrechwyd sawl tro ar hyd y blynyddoedd i geisio sefydlu trefniadaeth amgenach. Ym 1976 ceisiwyd gwneud hynny trwy addasu ychydig ar y grwpiau ymgyrchu, ond ni lwyddwyd i gyflawni fawr mwy na newid y Grŵp Twristiaeth o fod yn grŵp sefydlog i fod yn grŵp ymchwil, a newid enw'r Grŵp Darlledu yn Grŵp Cyfryngau Torfol. Ddeng mlynedd union weui sefydlu'r Senedd, derbyniwyd cynnig gan Gyfarfod Cyffredinol 1980 yn beirniadu 'gorganoli trefniadaeth weinyddol y Gymdeithas', ac yn galw am ddiwygiadau tra sylfaenol i'r modd y gweinyddid y mudiad, gan gynnwys diswyddo un o'r ysgrifenyddion a chyflogi trefnydd cenedlaethol yn ei le.[20]

Allweddol i lwyddiant mudiadau gwasgedd yw ansawdd eu swyddogion a'u harweinwyr. Dengys y cyfnodau o lanw a thrai yn hanes ymgyrchoedd y Gymdeithas pa mor wir yw'r ffaith honno. Cwbl allweddol i lwyddiant y Gymdeithas dros y blynyddoedd oedd ansawdd y cadeiryddion. Profwyd hynny o dan gadeiryddiaeth Dafydd Iwan rhwng 1968 a 1971, pan ddatblygodd y Gymdeithas i fod yn fudiad poblogaidd gydag aelodaeth dorfol a phryd yr ymladdwyd rhai o'r ymgyrchoedd enwocaf. Cafwyd cyfnod anodd iawn yn ei hanes rhwng diwedd y saithdegau a dechrau'r wythdegau, yn rhannol o ganlyniad i fethiant y cadeiryddion i ymateb yn adeiladol i'r pwysau anferth a roddwyd ar y mudiad gan frwydr ddrud y sianel deledu Gymraeg, a'r rhwystredigaeth ddifrifol yn y rhengoedd oherwydd methiant y Gymdeithas i ddwyn y maen i'r wal yn ddigon cyflym. Ond llwyddodd Angharad Tomos yn ystod ei chadeiryddiaeth rhwng 1982 a 1984 i adfywio'r mudiad a chychwyn cyfnod newydd o ymgyrchu tanbaid dros Gorff Datblygu Addysg Gymraeg a thros Ddeddf Iaith ddiwygiedig. Yr oedd medrusrwydd rhai o gadeiryddion y Gymdeithas, felly, yn bwysig iawn wrth lywio'r mudiad trwy gyfnodau o lwyddiant mawr a thrwy gyfnodau anodd o lesgedd. Dioddefodd ambell ymgyrch – megis ymgyrch Cryfhau'r Ardaloedd Cymraeg ym 1974 a'r ymgyrch Addysg ym 1982 – o ganlyniad i ddiffyg trefn ac ymroddiad y swyddogion, ac anghyson oedd datblygiad yr ymgyrch ddarlledu trwy gydol y saithdegau wrth i'r awenau gael eu trosglwyddo o'r naill arweinydd i'r llall.

Mewn llythyr a anfonwyd o garchar Walton i *Tafod y Ddraig* ym 1972, tynnodd Ffred Ffransis sylw at bwysigrwydd gweithredu effeithiol: 'mae'n bwysig ein bod ni'n sylweddoli nad yw'n llwyddiant yn ddibynnol ar ffactorau allanol, ond arnom ni'.[21] O ganlyniad penderfynwyd yng Nghyfarfod Cyffredinol 1974 'rhoi'r hawl i'r Senedd i ddiswyddo unrhyw aelod o'r Senedd neu arweinydd grŵp os yw'n amlwg nad yw'n gwneud ei waith fel ag y dylai', ac yng Nghyfarfod Cyffredinol 1976 penderfynwyd bod 'unrhyw aelod o'r Senedd a oedd yn absennol o dri chyfarfod yn olynol, a hynny heb ymddiheuro a rhoi rheswm digonol, yn gorfod ymddiswyddo, a bod aelod arall i'w ethol yn ei le'.[22] Profwyd cyfnod anodd iawn ar ddiwedd y saithdegau a dechrau'r wythdegau pan feirniadwyd y Senedd a'i haelodau droeon am fod yn aneffeithiol. Yng nghyfarfod Senedd Tachwedd 1980, cwynodd Wayne Williams, y cadeirydd, fod nifer o'r aelodau heb drafferthu i fynychu'r cyfarfod, a phender-fynwyd y dylid anfon llythyr at bob un o'r arweinwyr grwpiau yn 'nodi y dylem gymryd ein dyletswyddau yn gyffredinol yn fwy difrifol', ac mai 'hon yw'r broblem sylfaenol ac o'i datrys mi fyddai'n dangos gwelliant yn yr ymgyrchoedd'.[23] Fodd bynnag, er bod llawer o broblemau wedi dod i'r amlwg ynglŷn â natur gwaith y Pwyllgor Canol a'r Senedd, ynghyd â safon yr arweinwyr a'r cadeiryddion, y mae'n bwysig nodi bod y corff rheoli a chyfundrefn weinyddol y Gymdeithas wedi aeddfedu a datblygu cryn dipyn er mis Awst 1962.

Rhaid pwysleisio hefyd pa mor ddemocrataidd oedd fframwaith rheoli'r Gymdeithas. Nid pob mudiad torfol a grŵp gwasgedd a oedd yn parchu democratiaeth i'r un graddau â Chymdeithas yr Iaith. Yr oedd yn arferiad gan nifer o grwpiau gwasgedd eraill y dwthwn hwnnw i sefydlu pwyllgorau hunanetholedig yn hytrach na mabwysiadu trefn ddemocrataidd. Rhoes CND y gorau i rwydo 'aelodau' swyddogol yn y pumdegau gan ei bod yn haws trefnu ymgyrch heb orfod mynd ar ofyn yr aelodaeth bob tro yr oedd angen penderfyniad ar gyfeiriad yr ymgyrchoedd. Er bod gan 'Gyfeillion y Ddaear' 25,000 o 'aelodau' ym 1985, nid oeddynt yn ethol swyddogion na chyfrannu at benderfyniadau ar gyfeiriad y mudiad.[24] Deil Mike Daube, cyn-gynrychiolydd yr 'Ymgyrch yn erbyn Ysmygu a thros Iechyd' (ASH), mai'r grwpiau gwasgedd mwyaf effeithiol yw'r rheini a reolir gan 'a small, highly professional core: members can be useful (not least in paying subscriptions) but they can also be a hindrance and often fail to realize that time spent servicing them could have been spent more profitably'.[25] Sylwodd Bridget Pym mai prin iawn oedd y mudiadau diwygio cymdeithasol a reolid gan drwch eu haelodaeth, a dywedodd Philip Lowe a Jane Goyder: 'most environmental groups are not democratic . . . These organisations are oligarchic in nature'.[26] Gan y llywodraethid y mudiadau hyn gan nifer fechan o unigolion nad oeddynt yn atebol yn gyhoeddus, a heb angen sêl bendith yr aelodau ar eu penderfyniadau, y mae'n amlwg eu bod yn eu hanfod yn gyrff annemocrataidd.

Clod i Gymdeithas yr Iaith, felly, yw'r ffaith iddi feddu ar arweinyddiaeth a chyfundrefn weinyddol hynod ddemocrataidd, er nad oedd ganddi unrhyw fath o gyfansoddiad ysgrifenedig heblaw am y 'Rheolau Sefydlog' ar gyfer y Senedd a 'Rheolau Sefydlog y Cyfarfodydd Cyffredinol'. Byth oddi ar y Cyfarfod Cyffredinol cyntaf ym 1963, bu gan y Gymdeithas gyfarfod blynyddol, ac ynddo caiff yr aelodau ethol eu swyddogion a'u cynrychiolwyr, a phenderfynu ar flaenoriaethau ymgyrchu am y flwyddyn i ddod. Yr un modd, er sefydlu'r Pwyllgor Canol ym 1965, y mae ganddi gorff rheoli democrataidd sy'n atebol i'r aelodau. Caniateir i unrhyw aelod ei gynnig ei hun ar gyfer swydd ar y corff hwnnw, ac y mae rhwydd hynt i unrhyw unigolyn neu grŵp o unigolion roi cynnig gerbron y Cyfarfod Cyffredinol.

Er hynny, nid oedd pawb yn fodlon â chorff rheoli 'democrataidd' y Gymdeithas, ac fe'i beirniadwyd sawl tro am fod yn glîc bychan a oedd wedi colli cysylltiad â'r aelodau cyffredin. Mewn cyfarfod o'r Senedd ym mis Rhagfyr 1976, cyfeiriodd Ffred Ffransis at yr 'agendor sy'n codi rhwng y Senedd a'r aelodau'. Gan ei fod ef ac eraill yn euog o golli cysylltiad â'r aelodaeth yn gyffredinol, meddai, 'dydy'r mudiad ddim gyda ni'.[27] Beirniadwyd y 'diffyg cysylltiad dybryd sy'n parhau rhwng y Senedd a'r cysylltwyr, heb sôn am aelodau cyffredin y Gymdeithas' mewn cynnig gerbron Cyfarfod Cyffredinol 1978, pan alwyd am Senedd symudol ac am drefnu cyfarfodydd chwarterol ym mhob rhanbarth, a datgelwyd ym 1990 nad oedd hyd yn oed y Cyfarfod Cyffredinol mor ddemocrataidd â hynny gan mai prin 5 y cant o'r aelodaeth a oedd yn ei fynychu bob blwyddyn.[28] Honnwyd hefyd ar adegau o wrthdaro rhwng y Senedd a chell colegau Bangor ym 1974 a chell Caerdydd ar ddiwedd yr wythdegau fod y Senedd yn troi gormod o amgylch aelodau Aberystwyth ac mai'r un hen wynebau a welid flwyddyn ar ôl blwyddyn.[29] Ond os bu rhai unigolion ar gorff rheoli'r mudiad am gyfnodau hwy na'r cyffredin, y rheswm am hynny oedd fod ganddynt ddiddordeb ysol yng ngwaith y Gymdeithas a chyfraniad pwysig i'w wneud i'r arweinyddiaeth. At hynny, yr oedd y rhan fwyaf o aelodau cyffredin yn ddigon hapus iddynt barhau yn aelodau o'r Senedd. Mewn gwirionedd, ni fyddai'r Gymdeithas wedi profi'r fath lwyddiant pe na bai unigolion tra dylanwadol megis Ffred Ffransis, Sel Jones, Angharad Tomos, Helen Greenwood, ac eraill, wedi cymryd rhan amlwg yn y gwaith o lywio'r mudiad dros y deng mlynedd ar hugain rhwng 1962 a 1992.

Staff a swyddogion

Elfen arall o gyfundrefn weinyddol Cymdeithas yr Iaith a brofodd gynnydd a datblygiad sylweddol rhwng 1962 a 1992 oedd trefn ei swyddogion cyflogedig a'i chyllideb. Os bu datblygiad y corff rheoli yn anwastad a chlymherciog, felly hefyd ddatblygiad ei staff a'i chyfundrefn ariannol. Nid oedd gan sylfaenwyr y mudiad ym 1962 unrhyw gynlluniau pendant ynglŷn â chyflogi staff na sefydlu swyddfa barhaol. Gwaith gwirfoddol i unigolion oedd ymgyrchoedd y mudiad yn ystod y blynyddoedd cynnar, a chyfarfyddai'r swyddogion yng nghartrefi ei gilydd. Pan gofiwn mai mudiad gweddol anffurfiol ydoedd, yn fychan ei aelodaeth ac yn elfennol ei gyfundrefn weinyddol, y mae'n syndod fod cymaint wedi ei gyflawni yn ystod y cyfnod cynnar. Sylweddolwyd yn fuan, fodd bynnag, fod angen swyddog cyflogedig ar y mudiad os oedd i gyflawni rhagor na gohebu, ac ystyriwyd droeon gyflogi ysgrifennydd. Yn *Tafod y Ddraig* ym mis Ionawr 1964 gwahoddwyd rhyw gant o 'unigolion a chymdeithasau a chorfforaethau sydd â'r Gymraeg yn agos at eu calonnau' i gyfrannu oddeutu £15 y flwyddyn am ryw bum mlynedd tuag at gyflogi 'swyddog iaith'. O dan y cynllun arfaethedig hwnnw, bwriedid rhannu'r swyddog llawnamser rhwng amryw o fudiadau iaith, gan gynnwys y Gymdeithas, yr Urdd Siarad Cymraeg, a'r Undeb Rhieni Cymraeg.[30] Ond ni ddaeth dim o'r cynllun. Ym 1968 trafodwyd y posibilrwydd o benodi trefnydd neu ddau yn derbyn 'tâl costau am eu gwaith hanfodol', ond ni ddaeth dim o'r cynllun hwnnw ychwaith.[31] Fodd bynnag, erbyn diwedd y chwedegau daeth yn amlwg na ellid disgwyl i wirfoddolwyr gynnal ymgyrchoedd cenedlaethol megis y rhai yn ymwneud â statws a darlledu, ac o ganlyniad erbyn mis Hydref 1970 yr oedd y Gymdeithas wedi llogi swyddfa uwchben Siop y Pethe yn Ffordd y Môr, Aberystwyth, ac yn talu cyflog pitw iawn i Ffred Ffransis i weithio fel ysgrifennydd rhanamser.[32]

Yr oedd agor swyddfa newydd yn ddatblygiad pwysig iawn yn hanes Cymdeithas yr Iaith. Bellach yr oedd ganddi gartref ac aelwyd lle y gallai'r aelodau ddod ynghyd i gynllunio ymgyrchoedd, i gadw a storio cofnodion a dogfennau, i gydgysylltu gweithgaredd, a derbyn ymholiadau oddi wrth aelodau, cefnogwyr, a newyddiadurwyr. Yr oedd cael swyddfa yn rhoi sêl swyddogol ar weithgareddau'r mudiad, gan fod ganddo mwyach gyfeiriad a rhif ffôn. Yr oedd lleoliad y swyddfa hefyd yn bwysig: ym 'mhrifddinas' y Gymru Gymraeg gellid ymgynnull a dosbarthu adnoddau yn haws, a da cofio hefyd fod Aberystwyth yn gartref i lawer iawn o aelodau a swyddogion. Sylweddolwyd pwysigrwydd lleoli swyddfa'r mudiad yn Aberystwyth pan symudwyd hi am gyfnod byr i Danrallt, Machynlleth, ym mis Chwefror 1974. Cyfaddefodd Arfon Gwilym fod y symud hwnnw wedi profi'n fethiant trychinebus am fod y swyddogion yn teimlo 'allan ohoni' ac yn gweld eisiau cymorth gwerthfawr myfyrwyr Aberystwyth.[33] Dychwelodd y swyddfa i Aberystwyth ar fyrder, felly, gan ymgartrefu ym Mehefin 1974 mewn seler gyferbyn â'r Llys Ynadon a Swyddfa'r Heddlu, yn rhif 5 Maes Albert. Yno yr arhosodd y swyddfa ganolog tan fis Ionawr 1987, pan fudodd i gartref newydd ar lawr uchaf adeilad UCAC ym Mhen Roc, gan gadarnhau unwaith yn rhagor safle Aberystwyth fel priod gartref y mudiad.[34]

Ni chafwyd fawr o ddadl erioed ynglŷn â lle y dylid lleoli swyddfa ganolog y Gymdeithas, gan fod pawb wedi cymryd yn ganiataol ei bod yn y man delfrydol. Fodd bynnag, ym 1990 awgrymodd Ffred Ffransis y dylid ailystyried holl drefn weinyddol y Gymdeithas.

Gwyntyllwyd y posibilrwydd o symud y swyddfa ganolog i Gaerdydd, gan ddiraddio swyddfa Aberystwyth i fod yn swyddfa ranbarthol ar gyfer Dyfed a Phowys. Trafodwyd y syniad hwn eto ym 1991 yn sgil cyhoeddiad Helen Greenwood, y swyddog gweinyddol, ei bod yn symud i fyw i Went.[35] Er hynny, ni roddwyd ystyriaeth ddifrifol i'r syniad gan fod mwyafrif yr aelodau yn gytûn mai Aberystwyth oedd y man delfrydol ar gyfer y brif swyddfa, ac mai cam gwag fyddai ei symud, yn enwedig yn nyddiau'r cyfrifiadur a'r peiriant ffacs. Agorwyd swyddfeydd rhanbarthol yn Ninbych (1985), Caerfyrddin (1985), a Chaerdydd (1986), cyn sefydlu dwy swyddfa barhaol yng Nghaernarfon ac Abertawe ym 1987.

Yr oedd cyflogi un person i ymgymryd â gwaith gweinyddol y mudiad, er bod hynny'n rhan amser ar y dechrau, hefyd yn ddatblygiad hollbwysig yng nghyfundrefn weinyddol y Gymdeithas. Erbyn y chwe a'r saithdegau yr oedd llawer o waith achosion teilwng megis y 'Child Poverty Action Group' a 'Shelter', a mudiadau amgylcheddol megis 'Cyfeillion y Ddaear' ac CND, yn cael ei gyflawni gan swyddogion cyflogedig. Ym marn Geoffrey Alderman, yr oedd y mudiadau gwasgedd wedi creu diwydiant arbennig a chyfleoedd cyflogaeth i genhedlaeth newydd o bobl.[36] Diolch yn bennaf i ddiwydrwydd Ffred Ffransis, a dreuliodd oriau meithion yn y swyddfa yn byw ar domennydd o sglodion a hufen iâ, penderfynwyd y dylai'r Gymdeithas gyflogi ysgrifenyddion llawnamser. Ym 1971 cyflogwyd Arfon Gwilym a Dyfrig Siencyn ar gyflog o £400 y flwyddyn i gyflawni holl waith gweinyddol y Gymdeithas yn y swyddfa yn Ffordd y Môr. Mynegwyd y gobaith y gellid meithrin agwedd fwy proffesiynol at frwydr yr iaith a rhyddhau'r swyddogion gwirfoddol o'r gwaith swyddfa fel y medrent ganolbwyntio ar ymgyrchu.[37] Rhwng 1970 a 1992 cyflogodd y Gymdeithas gyfanswm o 34 o bobl, yn ysgrifenyddion a threfnyddion, ac, yn ddiweddarach, yn swyddogion gweinyddol a chyswllt. Cafwyd sawl cwyn yn ystod y blynyddoedd fod baich y gwaith gweinyddol yn ormod i ddau ysgrifennydd, megis ym 1976 pan honnwyd bod cenhadaeth y Gymdeithas yn dioddef yn sgil y pwysau gwaith afresymol ar y ddau ysgrifennydd. Ateb y Grŵp Gweinyddol a ffurfiwyd er mwyn arolygu gwaith y swyddfa oedd argymell cyflogi tri swyddog llawnamser – un i fod yn gyfrifol am faterion ariannol, un i fod yn gyfrifol am y gwaith gweinyddol, ac un i fod yn gyfrifol am gydgysylltu rhwng y grwpiau ymgyrchu a'r celloedd. Cymaint oedd y pwysau gwaith ar yr ysgrifenyddion ym 1978 fel y bu'n rhaid ystyried cyflogi teipydd rhanamser, ac erbyn diwedd y cyfnod dan sylw bu'n rhaid hysbysebu am gynorthwyydd gweinyddol i gyflawni peth o'r gwaith clerigol yn swyddfa Aberystwyth.[38]

Nid cyflawni gwaith gweinyddol oedd unig swyddogaeth staff y Gymdeithas. Ym 1973 penderfynodd y Senedd gyflogi dau drefnydd llawnamser yn ogystal ag un ysgrifennydd, gan roi iddynt y cyfrifoldeb o drefnu ymgyrchoedd y Gymdeithas yn y de a'r gogledd. Ym mis Rhagfyr 1978 rhoes y Senedd ganiatâd i aelodau rhanbarth Clwyd i gyflogi trefnydd rhanbarth llawnamser ar yr amod mai hwy a fyddai'n gyfrifol am dalu ei gyflog a'i gyfarwyddo. Yn yr un cyfarfod nodwyd mai'r sefyllfa ddelfrydol fyddai cael trefnydd llawnamser ym mhob rhanbarth, ond nad oedd y sefyllfa ariannol yn caniatáu hynny.[39] Cyflogwyd trefnydd cenedlaethol ym 1982 i fod yn gyfrifol am holl ranbarthau'r Gymdeithas. Trwy gyflogi pobl i gyflawni gwaith gweinyddol, llwyddodd y Gymdeithas i gynyddu ei grym a'i dylanwad, ac yn ddiau ni fyddai wedi cyflawni cymaint rhwng 1962 a 1992 heb staff llawnamser ymroddedig.

Y mae staff cyflogedig yn bwysig iawn i ddelwedd mudiad gwasgedd gan eu bod yn rhoi statws a dilysrwydd iddo yn llygaid y cyhoedd a'r awdurdodau. Deil Michael Moran fod agwedd broffesiynol yn bwysig iawn ym mherthynas mudiad gwasgedd â'r sefydliad, gan fod gweinidogion sifil yn awyddus i ddelio â phobl broffesiynol. Meddai:

the characteristic way in which powerful interests have influenced policy-making in modern Britain may be summarised in one word: they have done so bureaucratically. Their chief instrument has been bureaucratic organisation.[40]

I bob pwrpas, gweinidogion sifil o fath yw staff mudiadau gwasgedd hefyd, yn paratoi papurau polisi ac yn cyflwyno gwybodaeth i'r cyhoedd a'r llywodraeth. Felly, y mae'n bwysig fod mudiadau gwasgedd yn meithrin sgiliau gweinidogion sifil os ydynt am fod yn llwyddiannus. Ar sail ymchwil a wnaed yn yr Iseldiroedd, dadleuodd J. A. Buksti ac L. N. Johansen fod maint ysgrifenyddiaeth neu fiwrocratiaeth mudiad yn elfen hollbwysig sy'n effeithio'n fawr ar allu'r mudiad i ddylanwadu ar yr awdurdodau a'r cyhoedd. Byddai

Buksti a Johansen, felly, yn cyfrif Cymdeithas yr Iaith yn 'fudiad mewnol gwan' am fod ganddo lai na chwe aelod ar ei staff.[41] Treuliodd 'Cyfeillion y Ddaear' gryn dipyn o amser yn meithrin tîm o weithwyr medrus ac erbyn 1980 yr oedd ganddo 24 o staff llawnamser yn ei bencadlys yn Islington, a chyflogid oddeutu 50 o staff llawnamser gan y canghennau lleol. Er hynny, rhaid cydnabod hefyd fod llawer o fudiadau gwasgedd wedi llwyddo i gyflawni cryn dipyn gyda'r nesaf peth i ddim o ran adnoddau proffesiynol. Dyna, er enghraifft, a wnaeth ymgyrch 'Stop the Seventy Tour'. Nid oedd gan yr ymgyrch honno unrhyw staff cyflogedig a lleolid ei phencadlys mewn tŷ tafarn yn Stryd y Fflyd, Llundain. Nid oedd gan y mudiadau diwygio cymdeithasol lawer o adnoddau ariannol na dynol ychwaith. Ni fu gan y 'National Campaign for the Abolition of Capital Punishment' staff llawnamser am fwy nag ychydig fisoedd yn ystod ei awr anterth ym 1956.[42] Ond, wrth gwrs, nid yw llwyddiant unrhyw fudiad yn dibynnu ar faint ei staff cyflogedig na'i swyddfeydd, ond yn hytrach ar allu ac ymroddiad y swyddogion i'w hachos a pharodrwydd aelodau i weithio yn wirfoddol ac yn ddygn.

Fodd bynnag, llesteiriwyd gwaith y Gymdeithas gan ddiffyg adnoddau ar hyd y blynyddoedd. Yn wahanol i'r mudiadau gwasgedd amgylcheddol, lle'r oedd naw o bob deg o'r staff eisoes yn brofiadol yn y maes neu wedi derbyn hyfforddiant proffesiynol, pobl ifainc yn syth o'r coleg, wedi cwblhau cyrsiau gradd ond heb unrhyw gymwysterau ysgrifenyddol proffesiynol, oedd y mwyafrif helaeth o staff llawnamser y Gymdeithas.[43] O gofio'r cyflogau pitw a delid iddynt, hawdd gweld paham mai swydd dros-dro oedd ysgrifenyddiaeth y Gymdeithas i'r rhan fwyaf ohonynt. Cododd cyflog yr ysgrifenyddion llawnamser o £400 y flwyddyn ym 1971 i £1,100 ym 1975, i £2,190 ym 1981, ac i £6,915 y flwyddyn erbyn 1991.[44] Ym marn Jeffrey M. Berry, gall cyflogau isel arwain at broblemau difrifol i rai mudiadau gwasgedd am eu bod yn denu ymgeiswyr ifainc ac amhrofiadol i swyddi sy'n gofyn am allu gwleidyddol ac aeddfedrwydd.[45]

Cyfartaledd oedran staff cyflogedig y Gymdeithas ar hyd y cyfnod dan sylw oedd 24 oed, ac yn ystod y saithdegau yr oedd ysgrifenyddion ar gyfartaledd yn gadael y swydd ar ôl blwyddyn yn unig (eto yn wahanol i'r mudiadau amgylcheddol, gan y byddai staff llawnamser y rhain yn parhau yn eu swyddi am bum mlynedd ar gyfartaledd).[46] Dim ond pedwar o'r deunaw a gyflogwyd yn ystod y saithdegau a arhosodd yn y swydd am ddwy flynedd neu fwy. Achosai'r newid cyson hwn broblemau difrifol o safbwynt effeithlonrwydd y swyddfa a'r mudiad. Yn adroddiad yr ysgrifenyddion i Gyfarfod Cyffredinol 1976, cwynwyd bod y flwyddyn honno wedi bod yn 'flêr ac anhrefnus' o ganlyniad i benodi saith swyddog gweinyddol newydd o'r bron.[47] Cafwyd gwell trefn yn ystod yr wythdegau. Arhosodd Jên Dafis yn y swydd am ymron bum mlynedd rhwng 1981 a 1985, gan gadw ei gwên siriol er gwaethaf y straen enbyd o fod yn gyflogedig gan y Gymdeithas am gyfnod mor hir, a pharhaodd Helen Greenwood yn y swydd am chwe blynedd rhwng 1985 a 1991, gan lwyddo i osod trefn ac awdurdod ar fudiad a oedd yn ddihareb am fod yn amhroffesiynol ac anhrefnus trwy gydol y cyfnod y bu yn Aberystwyth. Yr oedd safon ac ymroddiad y swyddogion cyflogedig hyn, fel yn achos cadeiryddion ac arweinwyr y grwpiau, yn effeithio'n sylweddol ar lwyddiant y mudiad. O gael swyddogion galluog a threfnus yn gweithio iddi, yr oedd y Gymdeithas ar ei hennill yn ddirfawr. Mynegwyd hynny gan Helen Greenwood mewn adroddiad a gyflwynodd i'r Senedd ym mis Hydref 1986 yn rhinwedd ei swydd fel swyddog gweinyddol: mynnodd fod yn rhaid i Gymdeithas yr Iaith fod yn fwy proffesiynol ei gweinyddiaeth os oedd am fod yn fudiad protest effeithiol ac aeddfed.[48] Mawr fu dylanwad Helen Greenwood ar weithgareddau'r Gymdeithas; bu proffesiynoldeb ei gwaith fel swyddog gweinyddol yn ysbrydoliaeth i eraill.

Arian a chyllid

Er mwyn bod yn broffesiynol, fodd bynnag, yr oedd yn rhaid wrth gyfalaf i allu cynnal swyddfeydd, prynu offer, cyhoeddi dogfennau, cyllido ymgyrchoedd arbennig, a chyflogi staff llawnamser. Ar lawer ystyr, y mae cyllideb mudiad yn adlewyrchu ei lwyddiant, gan mai tywyll yw dyfodol unrhyw fudiad sydd â chyllideb fechan. Rhaid cydnabod bod mudiadau gwasgedd neu gorff goludog megis Conffederasiwn Diwydiant Prydain (CBI) yn llawer mwy dylanwadol na mudiadau cyffelyb llai oherwydd bod eu harian a'u hadnoddau yn eu galluogi i sicrhau'r dylanwad mwyaf posibl ar y llywodraeth ac ar awdurdodau lleol, y sector preifat, a'r farn gyhoeddus. Yn ystod yr ymgyrch dros ddiarfogi niwclear yr oedd y fantais ariannol a oedd gan y diwydiant niwclear yn golygu y gallai ddad-wneud llawer o bropaganda mudiadau fel 'Cyfeillion y Ddaear' ac CND. Er enghraifft, gwariodd y 'Nuclear Power Information Group', grŵp a sefydlwyd gan y diwydiant ym 1979, oddeutu £5 miliwn ar wybodaeth o blaid ynni niwclear ym 1980 yn unig.[49] Serch hynny, yn yr un modd ag y gall mudiad gwasgedd fod yn llwyddiannus er gwaethaf maint ei staff cyflogedig a maint ei aelodaeth, gall mudiad a chanddo gyllideb fechan hefyd fod yn llwyddiannus. Er enghraifft, er mai prin iawn oedd adnoddau ariannol mudiadau megis ymgyrch 'Stop the Seventy Tour' a'r 'Abortion Law Reform Association', profasant lwyddiant rhyfeddol, yn enwedig o gofio'r adnoddau a oedd gan y sefydliadau a oedd yn eu gwrthwynebu.[50] Eto i gyd rhaid cofio bod y ddau fudiad hynny yn ymgyrchu dros amcanion unigol tra chyfyng ac nad oedd angen llawer o adnoddau ariannol arnynt.

Bychan iawn oedd adnoddau ariannol Cymdeithas yr Iaith er y dechrau. Fel y nodwyd eisoes, ni roddwyd ystyriaeth i drefniadaeth a chyllid y mudiad iaith pan osodwyd y cynnig gwreiddiol gerbron Ysgol Haf Plaid Cymru ym 1962. Yn ôl tystiolaeth John Davies, yr unig arian a oedd gan y Gymdeithas yn fuan wedi ei sefydlu oedd y pum gini a gyfranasai Huw T. Edwards pan gytunodd i fod yn Llywydd Anrhydeddus.[51] Gan nad oedd gan y Gymdeithas ymgyrch fawr ar y gweill, heblaw am ohebu ag ynadon, prin oedd yr angen am gyllideb enfawr. Ond sylweddolwyd yn fuan fod yn rhaid wrth gyfrif banc, a phenodwyd E. G. Millward yn ysgrifennydd ariannol. Rhwng 1962 a 1992 bu pymtheg person yn gyfrifol am gyfrifon y Gymdeithas, gan ddal y swydd, ar gyfartaledd, am ddwy flynedd yn unig.[52] Gwaith diddiolch ac anodd iawn oedd bod yn gyfrifol am gyllideb anwadal ac ansicr y Gymdeithas. Ym 1975 penododd y Senedd drefnydd ariannol i fod yn gyfrifol am godi arian i'r gronfa gyffredinol, ac o 1986 ymlaen etholwyd swyddog codi arian i'r Senedd yn flynyddol. Mor anodd oedd gwaith y rhain fel mai blwyddyn yn unig, ar gyfartaledd, y buont hwy yn eu swyddi.[53] Chwyddodd costau cynnal y Gymdeithas yn aruthrol yn ystod y deng mlynedd ar hugain rhwng 1962 a 1992. Yn nechrau'r saithdegau gwariwyd dros £8,000 ar gyflogi staff, cynnal swyddfa, cyhoeddiadau ac ymgyrchoedd, ond erbyn 1992 yr oedd y gwariant wedi codi'n uwch na £40,000 y flwyddyn. Fel sawl mudiad gwasgedd arall, canfu'r Gymdeithas fod ei gallu i wario arian yn drech na'i gallu i'w godi. Dywed John Davies i'r Gymdeithas fynd i ddyled mor gynnar â dechrau 1963, trwy archebu 1,200 o bosteri ar gost o £7.13.0, er mai dim ond pum gini Huw T. Edwards a oedd yn y coffrau. Gwariodd y Gymdeithas oddeutu £15,000 ym 1977, er mai prin £12,500 oedd ei hincwm; ac erbyn 1986 yr oedd gwariant blynyddol y mudiad wedi codi i £32,000, er mai £26,000 yn unig oedd ei hincwm.[54]

Bydd grwpiau gwasgedd yn fynych yn ei chael hi'n anodd sicrhau digon o arian i ganiatáu iddynt ymgyrchu oherwydd eu bod mor ddibynnol ar gyfraniadau gwirfoddol a thâl aelodaeth. Bydd rhai mudiadau amgylcheddol, megis 'Cyfeillion y Ddaear' a 'Greenpeace', a grwpiau 'achos teilwng', megis 'Shelter' a'r 'Gymdeithas Frenhinol er Diogelu Anifeiliaid rhag Creulondeb' (RSPCA), yn derbyn cryn dipyn o gefnogaeth ariannol gan y cyhoedd oherwydd eu natur boblogaidd. Yn ôl arolwg a wnaed gan Philip Lowe a Jane Goyder ym 1980, yr oedd gan y 78 mudiad amgylcheddol a gyfwelwyd ar gyfer eu hastudiaeth gyfanswm o £26 miliwn o incwm blynyddol. Rhaid i fudiadau gwasgedd llai poblogaidd eu hapêl neilltuo llawer mwy o amser ac adnoddau i godi arian, a hynny yn aml ar draul yr ymgyrchu ei hun.[55] Caiff rhai grwpiau gwasgedd, megis y 'Royal Society for Nature Conservation', arian oddi wrth awdurdodau cyhoeddus, ond ni all mudiadau fel Cymdeithas yr Iaith fynd ar ofyn awdurdodau cyhoeddus na sefydliadau nawdd am gymorth ariannol am fod y rheini yn fynych yn gosod amodau caeth ar ddulliau gweithredu y mudiadau y maent yn cyfrannu iddynt.[56] Rhaid cofio mai derbyn amodau statws elusennol oedd un o'r hoelion olaf yn arch Undeb Cymru Fydd fel mudiad o bwys cenedlaethol.[57]

Ffynhonnell incwm gyntaf a phennaf Cymdeithas yr Iaith Gymraeg oedd ei thâl aelodaeth. Penderfynwyd yn y Cyfarfod Cyffredinol cyntaf yng ngwesty'r Belle Vue, Aberystwyth, ar 18 Mai 1963, y dylid codi tâl aelodaeth o hanner coron ar y sawl a oedd yn awyddus i ymuno â'r mudiad: erbyn diwedd y mis chwyddwyd coffrau'r Gymdeithas gan £17.10s yn sgil rhwydo 140 o aelodau newydd.[58] Parhaodd y tâl aelodaeth yn rhan bwysig iawn o incwm blynyddol y mudiad trwy gydol y cyfnod dan sylw, yn bennaf am mai dyma un o'r ffynonellau prin sy'n sicrhau incwm blynyddol rheolaidd. Yn Eisteddfodau'r Urdd a'r Genedlaethol ym 1989 casglwyd dros £2,500 trwy gyfrwng tâl aelodaeth.[59] Dibynna grwpiau gwasgedd eraill, megis y mudiadau amgylcheddol, yn drwm ar yr arian a gesglir gan eu haelodau a'u cefnogwyr. Er enghraifft, ym 1980 deuai 65 y cant o holl incwm sefydlog 'Cyfeillion y Ddaear' o gyfraniadau eu 'cefnogwyr swyddogol', sef y rheini a oedd yn cyfrannu £5 neu fwy bob blwyddyn.[60] Disgwylid i aelodau Cymdeithas yr Iaith gynnal y mudiad yn ogystal trwy godi arian yn eu celloedd a'u rhanbarthau. Yng Nghyfarfod Cyffredinol 1973 pasiwyd cynnig yn galw ar holl gelloedd y Gymdeithas i godi £150 y flwyddyn at gronfa gyffredinol y mudiad, ac o 1985 ymlaen rhoddwyd cwota ariannol i bob rhanbarth.[61]

Deuai llawer o incwm blynyddol y Gymdeithas yn ystod wythnosau Eisteddfod yr Urdd a'r Eisteddfod Genedlaethol, a hynny'n bennaf trwy werthu nwyddau a threfnu adloniant. Cafwyd antur fasnachol gyntaf y Gymdeithas ar faes Eisteddfod Genedlaethol Llandudno ym 1963, pan werthwyd pensiliau yn dwyn sloganau ac arwyddion 'Agor/Cau' ym mhabell yr Urdd Siarad Cymraeg. Yn Eisteddfod Genedlaethol Y Drenewydd ym 1965 profodd y sticer car 'Mae gennyf Ddraig yn fy nhanc' – parodi ar slogan boblogaidd cwmni petrol Esso – lwyddiant ysgubol.[62] Ceisiwyd rhoi ychydig o drefn ar uchelgais cyfalafol y Gymdeithas pan sefydlwyd Grŵp Busnes ym 1970, ac yna Grŵp Mentrau Masnachol ym 1986.[63] Erbyn y saithdegau yr oedd y fenter fasnachol wedi ehangu i gynnwys pob math o ddeunydd, yn grefftau pren a llechi, canhwyllau, bathodynnau, crysau-T, cardiau Nadolig, a hyd yn oed gyfres o lyfrau i blant, sef *Anturiaethau Arthur* (er mai dim ond dau lyfr a gafwyd yn y gyfres). Llwyddwyd i ennill arian mawr yn y ddwy Eisteddfod. Ym 1991, er enghraifft, gwnaed dros £11,700 o elw trwy werthu nwyddau yn Nhaf Elái a'r Wyddgrug. Oddi ar Eisteddfod Genedlaethol Llanbedr Pont Steffan ym 1984, cynhaliwyd arwerthiant nwyddau blynyddol tra llwyddiannus a phroffidiol.[64] Y mae'r Eisteddfod hefyd wedi profi'n fan hwylus iawn i drefnu cyngherddau roc a dawnsfeydd, ac y mae'r arian a gesglir trwy gynnal cyngherddau o'r fath yn un o brif ffynonellau incwm y Gymdeithas er dechrau'r saithdegau. Gwnaed elw o dros £14,000 yng nghyngherddau Eisteddfod Genedlaethol Aberystwyth ym 1992.[65]

Bu'r Gymdeithas hefyd yn gyfrifol am drefnu llawer o adloniant y tu allan i'r ddwy Eisteddfod. Mewn ymgais i chwyddo coffrau'r mudiad penderfynwyd creu Is-Grŵp Adloniant ym 1974, ac ym 1976 cyflogwyd trefnydd adloniant rhanamser gyda'r cyfrifoldeb o drefnu cyngherddau roc a nosweithiau llawen.[66] Bu'r arian a godwyd yn sgil

Ffred Ffransis, ysgrifennydd cyflogedig cyntaf y mudiad, Hydref 1970

Gwilym Tudur ac Arfon Gwilym yn llosgi trwyddedau teledu, Bangor, Chwefror 1971

Protest yn ystod achos traddodi 8 aelod o'r Gymdeithas am gynllwynio i achosi difrod i
arwyddion ffyrdd, Aberystwyth, Mawrth 1971

Raymond Daniel

Taith deiseb o Fangor i Gaerdydd ym 1971 yn galw am sianel deledu Gymraeg

Geoff Charles/Llyfrgell Genedlaethol Cymru

Rhwystro arwerthiant tai, Caernarfon, Gorffennaf 1972

Geoff Charles/Llyfrgell Genedlaethol Cymru

Croesawu'r Arglwydd Ganghellor Hailsham (Quintin Hogg) i Fangor, Gorffennaf 1972

Geoff Charles/Llyfrgell Genedlaethol Cymru

'Y Ceiliog', Radio anghyfreithlon Cymdeithas yr Iaith, 1973

Eisteddfod Genedlaethol Aberteifi, 1976

yr adloniant a drefnwyd yn fodd i achub y mudiad rhag mynd i ddyledion trwm sawl tro, megis ym 1976 pan gynhaliwyd cyngerdd roc 'Twrw Tanllyd' ac ym 1991 pan drefnwyd cyngerdd 'Rhyw Ddydd, Un Dydd' ym Mhafiliwn Pontrhydfendigaid.[67] Yn wir, rhoddid cymaint o bwyslais gan y Gymdeithas yn y saithdegau ar drefnu adloniant er mwyn codi arian fel yr honnodd Geraint Davies, aelod o'r grŵp Hergest, mai trefnyddion adloniant y mudiad oedd rhai o'r 'bobl mwyaf penstiff, sur, a dideimlad' y cyfarfu ef â hwy erioed, a chyhuddodd y Gymdeithas o 'wneud ei gorau glas i wasgu pob ceiniog goch o'i nosweithiau, a'r artistiaid yn ceisio codi digon i dalu dyledion banc'.[68] Fodd bynnag, yr oedd trefnu adloniant yn gyfle da i godi arian i'r Gymdeithas, ac yn fodd hefyd i ennill cyhoeddusrwydd a thaenu propaganda.

Deuai llawer o incwm blynyddol y mudiad trwy roddion a chyfraniadau ariannol gan aelodau a chefnogwyr. Cynhaliwyd ymgyrch fawr ym 1973 i annog aelodau i ymuno â Chlwb 500 *Tafod y Ddraig* er mwyn sicrhau incwm rheolaidd i'r mudiad. Ym 1974 ceisiwyd cymell pobl adnabyddus i gyfrannu degwm o'u cyflog i'r Gymdeithas, ac er 1977 ceisiwyd annog aelodau a chefnogwyr i gyfrannu trwy archebion banc.[69] Cafwyd mwy o lwyddiant ariannol trwy ddenu rhoddion achlysurol. Yn Eisteddfod Genedlaethol Bro Delyn ym 1991 derbyniwyd gwerth £5,343 o roddion.[70] Gan bwysiced yr incwm hwn, ceisiwyd creu rhwydwaith o gyfranwyr yn ystod taith Dafydd Iwan i Ogledd America ym 1979, a thrwy apêl yng ngholofnau papurau y Cymry alltud, *Ninnau* a'r *Drych,* ym 1987.[71] Bu cymynroddion hefyd yn ffynhonnell ariannol bwysig yn yr wythdegau. Yn ystod misoedd olaf 1984 gadawyd cyfanswm o £3,000 i'r Gymdeithas gan bedwar unigolyn, ac ym 1987 derbyniwyd dros £15,000 mewn dwy ewyllys.[72]

Ond ni fu peirianwaith codi arian y Gymdeithas erioed yn gadarn iawn. Dibynnai maint ei chyllideb ar nifer yr aelodau a oedd yn ymuno bob blwyddyn, ac ar lewyrch ei gweithgareddau yn yr Eisteddfod. Ni ellid ystyried yr arian a gesglid drwy roddion ac ewyllysiau yn ffynhonnell incwm gref. Ni fu'r Clwb 500 yn llwyddiant, oherwydd ni chafwyd mwy na 200 o bobl i gyfrannu, a chyfran fechan o incwm y Gymdeithas a ddeuai o archebion banc.[73] Methiant fu'r ymdrech i godi arian rheolaidd gan y celloedd a'r rhanbarthau ym 1973 gan mai pum cell yn unig a gyfrannodd £150 i'r gronfa gyffredinol, a beirniadwyd y rhanbarthau ym mis Mehefin 1988 am anwybyddu'r cwotâu ariannol a roddwyd iddynt gan y Senedd.[74] Yng Nghyfarfod Cyffredinol 1986 rhoddwyd llawer o'r bai am ddiffygion ariannol y mudiad ar yr aelodau, gan nodi eu bod 'yn fodlon derbyn cyfrifoldeb am weithredu yn erbyn cyfreithiau anghyfiawn, ond hyd yn hyn y maent yn esgeulus iawn o'u cyfrifoldeb i gynnal y mudiad yn ariannol'.[75] Brau a bregus, felly, oedd cyfundrefn ariannol Cymdeithas yr Iaith, ac er mwyn achub y mudiad rhag boddi bu raid dibynnu yn fynych ar weithgareddau codi arian achlysurol megis rafflau, teithiau cerdded, teithiau adloniant, a hyd yn oed daith dringo deg mynydd o fewn deng niwrnod.

Nodwyd sawl tro gan unigolion megis Dyfed Wyn Edwards a Lyndon Jones fod angen sail gyllidol gadarn, incwm cyson a sefydlog, ynghyd ag agwedd fwy proffesiynol at faterion ariannol.[76] Yr oedd mawr angen hyn yn wyneb holl gostau cynnal y mudiad a'i ymgyrchoedd sylweddol, megis yr ymgyrch dros sianel deledu Gymraeg. Gellid bod wedi manteisio'n helaeth ar gyllideb debyg i eiddo 'Cyfeillion y Ddaear', a oedd ag incwm o £250,000 ym 1980, neu 'Greenpeace', a oedd ag incwm blynyddol o oddeutu £6.9 miliwn ym 1995. (Sylwer bod cyfanswm gwariant 'Greenpeace' yn £6.7 miliwn ym 1995.)[77] Ym 1976 cyhoeddwyd braslun o gostau cynnal Cymdeithas yr Iaith am y chwe mis rhwng Ionawr a Mehefin, a oedd yn cynnwys cyflog tri swyddog llawnamser (£2,175), argraffu posteri a thaflenni (£1,300), costau ffôn (£1,000), costau car (£881), papur, amlenni a phostio (£950), hysbysebu (£400), a rhent swyddfa (£213). Nododd y *Western Mail* ym mis Hydref 1976 fod *Tafod y Ddraig* yn gwerthu gwerth £550 o gopïau y flwyddyn ond ei fod yn costio £1,480 y flwyddyn i'w gynhyrchu.[78] Nid oes ryfedd, felly, fod y Gymdeithas wedi gorfod wynebu problemau ariannol mor fynych.

Yn wir, y mae'n debyg mai llithro o'r naill argyfwng ariannol i'r llall fu hanes Cymdeithas yr Iaith erioed. Ym 1974 rhybuddiwyd y genedl mewn llythyr i'r *Cymro* gan Meg Elis fod y mudiad yn wynebu 'argyfwng ariannol'. Cyhoeddodd y *Western Mail* ym mis Hydref 1976 fod banc y Gymdeithas wedi gwrthod caniatáu i'r swyddogion ysgrifennu rhagor o sieciau am eu bod mewn cymaint o ddyled. Disgrifiwyd sefyllfa ariannol y Gymdeithas yn 'argyfyngus' ym 1978 ac eto ym 1979.[79] Yr oedd y problemau ariannol mor ddifrifol erbyn diwedd 1980 fel y bu'n rhaid i'r swyddogion ryddhau datganiad i'r wasg yn cyhoeddi y byddid yn diswyddo'r ysgrifenyddion a chau'r swyddfa ganolog pe na cheid arian sylweddol erbyn y flwyddyn newydd. Cynyddodd dyledion y mudiad o £6,250 ym mis Mai 1983 i £9,500 erbyn mis Gorffennaf 1985.[80] Yng nghanol yr argyfyngau ariannol hyn cafwyd un flwyddyn eithriadol ym 1987, sef blwyddyn dathlu pen blwydd y mudiad yn 25 mlwydd oed: codwyd miloedd o bunnau trwy apêl ariannol, cymynroddion ac Eisteddfod lwyddiannus. Mor anghyffredin o iach oedd sefyllfa ariannol y mudiad erbyn mis Hydref, wedi iddo dderbyn cyfanswm o £49,000 yn ystod y deuddeg mis blaenorol, fel y rhybuddiwyd aelodau'r Senedd i fod yn ofalus wrth drafod materion ariannol yn ystod y Cyfarfod Cyffredinol rhag ofn i bobl gael y camargraff fod problemau ariannol y Gymdeithas wedi eu datrys.[81] Fodd bynnag, ddeunaw mis yn ddiweddarach, yr oedd y Gymdeithas yn wynebu trafferthion ariannol dybryd unwaith eto: dim ond £500 a oedd yn weddill yn y gronfa ganolog. Erbyn mis Awst 1991 yr oedd y dyledion wedi cyrraedd £12,000, a phenderfynwyd lansio 'apêl argyfwng' er mwyn codi £30,000 cyn gynted â phosibl. Ymhen ychydig fisoedd, diolch i haelioni caredigion y Gymdeithas, yr oedd y dyledion wedi eu dileu unwaith eto a'r mudiad wedi osgoi mynd i'r wal.[82]

Wrth reswm, yr oedd problemau ariannol hefyd yn llesteirio cenhadaeth ac effeithlonrwydd y Gymdeithas. Pan agorwyd y swyddfa gyntaf ym 1970, nid oedd ynddi namyn cadair, desg, estyniad ar ffôn y siop, a theipiadur ail-law. Oherwydd maint y dyledion ym 1977, ni ellid cyflogi ond dau ysgrifennydd yn unig, gan y byddai cynnal tri yn ormod o faich ariannol. Ym 1978 cafwyd adroddiad yn *Y Cymro* yn datgan nad oedd ysgrifenyddion y mudiad wedi derbyn eu cyflogau ers mis.[83] Sawl tro gorfu i'r Gymdeithas roi'r gorau i gynlluniau i brynu adeilad ar gyfer swyddfa ganolog barhaol yn Aberystwyth, a bu'n rhaid cwtogi droeon ar wariant y swyddfa trwy beidio â defnyddio'r ffôn, ac eithrio pan fyddai raid.[84] Er hynny, daeth y Gymdeithas drwy bob un argyfwng ariannol, gan lwyddo i ddod o hyd i'r arian angenrheidiol pan oedd raid, yn bennaf trwy ddwysbigo cydwybod llawer o Gymry cyfforddus eu byd.[85] Er bod y Gymdeithas yn darged cyson i feirniadaeth y to hŷn a pharchus, y mae'n amlwg fod pobl hŷn yn ddigon parod i estyn nawdd i'w gweithgarwch, fel y tystia rhestrau cyfranwyr *Tafod y Ddraig*.

Rhanbarthau a threfniadaeth leol

Tystiolaeth bellach i ddatblygiad cyfundrefn weinyddol Cymdeithas yr Iaith ar hyd y blynyddoedd yw datblygiad ei changhennau. Awgrymodd Phillip Monypenny fod effeithlonrwydd grwpiau gwasgedd yn dibynnu i raddau helaeth ar 'the number of their adherents, the intensity of their activity, *and their technique in mobilizing their members*'.[86] O'r cychwyn ceisiodd y Gymdeithas osod sylfaen genedlaethol er mwyn dwyn ei haelodau i ganol ei hymgyrchoedd, a hynny trwy greu rhwydwaith o ganghennau a rhanbarthau. Trafodwyd hynny mor gynnar â 1963, fel y dengys llythyr gan Dafydd Orwig at E. G. Millward, sy'n sôn am 'yr angen i gael cell ym mhob sir'. Sylweddolodd swyddogion cyntaf y Gymdeithas fod mawr angen creu rhwydwaith o ganghennau ledled Cymru, gyda'r swyddogaeth ddeublyg o gasglu ynghyd garfan o bobl y gellid 'galw arnynt i gymryd rhan mewn ymgyrch ar raddfa genedlaethol', ac er mwyn sicrhau bod gan y mudiad 'grwpiau lleol fyddai'n gallu rhoi cychwyn ar weithgarwch yn eu broydd eu hunain'.[87] Er mwyn cyflawni'r nod hwnnw, aethpwyd ati i geisio cael hyd i gysylltwyr ym mhob ardal, ac i benodi aelodau brwdfrydig a fyddai'n gyfrifol am hel o'u hamgylch grŵp o bobl i ffurfio cangen ac i gychwyn ymgyrchu yn lleol. Ond ychydig iawn o lwyddiant a brofwyd, a hynny, yn ôl pob tebyg, oherwydd diffyg cyfarwyddyd gan swyddogion y mudiad yn ganolog, a gorddibyniaeth ar ymroddiad unigolion. Fodd bynnag, cafwyd eithriad tra disglair ym Mangor, lle y ffurfiwyd cangen gyntaf y mudiad gan Owain Owain, gŵr yr oedd ei waith diflino dros yr iaith yn ddihareb. Dan arweiniad eu cadeirydd, a oedd yn swyddog ymchwil yn Adran Addysg Coleg Prifysgol Gogledd Cymru, Bangor, bu cangen Bangor yn dyfal bwyso ar wŷr busnes y ddinas i ddefnyddio'r Gymraeg yn eu gwaith, ac yn galw ar y Cyngor i ddarparu ffurflen dreth ddwyieithog. Disgrifiodd Gwilym Tudur gangen Bangor fel 'mudiad ynddo'i hun',[88] ac y mae'n deg dweud i'r Gymdeithas ddilyn arweiniad y gangen honno mewn sawl maes ac iddi fod yn ffodus iawn i etifeddu un o arfau pennaf Owain Owain, sef *Tafod y Ddraig*.

Er hynny, yng ngeiriau John Davies, yr oedd cangen Bangor 'yn batrwm nas efelychwyd, gwaetha'r modd, yn unman arall yng Nghymru', a phan aeth gwaith cynnal y gangen a rhanbarth Arfon yn ormod i Owain Owain ym mis Medi 1965, daeth 'un o'r cyfnodau mwyaf addawol yn hanes y Gymdeithas' i ben.[89] Erbyn hynny yr oedd gan y mudiad ganghennau yng Ngheredigion er mis Ionawr 1964, yng Nghaerdydd er mis Mawrth, ac ym Mlaenau Morgannwg ers yr haf. Ond methiant i bob pwrpas fu cynllun y swyddogion i greu rhwydwaith o ganghennau gweithgar ledled Cymru, a hynny oherwydd natur ansefydlog yr aelodaeth a oedd yn dueddol, oherwydd galwadau gwaith neu natur tymhorau colegol, i fod mor symudol fel ei bod hi'n anodd – os nad yn amhosibl – sefydlu na chynnal cangen wir barhaol.[90] Cyflawnwyd llawer o waith gan ganghennau ym Mangor, Ceredigion a Chaerdydd, ond rhaid nodi eu bod yn ddibynnol iawn ar fyfyrwyr y colegau yno, ac er bod cangen Blaenau Morgannwg yn enwog o ganlyniad i'w hymgyrch arloesol o blaid sicrhau ffurflen treth ffordd ddwyieithog, dim ond tri ymgyrchwr, sef Gwyneth Wiliam, Neil ap Siencyn a Geraint Jones, a oedd yn weithredol yn y gangen honno.

Bu diffyg patrwm cenedlaethol o ganghennau yn llestair i waith Cymdeithas yr Iaith tan 1970. Er gwaethaf ymdrechion megis cyhoeddi enwau a chyfeiriadau rhwydwaith o ysgrifenyddion lleol yn *Tafod y Ddraig* yng ngwanwyn 1965, llunio Memorandwm yn rhestru nifer o awgrymiadau ar gyfer ymgyrchoedd lleol ym misoedd cynnar 1967, a chynnal cyfarfod arbennig yn Aberystwyth ar 4 Hydref 1969 gyda'r nod o sefydlu cyfundrefn effeithiol o 'gelloedd' i weithredu'n lleol ledled Cymru, llugoer fu ymateb y rhanbarthau. Yng Nghyfarfod Cyffredinol y Gymdeithas ar 8 Tachwedd 1969, penderfynwyd rhoi cynnig arall ar 'drefnu rhwydwaith o gelloedd er mwyn galluogi'r Gymdeithas i weithredu'n fwy effeithiol ar raddfa leol a chenedlaethol'.[91] Yr oedd sefydlu peirianwaith effeithiol o gelloedd yn bwysig iawn i'r Gymdeithas erbyn 1970 gan fod llawer o aelodau wedi bod yn cwyno'n arw ers rhai blynyddoedd am y diffyg cysylltiad rhwng yr aelodaeth a'r arweinyddiaeth, ac yn honni bod gwir angen i'r Gymdeithas gyfathrebu'n amgenach â'r cyhoedd.[92] Yr oedd hefyd angen iddi gadw ei gafael ar yr aelodau hynny a fuasai'n weithgar yn ystod dyddiau coleg, ond a oedd wedi cilio wedi iddynt gael swyddi ac ymgartrefu ar hyd a lled y wlad. Ym 1970 etholwyd 30 o gysylltwyr lleol i wasanaethu ardaloedd ledled Cymru a'u siarsio i ymweld ag aelodau'r Gymdeithas yn eu cynefin ac i sefydlu celloedd yno. Y gobaith oedd y byddai'r celloedd lleol hyn yn dwyn rhagor o bobl i mewn i ymgyrchoedd cenedlaethol y Gymdeithas ac yn fodd i weithredu'r ymgyrchoedd cenedlaethol ar raddfa leol, yn ogystal â chasglu arian, ennill cyhoeddusrwydd yn y wasg, a threfnu gweithgarwch er mwyn Cymreigio cymunedau lleol.[93]

Bu trefniadaeth leol effeithiol yn hynod o bwysig yn hanes mudiadau gwasgedd eraill hefyd, megis CND a oedd â 459 o ganghennau lleol ledled Prydain erbyn 1960. Yr oedd ymgyrch 'Stop the Seventy Tour' yn seiliedig bron yn gyfan gwbl ar drefniant lleol. Nid trefnu ymgyrch genedlaethol a wnâi Pwyllgor Cenedlaethol y mudiad hwnnw yn gymaint â chyd-drefnu gweithredu lleol. Yr oedd y grwpiau lleol a'r pwyllgorau rhanbarthol yn annibynnol ar ei gilydd o ran trefniant a gweithredu, ac yn gyfrifol am drefnu eu gwrthdystiadau lleol eu hunain. Trefnwyd 'Cyfeillion y Ddaear' ar ddau wastad – y mudiad cenedlaethol canolog, a'r mudiad lleol datganoledig a oedd yn cynnwys 300 o grwpiau lleol ym 1985 ac a oedd yn gyfrifol am ddatblygu ei syniadau a'i gynlluniau ei hun mewn perthynas â'r amgylchedd. Dibynnai'r grwpiau lleol llai ar y mudiad cenedlaethol am wybodaeth, arweiniad a strategaeth ymgyrchu, ond yr oedd grwpiau mwy eu maint megis FoE Birmingham, FoE Edinburgh, a Chyfeillion y Ddaear Cymru yn grwpiau annibynnol ac yn gyfrifol am drefnu eu hymgyrchoedd eu hunain.[94]

Yn sgil ad-drefniant mawr 1970, rhoddwyd ystyriaeth ddifrifol i swyddogaeth celloedd y Gymdeithas er mwyn meithrin gwreiddiau cadarn mewn cymunedau lleol. Yn cyd-ddigwydd â'r datblygiad pwysig hwn oedd cyfnod o aeddfedu gwleidyddol yn strategaeth ac athroniaeth y mudiad. Dechreuwyd ymddiddori mewn achosion lleol, cymunedol, megis y frwydr yn erbyn cau ysgol gynradd Bryncroes, a brwydr trigolion Cwm Senni yn erbyn ymdrechion Awdurdod Afon Wysg i foddi'r Cwm ym 1970. Sylweddolwyd y byddai angen cefnogaeth trwch poblogaeth Cymru os oedd yr ymdrech i achub y Gymraeg i brofi llwyddiant ac mai'r unig ffordd i wneud hynny oedd dwyn rhagor o bobl i mewn i'r frwydr trwy ddatblygu peirianwaith effeithiol o gelloedd lleol. Yng Nghyfarfod Cyffredinol 1973 cyhoeddwyd 'gan gydnabod na ellir creu chwyldro cenedlaethol heb sylfaen helaeth o gefnogwyr a chroes-doriad ehangach o weithredwyr, a chan sylwi ar ymdrechion o du'r awdurdodau i'n hynysu oddi wrth ein pobl, fe ddylem wneud ymdrech benderfynol ym 1974 i gyrraedd ein pobl a'u tynnu i mewn i'r frwydr'.[95]

Mewn cyfarfod arbennig ar gyfer cysylltwyr lleol yn Aberystwyth ar 24 Hydref 1971 ni lwyddwyd i wneud fawr mwy nag arolygu ffiniau amryw o gelloedd, ond wedi hynny gwelwyd llawer mwy o lewyrch ar y drefniadaeth leol. Erbyn 1973 yr oedd gan y Gymdeithas 36 o gysylltwyr lleol trwy Gymru gyfan. Ym 1973 hefyd rhoddwyd dyletswyddau trefnyddion de a gogledd i ddau o ysgrifenyddion y Gymdeithas, yn ogystal â chyfrifoldeb arbennig dros ddatblygu gwaith y mudiad yn y rhanbarthau.[96] Bellach yr oedd arweinwyr y Gymdeithas yn sylweddoli pwysigrwydd 'grym yn y gymuned', ac yn awyddus i gyfathrebu â thrigolion Cymru. Ym 1974 cyhoeddwyd *Blwyddyn Ymhlith ein Pobl,* llith bwysig a dylanwadol gan Ffred Ffransis yn datgan yn groyw mai tasg hanfodol bwysig i'r Gymdeithas oedd mynd at bobl Cymru a'u hennill i'r frwydr dros yr iaith. Yr unig ffordd i'r mudiad 'ymdroi'n Gymdeithas wir chwyldroadol', meddai, oedd 'trwy ehangu ein sylfaen o weithredwyr a chefnogaeth, a bwrw'n gwreiddiau'n gadarn yn nhir ein gwlad'. Rhan allweddol o'r cynllun i ehangu adnoddau dynol y mudiad oedd 'adeiladu trefniadaeth leol effeithiol', a 'chysylltu'n bersonol â'n pobl'. Yn nhyb Ffred Ffransis, dim ond trwy dreulio 'blwyddyn ymhlith ein pobl' y gallai aelodau'r Gymdeithas 'ail-sylweddoli mai brwydr dros ein pobl yw'r frwydr dros ein hiaith'.[97]

Yn y flwyddyn honno hefyd cyhoeddwyd llyfryn ar gyfer aelodau'r Gymdeithas yn rhoi cyfarwyddiadau ynglŷn â sut i drefnu gweithgarwch lleol er hybu addysg a statws yr iaith, sut i gynnal ymgyrchoedd yn erbyn llywodraeth leol a thai haf, ac yn atgoffa'r aelodau fod 'trefniadaeth effeithiol yn arwain at ymgyrchu effeithiol'. Ym mis Ebrill 1974 ad-drefnwyd holl beirianwaith lleol y Gymdeithas yn gelloedd a rhanbarthau, a phenodwyd trefnydd ar gyfer pob rhanbarth i weithredu fel dolen gyswllt rhwng y Senedd a'r cysylltwyr lleol. 'Gweithgarwch lleol o blaid yr iaith' oedd thema Ysgol Basg 1975, a rhyddhawyd aelodau'r Senedd am ddeufis yn ystod haf 1975 i hybu gweithgarwch y celloedd yn eu cynefin.[98] Cysegrwyd llawer o amser ac egni i'r gwaith o sefydlu rhwydwaith effeithiol o gelloedd a llwyddwyd i ddatganoli llawer o waith y grwpiau ymgyrchu Statws, Llywodraeth Leol a Diwydiant a Masnach i'r ardaloedd lleol. Erbyn canol 1975 yr oedd gan y Gymdeithas 55 o gelloedd ledled Cymru, a deg trefnydd rhanbarth. Canmolwyd y datblygiadau sylweddol hyn yn 'Adroddiad yr Ysgrifenyddion' i

Gyfarfod Cyffredinol 1976, lle y nodwyd bod cynnydd wedi digwydd yn nifer y celloedd gweithredol, a hefyd gynnydd yn effeithlonrwydd, aeddfedrwydd ac amrywiaeth y gweithgareddau.[99]

Erbyn diwedd y saithdegau rhoddai'r Gymdeithas lawer mwy o bwyslais ar weithredu yn y rhanbarthau. Yn sgil penderfyniad a wnaethpwyd yng Nghyfarfod Cyffredinol 1979, pwyswyd ar y celloedd yn y rhanbarthau llai Cymraeg i annog a datblygu'r bywyd Cymraeg trwy gydgysylltu gwaith grwpiau adloniant, grwpiau dysgwyr, a gwaith mudiadau eraill, ac i gynnal ymgyrchoedd statws lleol er mwyn symbylu deffroad Cymraeg. Yn yr un cyfarfod cynghorwyd y Grŵp Statws i benodi cysylltwyr Statws ym mhob rhanbarth ac i lunio rhaglen waith bwrpasol ar gyfer gweithgarwch lleol. Ond diau mai'r ymgyrch ranbarthol fwyaf uchelgeisiol erioed oedd ymgyrch y Siarterau Rhanbarthol a lansiwyd yng Nghyfarfod Cyffredinol 1978. Anogwyd y rhanbarthau i lunio siarterau iaith 'yn crynhoi gofynion y Gymdeithas a'i pholisïau ynghylch adfer a diogelu'r iaith yn y rhanbarth'. Ym 1979 cyhoeddwyd Siarterau yn Nyfed, Gwynedd, Clwyd a Gorllewin Morgannwg, ac ymgyrchwyd yn ddygn a thra llwyddiannus i ddwyn pwysau ar awdurdodau lleol i fabwysiadu gofynion y Gymdeithas. Erbyn diwedd y degawd yr oedd nifer o arweinwyr y mudiad o'r farn mai yn y rhanbarthau yr oedd dyfodol y mudiad a daethpwyd i'r casgliad y dylid rhoi blaenoriaeth uchel i geisio sicrhau o leiaf bedwar trefnydd rhanbarth llawnamser.[100]

Ond er gwaethaf yr holl ymdrechion i feithrin gwreiddiau cadarn o fewn y cymunedau lleol yn ystod y saithdegau, nid da lle y gellid gwell. Ar sail profiadau'r saithdegau, dywedodd Cynog Dafis ym 1979: 'the process of marshalling mass support for its aims, let alone its methods, however, is still in its infancy, and will involve a vastly improved local organisation and communications network'.[101] Canfu'r Gymdeithas mai gwaith anodd ac araf iawn oedd trefnu cyfundrefn effeithiol o gelloedd. Er bod John Owen-Davies wedi cyhoeddi rhestr o gelloedd y Gymdeithas yn y *Western Mail* ym 1972, gan honni bod 300 o aelodau yng nghell Caerdydd, 290 o aelodau yng nghell Môn, a 270 yng nghell Abertawe, go brin fod mwy nag un o bob deg o'r aelodau hynny yn mynychu cyfarfodydd yn rheolaidd.[102] Beirniadwyd diffygion trefniadaeth leol y mudiad mewn cyfres o adroddiadau a gyflwynwyd gan yr ysgrifenyddion gerbron y cyfarfodydd cyffredinol. Er nodi yng Nghyfarfod Cyffredinol 1973 fod gweithgarwch y Gymdeithas wedi cynyddu mewn rhai ardaloedd, dadlennwyd hefyd fod celloedd eraill yn gwbl farwaidd a bod diffygion y gyfundrefn leol yn ganlyniad i ddifaterwch aelodau unigol a diffyg brwdfrydedd ac ymroddiad llawer o'r cysylltwyr.[103] Wrth olrhain hanes y Gymdeithas yn ystod y saithdegau, sylwodd Ffred Ffransis mai gwendid pennaf yr ymgyrch i ffurfio celloedd oedd fod mwy o sylw yn cael ei roi i'r gwaith o sefydlu'r celloedd nag i'r gwaith o geisio'u cynnal.[104]

Yr oedd gweithgarwch y celloedd a'r rhanbarthau yn dibynnu i raddau helaeth iawn ar ymroddiad eu swyddogion a'u cysylltwyr, a dioddefodd sawl ardal o ganlyniad i ddiffyg arweiniad. Mewn cyfarfod o'r Senedd ym mis Ebrill 1973 bu'n rhaid gofyn i holl gysylltwyr y mudiad drefnu cyfarfod cell yn eu hardaloedd ymhen tair wythnos. Ym mis Mawrth 1974 beirniadwyd yn hallt farweidd-dra ac aneffeithlonrwydd llawer o'r celloedd gan aelodau'r Senedd, a phenderfynwyd y dylid diswyddo cysylltwyr diog ar frys. Er bod gan y Gymdeithas 55 o gelloedd erbyn mis Rhagfyr 1974, datgelwyd i'r Senedd mai dim ond 13 o'r rheini a oedd yn cyfarfod yn rheolaidd, a bod y gweddill yn amrywio'n ddirfawr o ran eu heffeithlonrwydd. Ym 1978 penderfynwyd cynnal cyfarfodydd chwarterol ym mhob rhanbarth o Gymru er mwyn ceisio datrys problemau ymgyrchu a threfniadaeth, ac i sicrhau bod celloedd y mudiad yn effeithiol a gweithgar.[105]

Yng Nghyfarfod Cyffredinol 1980 penderfynwyd ar ddatblygiad pwysig iawn yn nhrefniadaeth y Gymdeithas pan dderbyniwyd cynnig yn galw am ddiswyddo un o ysgrifenyddion y mudiad a phenodi yn ei le drefnydd cenedlaethol llawnamser, gyda chyfrifoldeb arbennig dros hyrwyddo gwaith a threfniadaeth y Gymdeithas yn y rhanbarthau. Yn sgil cyfuniad o ffactorau megis ymgecru mewnol ynglŷn â'r egwyddor o ddiswyddo un o'r ysgrifenyddion, diffyg diddordeb yn y swydd, a diffyg cyfalaf, ni weithredwyd ar y cynnig am ddwy flynedd, ond bu'r swydd yn y diwedd yn llwyddiant mawr. Cyflawnwyd gwaith aruthrol gan Walis Wyn George, gŵr ifanc deallus o sir Gaerfyrddin, yn ystod y ddwy flynedd a hanner y bu ef yn drefnydd cenedlaethol rhwng 1982 a 1985, yn bennaf o ganlyniad i'w allu a'i broffesiynoldeb. Sefydlwyd canolfannau newydd yn y de a'r gogledd; ffurfiwyd celloedd newydd a gweithgar ledled Cymru; cynhaliwyd ymgyrchoedd llwyddiannus yn y rhanbarthau, megis yng

Nghlwyd; a gosodwyd sylfaen gadarn ar gyfer datblygu'r drefn ranbarthol ym 1985 pan benodwyd trefnyddion llawnamser yn y de a'r gogledd.[106]

Cafwyd sawl datblygiad pwysig arall yn y rhanbarthau yn ystod yr wythdegau. Yng Nghyfarfod Cyffredinol 1981 siarsiwyd holl gelloedd y mudiad i gynllunio rhaglen waith hirdymor yn amlinellu strategaeth ar gyfer diogelu neu adfer y Gymraeg yn eu hardaloedd. Yng Nghyfarfod Cyffredinol 1985 cadarnhawyd swyddi trefnydd y gogledd a threfnydd y de, gan ad-drefnu ffiniau'r rhanbarthau i greu pum rhanbarth (Gwynedd, Clwyd, Dyfed, Powys, a Morgannwg-Gwent), pob un â'i swyddogion a'i gyllid ei hun a chynrychiolaeth ar y Senedd. Penderfynwyd sefydlu ffederasiwn ysgolion ym mhob rhanbarth er mwyn hyrwyddo gweithgarwch ymhlith disgyblion ysgol, a phenderfynwyd hefyd sefydlu 'Cyngor y Gogledd' a 'Chyngor y De' i arolygu gwaith y trefnyddion llawnamser ac i fod yn gyfrifol am lunio rhaglenni gwaith ar eu cyfer. Nodwyd yn y penderfyniad fod y datblygiadau hyn 'yn rhoi mwy o gyfle i'r aelodaeth yn y rhanbarthau gymryd rhan yng ngweinyddiaeth a rheolaeth y Gymdeithas'. Cymaint oedd arwyddocâd datblygiadau trefniadaeth y Gymdeithas yn ystod y blynyddoedd hyn fel y cyhoeddwyd adroddiad yn *Y Cymro* ym mis Ebrill 1986 yn datgan bod y Gymdeithas yn paratoi i greu Senedd ar gyfer pob rhanbarth er mwyn goruchwylio ymgyrchoedd lleol ledled Cymru, ac i fod yn fodd i feithrin cysylltiad agosach â'r aelodau cyffredin yn y celloedd.[107] Ond er cymaint o ddatblygiadau a gafwyd ym mheirianwaith lleol y Gymdeithas yn ystod y deng mlynedd ar hugain rhwng 1962 a 1992, ni lwyddwyd i wireddu gobeithion *Blwyddyn Ymhlith ein Pobl,* sef y byddid yn bwrw gwreiddiau dwfn yng nghymunedau Cymru, a bu'n rhaid cydnabod yng Nghyfarfod Cyffredinol 1989 'mai canran bychan iawn o aelodau'r Gymdeithas sy'n weithgar yn ymgyrchoedd y Gymdeithas' o hyd.[108]

Nid gwaith hawdd i unrhyw fudiad gwasgedd yw sefydlu trefniadaeth leol effeithiol, fel y tystia hanes amryw o fudiadau yn yr un cyfnod. Y mae'n wir dweud bod ymgyrch 'Stop the Seventy Tour' wedi trefnu rhwydwaith o grwpiau lleol hynod effeithiol, ond rhaid cofio hefyd mai ymgyrch fyrhoedlog oedd honno yn hytrach na mudiad parhaol fel Cymdeithas yr Iaith. Byrhoedlog hefyd oedd llawer o ganghennau'r grwpiau amgylcheddol, gan eu bod yn fynych wedi cael eu ffurfio i weithredu fel pwyllgorau amddiffyn er mwyn gwrthwynebu datblygiadau a oedd yn bygwth yr amgylchfyd yn lleol, ac yna yn diflannu yn fuan wedi llwyddiant neu fethiant yr ymgyrch arbennig honno.[109] Dyna fu hanes rhai o gelloedd y Gymdeithas, megis cell Casnewydd a ffurfiwyd yn nechrau'r saithdegau er mwyn pwyso am ragor o Gymraeg yn ysgolion Gwent, a chell Llanelli a fu'n weithredol dan arweiniad D. Arfon Rhys rhwng 1976 a 1978 yn ystod ymgyrch i Gymreigio siopau'r dref.[110] Diflannu a wnaeth llawer o gelloedd y Gymdeithas yn yr wythdegau, ac erbyn 1992 dim ond 23 a oedd ar ôl drwy Gymru gyfan.

Ceid anfanteision yn ogystal â manteision yn sgil sefydlu trefniadaeth leol, ddatganoledig. Ym marn Wyn Grant, gallai strwythur datganoledig arwain at weithgareddau lleol a fyddai'n tynnu'n groes i bolisïau'r mudiad canolog neu yn achosi embaras iddo, gan beri bod y berthynas rhwng cangen a chorff rheoli yn anodd iawn ar brydiau. Nododd Hugh Ward fod rhwygiadau wedi ymddangos rhwng canghennau lleol a chorff rheoli 'Cyfeillion y Ddaear' ynglŷn â nod yr ymgyrch ynni.[111] Digwyddodd croestynnu cyffelyb sawl tro yn hanes y Gymdeithas. Ym 1974 cyhoeddodd aelodau cell Llandeilo eu bod mewn egwyddor yn gwrthwynebu gweithredu torcyfraith, gan fygwth eu datgysylltu eu hunain oddi wrth y Gymdeithas yn gyhoeddus petai gweithredu uniongyrchol yn parhau. Rhybuddiwyd y gell mai ei swyddogaeth oedd gweithredu polisïau'r Gymdeithas.[112] Er gwaethaf holl waith da cell Caerdydd yn brwydro dros hawliau'r Gymraeg yn Swyddfa'r Post, a banciau a siopau'r brifddinas, bu plwyfoldeb swyddogion y gell honno yn destun gwrthdaro â swyddogion y Senedd ar sawl achlysur. Nodwyd mewn cyfarfod o'r Senedd ym mis Rhagfyr 1987 fod 'problemau cyfathrebu dybryd' rhwng swyddfa Aberystwyth a swyddogion cell Caerdydd. Fis yn ddiweddarach cerddodd dau o aelodau'r gell honno allan o gyfarfod stormus o ranbarth Morgannwg-Gwent, gan ddatgan eu bod yn 'gadael y Gymdeithas' oherwydd penderfyniad y Senedd i symud swyddfa rhanbarthau'r De i Abertawe er mwyn hwyluso trefniadau teithio Dafydd Morgan Lewis, swyddog cyswllt y de. Ym mis Mehefin 1988 gorfu i'r Senedd drafod agwedd aelodau cell Caerdydd unwaith eto, a datgan ei bod yn edrych ymlaen 'at gydweithrediad llwyr rhwng pob aelod o'r gell a'r swyddog cyswllt'.[113]

Yr oedd rhanbarthau'r Gymdeithas yn tueddu i fod yn gryf iawn ar yr adegau hynny pan fyddai'r ymgyrchoedd canolog a chenedlaethol ar eu gwannaf, ond yn eiddil a thawedog iawn pan fyddai ymgyrch genedlaethol gref ar waith. Nodwyd mewn cyfarfod o'r Senedd ym mis Chwefror 1975 fod yn rhaid i'r Gymdeithas ganolbwyntio ar adeiladu peirianwaith lleol effeithiol a chadarn, gan fod ymgyrchoedd canolog y mudiad yn dechrau dirwyn i ben. Er enghraifft, oherwydd diffyg ymgyrch genedlaethol penderfynodd y Grŵp Ardaloedd Cymraeg ganolbwyntio ar ymgyrchu trwy gyfrwng celloedd ym Meirion, Dyffryn Conwy, Dyffryn Tywi a Cheredigion, a phenderfynodd y Grŵp Addysg ganolbwyntio ar Faldwyn a Gwynedd.[114] Grymusodd ymgyrch Siarter Clwyd yn yr un modd ym 1981–2 ar adeg pan oedd y mudiad yn genedlaethol yn dal i ddioddef yn sgil ymgyrch hir o blaid sianel deledu Gymraeg. Nid oedd llawer o obaith, felly, y byddai'r Gymdeithas yn gallu datblygu trefniadaeth ddatganoledig effeithiol oni roddid blaenoriaeth i'r gwaith o sefydlu rhwydwaith cenedlaethol o gelloedd dan arweiniad peirianwaith trefnus yn y rhanbarthau. Nododd Ffred Ffransis, mewn cyfarfod o'r Senedd ym mis Chwefror 1990, fod celloedd y Gymdeithas wedi dioddef ar hyd y blynyddoedd yn sgil y ffaith fod ymgyrchoedd canolog y mudiad wedi cael blaenoriaeth. Yn ei dyb ef, yr oedd y Gymdeithas wedi methu â denu rhagor o bobl i'r mudiad ac wedi esgeuluso'r gwaith hirdymor o sefydlu celloedd effeithiol ac ymroddedig.[115] Canlyniad hyn oll, wrth reswm, oedd mai'r un bobl a oedd yn gorfod ysgwyddo holl waith y mudiad a chymryd cyfrifoldeb am eu celloedd lleol, y rhanbarthau, y grwpiau ymgyrchu, a'r Senedd. Petai'r Gymdeithas wedi rhoi mwy o sylw i'w chynlluniau yn y rhanbarthau, diau y byddai ei chyfundrefn weinyddol wedi datblygu i fod yn llawer mwy grymus ac effeithiol.

Cyfathrebu a chyhoeddusrwydd

Yr elfen olaf yng nghyfundrefn weinyddol Cymdeithas yr Iaith a brofodd gynnydd aruthrol rhwng 1962 a 1992 oedd ei chyfundrefn gyfathrebu. Sylweddolwyd yn gynnar iawn bwysigrwydd cyfathrebu effeithiol a grym cyhoeddusrwydd, a cheisiwyd defnyddio'r wasg a'r cyfryngau torfol fel llwyfan i hybu amcanion y mudiad. Dengys cynnig a basiwyd yng Nghyfarfod Cyffredinol 1978 mai dau nod a oedd i'r ymgyrch gyfathrebu, sef, yn gyntaf, 'cyfathrebu â'r cyhoedd gan sicrhau dealltwriaeth gyhoeddus am ymgyrchoedd a nod Cymdeithas yr Iaith', ac, yn ail, 'cyfathrebu'n fewnol gan sicrhau fod aelodau ac aelodau potensial yn deall ac yn cyfrannu at ein hymgyrchoedd a bod mwy o gefnogwyr yn cael eu tynnu i mewn i'r Gymdeithas'.[116] Ond er gwaethaf yr ymdrechion i gynllunio cyfundrefn gyfathrebu effeithiol, yn fewnol ac yn allanol, ysbeidiol, gwaetha'r modd, fu'r ymdrechion i roi blaenoriaeth i'r agwedd hollbwysig hon.

Heblaw am y Cyfarfod Cyffredinol, yr unig ddolen gyswllt gyson a fodolai rhwng aelodau'r Gymdeithas a'r arweinyddiaeth oedd ei misolyn swyddogol, sef *Tafod y Ddraig.* Cyhoeddwyd y rhifyn cyntaf ym 1963 gan Owain Owain fel 'Dalengyswllt Cangen Dinas Bangor', sef crynhoad o'r newyddion diweddaraf ynglŷn ag amrywiol ymgyrchoedd y rhanbarth hwnnw. Yn fuan, fodd bynnag, sylweddolwyd gwerth y fenter, yn enwedig yng ngoleuni'r ffaith fod 5,000 o gopïau o rifyn deg y gyfres gyntaf o *Tafod y Ddraig* wedi eu gwerthu yn Eisteddfod Genedlaethol Abertawe, 1964. Penderfynwyd ym mis Ionawr 1965, felly, drosglwyddo awenau'r misolyn o ddwylo cangen Bangor i'r mudiad yn ganolog.[117] Bu *Tafod y Ddraig* yn rhan anhepgor o gyfundrefn gyfathrebu'r mudiad er ei sefydlu, ac yn fodd i daenu propaganda o blaid ymgyrchoedd yr iaith trwy gydol y cyfnod dan sylw. Yn y cylchgrawn hwn y cyhoeddid y newyddion diweddaraf am ymgyrchoedd ac achosion llys y Gymdeithas, ac ynddo hefyd y ceid cyfarwyddiadau i aelodau ynglŷn â gwahanol agweddau ar weithredu. Trwy gynnwys erthyglau gwleidyddol aeddfed a deallus gan nifer o feddylwyr praffaf y Gymdeithas a'r mudiad cenedlaethol, datblygodd y misolyn hwn yn un o brif gylchgronau gwleidyddol y Gymru Gymraeg, gan gyfrannu'n sylweddol at ymwybyddiaeth wleidyddol ei ddarllenwyr. Cyhoeddwyd hefyd yn *Tafod y Ddraig* nifer o gerddi ac erthyglau llenyddol, dogn helaeth o gartwnau ffraeth a doniol megis eiddo'r ddau frawd Tegwyn Jones ac Elwyn Ioan, ac ysgrifau dychanol a chrafog megis cyfres enwog Gareth Miles, 'Llythyr oddi wrth y Cwîn'. Cyflawnwyd gwaith pwysig iawn gan *Tafod y Ddraig* trwy roi arweiniad ac unoliaeth i weithgaredd aelodau'r mudiad a charedigion yr iaith, a thrwy fod yn ffynhonnell bwysig o wybodaeth ar gyfer cefnogwyr, sylwebyddion, a haneswyr.

Ceisiwyd meithrin a chynnal cysylltiad ag aelodau a chefnogwyr hefyd trwy gylchlythyrau a bwletinau newyddion achlysurol. Yn sgil trafodaeth mewn cyfarfod o'r Senedd ym mis Hydref 1976, penderfynwyd bod angen gwella'r gyfundrefn gyfathrebu fewnol, ac o ganlyniad anfonwyd cylchlythyr at holl aelodau'r mudiad ym 1976 yn cynnwys gwybodaeth am aelodaeth, dulliau o godi arian, rhestr cysylltwyr ysgolion, ac enwau arweinwyr y grwpiau ymgyrchu.[118] Rhwng 1976 a 1978 anfonwyd Bwletin Cyfathrebu at aelodau'r Gymdeithas bob chwarter, ac anfonwyd allan gylchlythyrau yn gyson trwy gydol yr wythdegau. Weithiau cyhoeddid bwletinau newyddion gan rai o'r grwpiau ymgyrchu, megis y Grŵp Cyfryngau Torfol rhwng 1976 a 1980, a'r Grŵp Addysg rhwng 1986 a 1992. Mewn ymgais i greu fforwm i drafod ymgyrchoedd a strategaeth y Gymdeithas cynhaliwyd yr Ysgol Basg gyntaf yn Aberystwyth rhwng 29 a 31 Mawrth 1970. Cynhaliwyd Ysgol Basg bob blwyddyn hyd 1992 er mwyn dwyn aelodau ac arweinwyr ynghyd yng nghanol y tymor ymgyrchu. Ymgais bellach i wella cyfathrebu mewnol y mudiad oedd trefnu cyfarfodydd chwarterol ym 1978, gan gynyddu cyfle'r aelodau cyffredin yn y celloedd a'r rhanbarthau i gyfrannu'n uniongyrchol at bolisïau'r mudiad.[119]

Ond go brin fod yr ymdrechion hyn wedi profi llawer o lwyddiant. Ni fynychwyd yr Ysgol Basg erioed gan lawer o aelodau, a bu'n rhaid rhoi'r gorau i'r cyfarfodydd chwarterol am yr un rheswm. Er gwaethaf sefydlu Grŵp Cyfathrebu Mewnol yng Nghyfarfod Cyffredinol 1980 er mwyn ceisio datrys diffygion cyfathrebu'r mudiad, bu'n rhaid cyfaddef eto erbyn 1982 fod diffyg cysylltiad rhwng y Gymdeithas yn ganolog a'i haelodau yn broblem enbyd.[120] Nid oedd *Tafod y Ddraig,* hyd yn oed, heb ei broblemau. Ni lwyddwyd erioed i wireddu potensial y cylchgrawn o ran ei gylchrediad misol, gan na werthwyd llawer mwy na 2,000 o gopïau erioed.[121] Cymaint oedd y costau cynhyrchu ym 1965 a chyn lleied oedd y gwerthiant nes y cyhoeddwyd yng Nghyfarfod Cyffredinol 1966 fod y Gymdeithas wedi rhoi'r gorau i gyhoeddi'r cylchgrawn yn rheolaidd oherwydd 'ei fod yn ddrud, ac nad oedd yn cyflawni unrhyw ddiben pendant'. Er gwaethaf diwyg newydd a phoblogaidd yr ail gyfres, a lansiwyd yn Eisteddfod Genedlaethol Y Bala ym 1967, dan olygyddiaeth Gwynn Jarvis a Penri Jones, dim ond 600 o gopïau a werthwyd yn fisol ym 1968.[122] Nodwyd ym 1971 fod y cylchgrawn yn gwneud colled misol o £25, a chymaint â £70 o golled y mis ym 1980. Disgynnodd y cylchrediad mor isel â 328 o gopïau'r mis erbyn Chwefror 1981, ac ym 1988 yr oedd y golled flynyddol yn £1,322. Beirniadwyd diffyg cyfundrefn ddosbarthu *Tafod y Ddraig* yng Nghyfarfod Cyffredinol 1976, ac nid oedd hyd yn oed ddiwyg a chynnwys y misolyn yn rhyngu bodd pawb. Tybid y dylid bywiocáu'r cynnwys a chwtogi ar nifer yr erthyglau 'athronyddol'.[123] Felly, er pwysiced yr angen am ddolen gyswllt effeithiol a llwyddiannus rhwng aelodaeth ac arweinyddiaeth, methwyd â sicrhau bod cylchgrawn swyddogol y Gymdeithas yn bapur poblogaidd a dylanwadol hyd yn oed ymhlith ei haelodau ei hun. Pobl barchus, ganol-oed oedd llawer o danysgrifwyr y cylchgrawn, nid yr aelodau ifainc, cyffredin.[124]

Yr ail elfen yng ngwaith cyfathrebu'r Gymdeithas oedd cysylltu â'r cyhoedd. Wrth drafod pwysigrwydd cyfathrebu i fudiadau gwasgedd yn gyffredinol, meddai Malcolm Davies:

> Very often the Government will not act until the public has been mobilised and a degree of support is discernible. For this reason some groups endeavour to build up public sympathy for their campaign whilst not bothering too much with the size of their membership.[125]

Diau mai dull cyfathrebu mwyaf poblogaidd y Gymdeithas oedd cyhoeddi taflenni annog a phamffledi, gweithgarwch a fuasai'n rhan annatod o ymgyrchu cyfansoddiadol y mudiad er 1963 pan gyhoeddwyd y daflen gyntaf, *Bod yn Gymry*.[126] Sefydlwyd Grŵp Cyhoeddiadau mor gynnar â 1970 ac fe'i hanogwyd i gynhyrchu taflenni cyffredinol yn esbonio nod ymgyrchoedd y Gymdeithas ac i roi cyhoeddusrwydd i'w gweithgareddau a'i hamcanion.[127] Rhwng 1962 a 1992 cyhoeddwyd toreth o daflenni, pamffledi, cylchgronau, bwletinau a chylchlythyrau o ganlyniad i bwyslais cynyddol y mudiad ar gyfathrebu. Dengys astudiaeth Bridget Pym o'r mudiadau diwygio cymdeithasol fod ymgyrchu yn gyhoeddus trwy gyhoeddi taflenni a phamffledi yn ddull poblogaidd iawn ymhlith amryw byd o fudiadau yn ymwneud â phynciau llosg fel ewthanasia, diarfogi niwclear, cyffuriau, diddymu ysmygu, cyflogau cyfartal, ac atalcenhedlu. Defnyddiwyd yr un dulliau gan fudiadau'r duon yn America, eithr yr oedd ganddynt hwy gyfundrefn ddosbarthu lawer mwy effeithiol nag a feddai'r Gymdeithas, oherwydd gallai arweinwyr mudiadau'r duon hysbysu cefnogwyr am drefniadau protestiadau mewn dyddiau, onid oriau, megis y gwnaed adeg boicot bysiau Birmingham, Alabama, ym mis Rhagfyr 1955.[128]

Treuliai'r Gymdeithas gryn dipyn o amser yn ogystal yn paratoi dogfennau polisi a phob math o femoranda er mwyn esbonio ei pholisïau i'r cyhoedd, yn enwedig yng nghanol y saithdegau. Tra oedd rhai o'r dogfennau hyn yn ddatganiadau manwl o raglen y Gymdeithas mewn ymgyrchoedd arbennig, megis *Sianel Gymraeg: Yr Unig Ateb* (1979), a *Cynllunio Dyfodol i'r Iaith yng Ngheredigion* (1985), yr oedd dogfennau eraill yn fwy cyffredinol eu naws ac yn ceisio esbonio'r bygythiad a wynebai'r Gymraeg, megis *Bywyd i'r Iaith* (1973), a *Dewch Gyda Ni . . .* (1981). Er mwyn ceisio cyfathrebu â phlant, cyhoeddwyd llyfrau *Anturiaethau Arthur* ym 1976 a 1977, ac ym 1979 lansiwyd cymeriad cartŵn 'Mali', sef merch ifanc mewn 'dungarees' a oedd yn gwybod sut i ddefnyddio sbaner a brws paent. Yng Nghyfarfod Cyffredinol 1979 sefydlwyd Pwyllgor Llenyddiaeth a Chyhoeddiadau er mwyn 'rheoli a chynllunio'n fanylach drefn a pholisi cyhoeddi'r Gymdeithas'.[129] Erbyn diwedd y cyfnod dan sylw gwelwyd ffrwyth agwedd gadarnhaol y Gymdeithas pan gyhoeddwyd nifer o ddogfennau polisi a memoranda proffesiynol iawn eu diwyg a'u cynnwys, megis *Canoli a Rheoli – Y Papur Lliwgar*, a *Llawlyfr Deddf Eiddo*, y ddau yn ymddangos ym 1992.

Rhan bwysig iawn o ymgyrchoedd cyfathrebu'r Gymdeithas oedd y cyfarfodydd cyhoeddus a'r cynadleddau a drefnid er mwyn rhoi llwyfan i amcanion y mudiad. Cynhaliwyd cyfarfod cyhoeddus cyntaf y Gymdeithas yn Narlithfa Reardon Smith, Caerdydd, ar brynhawn dydd Sadwrn 17 Mehefin 1967. Y siaradwyr gwadd oedd Robyn Lewis, Trefor Morgan, a Gwynfor Evans A.S., a daeth rhyw gant o bobl ynghyd i wrando ar areithiau yn ymwneud â diffygion y mesur iaith diweddar. Parhaodd y cyfarfod cyhoeddus yn rhan bwysig o arfogaeth cyfathrebu'r Gymdeithas ar hyd y blynyddoedd, gan ganolbwyntio ar bob math o bynciau ac ymgyrchoedd. Cynhaliwyd dros gant o gyfarfodydd ledled Cymru rhwng 1967 a 1992, o Aberdâr i'r Wyddgrug, a hyd yn oed yn Llundain, lle y gwahoddwyd Emyr Humphreys, ym mis Mehefin 1973, i annerch cell leol y Gymdeithas.[130] Rhwng 1973 a 1978 cynhaliwyd cyfres o gyfarfodydd cyhoeddus ledled Cymru er mwyn esbonio gofynion y Gymdeithas parthed sianel deledu Gymraeg, a manteisiwyd yn arbennig ar achlysur rhyddhau Ffred Ffransis o garchar ym 1973 a 1974.[131] Bu Wynfford James a Rhodri Williams hefyd yn cynnal cyfres o gyfarfodydd cyhoeddus ar hyd a lled Cymru ym 1978 cyn yr ail achos gerbron Brawdlys Caerfyrddin am eu 'cynllwyn' i ddifrodi offer darlledu. Manteisiwyd ar sefyllfa debyg pan ryddhawyd Alun Llwyd a Branwen Nicholas o'r carchar ym 1991 er mwyn esbonio amcanion y Ddeddf Eiddo.[132]

Trefnwyd dros hanner cant o gynadleddau yn y cyfnod dan sylw hefyd, ac ynddynt trafodwyd rhychwant eang o bynciau, o ddyfodol ysgolion cynradd gwledig i hawliau lesbiaid a hoywon. Cynyddu a wnaeth pwysigrwydd cynadledda fel dull effeithiol o gyfathrebu, gan osod llwyfan parod i'r mudiad fedru trafod ac esbonio ei syniadau a'i bolisïau yn fanwl. Ym 1985 cynhaliwyd cyfres o gynadleddau i drafod cynllunio yng Nghaerfyrddin, Gogledd Preselau a Cheredigion, a chyhoeddwyd dogfennau polisi cynhwysfawr a phroffesiynol a âi i'r afael â nifer o broblemau cymdeithasol ac economaidd. Tair blynedd yn ddiweddarach cynhaliwyd cyfres o gynadleddau ledled Cymru lle y buwyd yn trafod 'Addysg Berthnasol i Gymru'. Yn y gynhadledd yng Nghaerdydd traddodwyd areithiau gan Sioned Elin a Ffred Ffransis ar ran y Gymdeithas, a chan Paul Flynn, A.S. Llafur Casnewydd.[133] Yr oedd cyfraniad y Gymdeithas i'r trafodaethau ar amryw agweddau ar broblem yr iaith yn dra gwerthfawr, a chynadledda yn gyfrwng da iawn i ddwyn nifer o arbenigwyr at ei gilydd i drafod polisïau'r mudiad. Ym 1976 cynhaliwyd cynhadledd 'Gwaith yng Nghefn Gwlad' yn Y Bala, lle y gwahoddwyd cynghorwyr, swyddogion cynllunio a'r cyhoedd i wrando ar siaradwyr megis Dr Eirwyn Evans, prif swyddog datblygu economaidd Gwynedd, Dafydd Elis Thomas, A.S. Meirionnydd, a Dr Carl Clowes, sylfaenydd Antur Aelhaearn.[134]

Fel yr awgrymwyd eisoes, ceid elfen gref o gyfathrebu ym mentrau masnachol ac adloniant y Gymdeithas. Gwerthid crysau-T, bathodynnau a phosteri ac arnynt negeseuon gwleidyddol diamheuol, a thrwy drefnu adloniant yn ystod wythnos yr Eisteddfod ac ar adegau eraill o'r flwyddyn llwyddodd y Gymdeithas i uniaethu bathodyn ·'Tafod y Ddraig' â'r diwylliant ieuenctid. Sylwodd Cynog Dafis ym 1979 mai dim ond yn rhannol y gellid esbonio gallu'r Gymdeithas i ysgogi brwdfrydedd yr ifainc drwy ei chysylltiad â'r byd pop Cymraeg, a'i nawdd egnïol iddo – ond cyfaddefodd fod yno gysylltiad amlwg.[135] Nid cyd-ddigwyddiad yw'r ffaith fod sylfaenwyr dau o gwmnïau recordio pwysicaf Cymru, sef SAIN ac ANKST, yn gyn-arweinwyr amlwg o'r Gymdeithas. Mewn cyngherddau roc enfawr a nosweithiau llawen megis 'Twrw Tanllyd', 'Tafodau Teifi', a 'Rhyw Ddydd, Un Dydd', a theithiau grwpiau enwog megis Edward H. Dafis, Inja Roc, Maffia Mr Huws, a'r Alarm, gosodid baneri anferth yn dwyn sloganau'r Gymdeithas yn gefndir i'r grwpiau, a gwerthid nwyddau'r mudiad yn y cynteddau.[136] Canlyniad hyn oedd cysylltu diwylliant ieuenctid, ac yn enwedig y diwylliant pop Cymraeg, â brwydr yr iaith, a sicrhau bod y sawl a fynychai gyngherddau neu ddawnsfeydd Cymraeg yn sicr o ddod i gysylltiad â neges Cymdeithas yr Iaith. Y mae'n ddiddorol sylwi hefyd fod y Gymdeithas wedi bod ar ei mwyaf grymus a dylanwadol ar adegau pan oedd llewyrch ar y diwylliant pop Cymraeg, megis yn ystod hanner cyntaf y saithdegau (adeg ymgyrch y sianel deledu), ac yn ystod blynyddoedd olaf yr wythdegau a dechrau'r nawdegau (adeg yr ymgyrch dros Ddeddf Iaith Newydd a Deddf Eiddo).

Cyflawnwyd llawer o waith cyfathrebu'r Gymdeithas yn lleol. Cyhoeddwyd yng Nghyfarfod Cyffredinol 1976 mai gwaith pwysicaf y flwyddyn ganlynol fyddai datblygu cyfryngau propaganda effeithiol yn genedlaethol ac yn lleol, ac o ganlyniad sefydlwyd Grŵp Cyfathrebu gan Senedd y Gymdeithas a chanddo gyfrifoldeb arbennig i 'sicrhau'r cyhoeddusrwydd mwyaf posibl i amcanion ac ymgyrchoedd Cymdeithas yr Iaith, fel bo modd i bobl Cymru uniaethu eu hunain â'r frwydr'.[137] Anogwyd arweinydd y grŵp i sicrhau bod cyfathrebu yn rhan annatod o bob ymgyrch ganolog, i ofalu am ddogfennau polisi a chyhoeddiadau'r mudiad, ac i feithrin cysylltiadau â gohebwyr y wasg. Ond rhan bwysig o'i waith hefyd oedd creu rhwydwaith o 'gyfathrebwyr rhanbarthol' er mwyn gohebu â'r wasg leol, dosbarthu taflenni a chylchlythyrau, cynhyrchu papurau rhanbarthol, a threfnu ymgyrchoedd cyfathrebu lleol. Yr oedd cynhyrchu papurau rhanbarthol wedi bod ar agenda'r Gymdeithas er Cyfarfod Cyffredinol 1974 pan benderfynwyd 'gofyn i'r trefnwyr rhanbarth sicrhau fod papur newyddion yn cael ei gynhyrchu'n fisol ymhob rhanbarth yn cynnwys neges y Gymdeithas, er mwyn sicrhau fod y neges yn cyrraedd trwch poblogaeth Cymru yn effeithiol a chyson'.[138] Ffrwyth y fenter honno oedd amryw o bapurau propaganda megis *Cymdeithas, Fflam Fflint, Llais Dinefwr* a *Penderyn*. Eu nod oedd poblogeiddio neges y Gymdeithas yn y cymunedau Cymraeg a cheisio cymhwyso amcanion y mudiad i sefyllfaoedd lleol. Profodd y papurau rhanbarthol gyfnod llewyrchus yng nghanol yr wythdegau yn sgil llwyddiant cylchgrawn neu ffansîn ieuenctid aelodau rhanbarth Clwyd y Gymdeithas, sef *Llmych*, a gyhoeddwyd yn Eisteddfod yr Urdd yn Yr Wyddgrug ym 1984. Gwerthwyd 300 o gopïau o'r cylchgrawn newydd, ac aethpwyd ymlaen i gyhoeddi dros ddeuddeg rhifyn arall. Ym mis Hydref y flwyddyn honno anogwyd disgyblion ysgol ac aelodau rhanbarthau'r Gymdeithas i gychwyn a chynnal cylchgronau neu ffansîn ieuenctid tebyg i *Llmych* yn eu rhanbarthau eu hunain, ac o ganlyniad cychwynnwyd cyfres o gylchgronau newydd megis cyfres *Gwyn Erfyl, Pam?*, *Brych*, a *Dom Deryn* a gyhoeddwyd gan ffederasiynau ysgolion y Gymdeithas yng Nghlwyd, Gwynedd, Dyfed, a Morgannwg-Gwent.[139]

Defnyddid amryw o ddulliau eraill er mwyn cyfathrebu'n llwyddiannus â'r cyhoedd yn lleol. Trefnid ymgyrchoedd cyfathrebu dwys (neu ymgyrchoedd 'brigâd dân', chwedl y gwybodusion) yn yr ardaloedd lleol lle y byddai'r celloedd yn ceisio hawlio sylw a dylanwadu ar y farn gyhoeddus trwy anfon llythyrau a chynnig erthyglau i bapurau lleol a phapurau bro, trefnu cyfarfodydd cyhoeddus lleol, a thaenu posteri a sloganau o gwmpas yr ardal.[140] Wrth ymgyrchu yn erbyn datblygu marina ym Mhwllheli a chodi ystad o 400 o dai newydd yn Y Gaerwen, Môn, trefnodd y Gymdeithas ymgyrchoedd cyfathrebu dwys yn lleol i geisio darbwyllo'r trigolion fod y datblygiadau hyn yn ddinistriol i'r iaith Gymraeg.[141] Rhwng 1972 a 1975 trefnwyd holiaduron i gasglu barn pobl Cymru am dai haf, addysg Gymraeg, darlledu Cymraeg, a dwyieithrwydd mewn siopau, gan fanteisio ar y cyfle i esbonio amcanion a gofynion y Gymdeithas.[142] Ym 1980 aeth yr aelodau o ddrws i ddrws i rannu taflenni yn galw am sianel deledu Gymraeg, a'r flwyddyn ganlynol aeth aelodau yn Nyfed a Gwynedd o ddrws i ddrws i rannu taflenni yn esbonio gwrthwynebiad y mudiad i dai haf.[143]

Yn sgil erthygl a gyhoeddwyd yn *Tafod y Ddraig* ym mis Hydref 1972 yn esbonio fel y byddai Sinn Fein yn cynnal ymgyrchoedd cyfathrebu lleol yng Ngweriniaeth Iwerddon, cynhaliodd y Gymdeithas 'Ddiwrnod Cyfathrebu' yn Llandysul ym mis Ebrill 1973. Gosodwyd stondin yng nghanol y dref i werthu posteri, bathodynnau a llyfrynnau; cerddodd aelodau o ddrws i ddrws er mwyn siarad â phobl a rhannu taflenni; cynhaliwyd cyfarfod cyhoeddus awyr-agored; a threfnwyd adloniant gyda'r nos. Ar sail y

diwrnod llwyddiannus hwn, cyhoeddodd Cynog Dafis gyfarwydd-
iadau yn *Tafod y Ddraig* yn manylu ynglŷn â sut i drefnu diwrnodau
cyfathrebu llwyddiannus ac yn annog celloedd i drefnu achlysuron
tebyg yn eu hardaloedd hwy.[144] O ganlyniad, cynhaliwyd ymgyrch
gyfathrebu yn ymestyn dros dair wythnos ym Mhenparcau, Y Rhyl a'r
Rhondda ym misoedd Gorffennaf ac Awst 1973, a chynhaliwyd
diwrnodau cyfathrebu tra llwyddiannus ym Mrynaman, Aberdâr,
Caerffili, Blaenau Ffestiniog, Caergybi, Wrecsam, Y Drenewydd, ac
Aberaeron ym mis Ebrill 1974.[145] At hyn trefnwyd teithiau haf yn
ystod y misoedd cyn neu wedi'r Eisteddfod er mwyn caniatáu i
aelodau'r Gymdeithas boblogeiddio eu neges ledled Cymru.[146]

Cyfathrebid yn ogystal trwy amryw ddulliau llai traddodiadol. Ym
1975 cynhaliwyd taith theatr stryd trwy Gymru, gydag aelodau'r
Gymdeithas yn perfformio anterliwt ac iddi neges wleidyddol gyfoes
ar fater yr iaith. Ar faes yr Eisteddfod Genedlaethol y flwyddyn honno
perfformiwyd drama y tu allan i babell y Swyddfa Gymreig er mwyn
tynnu sylw at ddiffygion polisïau addysg, statws a thai y Llywodraeth
Lafur yng Nghymru. Perfformiwyd pantomeim ym Mangor,
Aberystwyth, Caerdydd a Chaerfyrddin yn ystod wythnos olaf 1989
ac wythnosau cyntaf 1990 er mwyn rhoi sylw i alwad y Gymdèithas
am Ddeddf Iaith Newydd.[147] Trwy ddefnyddio radio anghyfreithlon yn
ystod y saithdegau, yr oedd modd i'r Gymdeithas gyfathrebu'n
rhwydd â miloedd o bobl a hefyd gynnig gwasanaeth radio Cymraeg
poblogaidd a fyddai'n batrwm i'w efelychu gan Radio Cymru pan gâi
ei sefydlu ym 1977. Mentrodd y Gymdeithas hyd yn oed i fyd y
teledu: gyda chynhorthwy Dewi 'Pws' Morris cynhyrchodd cell
Caerdydd fideo *Directory Enquiries* ym 1990 er mwyn tynnu sylw at
ddiffyg polisi dwyieithog Telecom Prydain a phrofi'r angen am
Ddeddf Iaith ddiwygiedig.[148]

Er hynny, y mae'n deg dweud na fu'r holl gynlluniau cyfathrebu
uchod yn arbennig o lwyddiannus. Ni ddaethpwyd o hyd i ddigon o
'gyfathrebwyr rhanbarthol', ac ychydig iawn o gyfarwyddyd a
roddwyd i gynrychiolwyr celloedd a threfnwyr rhanbarth ynglŷn â sut
i drafod y wasg.[149] Nid oedd gan y Gymdeithas gyfundrefn ddosbarthu
effeithiol ar gyfer taenu ei chyhoeddiadau, ac ni chyhoeddwyd llawer
o bapurau rhanbarthol am fod y gystadleuaeth o du'r papurau bro mor
ffyrnig.[150] Ym mis Hydref 1974 nodwyd yn y Senedd na fuasai
ymgyrchoedd cyfathrebu'r Gymdeithas yn llwyddiannus iawn am nad

oedd neb wedi llawn sylweddoli pwysigrwydd y gwaith. Datganwyd eto ymhen pymtheng mlynedd fod diffygion mawr yn parhau yng nghyfundrefn gyfathrebu'r Gymdeithas.[151] Y prif ddiffyg oedd bodloni ar adael cynlluniau ar eu hanner yn hytrach na dwyn y maen i'r wal yn effeithiol.

Fodd bynnag, llwyddodd y Gymdeithas droeon i ddefnyddio'r cyfryngau torfol. Yng Nghyfarfod Cyffredinol 1972 datganwyd 'bod angen gwella'n sylfaenol ar gysylltiadau'r Gymdeithas â'r wasg, ac y dylid gwneud mwy o ddefnydd o unigolion yn y Gymdeithas sydd mewn cysylltiad â'r wasg a'r cyfryngau torfol yn gyffredinol'.[152] Fel y dengys llythyrau Owain Owain yn y papurau cenedlaethol o blaid statws swyddogol i'r Gymraeg, defnyddid y wasg yn rheolaidd gan swyddogion cyntaf y Gymdeithas er mwyn taenu ei neges.[153] Rhwng 1969 a 1970 cyhoeddwyd colofn yn *Y Faner* dan ofal y Gymdeithas, a chafwyd sawl ysgrif gan swyddogion megis Dafydd Iwan, Emyr Llewelyn, Gareth Miles, a Ffred Ffransis yn trafod hynt brwydr yr iaith a phynciau gwleidyddol eraill, megis y gwrth-chwyldro a'r Arwisgo.[154] Ym 1982 cyhoeddwyd erthyglau yn *Y Faner* gan amryw o swyddogion y Gymdeithas ar ymgyrchoedd Tai, Darlledu, a Chynllunio Cymdeithasol Ieithyddol. Anfonai'r Grŵp Cyfathrebu becynnau cyson o wybodaeth i'r wasg yn cynnwys deunydd ar bynciau arbenigol megis amddiffyn democratiaeth, yr ymgyrch addysg, a diwygio'r Ddeddf Iaith.[155] Yr oedd ennill clust y wasg yn nod pwysig i lawer iawn o fudiadau gwasgedd gan ei fod yn rhoi cyfle iddynt geisio dylanwadu ar y farn gyhoeddus a llywio'r agenda wleidyddol. Yn y cyfnod ar ôl Ymchwiliad Windscale yn yr wythdegau cynnar, llwyddodd 'Cyfeillion y Ddaear' i sicrhau dros 300 o gyfeiriadau'r mis at eu gweithgareddau yn y papurau cenedlaethol.[156] Ym 1971 llwyddodd y Gymdeithas i sicrhau dros 40 o gyfeiriadau'r mis yn y wasg yng Nghymru at ei hymgyrch arwyddion ffyrdd, a 60 cyfeiriad y mis at ei hymgyrch dros sianel deledu Gymraeg ym 1980. Ym 1987 darlledwyd sawl rhaglen deledu yn trafod hynt a hanes ymgyrchoedd y Gymdeithas ar achlysur dathlu ei phen blwydd yn 25 mlwydd oed.[157]

Y mae defnyddio'r wasg a'r cyfryngau torfol yn ddull o gyfathrebu sy'n gyffredin i bron bob mudiad gwasgedd a phrotest. Mewn gwirionedd, cyd-ddigwyddodd twf gwleidyddiaeth gwasgedd yng ngwledydd y gorllewin â datblygiad cyson y cyfryngau torfol. Gellid defnyddio'r wasg fel cyfrwng gwybodaeth a chyfrwng i hysbysu'r cyhoedd o'r camau diweddaraf mewn ymgyrch arbennig. O bryd i'w gilydd gofynnir i fudiad esbonio ei safiad ar y teledu, neu ymateb i sylwadau swyddogion cyhoeddus. Defnyddiodd y Gymdeithas y cyfryngau sawl tro i fod yn llwyfan ar gyfer esbonio ei hamcanion, megis ar adeg rhyddhau adroddiad gan y llywodraeth ar ryw agwedd ar yr iaith Gymraeg. Câi'r wasg a'r cyfryngau eu defnyddio hefyd er mwyn cadarnhau presenoldeb mudiad. Er enghraifft, yr oedd y rhaglen deledu *The Animals Film* yn ddigwyddiad pwysig yn nhwf ymwybyddiaeth y cyhoedd ynghylch cam-drin anifeiliaid, ac yr oedd y ffilm *Threads* yn gam pwysig yn yr ymgyrch bropaganda yn erbyn arfau niwclear.[158]

Y mae unrhyw ffurf ar ymgyrchu cyhoeddus yn dibynnu i raddau ar ymateb y cyfryngau. Fodd bynnag, er mwyn cael sylw ar y cyfryngau y mae'n rhaid i fudiadau gwasgedd hawlio sylw yn fynych trwy weithredoedd neu brotestiadau, yn enwedig yn achos y teledu, sy'n cael ei ddenu gan yr hyn sy'n apelio i'r llygad. Trefnodd y Gymdeithas amryw o ralïau a gorymdeithiau er mwyn sicrhau cyhoeddusrwydd. Diau mai un o'r ralïau pwysicaf, o ran cefnogaeth, oedd honno a gynhaliwyd yng Nghaernarfon ar Ddydd Gŵyl Dewi 1969 pan brotestiwyd yn erbyn yr Arwisgo. Daeth cynifer â phedair mil o bobl ynghyd, yn chwifio baneri 'Dim Sais yn Dywysog Cymru' a 'Dim Croeso i Dywysog Estron', i wrando ar siaradwyr megis yr Athro J. R. Jones.[159] Ni chyfyngid ralïau'r Gymdeithas i Gymru ychwaith. Cynhaliwyd tair rali yn Llundain yn ystod yr ymgyrch dros sianel Gymraeg yn y saithdegau, ac un rali yn ystod yr ymgyrch o blaid Deddf Eiddo yn Hoylake, etholaeth David Hunt, Ysgrifennydd Gwladol Cymru, ym mis Medi 1991.[160] Y mae'n debyg mai Dulyn oedd y man pellaf y mentrodd y Gymdeithas iddo i gynnal rali. Ym 1976, ar fore gêm rygbi ryngwladol rhwng Iwerddon a Chymru, ymunodd aelodau'r Gymdeithas ag aelodau *Conradh na Gaeilge* y tu allan i Lysgenhadaeth Lloegr a thu allan i swyddfa'r Taoiseach i brotestio yn erbyn polisïau crintachlyd y ddwy wlad at yr Wyddeleg a'r Gymraeg, ac i alw am sefydlu sianel deledu yn y ddwy iaith ar fyrder.[161]

Defnyddid llawer o ddychymyg ar brydiau er mwyn dyfeisio gweithredoedd a fyddai'n gorfodi'r cyfryngau torfol i roi sylw i'r mudiad. Ym 1966 cyhoeddodd y Gymdeithas filoedd o stampiau anghyfreithlon, a'r slogan 'Statws i'r Gymraeg' wedi ei argraffu ar draws wyneb y frenhines, fel rhan o'r ymgyrch i Gymreigio Swyddfa'r Post.[162] Fel estyniad i'r rali a'r orymdaith, trefnwyd sawl taith gerdded, megis ym 1976 pan gerddodd pump o aelodau bob cam o Gaerdydd i Lundain i gyflwyno i'r Ysgrifennydd Cartref 250 o lythyrau a deisebau yn galw am sianel deledu Gymraeg, neu ym 1983 pan gynhaliwyd taith gerdded 280 milltir o hyd o'r Eisteddfod Genedlaethol yn Llangefni i Gaerdydd, fel rhan o'r ymgyrch dros sefydlu Corff Datblygu Addysg Gymraeg.[163] Ym 1977 cyflwynwyd 40,000 o 'jelly babies' i swyddogion Cyngor Sir Clwyd er mwyn tynnu sylw at ffolineb y Cyngor yn ceisio denu 40,000 o bobl i ymsefydlu yn yr ardal er bod diweithdra eisoes yn broblem yno. Yn ystod diwrnod o weithredu yn Llundain ym mis Mai 1980 aeth un o aelodau'r Gymdeithas i swyddfa William Whitelaw, yr Ysgrifennydd Cartref, wedi ei wisgo fel priodferch, a'i gyhuddo o dorri ei addewid ynglŷn â sefydlu sianel deledu Gymraeg.[164] Fel rhan o'r ymgyrch Deddf Eiddo ym mis Mai 1989 treuliodd nifer o aelodau cell colegau Aberystwyth noson oer yn cysgu mewn bocsys cardbord ar risiau Llys Ynadon Caerfyrddin, ac yn Eisteddfod yr Urdd Bro Glyndŵr ym 1992 bu rhai aelodau yn hela gŵr wedi ei wisgo fel fampir ac yn dynwared aelod seneddol Ceidwadol.[165]

Pan fyddai ymgyrch yn derbyn llawer o sylw yr oedd cyfle gan y Gymdeithas i daenu ei neges a rhoi cyhoeddusrwydd i'w hamcanion. Llwyddodd yr ymgyrch arwyddion ffyrdd yn sgil y cyhoeddusrwydd sylweddol a gafodd, ac yr oedd yr ymgyrch dros sianel deledu Gymraeg ar ei chryfaf ar adegau pan gâi lawer o sylw yn y wasg ac ar y teledu. Tueddai'r Gymdeithas i fod yn ansicr iawn ohoni'i hun pan na lwyddai i ennill sylw cyhoeddus. Mynegwyd ansicrwydd ynghylch trywydd y Gymdeithas mewn cyfarfodydd o'r Senedd ym misoedd Gorffennaf a Rhagfyr 1974, yn bennaf am ei bod yng nghanol 'cyfnod tawel', a heb fod yn llygad y cyhoedd ers rhai misoedd. Ym 1977 cwynodd Ffred Ffransis fod y wasg Gymraeg bellach yn amharod iawn i adrodd helyntion diweddaraf y Gymdeithas, a bod hynny'n achosi ansicrwydd ym meddyliau'r aelodau ynghylch trywydd y mudiad.[166] Dim ond achosion llys yn ymwneud â phobl amlwg, dedfrydau hir o garchar, neu weithredoedd anghyfansoddiadol mentrus, neu ddifrod mawr, a fyddai'n hoelio sylw'r wasg, ac felly gorfodid y Gymdeithas sawl tro i ymddifrifoli er mwyn ennyn ymateb.[167] Yr oedd ennill cyhoeddusrwydd da yn hanfodol bwysig i amryw o fudiadau gwasgedd. Honnodd Bridget Pym mai'r rheswm paham y llwyddodd yr 'Abortion Law Reform Association' (ALRA) i gyflawni ei hamcanion ac y methodd y 'Voluntary Euthanasia Society' (VES), oedd bod y cyntaf wedi llwyddo i sicrhau llawer mwy o gyhoeddusrwydd trwy ennyn cydymdeimlad y wasg.[168]

Mantais sicrhau cyhoeddusrwydd trwy'r cyfryngau torfol oedd ei fod nid yn unig yn ddefnyddiol wrth gyfathrebu a thynnu sylw at amcanion a pholisïau'r Gymdeithas, ond ei fod hefyd yn dwyn pwysau uniongyrchol ar yr awdurdodau perthnasol i weithredu o blaid yr iaith. Cymharol hawdd fyddai i'r rhai mewn grym anwybyddu yr holl lythyrau, deisebau, dirprwyaethau, memoranda a dogfennau polisi a anfonid atynt yn pleidio achos yr iaith, ond nid mor hawdd osgoi'r sylw a'r cyhoeddusrwydd a grëid gan ymgyrchoedd a phrotestiadau torfol. Yn ôl Arthur Latham, A.S. Llafur Paddington ym 1978: '[Parliament] has learnt to cope with the mass lobby to such an extent as to make it ineffective, apart from the valuable broad propaganda effect which a demonstration may achieve.'[169] Er na châi lobi drefnus yng nghyntedd San Steffan gymaint â hynny o sylw, byddai presenoldeb rhai miloedd o brotestwyr ar strydoedd Llundain yn hawlio sylw'r cyfryngau. Yn y modd hwn, felly, gellid defnyddio'r cyfryngau fel erfyn i ddylanwadu ar y llywodraeth a'i gorfodi i ymateb. Trwy'r cyhoeddusrwydd anferth a gafodd 'Greenpeace' yn Ynysoedd yr Orkney ym mis Hydref 1978 yn ystod ymgyrch i ddifa morloi, a'r darluniau truenus a welid ar deledu ac mewn papurau newydd o'r morloi bychain yn disgwyl cael eu lladd, gorfodwyd Ysgrifennydd yr Alban gan y farn gyhoeddus i atal yr anfadwaith hwn. Gallai cyhoeddusrwydd mudiadau gwasgedd hefyd greu embaras i'r llywodraeth a'i gorfodi i newid polisi neu gyfeiriad. Gwelwyd hyn ym 1977 pan roes y 'Child Poverty Action Group' gyhoeddusrwydd i fwriad y llywodraeth i roi'r gorau i fudd-dal plant, ac yn sgil y sylw anferth a gafodd y Llywodraeth Geidwadol ym 1979 am dorri ei haddewid i sefydlu sianel deledu Gymraeg y cafwyd buddugoliaeth enwog 1980.[170]

Y mae sawl arbenigwr ar wleidyddiaeth gwasgedd wedi dadlau mai arwydd o wendid yw'r ffaith fod rhai grwpiau yn chwilio am gyhoeddusrwydd am eu bod fwy neu lai yn cyfaddef eu bod wedi methu dylanwadu ar y Senedd neu adran o'r llywodraeth. Awgrymodd

R. M. Punnett mai ymgyrch gyhoeddusrwydd 'is the most conspicuous but at the same time the least rewarding activity. In the main it is taken as a last resort'.[171] Ategwyd y farn honno mewn perthynas ag ymgyrchoedd Cymdeithas yr Iaith gan sawl golygydd papur newydd a gwleidydd yn ystod y deng mlynedd ar hugain rhwng 1962 a 1992. Ond nid pwyso ar neu lobïo llywodraeth ganol oedd unig amcan Cymdeithas yr Iaith, gan mai rhan bwysig o'i bodolaeth oedd chwyldroi agwedd meddwl trigolion Cymru ynghylch gwerth yr iaith Gymraeg. Sylweddolodd Geoffrey Alderman fod ystyr a swyddogaeth ehangach i ymgyrchoedd cyhoeddusrwydd mudiadau megis 'Shelter' ac CND:

> A public campaign may not have as its objective a dramatic shift in public policy; its object may well be to educate the masses rather than to persuade an élite. Its success may have to be measured in years, perhaps even in decades, rather than in parliamentary sessions.[172]

Er enghraifft, rhan o nod 'Shelter' pan y'i ffurfiwyd ym 1966 oedd gosod pwnc y digartref ar yr agenda gwleidyddol a phwyso ar y llywodraeth i ddarparu cartrefi ar eu cyfer. Ond rhan bwysig arall o nod y mudiad gwasgedd hwn oedd creu ymwybyddiaeth gyhoeddus ynghylch dioddefaint y digartref ac addysgu'r cyhoedd am anghyfiawnderau'r gyfundrefn dai. Bwriad CND, trwy gynnal ei hymgyrch dorfol, oedd ennill cyhoeddusrwydd i fygythiadau erchyll arfau niwclear, yn ogystal â cheisio pwyso ar lywodraeth ganol i fabwysiadu polisi o ddiarfogi. Yng ngeiriau Philip Lowe a Jane Goyder, 'through their background campaigns, environmental groups in general have enhanced their public image and generated a climate of opinion sympathetic to environmental protection'.[173] Yn yr un modd, gobaith Cymdeithas yr Iaith oedd cymell trigolion Cymru i sylweddoli gwerth eu hiaith fel y byddent yn barotach i'w defnyddio ac i fynnu amgenach statws iddi. Yng Nghyfarfod Cyffredinol 1977 penderfynodd y Gymdeithas roi mwy o sylw i'r gwaith o 'argyhoeddi pobl Cymru o'u cyfrifoldeb personol fel unigolion' at yr iaith Gymraeg. Er mwyn cyflawni hynny anogwyd grwpiau'r Senedd i drefnu ymgyrchoedd arbennig i bwysleisio gwerth yr iaith, gan gynnwys galluogi'r Grŵp Cyfathrebu i drefnu ymgyrch i berswadio rhieni o gartrefi Cymraeg ac ieithyddol gymysg i ddysgu'r iaith i'w plant. Galwyd hefyd ar y Grŵp Dysgwyr i berswadio pobl ddi-Gymraeg i ddysgu'r iaith a'i throsglwyddo i'w plant. Cyhoeddodd cymal olaf y penderfyniad fod angen 'gweithredoedd di-drais symbolaidd gan aelodau o'r Gymdeithas i argraffu dwyster y sefyllfa ar feddyliau'n pobl'.[174]

Gwaith pwysig iawn, felly, oedd cyfathrebu yng ngolwg y Gymdeithas, gan mai trwy gysylltu â'i haelodau, ei chefnogwyr, a'r cyhoedd yn gyffredinol y gallai sicrhau dyfodol llewyrchus i'r iaith Gymraeg. Amhosibl fyddai cyflawni holl amcanion y mudiad heb yn gyntaf greu awyrgylch ffafriol o blaid y Gymraeg a chyfran helaeth o ewyllys da tuag ati ymhlith y di-Gymraeg. Er hynny, ni fu'r Gymdeithas yn llwyddiannus iawn yn cynnal ymgyrch gyfathrebu gyson ac effeithiol. Er iddi ddenu sylw i'w hymgyrchoedd trwy gyfrwng ei gweithgareddau torcyfraith a'i phrotestiadau, methai'n fynych ag esbonio ei *raison d'être* a'i neges. O ganlyniad, gallai sylwebyddion megis Alan Butt Philip ddatgan: 'the Welsh Language Society at the end of the 1960s had become one of the most publicized and least understood organizations in Welsh life'.[175] Fodd bynnag, fel y cawn weld yn y bennod olaf, ni fyddai'r Gymdeithas wedi llwyddo i ennill cymaint o'i hymgyrchoedd a sicrhau cynifer o'i hamcanion pe na bai wedi ennill cryn dipyn o gydymdeimlad a chefnogaeth.

Hanes cynnydd a thwf, felly, yw hanes cyfundrefn weinyddol Cymdeithas yr Iaith Gymraeg rhwng 1962 a 1992. Yn ystod y cyfnod hwn o 'weithio i'r iaith, rhag ei thranc',[176] ymdrechodd yn ddygn i ddatblygu o fod yn fudiad heb aelodaeth ffurfiol, cyfansoddiad ffurfiol, trefniadaeth a chyllid, i fod yn fudiad digon grymus i ymateb i'r her enfawr a osodwyd gerbron y Cymry gan Saunders Lewis yn *Tynged yr Iaith.* Erbyn dechrau'r nawdegau yr oedd gan y Gymdeithas gorff rheoli democrataidd a chyfarfod blynyddol a oedd yn atebol i'r holl aelodau; tri swyddog llawnamser yn gweithio mewn tair swyddfa yng ngogledd, canolbarth a de Cymru; cyllideb sylweddol o bron £50,000 y flwyddyn; rhwydwaith eang o gelloedd a rhanbarthau ledled y wlad; a chyfundrefn gyfathrebu genedlaethol. Heb y datblygiadau sylweddol a hollbwysig hyn, ni fyddai Cymdeithas yr Iaith wedi aeddfedu a chynyddu, a hwyrach y byddai wedi diflannu'n dawel yn nhreigl amser fel y gwnaethai amryw o fudiadau iaith yng Nghymru megis Undeb Cymru Fydd a'r Urdd Siarad Cymraeg. Serch hynny, ni chafwyd datblygiad cyson a llyfn yng nghyfundrefn weinyddol y Gymdeithas. Yn hytrach, ymateb a wnâi o flwyddyn i flwyddyn i gyfres o ofynion a phroblemau newydd. Y broblem fwyaf oedd ei methiant i ddenu rhagor o gefnogwyr i'w hymgyrchoedd, ac i gymell ei haelodau i gymryd rhan weithredol yn ei gweithgarwch. Ond, fel y nododd Cynog Dafis ym 1979 wrth drafod anallu'r Gymdeithas i ffurfio mudiad chwyldro gwir genedlaethol: 'it is not unlikely however, that, in dealing with a people who are not suffering from intolerable material deprivation, there is an essential conflict between the Society's illegal methods and the aim of establishing popular roots and support'.[177] Petai'r swyddogion wedi canolbwyntio'n fwy egnïol ar geisio datrys problemau affwysol ei chyfundrefn weinyddol, diau y byddai Cymdeithas yr Iaith Gymraeg erbyn heddiw yn fudiad llawn mor rymus â rhai o'r mudiadau amgylcheddol pwysicaf.

Nodiadau

1. John Davies, 'Blynyddoedd Cynnar', t.7.
2. Ibid., t.11.
3. Ibid., tt.11–12.
4. LlGC, PCYIG 40. Geraint Jones, 'Cymdeithas yr Iaith Gymraeg – Y Llywiawdwyr Cynnar (1962–67)'. Cyhoeddwyd rhannau yn 'Y Llywiawdwyr Cynnar (1): Ofni'r Gwaethaf', yn Tudur, *Wyt Ti'n Cofio?*, t.18. Am y cyfeiriad at 'Gyfamodwyr yr Iaith Gymraeg', gw. Robert Ambrose Jones (Emrys ap Iwan, o dan y ffugenw Y Tad Morgan, C.I.), 'Breuddwyd Pabydd wrth ei Ewyllys', *Y Geninen,* X, rhif 1 (1892), tt.15–19. (Ailargraffwyd gyda chyflwyniad gan D. Myrddin Lloyd (Wrecsam, 1931).)
5. John Davies, 'Blynyddoedd Cynnar', t.19.
6. Am hanes manwl gweithgareddau'r Gymdeithas yn ystod ei blynyddoedd cynnar, darllener ibid., tt.5–39.
7. Cyhoeddwyd canlyniadau'r arolwg yn *TDd*, 11 (cyfres I, 8/1964). Gw. hefyd 'Y Cynghorau ac ateb llythyrau', *Y Cymro*, 23/7/1964.
8. Pym, *Pressure Groups and the Permissive Society*, t.61.
9. Peter Hain, 'Direct Action and the Springbok Tours', t.197.
10. Tudur, *Wyt Ti'n Cofio?*, t.41.
11. Ffred Ffransis, 'Ad-drefnu', *TDd*, 35 (10/1970).
12. LlGC, PCYIG 1/4. Pwyllgor Canol, 30/8/1970.
13. Grant, *Pressure Groups, Politics and Democracy,* tt.120–1; Thomas, *The Welsh Extremist*, t.101.

14 LlGC, PCYIG 24. Cyf. Cyff. 1987.
15 Ffred Ffransis, 'Ad-drefnu', *TDd*, 35 (10/1970).
16 LlGC, PCYIG 4/3. Cyf. Cyff. 1976.
17 LlGC, PRhW 2, a LlGC, PCYIG 30, 24. Cyf. Cyff. 1977, 1982, 1987.
18 Edryd Gwyndaf a John Glyn Jones, 'Ad-drefniant'; Emyr Hywel, 'Dulliau brwydro'; Ffred Ffransis, 'Y tri angen', *TDd*, 74 (8/1974).
19 LlGC, PCYIG 4/3. Senedd, 18/12/1976.
20 LlGC, PRhW 1, 4. Cyf. Cyff. 1976, 1980.
21 Ffred Ffransis, 'Neges o garchar', *TDd*, 53 (10/1972).
22 LlGC, PRhW 1. Cyf. Cyff. 1974, 1976.
23 LlGC, PCYIG 11/3. Senedd, 22/11/1980.
24 Driver, *The Disarmers,* tt.65–6; Alderman, *Pressure Groups and Government,* t.47; Davies, *Politics of Pressure,* t.33.
25 Mike Daube, 'How to run a pressure group', *Marketing* (10/1979), tt.75–7. Dyfynnwyd yn Alderman, *Pressure Groups and Government,* t.47.
26 Pym, *Pressure Groups and the Permissive Society,* t.13; Lowe a Goyder, *Environmental Groups in Politics,* tt.50–3.
27 Mewn cyfarfod o'r Senedd ym mis Mai 1976 cyfeiriwyd at farn llawer o aelodau mai 'rhyw glwb mewnol yw'r Senedd, sydd allan o gysylltiad â'r aelodau'. LlGC, PCYIG 4/3. Senedd, 1/5/1976, 18/12/1976.
28 LlGC, PRhW 3. Cyf. Cyff. 1978; LlGC, PCYIG 51/4. Senedd, 21/10/1990.
29 Mewn gwirionedd, dim ond hanner holl arweinwyr Cymdeithas yr Iaith rhwng 1962 a 1992 a oedd wedi eu haddysgu yng Ngholeg Prifysgol Cymru, Aberystwyth. At hynny, bu 144 o unigolion yn aelodau o'r Senedd yn ystod y 1970au, a 139 o wahanol bobl ar Seneddau'r 1980au. Dengys hyn fod yr arweinyddiaeth wedi newid yn gyson ac yn dra aml, fel y nodwyd yn y bennod gyntaf.
30 Tudur, *Wyt Ti'n Cofio?*, t.30. Ceir hanes y fenter hon yn John Davies, 'Blynyddoedd Cynnar', t.25.
31 LlGC, PCYIG 1/4. Pwyllgor Canol, 9/6/1968.
32 LlGC, PCYIG 1/4. Senedd, 18/10/1970.
33 Arfon Gwilym, 'Y Swyddfa Gyntaf (1): Pennod Daclus', yn Tudur, *Wyt Ti'n Cofio?*, t.78; LlGC, PRhW 1. 'Adroddiad yr Ysgrifenyddion i'r Cyf. Cyff.', 1974.
34 'O'r swyddfa', *TDd*, 72 (6/1974); LlGC, PCYIG 30. Senedd, 6/12/1986.
35 LlGC, PCYIG 30, 51/5. Senedd, 13/1/1990, 8/6/1991.
36 Alderman, *Pressure Groups and Government,* t.17.
37 LlGC, PCYIG 1/4. Senedd, 17/10/1971. Noder mai £300 o gyflog blynyddol a dderbyniai H. R. Jones, trefnydd llawnamser cyntaf Plaid Cymru, ym 1926. Gerald Morgan, 'Dannedd y Ddraig', yn John Davies (gol.), *Cymru'n Deffro: Hanes y Blaid Genedlaethol 1925–75* (Talybont, 1981), t.21.
38 LlGC, PCYIG 4/3, 2/1. Senedd, 3/4/1976, 1/5/1976, 11/2/1978; PCYIG, Swyddfa Aberystwyth. Senedd, 11/1/1992.
39 LlGC, PCYIG 1/4. Senedd, 24/3/1973; LlGC, PRhW 3. Senedd, 2/12/1978.
40 Michael Moran, 'Power, Policy and the City of London', yn Roger King (gol.), *Capital and Politics* (London, 1983), t.51.

41 J. A. Buksti ac L. N. Johansen, 'Variations in organizational participation in government in the case of Denmark', *Scandinavian Political Studies,* cyfrol 2 (cyfres newydd), rhif 3, tt.209–10. Dyfynnwyd yn Grant, *Pressure Groups, Politics and Democracy,* t.122.

42 Hugh Ward, 'The Anti-Nuclear Lobby: An Unequal Struggle?', yn Marsh, *Pressure Politics*, t.192; Alderman, *Pressure Groups and Government,* t.116; Pym, *Pressure Groups and the Permissive Society*, t.63.

43 Lowe a Goyder, *Environmental Groups in Politics*, tt.48–9, 58. Sylwyd bod 90 y cant o staff cyflogedig y Gymdeithas rhwng 1970 a 1992 wedi derbyn addysg bellach, a bod y mwyafrif o'r rheini yn raddedigion o Goleg Prifysgol Cymru, Aberystwyth.

44 LlGC, PCYIG 4/3, 11/3, 51/5. Senedd, 13/9/1975, 15/8/1981, 13/7/1991.

45 Jeffrey M. Berry, *Lobbying for the People: The Political Behaviour of Public Interest Groups* (Princeton, 1977), tt.84–96.

46 Lowe a Goyder, *Environmental Groups in Politics*, t.48.

47 LlGC, PCYIG 2/2. 'Adroddiad yr Ysgrifenyddion i'r Cyf. Cyff.', 1976.

48 LlGC, PCYIG 30. Senedd, 12/10/1986.

49 Marsh, *Pressure Politics,* t.192.

50 Gw. Hain, *Don't Play with Apartheid,* tt.198–9; Pym, *Pressure Groups and the Permissive Society*, t.156.

51 John Davies, 'Blynyddoedd Cynnar', t.14.

52 Eithriad yw Lyndon Jones a fu'n drysorydd y Gymdeithas am chwe blynedd rhwng 1986 a 1992.

53 LlGC, PCYIG 4/3, 24. Senedd, 18/10/1975, 31/1/1976; Cyf. Cyff. 1986. E.e., ym 1976 ymddiswyddodd Roger Jones fel trefnydd ariannol ar ôl cwta dri mis.

54 LlGC, PCYIG 1/4, 4/3, 30, 39. Senedd, 8/10/1972; 'Adroddiad y Trysorydd', Cyf. Cyff. 1977; Senedd, 12/10/1986, 2/9/1989. Gw. hefyd John Davies, 'Blynyddoedd Cynnar', t.14.

55 Lowe a Goyder, *Environmental Groups in Politics*, tt.41–3; Alderman, *Pressure Groups and Government,* t.45.

56 Lowe a Goyder, *Environmental Groups in Politics*, tt.42–6, 84; T. R. Reid, 'Public trust, private money', *Washington Post Magazine,* 26/11/1978, tt.12–31. Dyfynnwyd yn Barbrook a Bolt, *Power and Protest in American Life,* tt. 288–9.

57 LlGC, Papurau Jac L. Williams 4. Awgrymwyd hyn mewn adroddiad a gyflwynwyd gan Brynmor Jones, Ysgrifennydd Mygedol Undeb Cymru Fydd, gerbron panel polisi'r Undeb ym 1969. Gw. hefyd R. Gerallt Jones, *A Bid for Unity: The Story of Undeb Cymru Fydd 1941–1960* (Dinbych, 1971), tt.43–51; Dafydd Glyn Jones, 'The Welsh Language Movement', yn Stephens (gol.), *The Welsh Language Today*, t.302.

58 John Davies, 'Blynyddoedd Cynnar', tt.19, 21.

59 LlGC, PCYIG 39. Senedd, 10/6/1989, 2/9/1989.

60 Marsh, *Pressure Politics,* t.191.

61 LlGC, PCYIG 17/2, 30. Cyf. Cyff. 1973; Senedd, 14/9/1985.

62 John Davies, 'Blynyddoedd Cynnar', tt.24, 30.

63 LlGC, PCYIG 24. Cyf. Cyff. 1986.

64 LlGC, PCYIG 1/4, 51/5. Senedd, 24/5/1975, 8/6/1991, 17/8/1991. Yn yr
    arwerthiant cyntaf yn Llanbedr Pont Steffan gwnaed dros £1,000 o elw. LlGC,
    PCYIG 30. Senedd, 8/9/1984. Gw. hefyd *CN*, 17/8/1984, a'r *WM*, 20/8/1984.

65 PCYIG, Swyddfa Aberystwyth. Senedd, 15/8/1992.

66 LlGC, PRhW 1. Cyf. Cyff. 1974; *TDd*, 96 (11/1976).

67 LlGC, PCYIG 4/3. Senedd, 14/8/1976; PCYIG, Swyddfa Aberystwyth. Senedd,
    14/9/1991; 'Rhyw Ddydd, Un Dydd – diolch', *Y Tafod*, 241 (3–4/1992).

68 'Adloniant', *Y Cymro*, 13/3/1979.

69 'Clwb 500 y *Tafod*', *TDd*, 60 (5/1973). LlGC, PCYIG 1/4, 4/3. Senedd,
    22/6/1974, 23/4/1977. Penderfynwyd talu comisiwn i Swyddog Hybu Archebion
    Banc ym mis Awst 1977 i fynd o amgylch Cymru yn hel archebion banc. LlGC,
    PCYIG 4/3. Senedd, 13/8/1977.

70 LlGC, PCYIG 51/5. Senedd, 17/8/1991.

71 LlGC, PCYIG 11/1, 30. Senedd, 7/7/1979, 10/1/1987.

72 LlGC, PCYIG 12/1. Senedd, 14/10/1984, 10/11/1984, 8/12/1984; LlGC, PCYIG
    30. Senedd, 11/7/1987.

73 LlGC, PCYIG 11/1. Senedd, 13/1/1979. Ym 1983 dim ond £240 o'r incwm misol
    o £1,368.76 a oedd yn dod i'r Gymdeithas drwy archebion banc, neu £4,300 o'r
    incwm blynyddol o £25,703 ym 1986. LlGC, PCYIG 12/1, 30. Senedd,
    10/12/1983, 6/12/1986.

74 Marged Elis, llythyr, 'Ple mae'r arian?', *Y Faner*, 12/7/1974; LlGC, PCYIG 51/5.
    Senedd, 11/6/1988.

75 LlGC, PCYIG 24. Cyf. Cyff. 1986.

76 LlGC, PCYIG 1/4, 30. Senedd, 24/8/1974; 'Sylwadau ar sefyllfa ariannol
    Cymdeithas yr Iaith' – adroddiad ysgrifenedig i'r Senedd, 6/7/1985; Adroddiad y
    trysorydd i'r Senedd, 16/8/1986.

77 Marsh, *Pressure Politics,* t.191; *Greenpeace Annual Review 1995* (London,
    1995), t.14.

78 'Yr ymgyrch ariannol', *TDd*, 91 (5–6/1976); 'Banks bar in-red Cymdeithas',
    WM, 20/10/1976.

79 Marged Elis, 'Ple mae'r arian?', *Y Faner*, 12/7/1974; 'Banks bar in-red
    Cymdeithas', *WM*, 20/10/1976; LlGC, PCYIG 4/3, 11/1. Senedd, 11/3/1978,
    10/2/1979.

80 LlGC, PCYIG 11/3. Senedd, 22/11/1980. Gw. hefyd adroddiadau yn y *LDP*, *WM*,
    a *The Guardian,* 4/12/1980; *Herald Gymraeg* a'r *Cymro*, 9/12/1980; LlGC,
    PCYIG 30. Senedd, 7/5/1983, 6/7/1985.

81 LlGC, PCYIG 30, 41/4. Senedd, 3/10/1987, 8/11/1987.

82 LlGC, PCYIG 30, 51/5. Senedd, 8/4/1989, 17/8/1991. Yn ôl *Y Tafod*, codwyd
    £10,000 trwy'r apêl erbyn diwedd yr Eisteddfod Genedlaethol. 'Argyfwng
    ariannol Cymdeithas yr Iaith', *Y Tafod*, 236 (9/1991).

83 LlGC, PCYIG 4/3. Senedd, 13/8/1977; 'Anfodlon ar y cosbau', *Y Cymro*,
    7/3/1978.

84 LlGC, PCYIG 4/3, 11/1. Senedd, 18/12/1976, 12/4/1980. Gw. hanes datgysylltu
    ffôn swyddfa Aberystwyth yn 'Anfodlon ar y cosbau', *Y Cymro*, 7/3/1978.

85   Yn sgil llythyr Meg Elis i'r *Cymro* ym mis Gorffennaf 1974 codwyd £1,200 erbyn mis Awst y flwyddyn honno. LlGC, PCYIG 1/4. Senedd, 24/8/1974.

86   Phillip Monypenny, 'Introduction', yn H. R. Mahood, *Pressure Groups in American Politics* (New York, 1967), t.5. Myfi piau'r italeiddio.

87   John Davies, 'Blynyddoedd Cynnar', t.19.

88   Tudur, *Wyt Ti'n Cofio?*, t.21.

89   John Davies, 'Blynyddoedd Cynnar', t.21.

90   Ibid., t.20.

91   *TDd*, 18 (cyfres I, 3–4/1965); LlGC, Papurau Cynog Dafis 1. Drafft 'Memorandwm ar Weithgarwch Lleol'; LlGC, PCYIG 1/4. Cyf. Cyff. 1969.

92   Penderfynwyd mewn cyfarfod o'r Pwyllgor Canol ym mis Ebrill 1968 y dylid cynnal cyfarfod cyhoeddus yn Aberaeron ar 29 Mehefin er mwyn cyd-drefnu ymgyrchoedd lleol ar gyfer yr haf, yn enwedig er mwyn datrys y broblem o ddiffyg cysylltiad rhwng aelodau ac arweinwyr. LlGC, PCYIG 1/4. Pwyllgor Canol, 28/4/1968.

93   Gw. dadleuon Ffred Ffransis o blaid rhwydwaith effeithiol o gelloedd ledled Cymru: 'Ad-drefnu', *TDd*, 35 (10/1970).

94   Driver, *The Disarmers*, t.93; Peter Hain, 'Direct Action and the Springbok Tours', t.197; Davies, *Politics of Pressure*, t.33; Hugh Ward, 'The Anti-Nuclear Lobby', tt.191–2.

95   LlGC, PCYIG 17/2. Cyf. Cyff. 1973.

96   LlGC, PCYIG 1/4. Senedd, 17/10/1971; Cyfarfod Cysylltwyr, 24/10/1971; 'Cysylltwyr '73–'74', *TDd*, 67 (12/1973); LlGC, PCYIG 2/2. 'Adroddiad yr Ysgrifenyddion i'r Cyf. Cyff.', 1973.

97   Ffred Ffransis, *Blwyddyn Ymhlith ein Pobl* (Aberystwyth, 1974), passim.

98   *I'r Gad: Cyfarwyddiadau ar gyfer Gweithgarwch Lleol Cymdeithas yr Iaith Gymraeg* (Machynlleth, 1974), t.8; LlGC, PCYIG 1/4, 4/3. Senedd, 28/4/1974, 18/1/1975, 21/6/1975.

99   'Rhestr Cysylltwyr', *TDd*, 86 (5/1975); LlGC, PCYIG 1/4, 2/2. Senedd, 21/12/1974; 'Adroddiad yr Ysgrifenyddion i'r Cyf. Cyff.', 1976.

100   LlGC, PRhW 3. Cyf. Cyff. 1978; LlGC, PCYIG 2/2. Cyf. Cyff. 1979.

101   Cynog Davies, 'Cymdeithas yr Iaith Gymraeg', t.280.

102   John Owen-Davies, 'Inside the Welsh Language Society: are young revolutionaries being bred in the schools?', *WM*, 22/11/1972.

103   LlGC, PCYIG 2/2. 'Adroddiad yr Ysgrifenyddion i'r Cyf. Cyff.', 1973.

104   Ffred Ffransis, 'Edrych yn ôl', *TDd*, 152 (5/1982).

105   LlGC, PCYIG 1/4. Senedd, 28/4/1973, 3/3/1974, 21/12/1974; LlGC, PRhW 3. Cyf. Cyff. 1978.

106   LlGC, PRhW 4. Cyf. Cyff. 1980; LlGC, PCYIG 30. Senedd, 6/7/1985, 14/9/1985.

107   LlGC, PCYIG 30. Cyf. Cyff. 1981, 1985; 'Brwydr yr iaith yn frwydr oes', *Y Cymro*, 2/4/1986.

108   PCYIG, Swyddfa Aberystwyth. Cyf. Cyff. 1989.

109   Lowe a Goyder, *Environmental Groups in Politics*, t.99.

110 LlGC, PCYIG 2/1. Senedd, 15/2/1975. Gellir darllen hanes cell Llanelli yn 'Gair o'r Celloedd', *TDd*, 88 (2/1976).
111 Grant, *Pressure Groups, Politics and Democracy*, tt.121–2; Hugh Ward, 'The Anti-Nuclear Lobby', tt.191–2.
112 LlGC, PCYIG 1/4. Senedd, 3/3/1974.
113 LlGC, PCYIG 51/4. Senedd, 12/12/1987, 9/1/1988, 11/6/1988.
114 LlGC, PCYIG 4/3. Senedd, 15/2/1975, 24/5/1975.
115 LlGC, PCYIG 30. Senedd, 10/2/1990.
116 LlGC, PRhW 3. Cyf. Cyff. 1978.
117 'Nodion o Eisteddfod Genedlaethol Abertawe', *TDd*, 12 (cyfres I, 9/1964). Am hanes y trosglwyddo, gw. ysgrif Owain Owain, 'Tafod y Ddraig', yn Eirug (gol.), *Tân a Daniwyd*, t.44; Tudur, *Wyt Ti'n Cofio?*, t.35.
118 LlGC, PCYIG 4/3. Senedd, 23/10/1976. Ceir copi o'r cylchlythyr yn LlGC, PCYIG 4/3. Senedd, 20/11/1976. Ym 1977 cynhaliwyd ymgyrch 'Rhowch Broc i'r Tân', gyda'r nod o ysgogi gweithgaredd ymhlith yr aelodau. LlGC, PCYIG 4/3. Senedd, 21/1/1977, 23/4/1977.
119 LlGC, PRhW 3. Cyf. Cyff. 1978.
120 LlGC, PRhW 4. Cyf. Cyff. 1980; LlGC, PCYIG 11/3, 30. Senedd, 20/12/1980, 13/3/1982.
121 Dengys adroddiad i gyfarfod Senedd mis Mai 1976 mai 2,080 o gopïau y mis oedd cylchrediad *Tafod y Ddraig*. LlGC, PCYIG 4/3. Senedd, 1/5/1976.
122 LlGC, PCYIG 40, 1/4. Cyf. Cyff. 1966; Pwyllgor Canol, 14/7/1968.
123 'O'r swyddfa', *TDd*, 37 (3/1971); LlGC, PCYIG 11/1, 11/3, 30. Senedd, 13/9/1980, 14/2/1981, 3/12/1988; LlGC, PRhW 1. Cyf. Cyff. 1976.
124 LlGC, PCYIG 4/3. Senedd, 1/5/1976.
125 Davies, *Politics of Pressure*, t.34.
126 LlGC, PJD 2/194. *Bod yn Gymry* (Aberystwyth, 1963).
127 LlGC, PCYIG 1/4. Senedd, 18/10/1970.
128 Pym, *Pressure Groups and the Permissive Society*, t.132; Norman F. Cantor, 'Black Liberation in the United States', t.239.
129 LlGC, PCYIG 11/1, 2/2. Senedd, 21/4/1979; Cyf. Cyff. 1979. Gw. hefyd 'Language group woos the pupils', *WM*, 1/6/1979.
130 'Mae'r Cymry eisiau ffurflenni Cymraeg – Robyn Lewis', *Y Cymro*, 22/6/1967; 'Cynnydd gwyrthiol', *Y Faner*, 29/6/1967; 'Procio Cymry Llundain', *Y Faner*, 13/7/1973.
131 *Y Cymro*, 25/1/1973, a'r *Faner*, 26/1/1973; 'Cyfarfodydd croeso i Ffred Ffransis', *TDd*, 69 (2–3/1974).
132 LlGC, PCYIG 4/3. Senedd, 4/3/1976, 23/10/1976. Gw. hefyd 'Rhybudd', *TDd*, 110 (5/1978). Am gyfarfodydd croeso Alun a Branwen, gw. PCYIG, Swyddfa Aberystwyth. Senedd, 9/11/1991, a hefyd adroddiadau yn y *WM* a'r *LDP*, 3/12/1991.
133 *WM*, 17/10/1985; *Y Cymro*, 18/6/1985; *LDP*, 5/3/1988; *WM*, 2/5/1988.
134 *LDP*, 22/6/1976; *Y Cymro*, 6/7/1976; *TDd*, 93 (8/1976).
135 Cynog Davies, 'Cymdeithas yr Iaith Gymraeg', t.283.

136 LlGC, PCYIG 4/3, 30. Senedd, 20/11/1976, 18/12/1976, 11/11/1989. Gw. hefyd 'Rhaglen haf Grŵp Adloniant Cymdeithas yr Iaith', *Y Faner*, 18/6/1976.

137 LlGC, PCYIG 2/2. 'Adroddiad yr Ysgrifenyddion i'r Cyf. Cyff.', 1976.

138 LlGC, PRhW 1. Cyf. Cyff. 1976, 1974.

139 LlGC, PCYIG 30. Senedd, 16/6/1984, 14/10/1984; 'Lansio cylchgrawn newydd', *Y Cymro*, 5/6/1984.

140 LlGC, PCYIG 1/4. Senedd, 26/3/1972. Defnyddiwyd yr holl ddulliau hyn yn yr ymgyrch gyfansoddiadol dros sianel deledu Gymraeg. Am esboniad o'r dull hwn o gyfathrebu, gw. Alderman, *Pressure Groups and Government*, tt.112–14.

141 LlGC, PCYIG 1/4, 30. Senedd, 18/11/1972, 20/2/1982.

142 LlGC, PCYIG 1/4, 4/3. Senedd, 19/8/1972, 25/2/1973, 9/12/1973, 18/10/1975.

143 LlGC, PCYIG 11/1, 30. Senedd, 10/5/1980, 14/11/1981.

144 Arthur Tomos, 'Cyhoeddusrwydd yn null Sinn Fein', *TDd*, 53 (10/1972); 'Dydd y Gymdeithas', *TDd*, 59 (4/1973); Cynog Davies, 'Cyfathrebu', *TDd*, 60 (5/1973).

145 LlGC, PCYIG 1/4. Senedd, 28/4/1973, 14/7/1973, 3/3/1974.

146 E.e., trefnwyd Teithiau Haf ym 1972 a 1991. LlGC, PCYIG 1/4, 51/4. Senedd, 26/3/1972, 9/3/1991. Gw. hefyd 'Taith fawr yr haf', *TDd*, 51 (8/1972); 'Taith yr Haf: Siarter '91', *Y Tafod*, 236 (9/1991).

147 LlGC, PCYIG 4/3, 30. Senedd, 26/4/1975, 21/6/1975, 9/12/1989. Gw. hefyd 'Digwyddiadau', *TDd*, 220 (2/1990).

148 LlGC, PCYIG 1/4, 4/3, 2/1 (rh.2), 30. Senedd, 10/1/1971, 24/3/1973, 21/6/1975, 19/11/1977, 13/1/1990.

149 Bu'n rhaid pasio ail gynnig yn cyfarwyddo'r Grŵp Cyfathrebu i benodi 'cyfathrebwyr rhanbarthol' yng Nghyfarfod Cyffredinol 1978. LlGC, PRhW 3. Cyf. Cyff. 1978; ac ni chyhoeddwyd taflen o gyfarwyddiadau ynglŷn â sut i lunio datganiadau i'r wasg tan fis Hydref 1983. LlGC, PCYIG 12/1. Senedd, 16/10/1983.

150 LlGC, PCYIG 51/4. Senedd, 9/1/1988. Am broblemau'r papurau rhanbarthol, gw. LlGC, PCYIG 4/3. Senedd, 24/5/1975.

151 LlGC, PCYIG 1/4, 51/4. Senedd, 20/10/1974, 9/1/1988.

152 LlGC, PCYIG 4/2. Cyf. Cyff. 1972.

153 E.e.: Owen Owen, 'Iaith y papurach', *Barn,* 18 (1964); idem, 'Anghwrteisi yw lladd iaith', *Y Faner*, 28/5/1964; idem, 'Gweithredu'n gall dros yr iaith', *Y Faner*, 10/9/1964.

154 E.e.: Dafydd Iwan, 'Y Dywysoges', *Y Faner*, 2/10/1969; Emyr Llewelyn, 'Cyhoeddusrwydd', *Y Faner*, 18/12/1969; Gareth Meils, 'Mewn oriel ddarluniau', *Y Faner*, 8/1/1970; Ffred Ffransis, 'Eithafiaeth', *Y Faner*, 5/2/1970.

155 LlGC, PCYIG 30. Senedd, 20/2/1982, 8/1/1983.

156 Hugh Ward, 'The Anti-Nuclear Lobby', t.193.

157 LlGC, PCYIG 30. Senedd, 7/2/1987.

158 Porritt a Winner, *The Coming of the Greens*, tt.51–3.

159 Gw. *WM*, 3/3/1969, *Y Cymro* a'r *Faner*, 6/3/1969.

160 Gw. *Y Faner*, 8/12/1972, a'r *LDP*, 23/9/1991.

161 'Cyflafan iaith yn Nulyn', *Y Faner*, 19/3/1976; 'Buddugoliaeth arall Dulyn', *TDd*, 90 (4/1976).

162 *WM*, 31/1/1966; *Y Cymro*, 3/2/1966; *Y Faner*, 10/2/1966.

163 Am daith gerdded 1976, gw. *WM*, 2/12/1976, *Y Cymro*, 7/12/1976, a'r *Faner*, 10/12/1976; ac am daith gerdded 1983, gw. LlGC, PCYIG 30. Senedd, 16/4/1983. Gw. hefyd *WM* a'r *LDP*, 22/8/1983, a'r *Cymro*, 23/8/1983.

164 'Melys genhedlu?', *Y Cymro*, 13/12/1977; 'Colofn y Cadeirydd', *TDd*, 133b (5/1980).

165 Gw. *WM*, 13/5/1991; *WM* a *LDP*, 26/5/1992; *Golwg*, 4/37 (28/5/1992).

166 LlGC, PCYIG 1/4, 4/3. Senedd, 27/7/1974, 21/12/1974, 23/4/1977.

167 LlGC, PCYIG 1/4. Senedd, 24/8/1974. Awgrymwyd mewn cyfarfod o'r Senedd fod y wasg yn tueddu i gadw gweithredoedd a phrotestiadau'r Gymdeithas yn dawel, ac felly y dylid trefnu gweithred i achosi mwy o ddifrod er mwyn ennyn ymateb.

168 Pym, *Pressure Groups and the Permissive Society*, t.157.

169 Arthur Latham A.S., 'The frustrations of lobbying at the House', *The Times*, 27/6/1978, t.16. Dyfynnwyd yn Alderman, *Pressure Groups and Government*, t.121.

170 Lowe a Goyder, *Environmental Groups in Politics*, t.79; Grant, *Pressure Groups, Politics and Democracy*, tt.81–3.

171 R. M. Punnett, *British Government and Politics* (pumed argraffiad, London, 1987), t.159.

172 Alderman, *Pressure Groups and Government*, t.102.

173 Ibid., tt.107–9; Lowe a Goyder, *Environmental Groups in Politics*, t.79.

174 LlGC, PRhW 2. Cyf. Cyff. 1977.

175 Butt Philip, *The Welsh Question*, t.238.

176 Tom Parri-Jones, 'Diolch i Dafydd Iwan', yn Edwards (gol.), *Cadwn y Mur*, t.582.

177 Cynog Davies, 'Cymdeithas yr Iaith Gymraeg', t.283.

'Tua'r Gorllewin' neu 'Gymru Sosialaidd'? Syniadaeth Cymdeithas yr Iaith Gymraeg

Y rhwystredigaeth a achoswyd gan ddiffyg llwyddiant etholiadol Plaid Cymru oedd yr ysbardun a arweiniodd at sefydlu Cymdeithas yr Iaith Gymraeg ym 1962, ynghyd â phryder cynyddol fod yr iaith Gymraeg yn wynebu ei thranc. Gan fod canran y siaradwyr Cymraeg wedi disgyn i chwarter poblogaeth y wlad erbyn Cyfrifiad 1961, ofnai caredigion yr iaith fod effeithiau'r 'cymal iaith' yn Neddf Uno 1536 yn dod i'w llawn dwf. Rhoddwyd y mynegiant llawnaf i'r gofid hwnnw gan Saunders Lewis yn *Tynged yr Iaith*. Yn ei dyb ef, nod y Deddfau Uno ym 1536 a 1543 oedd ymgorffori Cymru yn Lloegr, ac er mwyn cyflawni hynny rhaid oedd 'utterly to extirp all and singular the sinister Usages and Customs' yng Nghymru, sef, yn enwedig, yr iaith Gymraeg – 'a Speech nothing like, nor consonant to the natural Mother Tongue used within this Realm'.[1] Honnodd nad oedd llywodraeth Lloegr, dros gyfnod o bedair canrif o lywodraethu Cymru, wedi gwyro lled troed oddi wrth ei pholisi o ddiddymu'r iaith Gymraeg. Er na fyddai haneswyr heddiw yn cytuno â dehongliad Saunders Lewis, rhaid cofio mai ei nod ar y pryd oedd ysgwyd ei gyd-Gymry a bod ei ddarlith wedi dylanwadu'n fawr ar y sawl a'i clywodd, yn enwedig y rhai a fyddai ymhen chwe mis yn sefydlu Cymdeithas yr Iaith Gymraeg.[2]

Dechreuadau'r mudiad iaith

Carfan fechan o genedlaetholwyr ifainc oedd sylfaenwyr Cymdeithas yr Iaith: ystyrient yr iaith Gymraeg yn hanfod cenedligrwydd Cymru a'r unig symbol parhaol o arwahanrwydd ei phobl. Eu harwr a'u proffwyd oedd Saunders Lewis. Ef, yn anad neb arall, a oedd wedi dangos i bleidwyr yr iaith mai'r un oedd brwydr Cymru a brwydr yr iaith Gymraeg, ac ef hefyd a fynnodd mai'r

'Gymraeg yw'r unig arf a eill ddisodli llywodraeth y Sais yng Nghymru'.[3] Er hynny, nid Lewis oedd y cyntaf i gyfeirio at y cysylltiad rhwng iaith a chenedligrwydd y Cymry. Os Saunders Lewis oedd tad ysbrydol Cymdeithas yr Iaith, Emrys ap Iwan oedd ei thadcu a'i harwr hynaf.[4]

Ysgrifennodd Emrys ap Iwan ysgrifau helaeth yn dannod i Gymry oes Fictoria eu Saisaddoliaeth, gan ddadlennu iddynt holl gyfoeth eu hetifeddiaeth a'u hiaith mewn ymgais i geisio adfer hunan-barch a hunaniaeth y genedl.[5] Gwawdiodd feddylfryd taeog y Cymry a oedd yn derbyn yn ddigwestiwn safle israddol y Gymraeg:

> Caiff Sais bob swydd yng Nghymru heb fedru dim Cymraeg, tra na chaiff Cymro un swydd werthfawr yn Lloegr heb fedru Saesneg . . . Nid addysgir iaith yr aelwyd a'r addoldy yn yr ysgolion gwladol, er bod y Cymry'n talu trethi fel y Saeson! Saesneg yw iaith y cyrtiau, y cynghorau, a'r gorsafoedd! Yn Saesneg y cyhoeddir pob hysbysiad llywodraethol a chyfreithiol . . . Yn Saesneg yn unig y mae'r rheolau a'r rhybuddion a geir yng ngherbydau'r trenau sy'n rhedeg trwy Gymru . . .[6]

Yr oedd y dibristod hwn o'r iaith yn rhyfyg, yn nhyb Emrys ap Iwan, gan ei fod yn argyhoeddedig fod cenedl yn gysegredig, ac mai 'priod iaith ydyw prif nod cenedl, a'r etifeddiaeth werthfawrocaf a ymddiriedwyd iddi gan y tadau'. Oherwydd hynny tybiai mai 'cadw Cymru yn Gymreig o ran iaith ac ysbryd yw'r pwnc pwysicaf o bob pwnc gwleidyddol'. Dim ond trwy ddiogelu'r iaith Gymraeg y gellid sicrhau parhad y genedl Gymreig, oherwydd 'I ni, y Gymraeg yw'r unig wrthglawdd rhyngom a diddymdra', ac er mwyn diogelu'r iaith a chenedligrwydd y Cymry galwodd ar ei gyd-wladwyr i ffurfio un blaid wleidyddol er mwyn 'rhyddhau'r Dywysogaeth oddi wrth yr ormes Seisnig'.[7] Yr oedd neges Emrys ap Iwan, a gyplysodd genedlaetholdeb Cymreig modern â brwydr yr iaith, yn un chwyldroadol, ac yn hollol wahanol i genedlaetholdeb diwylliannol nifer o'i gyfoeswyr, megis O. M. Edwards.[8] Teg, felly, yw rhoi lle blaenllaw i weledigaeth Emrys ap Iwan wrth bwyso a mesur y dylanwadau gwleidyddol ar athroniaeth a strategaeth Cymdeithas yr Iaith. Yn wir, yn ei ysgrif enwog, 'Breuddwyd Pabydd wrth ei Ewyllys', rhoddwyd disgrifiad manwl o fudiad iaith chwyldroadol a chanddo raglen wleidyddol 'that makes that of our present-day

Cymdeithas yr Iaith Gymraeg look pale in comparison', yn ôl D. Myrddin Lloyd ym 1979.[9]

Er hynny, ni wrandawodd fawr neb ar genadwri Emrys ap Iwan yn ystod ei oes ef ei hun, ac ni chafodd ddisgybl haeddiannol i'w athrawiaeth tan ar ôl y Rhyfel Byd Cyntaf, pan sylweddolwyd bod y Gymraeg yn colli tir o ran nifer siaradwyr yn ogystal â statws cymdeithasol.[10] Y gŵr cyntaf i gofleidio syniadau Emrys ap Iwan oedd Saunders Lewis. Gwelodd Lewis yn gynnar iawn fod yr iaith Gymraeg yn allweddol i frwydr genedlaethol Cymru. Tynged yr iaith oedd tynged Cymru yn ei lygaid ef, yn ôl D. Tecwyn Lloyd, 'ac fe ellir gweld yn eglur mai'r peth cyntaf yn ei olwg', yng nghyfnod sefydlu'r Blaid Genedlaethol, 'oedd safle a phwysigrwydd yr iaith Gymraeg'.[11] Yn ei araith gerbron Ysgol Haf gyntaf Plaid Cymru ym Machynlleth ym 1926, cyhoeddodd fod 'ffyniant a pharhad y drychfeddwl Cymreig . . . yn dibynnu ar yr iaith Gymraeg'. Gan hynny, mater politicaidd oedd brwydr yr iaith a'r unig ffordd i ddiogelu'r hunaniaeth Gymreig oedd trwy sicrhau awurdod politicaidd:

> Rhaid troi addysg Cymru yn Gymreig. Rhaid rhoi lle blaen yng nghwrs ysgol i lenyddiaeth a hanes Cymru. Gwneud y Gymraeg yn unig gyfrwng addysg o'r ysgol elfennol hyd at y brifysgol . . . Rhaid i'r iaith honno fod yn unig iaith swyddogol Cymru, yn iaith y llywodraeth yng Nghymru, yn iaith pob cyngor sir a thref a dosbarth, a gweision y cynghorau hwythau, a'r llysoedd cyfraith. Rhaid i bob cyfrwng cyhoeddus sy'n lledaenu gwybodaeth yn dysgu neu ddiddori'r wlad, megis y teleffôn diwifrau, fod hwnnw hefyd yn Gymraeg, a'i ddefnyddio er mwyn cadarnhau a dyrchafu'r drychfeddwl Cymreig.[12]

Yr oedd unrhyw fygythiad i'r iaith Gymraeg yn fygythiad i barhad Cymru, ac mewn ymgais i amddiffyn cymdeithas Gymraeg Penyberth a'i diwylliant a'i thraddodiadau yr aeth ef, Lewis Valentine a D. J. Williams ati i losgi adeiladau pren Gwersyll Bomio'r Llu Awyr ym Mhen Llŷn.[13] Ymgais i ddwyn perswâd ar Blaid Cymru i rodio'r llwybr cul unwaith yn rhagor oedd *Tynged yr Iaith,* yn nhyb Dafydd Glyn Jones, 'unmistakably a restatement of Emrys ap Iwan's message, and an attempt at bringing Welsh political nationalism back to where it began, to the language, the *sine qua non* not of Welsh nationality but of Welsh nationhood'.[14]

Gosodwyd seiliau athronyddol y frwydr iaith heriol, felly, ar ddiwedd y bedwaredd ganrif ar bymtheg ac yn ystod degawdau cyntaf yr ugeinfed ganrif. Nid newyddbeth ychwaith oedd brwydr yr iaith yn ail hanner yr ugeinfed ganrif, a rhaid ystyried sefydlu'r Gymdeithas ym 1962 yn bennod newydd mewn ymgyrch a fuasai ar droed er diwedd oes Fictoria. Er gwaethaf pwyslais Saunders Lewis yn *Tynged yr Iaith* ar effeithiau dinistriol Deddf Uno 1536, rhaid cydnabod na sylweddolodd caredigion y Gymraeg tan yn gymharol ddiweddar sgil-effeithiau y 'cymal iaith' enwog ar ei statws a'i safle fel priod iaith y genedl. Llawer mwy dinistriol oedd effeithiau Adroddiadau Addysg 1847, a gofir heddiw fel 'Brad y Llyfrau Gleision', gan iddynt blannu ym meddwl y Cymry y syniad fod eu mamiaith yn israddol, a pheri i fwyfwy o Gymry 'blaengar' ei dibrisio a'i diraddio wrth fawrygu 'imperial tongue' y Saeson.[15] Ym 1865 cyhoeddodd *Y Cronicl* yn ddibetrus: 'Marw y mae y Gymraeg. Y mae wedi marw yn llys barn. Y mae wedi marw yn marchnad yr arian, a bron yn marchnad pob peth arall. Y mae wedi marw yn safleoedd y rheilffyrdd, a swyddfaau *[sic]* pob elw; ac y mae bron wedi marw yn ei heisteddfod ei hun . . . Nid dweyd ein dymuniad yr ydym am hen iaith anwyl ein mam; ond dweyd ffeithiau, a cheisio cynhyrfu ein cenedl i ddarparu at fyw ar ei hôl.' Proffwydodd 'Philologos' ddiflaniad yr iaith mewn traethawd yn dwyn y teitl (eironig, braidd) 'Tynghed yr Iaith Gymreig' yn *Y Gwladgarwr* ym 1865, gan esbonio bod 'Rhagluniaeth foesol Duw' eisoes wedi trefnu ei thranc.[16]

Ond er mai addoli'r 'Llo Seisnig', chwedl Emrys ap Iwan,[17] a chynnyrch llenyddol y 'diwylliant gwarth', ys dywed Hywel Teifi Edwards,[18] oedd prif nodweddion diwylliannol ail hanner y bedwaredd ganrif ar bymtheg, ysbrydolwyd nifer fechan o unigolion eraill i amddiffyn a cheisio adfer bri eu mamiaith – gan gynnwys yn bennaf Michael D. Jones, Emrys ap Iwan, ac O. M. Edwards. O drydydd chwarter y bedwaredd ganrif ar bymtheg ymlaen hefyd, sefydlwyd cyfres o fudiadau a oedd yn gytûn yn eu hawydd i ddiogelu'r iaith. Ym 1885 ffurfiodd yr addysgwr Dan Isaac Davies *Gymdeithas yr Iaith Gymraeg* er mwyn pwyso o blaid defnyddio'r Gymraeg fel cyfrwng addysg yn yr ysgolion, a chyda'r nod o sicrhau ymhen canrif 'tair miliwn o Gymry dwy-ieithawg'.[19] Ym 1885 hefyd y sefydlwyd *Cymru Fydd* gan nifer o Gymry ifainc, blaengar oddi mewn i'r Blaid Ryddfrydol, megis Tom Ellis a David Lloyd George.

Rhoddwyd pwyslais arbennig yng ngweithgareddau'r mudiad hwn ar feithrin balchder yn yr iaith Gymraeg a'i diwylliant.[20] Mewn cynhadledd yng Nghastell-nedd ym mis Tachwedd 1913 ffurfiwyd *Undeb Cenedlaethol y Cymdeithasau Cymraeg* gyda'r amcan o gyddrefnu gweithgareddau cymdeithasau Cymraeg ledled Cymru a gweithredu fel mudiad gwasgedd cenedlaethol drwy bwyso am gryfhau statws yr iaith mewn addysg, y cyfryngau torfol a chylchoedd cyhoeddus a swyddogol.[21] Ym 1922 sefydlodd Ifan ab Owen Edwards fudiad ieuenctid *Urdd Gobaith Cymru*, a thair blynedd yn ddiweddarach sefydlwyd *Y Blaid Genedlaethol*, dau fudiad tra phwysig o safbwynt Cymru a Chymreictod yn yr ugeinfed ganrif. Er mai mudiad diwylliannol oedd yr Urdd fel y cyfryw, yn amcanu at ddysgu plant Cymru i ymhyfrydu yn eu hetifeddiaeth a'u diwylliant cenedlaethol, ac er mai plaid wleidyddol oedd Plaid Cymru yn ymgyrchu dros hunanlywodraeth, yr oedd diogelu dyfodol yr iaith Gymraeg yn nod aruchel a gofleidiwyd gan y naill a'r llall.[22] Yn wyneb bygythiad yr Ail Ryfel Byd i'r iaith a'r cymunedau Cymraeg, ffurfiwyd *Pwyllgor er Diogelu Diwylliant Cymru* ym 1939, ac ym 1941 unwyd y Pwyllgor Diogelu ac Undeb y Cymdeithasau dan faner *Undeb Cymru Fydd*.[23] Pan ffurfiwyd ail Gymdeithas yr Iaith Gymraeg, felly, ym 1962, yr oedd traddodiad hir ac anrhydeddus o ymgyrchu'n ddygn ond yn dawel dros yr iaith eisoes yn bodoli yng Nghymru.

Fodd bynnag, go brin y gellid honni i Gymdeithas yr Iaith yn ail hanner yr ugeinfed ganrif wynebu brwydr yr iaith yn yr un modd â'i rhagflaenwyr. Er bod ganddynt hwy amcanion tra uchelgeisiol, rhaid cydnabod nad mudiadau *protest* mohonynt ac mai digon amharod oeddynt i achosi cynnwrf. Gellir amgyffred cyfraniad Cymdeithas yr Iaith, Dan Isaac Davies, i frwydr y Gymraeg drwy nodi mai enw Saesneg y mudiad oedd 'The Society for Utilizing the Welsh Language for the Purpose of Serving a Better and More Intelligent Knowledge of English'.[24] Er cymaint o hwyl a gâi aelodau Cymru Fydd wrth gynnig llwncdestun a hir oes i'r Gymraeg, a chymaint eu 'rhethreg Gŵyl Dewi', nid oedd ganddynt unrhyw bolisi pendant er dyrchafu'r Gymraeg mewn gwleidyddiaeth a chyfraith yn eu rhaglen wleidyddol.[25] Am Undeb Cenedlaethol y Cymdeithasau Cymraeg ac Urdd Gobaith Cymru, medd Marion Löffler: 'Nid chwyldroi cymdeithas oedd nod eu haelodau, ond yn hytrach bwysleisio gwerth yr iaith Gymraeg a mynnu hawliau pellach i'r sawl a'i llefarai.'[26] Ac er mor werthfawr oedd cyfraniad y Pwyllgor er Diogelu Diwylliant Cymru ac Undeb Cymru Fydd i frwydr yr iaith, nid eu nod hwythau ychwaith oedd *chwyldroi* sefyllfa'r Gymraeg, ond yn hytrach ymgyrchu o blaid ei diogelu. Dim ond Plaid Cymru a oedd ag amcanion radical o ran yr iaith; ei nod cychwynnol hi oedd sicrhau mai'r Gymraeg fyddai unig iaith swyddogol Cymru Rydd.[27] Ond ni welwyd Plaid Cymru hyd yn oed yn ymgyrchu'n ymarferol i wireddu'r freuddwyd honno oherwydd iddi benderfynu dilyn patrwm Gwladwriaeth Rydd Iwerddon o sicrhau hunanlywodraeth cyn ceisio dyrchafu statws yr iaith.

Ymwrthododd y Gymdeithas yn llwyr â'r hen ddulliau traddodiadol o drefnu ac ymgyrchu. Heriwyd traddodiadau mudiadau'r gorffennol drwy fabwysiadu dulliau protestgar a meithrin strategaeth wleidyddol radicalaidd. Gwyddai'r arweinwyr fod pob un o'r mudiadau blaenorol wedi methu sicrhau i'r Gymraeg statws iaith swyddogol yn ei gwlad ei hun. Mynnodd Cynog Dafis fod sylfaenwyr Cymdeithas yr Iaith 'yn ymwybodol ddigon o'r ymdrechion arwrol ar ran gwladgarwyr a chenedlaetholwyr dros ganrif gyfan i ddiogelu'r Gymraeg . . . [ond] yn argyhoeddedig ar yr un pryd mai'r prif reswm dros eu methiant i wneud dim mwy na lliniaru ac arafu beth ar ddirywiad yr iaith oedd fod ei darostyngiad swyddogol wedi aros yn ddigyfnewid'.[28] Yr oedd yn amlwg, felly, i sylfaenwyr Cymdeithas yr Iaith ym 1962 mai'r hyn yr oedd ei angen oedd ymgyrch weithredol i sicrhau goroesiad ac adferiad yr iaith Gymraeg. Golygai hynny ymgyrchu yn erbyn achos sylfaenol ei dirywiad, sef ei halltudiaeth er Deddf Uno 1536 o bob cylch swyddogol a chyfreithiol. Gan mai gweithred wleidyddol oedd ei halltudiaeth, fel y dangosodd Saunders Lewis, rhaid felly oedd ymgyrchu'n wleidyddol i'w hadfer.[29]

Torri cwys newydd

Cyhoeddwyd ar gerdyn aelodaeth cyntaf y mudiad mai ei swyddogaeth a'i amcan oedd 'sicrhau statws swyddogol i'r Gymraeg yn gydradd â'r Saesneg mewn gweinyddiaeth a llywodraeth . . . [ac] ym myd masnach'.[30] Ceir tystiolaeth ar ffurf toreth o lythyrau ac erthyglau yn y wasg Gymraeg a Chymreig rhwng 1950 a 1960 fod amryw o genedlaetholwyr yn tybio mai ymgyrchu gwleidyddol oedd pennaf angen y Gymraeg. Enghraifft dda yw llythyrau E. G.

Millward, un o ysgrifenyddion cyntaf y Gymdeithas, a fynnai dro ar ôl tro y dylid sicrhau bod gan y Gymraeg statws cyfartal â'r Saesneg fel iaith swyddogol, a'i bod yn orfodol fel pwnc yn yr ysgolion.[31] Wedi llunio rhaglen waith ar gyfer ysgrifenyddion ac aelodau Cymdeithas yr Iaith yn ei Chyfarfod Cyffredinol cyntaf yn Aberystwyth ar 18 Mai 1963, bwriwyd ati yn syth i ymgyrchu o blaid yr iaith yn wleidyddol. Ymgyrch gyntaf y Gymdeithas oedd yr ymgyrch dros wysion llys Cymraeg. Yr oedd yr wŷs, galwad cyfreithiol ar ddinesydd i ateb i'w droseddau, yn symbol gwych o rym y wladwriaeth ac o israddoldeb y Gymraeg. Gohebwyd yn helaeth iawn ag amryw o gyrff cyhoeddus megis awdurdodau lleol a Swyddfa'r Post ynglŷn â safle'r Gymraeg yn eu gwasanaeth, a phwyswyd am amryw byd o ffurflenni yn y Gymraeg, megis ffurflen cofrestru genedigaethau plant. Ehangwyd ymgyrch statws y Gymdeithas yng nghanol y chwedegau i gynnwys rhagor o sefydliadau ac awdurdodau cyhoeddus, a chychwynnwyd ymgyrchoedd enwog y ddisg treth ffordd a'r drwydded deledu ddwyieithog.[32]

Yr hyn a oedd yn peri bod y Gymdeithas yn wahanol i'w rhagflaenwyr oedd ei bod wedi sylweddoli na allai'r Gymraeg ddibynnu ar ewyllys da a ffafrau awdurdodau a sefydliadau Prydeinig. Nid oedd eu 'cydymdeimlad' hwy yn arbed dim ar draul yr iaith.[33] Elfen hollbwysig o waith y Gymdeithas, felly, oedd cymell y Cymry eu hunain i gofleidio'r iaith a pheri iddynt sylweddoli mai hi oedd trysor mwyaf gwerthfawr y genedl. Fel y dywedodd Cynog Dafis, cadeirydd y Gymdeithas, mewn llythyr i'r wasg ym 1966, 'onid oes a wnelo'r frwydr dros statws, nid yn unig â chyfiawnder i'r Gymraeg, ond â'r gwaith ymarferol o achub ac ailfywhau'r Gymraeg yn ein tir?'[34] Sicrhau bod y Cymry yn medru defnyddio'r Gymraeg yn eu hymwneud â gweinyddiaeth swyddogol, heb orfod troi i'r Saesneg, oedd pwrpas yr ymgyrchoedd cyntaf dros gael sieciau, biliau, a ffurflenni swyddogol Cymraeg, a'r hawl i gofrestru genedigaethau yn Gymraeg. Nid ymgyrchoedd dros statws i'r iaith yn unig mohonynt. Pwysleisiodd John Davies nad buddugoliaeth lwyr ar fater gwysion Cymraeg oedd y peth allweddol, 'eithr codi'r tymheredd ar bwnc y Gymraeg er mwyn meithrin to o bobl a fyddai'n mynnu cael eu gweinyddu yn Gymraeg a mynnu cael eu hamgylchynu â Chymraeg cyhoeddus'.[35]

Fel y dengys nifer o ysgrifau a llythyrau a gyhoeddwyd yn y wasg Gymraeg y pryd hwnnw, credai nifer o genedlaetholwyr yn nechrau'r chwedegau mai ymgyrchu o blaid y Gymraeg oedd yr allwedd i'r frwydr genedlaethol. Trwy ddefnyddio'r iaith Gymraeg fel erfyn gwleidyddol yr enillid y frwydr dros hunanlywodraeth, yn ôl Saunders Lewis yn *Tynged yr Iaith.* Credai Owain Owain mai'r iaith Gymraeg oedd yr arf grymusaf yn y frwydr dros ymreolaeth, nid ymladd etholiadau. Awgrymodd y gellid chwyldroi'r drefn wleidyddol yng Nghymru yn gyfan gwbl petai dim ond un y cant o'r Cymry Cymraeg yn mynnu defnyddio'u mamiaith ym mhob cylch o fywyd. Tybiai'r Athro J. R. Jones mai'r iaith Gymraeg oedd yr arf delfrydol ar gyfer brwydro 'achos Cymru' a chyffroi ymhlith y bobl 'gynddaredd eu gwahanrwydd', a dadleuai Emyr Llewelyn mai trwy frwydr yr iaith yn unig y gellid ennill rhyddid, ac nid trwy ymgyrchu dros greu sefydliadau gwladwriaethol, fel y gwnaed yn Iwerddon.[36] Oherwydd hynny, gellir cytuno â sylw Cynog Dafis fod ail swyddogaeth ac amcan cuddiedig i'w canfod yn ymgyrchoedd Cymdeithas yr Iaith, sef ceisio achosi rhyw fath o drawsnewid yn seicoleg y Cymry, a chryfhau'r ymdeimlad o hunaniaeth genedlaethol.[37]

Serch hynny, nid oedd gan y Gymdeithas ar y pryd unrhyw athroniaeth wleidyddol o fath yn y byd. Yr oedd ei nod o sicrhau statws swyddogol yn ddigon syml a'r uchelgais o sefydlu Cymru Rydd Gymraeg hefyd yn ddigon dealladwy. Ond beirniadwyd y mudiad droeon gan amryw o ddeallusion Cymru am nad oedd ganddo unrhyw raglen fanwl o bolisïau pendant. Ceir tystiolaeth i hyn mewn cyfres o erthyglau yn *Tafod y Ddraig* ym 1967 yn gwahodd ymateb a sylwadau am y Gymdeithas a'i hymgyrchoedd.[38] Ni chyhoeddodd y Gymdeithas yr un ddogfen bolisi o unrhyw werth parhaol tan 1970, ac eithrio un ymdrech ym 1966 i esbonio i'r cyhoedd y rhesymau y tu ôl i'r ymgyrchoedd yn erbyn Swyddfa'r Post a thros ddisg treth ffordd a thystysgrif genedigaeth ddwyieithog. Cyhoeddwyd dau fersiwn, un yn Gymraeg, *Y Cyfamodwr: Hanes Brwydr yr Iaith Hyd Yma,* ac un yn Saesneg, *The Welsh Language Society – What It's All About.* Mewn gwirionedd, ymateb i enghreifftiau penodol o israddiad y Gymraeg a wnâi'r Gymdeithas, megis cyndynrwydd yr awdurdodau i gofrestru genedigaethau yn Gymraeg neu i gynhyrchu ffurflenni treth ffordd yn ddwyieithog, yn hytrach na dilyn polisïau cynhwysfawr a manwl. Cael eu hysgogi gan haerllugrwydd cyflogwr megis W. Brewer-

Spinks yn Nhanygrisiau, a ddiswyddodd staff am siarad Cymraeg, neu ddatganiadau gwrth-Gymraeg George Thomas, yr Ysgrifennydd Gwladol, a wnâi aelodau a chefnogwyr y mudiad fel rheol, yn hytrach na gweithredu yn unol ag ideoleg wleidyddol gydnabyddedig.

Rhaid, felly, ystyried gwleidyddiaeth Cymdeithas yr Iaith yn y chwedegau yng nghyd-destun y mudiadau pwnc unigol (*single-issue groups*) a oedd yn gyffredin y pryd hwnnw. O ran diffyg athroniaeth, gellir cymharu'r Gymdeithas â mudiadau gwasgedd eraill fel CND, mudiadau'r duon yn America, a'r mudiadau myfyrwyr a oedd yn ymgyrchu dros amcanion syml megis diarfogi, hawliau cyfartal, a gwelliannau yng ngweinyddiaeth addysg bellach ac uwch. Yn wir, deil Frank Parkin fod mudiadau pwnc unigol di-athroniaeth wedi profi'n boblogaidd a llwyddiannus iawn yn ystod y chwedegau oherwydd bod y dosbarth canol yn enwedig wedi eu dadrithio gan y proses democrataidd a theorïau gwleidyddol mawreddog y cyfnod cyn y rhyfel. Yr oedd y mudiad diarfogi, er enghraifft, yn ddelfrydol ar gyfer lleisio gwrthwynebiad i'r sefydliad, gan iddo ganolbwyntio ar un mater penodol a gyflwynid fel dewis syml rhwng da a drwg, ac am ei fod yn ymwrthod ag unrhyw athroniaethau gwleidyddol. Meddai Parkin:

> It is probably true to say in fact, that in the secular atmosphere of the period, radical protest could only be expected to develop around single and specific issues of this kind, in contrast to the more diffuse, and in a sense more fundamental radicalism of an age of ideology.[39]

Hanfod gwleidyddiaeth y mudiadau pwnc unigol hyn oedd gwrthdaro. Wrth drafod datblygiad gwleidyddiaeth 'anufudd-dod sifil' a gwleidyddiaeth 'gwrthdaro' yn y mudiad heddwch, honnodd Peter Cadogan:

> Like civil disobedience before it, confrontation had no political theory, no developmental character, no roots in reality. It gave passing substance to a marriage of young idealism and the cause of Vietnam. It was a fashion, a peg to hang rebellion on, a hope, a fantasy.[40]

Go brin fod gan aelodau cyffredin Cymdeithas yr Iaith Gymraeg unrhyw athroniaeth wleidyddol bendant a'u gyrrai i gymryd rhan yn ei hymgyrchoedd. Yn union fel y llosgai 'cariad angerddol at Gymru' yng nghalonnau aelodau ifainc Plaid Cymru yn y 1930au, cariad angerddol at y Gymraeg hefyd a ysgogai aelodau ifainc Cymdeithas yr Iaith i ymgyrchu dros y Gymraeg yn y chwedegau.[41] Yn wir, gellid dadlau mai ei diffyg ymlyniad wrth unrhyw gredo wleidyddol soffistigedig, a'i phwyslais yn hytrach ar ymgyrchoedd syml a gweithredu uniongyrchol, oedd y prif reswm am ei phoblogrwydd ymhlith ieuenctid y dydd.

Erbyn diwedd y chwedegau, fodd bynnag, teg dweud bod Cymdeithas yr Iaith wedi dechrau aeddfedu yn wleidyddol. Gwelwyd y proses hwn yn amlwg yn ei hymgyrchoedd ac yn y modd y datblygodd ei huchelgais ymhell y tu hwnt i eiddo Saunders Lewis yn *Tynged yr Iaith*. Sylweddolwyd nad digon, bellach, oedd ymgyrchu yn unig o blaid symbolau o statws yr iaith (er i'r ymgyrchoedd hynny barhau, yn enwedig yr enwocaf ohonynt, sef yr ymgyrch arwyddion ffyrdd), a bod yn rhaid i'r mudiad geisio atebion gwleidyddol i'r bygythiadau a wynebai'r Gymraeg.[42] Yr oedd darlith Saunders Lewis wedi canolbwyntio yn gyfan gwbl ar statws yr iaith fel cyfrwng cyfathrebu rhwng y llywodraeth a'r cyhoedd. Ond prin bum mlynedd yn ddiweddarach gwelwyd y Gymdeithas yn ymestyn i feysydd addysg a'r cyfryngau torfol.[43] Yn sgil cyhoeddi adroddiad yn *Y Cymro* yn datgelu lleihad yn y nifer o blant Cymraeg eu hiaith yn ysgolion cynradd Ceredigion, penderfynodd y Gymdeithas, gyda chymorth Undeb Cymru Fydd, fynnu bod y pwyllgor addysg yn cynnal ymchwiliad i natur a maint y mewnlifiad o blant estron ac i bolisi iaith y sir yn yr ysgolion. Cyhoeddodd Cynog Dafis (cadeirydd 1965–6) astudiaethau treiddgar ar anghenion addysgol yr iaith Gymraeg, megis ei astudiaeth ar sefyllfa'r iaith yn ysgolion de Ceredigion yn *Y Ddraig Goch* ym mis Tachwedd 1965.[44] Yng Nghyfarfod Cyffredinol Hydref 1967 dechreuwyd ymgyrch dros sicrhau gwasanaeth darlledu amgenach yn Gymraeg. Credid bod y teledu yn cael effaith fwy andwyol ar yr iaith nag odid un cyfrwng arall, gan fod oriau o adloniant a gwerthoedd Seisnig yn cyrraedd aelwydydd Cymraeg ledled Cymru.[45] Yng Nghyfarfod Cyffredinol 1970 ffurfiwyd system o grwpiau i fod yn gyfrifol am bob math o wahanol agweddau yn ymwneud â'r iaith – statws, addysg, darlledu, tai haf, a'r economi. Fel y nododd Cynog Dafis ym 1979: 'Other fields than mere official status must be conquered in the process of securing the favourable total linguistic environment necessary for the revival of the language.'[46]

Catalydd hollbwysig yn yr aeddfedu gwleidyddol hwn oedd penderfyniad y mudiad yng Nghyfarfod Cyffredinol 1967 i wrthwynebu arwisgiad Charles Windsor yn 'Dywysog Cymru'. Mewn erthygl yn *Tafod y Ddraig* ym mis Hydref, esboniwyd:

> Pan fo'n llywodraethwyr yn fodlon afradu miliynau o bunnoedd ar hybu Prydeindod yn ein plith tra'n ymddwyn yn gribddeilgar a chrintachlyd tuag at yr Iaith Gymraeg, pa ddewis sydd inni ond gwrth-dystio a gwrthryfela? Ac ar ben hyn oll, wrth gwrs, fe fyddai cydymddwyn yn dawel ag arwisgo llanc estron yn Dywysog Cymru yn warth ar ein cenedligrwydd ac yn bwrw sen ac anfri ar frwydrau ac aberthau y gwŷr hynny yn ein hanes â chanddynt hawl i'r teitl hwn.[47]

Er bod amheuon gan rai o'r arweinwyr ynglŷn â doethineb ymhél â materion y tu hwnt i ymgyrch yr iaith,[48] ni fedrai'r Gymdeithas anwybyddu dathliad mor symbolaidd bwysig yn hanes Cymru, ac yn fuan rhwydwyd cefnogaeth yr athronydd disglair J. R. Jones, Athro a phennaeth Adran Athroniaeth, Coleg Prifysgol Cymru, Abertawe. Beirniadodd ef yn llym gyfaddawd truenus Plaid Cymru, sef gwrthod cefnogi na datgan gwrthwynebiad i'r seremoni, gan orfodi'r mudiad iaith i arwain y brotest. Ond gan fod y Gymdeithas, meddai, yn fudiad gwleidyddol a ymboenai ynghylch y cwestiwn sylfaenol 'a ydyw'r Bobl Gymreig yn mynd i gael para mewn bod fel Pobl wahanol ai peidio', yr oedd yn naturiol iddo brotestio yn erbyn yr Arwisgo, gan mai'r un oedd 'y frwydr dros yr iaith a'n gwnaeth ni'n Bobl yn y lle cyntaf â'r frwydr yn erbyn yr holl broses o ladd ein gwahanrwydd drwy ein mwydo i mewn i undod (tybiedig) yr un Bobl (honedig) Brydeinig'. Er i'r Gymdeithas gael ei 'llygad-dynnu' i arwain y brotest yn erbyn y tywysog, effaith yr ymgyrch, a'r feirniadaeth a dderbyniodd am grwydro oddi ar lwybr cul yr ymgyrch iaith, oedd gorfodi'r arweinwyr i ystyried yn ddwys eu rhesymau dros wrthwynebu ac i gysoni hynny ag amcanion cyffredinol y mudiad. Canlyniad hyn oedd radicaleiddio'r mudiad fwyfwy a'i orfodi i aeddfedu'n wleidyddol.[49]

Diau mai'r agwedd bwysicaf ar aeddfedu gwleidyddol Cymdeithas yr Iaith oedd y pwyslais newydd a roddwyd ar bwysigrwydd y gymuned. Sylweddolwyd bod nifer yr ardaloedd hynny lle'r oedd hi'n bosibl i Gymry Cymraeg fyw eu bywydau yn gyfan gwbl drwy gyfrwng eu mamiaith yn crebachu, ac na ellid diogelu'r iaith mewn gwagle, waeth pa faint bynnag o ffurflenni ac arwyddion dwyieithog y gellid eu hennill, na faint o oriau y gellid eu sicrhau yn Gymraeg ar y teledu, na faint bynnag o ysgolion uwchradd dwyieithog y gellid eu sefydlu yn yr ardaloedd di-Gymraeg. Rhaid oedd diogelu'r cymunedau Cymraeg eu hiaith a oedd yn sylfaen i'r gwareiddiad Cymraeg. Dyna oedd byrdwn neges Saunders Lewis mor gynnar â 1933 yn ei ysgrif 'Un Iaith i Gymru', a hefyd yn ei safiad yn erbyn adeiladu'r Ysgol Fomio ym Mhenyberth.[50] Yn unol â'r agwedd meddwl newydd hwn y safodd aelodau'r Gymdeithas ym 1969 gyda thrigolion Cwm Senni yn erbyn Awdurdod Afon Wysg a oedd am foddi'r tir i greu cronfa ddŵr, gan fynnu bod y cynllun nid yn unig yn bygwth cynhaliaeth y ffermwyr ond hefyd y gymuned Gymraeg ei hiaith. Bu'r mudiad hefyd yn cynorthwyo rhieni ysgol gynradd Bryncroes, Pen Llŷn, yn eu safiad yn erbyn penderfyniad Cyngor Sir Caernarfon i'w chau; meddiannwyd yr adeilad a chynhaliwyd ysgol answyddogol dros dro. Honnid bod ysgol pentref Bryncroes nid yn unig yn ganolfan addysg ond hefyd yn ganolfan ddiwylliannol ac ieithyddol ac felly yn galon i'r gymuned Gymraeg leol:

> Mae dyfodol yr iaith Gymraeg yn dibynnu ar ddyfodol yr ardaloedd hynny lle siaredir hi fel iaith gyntaf; mae Pen Llŷn yn un o'r ardaloedd hyn, a Bryncroes yn bentre trwyadl, naturiol Gymraeg . . . Mae brwydr Bryncroes felly yn symbol o frwydr y Gymru Gymraeg dros ei bodolaeth, a safiad y rhieni yno yn esiampl i Gymru gyfan . . . Os yw'r iaith i fyw, rhaid i Ben Llŷn ac ardaloedd cyffelyb fod yn rhywle amgenach na maes chwarae i Saeson, rhywbeth amgenach na 'gwarchodle natur'. Y rhain yw gwarchodleoedd Cymreictod, a rhaid inni wneud a allom i sicrhau iddynt ddyfodol iach a ffyniannus.[51]

Unwaith eto, felly, trwy ymateb i fygythiadau penodol i un neu ddwy gymuned Gymraeg eu hiaith, gorfodwyd arweinwyr y Gymdeithas i ystyried perthynas yr iaith a'i hamgylchfyd ehangach. Fe'u gorfodwyd gan feirniaid a ddymunai weld y mudiad yn canolbwyntio ar bethau diriaethol fel ffurflenni uniaith Saesneg i esbonio paham yr oeddynt yn arallgyfeirio'r Gymdeithas i ymgyrchoedd mwy gwleidyddol a chymdeithasol eu natur. Cyfrannodd hyn hefyd at ddatblygiad athronyddol y mudiad.

Nid oedd y pwyslais hwn ar gymuned yn elfen newydd mewn cenedlaetholdeb Cymreig. Yr oedd athroniaeth wleidyddol Michael

D. Jones, er enghraifft, yn seiliedig ar ei ddelfryd ef o gymuned gydweithredol, hunangynhaliol Gymraeg ei hiaith, a oedd yn rhydd o'r gyfalafiaeth ormesol Seisnig. Yn wir, dyna oedd sail ei ymdrech i sefydlu Gwladfa Gymreig ym Mhatagonia ym 1865.[52] Fel y dengys ei ysgrifau gwleidyddol yn y 1930au, credai Saunders Lewis yntau mai 'cymdeithas o gymdeithasau' oedd cenedl ac mai cefn gwlad oedd cynefin naturiol y gymdeithas Gymraeg. Wrth geisio ffurfio polisïau i ateb anghenion Cymru, nod pennaf Saunders Lewis oedd creu ffurf ar gymdeithas a fyddai'n galluogi'r cymunedau Cymraeg eu hiaith i ffynnu.[53] Parhaodd y pwyslais hwn ar gymuned yn athroniaeth wleidyddol Plaid Cymru ymhell wedi i Saunders Lewis adael y llwyfan gwleidyddol, ac ym 1981 mynnodd Phil Williams fod Plaid Cymru yn parhau i roi pwyslais mawr yn ei pholisïau ar amddiffyn cymdeithas – boed yn gymdeithas amaethyddol a fygythid gan gronfa ddŵr neu yn faes saethu milwrol neu yn gymdeithas ddiwydiannol a fygythid gan gau pwll glo.[54]

Fodd bynnag, diau mai'r dylanwad allweddol ar bwyslais newydd y Gymdeithas ar gymuned oedd J. R. Jones. Yn ei lyfr *Prydeindod*, a gyhoeddwyd ym mis Ionawr 1966, rhybuddiodd fod bodolaeth y Cymry Cymraeg mewn perygl enbyd, a bod eu harwahanrwydd fel pobl yn cael ei ddileu. Dadleuodd ef fod tair elfen ffurfiannol mewn pobl sydd, trwy eu clymu ynghyd (neu 'gydymdreiddio', i ddefnyddio gair yr Athro ei hun), yn peri eu bod yn bobl wahanol i bobloedd eraill. Trwy gydymdreiddiad priod diriogaeth a phriod iaith, felly, y ffurfid pobl, ac 'oblegid yr iaith [Gymraeg] fyw, yn y troedle cwtogedig hwn sy'n aros iddi, *yr ydym yn Bobl*'.[55] Fodd bynnag, o golli un o'r clymiadau hyn, yn enwedig yr iaith (sef hanfod eu harwahanrwydd), byddai'r Cymry yn rhwym o golli eu hunaniaeth ac yn peidio â bod yn bobl wahanol. Ceir oblygiadau pwysig iawn i aelodau Cymdeithas yr Iaith yn neges J. R. Jones. Sylweddolwyd, os oedd y Gymraeg i fyw, y byddai raid diogelu'r cymunedau hynny lle'r oedd hi'n cael ei siarad. Cafwyd y datganiad huotlaf ar bwyslais newydd y Gymdeithas ar gymuned gan Dafydd Iwan yn *Y Faner* ym 1969:

> Ni ellir ysgaru iaith oddi wrth y gymdeithas y mae'n gyfrwng iddi. Nid rhywbeth i'w hystyried ar ei phen ei hun yw iaith, ond rhan annatod o wead cymdeithas gyflawn. Nid brwydro dros yr iaith Gymraeg er ei

mwyn ei hun yr ydym ni yn y Gymdeithas hon ychwaith, eithr brwydro dros hanfod y bywyd Cymraeg. Ag eithrio ei bod ynghlwm wrth y bywyd hwnnw, does fawr o werth na phwrpas i'r Gymraeg.[56]

O ganlyniad aeth Cymdeithas yr Iaith ati'n egnïol ar ddechrau'r saithdegau i gychwyn nifer o ymgyrchoedd cymunedol eu pwyslais. Yng Nghyfarfod Cyffredinol 1971 sefydlwyd Grŵp y Werin:

> Prif waith y Gymdeithas hyd yma fu brwydro dros yr iaith Gymraeg a thros hawliau pobl Cymru mewn perthynas â'u hiaith genedlaethol; gan fod tir Cymru yn cael ei gydnabod fel elfen arall sylfaenol yn ein gwneuthuriad fel cenedl, [penderfynwyd] fod Cymdeithas yr Iaith yn awr yn cychwyn ymgyrch gyffredinol lawn mor ymosodol, i adfer i bobl Cymru eu holl hawliau cynhenid mewn perthynas â'u tir eu hunain.[57]

Cychwynnwyd dwy ymgyrch dan adain Grŵp y Werin, sef yr ymgyrch bysgota a'r ymgyrch dai. Er bod rhai o ddeallusion pennaf Cymru yn arswydo rhag y datblygiad hwn ac yn ofni y byddai aelodau'r Gymdeithas yn treulio eu Sadyrnau yn pysgota yn anghyfreithlon yn hytrach nag yn gorymdeithio neu'n meddiannu rhyw swyddfa neu'i gilydd, honnodd y cadeirydd, Gronw ab Islwyn, fod yr aelodau yn sylweddoli pwysigrwydd yr ymgyrch i frwydr yr iaith 'oherwydd dengys y prynu afonydd gan estroniaid y duedd gynyddol a geir yng Nghymru i werthu ein treftadaeth i bobl eraill'. Wrth esbonio nod yr ymgyrch dai, pwysleisiodd Dafydd Iwan fod hawl sylfaenol gan ddyn 'i gael cartref addas yn ei gynefin, i gael gwaith addas yn ei gynefin . . . [ac] i gael o'i gwmpas gymdogaeth fyw a chydnaws'.[58] Erbyn 1972 yr oedd y Gymdeithas wedi sefydlu Grŵp Ardaloedd Di-Gymraeg fel rhan o'i hymgyrch gymunedol, gyda'r nod o 'ail-Gymreigio'r ardaloedd di-Gymraeg ym mhob ffordd bosib', ac ymgyrchwyd yn ddygn yn erbyn cau gweithfeydd dur Shotton a Glynebwy. Sefydlwyd pwyllgor arbennig i ystyried dulliau o greu gwaith addas ym Meirion yn sgil yr ymgyrch i wrthwynebu ymdrechion cwmni rhyngwladol Rio Tinto Zinc i fwyngloddio yng Nghwm Hermon.[59] Yn nhyb Dafydd Iwan, ni ellid 'gwahanu brwydr yr iaith oddi wrth frwydr y tir' gan fod y ddwy yn 'rhannau annatod o'r un frwydr fawr dros Bobl Cymru'.[60] Ac er mwyn gweithredu'n effeithiol yn y cymunedau hynny y gwelwyd ymdrech fawr gan y Gymdeithas yn nechrau'r saithdegau i sefydlu celloedd ledled Cymru.

Plannu hadau'r athroniaeth

Yr oedd yn amlwg, felly, fod strategaeth y Gymdeithas yn brasgamu ymlaen drwy ymwrthod â'r hen ddull o ymgyrchu dros hawliau penodol. Sylweddolwyd bod mawr angen casglu ynghyd nodau ac amcanion y Gymdeithas mewn un ddogfen gynhwysfawr, ac yn sgil hynny y cyhoeddwyd *Maniffesto Cymdeithas yr Iaith Gymraeg* ym 1972. Awdur y *Maniffesto* cyntaf oedd Cynog Dafis, cadeirydd y mudiad ym 1965–6, ac un o'r meddylwyr mwyaf deallus a fu'n perthyn i rengoedd y Gymdeithas erioed. Yn wir, nid gormod fyddai honni mai Cynog Dafis oedd olynydd naturiol yr Athro J. R. Jones pan fu farw'r Athro ym 1970. Yr oedd ei allu a'i huodledd wrth esbonio'r rhesymau gwleidyddol, economaidd a chymdeithasol a barodd i'r iaith ddirywio ar hyd y canrifoedd yn golygu na adawyd bwlch anferth yn y gefnogaeth ddeallusol a dderbyniai ymgyrchoedd y Gymdeithas. Gwnaed cymwynas fawr â'r Gymdeithas drwy gyhoeddi *Maniffesto* 1972 oherwydd yr oedd yn crynhoi'n ddestlus feddylfryd y mudiad y pryd hwnnw, ac yn rhoi i hanes yr ymgyrchu yn ystod y degawd blaenorol ryw fath o unoliaeth a rhesymeg a ymdebygai i strategaeth gynhwysfawr a bwriadol.

Pwrpas y *Maniffesto* oedd gosod problem yr iaith yn ei chyd-destun hanesyddol ehangach a disgrifio'r isafswm angenrheidiol o amodau 'chwyldroadol' y tybid bod angen eu creu er mwyn sicrhau adfywiad yn hanes y Gymraeg. Yn nhyb y Gymdeithas, yr oedd yr amodau hynny yn cynnwys sicrhau i'r iaith statws cyfreithiol a swyddogol cyfartal â'r Saesneg mewn llysoedd barn, llywodraeth ganol a lleol, a chyrff cyhoeddus; dwyieithrwydd mewn masnach, busnes a hysbysebu; blaenoriaeth i'r Gymraeg yn y gyfundrefn addysg; gwasanaeth radio a theledu addas i Gymru; a mesurau i ddiogelu gwaith a chartrefi yng nghefn gwlad i ateb anghenion lleol.[61] Adlewyrchai'r *Maniffesto* y datblygu a'r ehangu a gafwyd yn ymgyrchoedd y Gymdeithas, ac yn enwedig y pwyslais newydd ar ddiogelu cymunedau. Yn hynny o beth, yr oedd y gwaith yn drwm dan ddylanwad syniadaeth J. R. Jones, fel y dengys pennod agoriadol y llyfryn:

> Fe ddaw dydd yn fuan, o barhau'r broses bresennol, pan beidia'r Gymraeg â bod yn brif iaith lafar unrhyw ardal yng Nghymru, pan ddaw i ben gydymdreiddiad yr iaith ag unrhyw ddarn o'n tir . . . A'r pryd hynny iaith farw fydd hi, oherwydd ni allwn ni fyth ystyried iaith yn fyw, nad oes yn rhywle gymuned yn byw trwyddi.[62]

Gan mai ar sail y *Maniffesto* hwn y lluniodd y Gymdeithas ei pholisïau a'i hymgyrchoedd ar gyfer y saithdegau, rhaid cydnabod bod y ddogfen hon ymhlith y pwysicaf a gyhoeddwyd ganddi erioed.

Yr oedd *Maniffesto* 1972 yn brawf sicr fod Cymdeithas yr Iaith yn aeddfedu o fod yn fudiad protest a oedd am sicrhau hawliau deddfwriaethol i'r Gymraeg i fod yn fudiad gwleidyddol a chanddo syniadau adeiladol a phendant ynghylch safle'r iaith mewn cymdeithas a'r patrwm cymdeithasol yr oedd angen ei greu er mwyn ei diogelu. Meddai Alan Butt Philip: 'the Society was beginning to realize the need for constructive action as well as protest action'.[63] Serch hynny, dim ond megis dechrau'r drafodaeth athronyddol a wnaethpwyd yn y *Maniffesto*. Rhestrwyd yn fanwl brif ofynion y Gymdeithas, ond ni cheisiwyd cynnig athroniaeth wleidyddol gredadwy na strategaeth wleidyddol benodol, nac ychwaith ysgogi trafodaeth a chynnig syniadau ar gyfer athroniaeth gynhaliol a fyddai'n sail i'r ymgyrch dros yr iaith yn y dyfodol. Yr un flwyddyn ymddangosodd dau gyhoeddiad arall – rhai 'answyddogol' a phwysicach na'r *Maniffesto* mewn gwirionedd – sef *Y Chwyldro a'r Gymru Newydd* gan Emyr Llewelyn (cadeirydd 1966) a *Cymru Rydd, Cymru Gymraeg, Cymru Sosialaidd* gan Gareth Miles (cadeirydd 1966–8).

Seiliwyd syniadau Emyr Llewelyn yn *Y Chwyldro a'r Gymru Newydd* ar y drafodaeth ar 'Y Fro Gymraeg' a'r ddadl dros ganolbwyntio ar achub yr iaith yn yr ardaloedd gwledig Cymraeg. Nid oedd y syniadau hyn yn rhai newydd i aelodau Cymdeithas yr Iaith. Eisoes, ym mis Hydref 1962, yr oedd John Davies wedi ennill cystadleuaeth yn *Y Faner* am baratoi cynllun a oedd yn rhannu Cymru yn dair ardal ieithyddol ac yn rhoi blaenoriaeth i ddiogelu'r iaith 'yn yr ardaloedd lle y'i siaredir hi yn awr'.[64] Bathwyd y term 'Y Fro Gymraeg' gan Owain Owain, cadeirydd cangen Bangor o'r Gymdeithas, yn rhifyn Ionawr 1964 o *Tafod y Ddraig*, pan gyhoeddodd fap yn dangos dosbarthiad y siaradwyr Cymraeg ledled Cymru. Mewn sawl erthygl yn y wasg yn yr un flwyddyn, pwysleisiodd bwysigrwydd achub yr iaith yn Y Fro Gymraeg: 'enillwn Y Fro Gymraeg ac fe enillir Cymru'.[65] Nid oedd y farn hon yn annisgwyl, wrth gwrs, gan mai cymell ymgyrch weithredol dros y Gymraeg 'yn unig yn y rhannau hynny y mae'r Cymry Cymraeg yn nifer sylweddol o'r boblogaeth' a wnaethai Saunders Lewis yn *Tynged yr Iaith* ym mis Chwefror 1962 ac yn ei erthygl 'Plaid Cymru – Y Cam Nesaf' ym 1965.[66] Cydiodd syniad Y Fro Gymraeg yn nychymyg llawer o genedlaetholwyr. Yn *Y Faner* ym 1965 honnodd Tegwyn Watkin mai'r 'unig ffordd i achub yr iaith ydyw sicrhau deddf gwlad i neilltuo rhannau o Gymru sydd yn aros o hyd yn Gymraeg eu hiaith', a chan roi ychydig o gig ar yr esgyrn awgrymodd Ioan ab Owain y dylid creu Bro Gymraeg yn ymestyn dros 4,000 o filltiroedd sgwâr yng ngogledd a gorllewin Cymru ar gyfer 540,000 o bobl.[67]

Yng nghanol y chwedegau y datblygwyd y ddadl o blaid ac yn erbyn creu 'ghetto' er mwyn diogelu'r Gymraeg yn sgil penderfyniad nifer o fyfyrwyr a darlithwyr yng Ngholeg Prifysgol Cymru, Aberystwyth, i alw am sefydlu neuadd breswyl Gymraeg. Llais amlwg iawn yn y ddadl o blaid sefydlu neuadd Gymraeg oedd J. R. Jones; tybiai ef mai'r unig beth gwâr i'w wneud, yn wyneb 'y mil dylanwadau' Seisnig yn y coleg, oedd 'codi gwarchodfuriau, tynnu i mewn i'r cadarnleoedd . . . crynhoi'. Datblygodd J. R. Jones yr athroniaeth hon mewn ysgrif yn *Barn* ym 1970, gan ddatgan:

> 'Does dim sydd sicrach na bod hen froydd y 'cydymdreiddiad trwchus' yn ymddatod ac yn diflannu bellach o flaen ein llygaid. Amod medru para mewn bod fel Pobl, gan hynny, fydd inni fynd ati ar fyrder yn rhywle yng Nghymru i grynhoi ein tir a'n hiaith i gydymdreiddiad newydd. Rhaid inni greu troedle newydd i gymdeithas o Gymry a fyddai'n byw eu bywyd yn gyfan gwbl yn Gymraeg.

Dadleuai mai dim ond trwy 'ein cylchynu gan "fychanfyd" cyfan, trwchus, o ddim ond sylweddau gwreiddiol ein gwahanrwydd' y byddai modd i'r iaith ac i'r genedl Gymraeg oroesi, 'nid i droi'r cadarnle yn wely marw, ond i blannu egin newydd, i grynhoi'r adnoddau a wasgarwyd'. Gellid eto adfer yr iaith drwy encilio i'r Fro Gymraeg, meddai, fel yr adferwyd yr Hebraeg gan yr Iddewon yn Israel.[68]

Dylanwadwyd yn fawr ar rai o arweinwyr y Gymdeithas gan bwyslais J. R. Jones ar yr angen i encilio a chrynhoi yn yr ardaloedd Cymraeg. Galwodd Hywel ap Dafydd, crefftwr a ffermwr cydweithredol yn Nhalgarreg, ar genedlaetholwyr i grynhoi yn y gorllewin, a 'sefydlu tiriogaeth neu wladfa genedlaethol trwy ymfudo corfforol i un neu nifer o ardaloedd', gan 'greu amgylchfyd cymdeithasol, addysgol a diwylliannol' pleidiol i'r iaith. Yn ei gyflwyniad i'w gyfrol gyntaf o ganeuon, galwodd Dafydd Iwan ar y

Cymry Cymraeg ifainc a oedd wedi ymsefydlu yng Nghaerdydd i ddychwelyd i ardaloedd gwledig y gorllewin a'r gogledd, ac mewn ysgrif yn *Y Faner* ym 1969 cyhoeddodd eto: 'mae'n ddyletswydd ar bob Cymro ifanc i fynd yn ôl i fyw i'r ardaloedd hynny lle siaredir Cymraeg gan drwch y boblogaeth. Oherwydd yno gallwn gynnal y gymdeithas gyflawn, naturiol Gymraeg y mae'n rhaid wrthi os yw'r iaith am fyw'.[69]

Eto i gyd, yr arweinydd a syrthiodd drymaf dan ddylanwad J. R. Jones oedd Emyr Llewelyn. Gyda'r angerdd mawr a oedd mor nodweddiadol ohono, heriodd aelodau ifainc Cymdeithas yr Iaith mewn cyfres o areithiau ac ysgrifau tanllyd a gyhoeddwyd yn *Y Chwyldro a'r Gymru Newydd* (1972) i ymuno â'r chwyldro drwy droi cefn ar Brydeindod a chreu'r 'Gymru Newydd'. Yr oedd Emyr Llewelyn wedi alaru ar agwedd ymgreiniol y Gymdeithas a'i thuedd i 'ofyn i'n gelynion i roi i ni ein hawliau. Plîs Mr Cledwyn Hughes rhowch statws i'r iaith, plîs Mr George Thomas rhowch i ni arwyddion a ffurflenni dwyieithog'.[70] Yn nhyb Emyr Llewelyn, cefnu ar Brydeindod a chreu cymdeithas Gymraeg a chanddi ei sefydliadau annibynnol ei hun yn y gorllewin oedd yr unig ateb i garedigion yr iaith. Gan fod ffigurau Cyfrifiad 1971 wedi dangos bod nifer y siaradwyr Cymraeg wedi disgyn eto, yn enwedig yn Y Fro Gymraeg, aethpwyd ati i ffurfio mudiad *Adfer* er mwyn rhoi gwedd ymarferol i athroniaeth yr enciliad. Ymrannodd Adfer wedi hynny yn *Mudiad Adfer* ac yn *Cwmni Adfer*. Swyddogaeth y Mudiad oedd datblygu a chyhoeddi'r athroniaeth y'i seiliwyd arni, a swyddogaeth y Cwmni oedd prynu, adnewyddu, gwerthu a rhentu eiddo yng nghymunedau Cymraeg y gogledd a'r gorllewin. Gweithredai'r cwmni fel cymdeithas dai, gan geisio cyflenwi anghenion lleol am gartrefi parhaol yn Y Fro Gymraeg a diogelu'r Fro rhag effeithiau diboblogi a mewnlifiad teuluoedd o Loegr. Profodd y fenter gryn gynnydd a llwyddiant yn ystod y tair blynedd gyntaf pan fyddai aelodau Mudiad Adfer yn neilltuo penwythnosau i gynorthwyo gwaith y Cwmni.[71]

Nid oedd y ddelfryd o adeiladu cymdeithas newydd ar sail cymunedau gwledig bychain yn newydd yn hanes syniadaeth wleidyddol Cymru. Pensaer y cymunedau gwledig, cydweithredol oedd Robert Owen, Y Drenewydd, sylfaenydd yr arbrawf yn New Lanark yn negawdau cynnar y bedwaredd ganrif ar bymtheg. Un o'i ddisgyblion mwyaf teyrngar oedd R. J. Derfel a gredai'n ffyddiog yn y 1860au fod mawr angen 'adfywio'r gymuned o fân grefftwyr a masnachwyr'.[72] Ym mudiad cenedlaethol yr ugeinfed ganrif yr oedd gan Saunders Lewis athroniaeth gyffelyb yn ei bolisi o *berchentyaeth*. Fel llywydd Plaid Cymru rhwng 1925 a 1939, Lewis oedd yn bennaf cyfrifol am lunio athroniaeth wleidyddol a pholisïau'r Blaid, gan gynnwys y pwyslais ar amaethyddiaeth fel prif ddiwydiant Cymru a'r angen i ddad-ddiwydiannu'r deheudir.[73] Seiliwyd delfryd Saunders Lewis o'r gwareiddiad a'r gymdeithas Gymreig ar Gymru fel yr ydoedd cyn esgyniad y Tuduriaid i orsedd Lloegr. Dyma'r darlun a geir ganddo yn *Braslun o Hanes Llenyddiaeth Gymraeg* (1932). Yn y gymdeithas honno, meddai, sicrhawyd 'ffyniant gwareiddiad a'r celfyddydau cain' gan nawdd yr uchelwyr, mân gyfalafwyr y bymthegfed ganrif, a nod perchentyaeth oedd ail-greu, trwy ddeddfwriaeth, y dosbarth hwnnw o fân gyfalafwyr yn y cymunedau gwledig bychain Cymraeg eu hiaith.[74]

Er i Blaid Cymru ymwrthod â'r polisi perchentyaeth yn bur gynnar am ei fod yn sawru'n rhy gryf o'r gymdeithas ganoloesol, ni ddiflannodd y ddelfryd o ail-greu'r gymdeithas wledig Gymraeg yn llwyr o syniadaeth cenedlaetholwyr.[75] Dylanwadodd yn arbennig o drwm ar syniadau nifer o genedlaetholwyr yn rhengoedd Cymdeithas yr Iaith. Ym 1964 sefydlwyd fferm a chymdeithas gydweithredol ym Mhledrog, Talgarreg, gan deuluoedd Hywel ap Dafydd a Cynog Dafis. Yn yr un cyfnod cychwynnwyd amryw o siopau, gweisg argraffu a busnesau bychain yn yr ardaloedd Cymraeg, megis Siop y Pethe yn Aberystwyth gan Gwilym a Megan Tudur, a Gwasg Y Lolfa gan Robat ac Enid Gruffudd yn Nhal-y-bont. Ym 1970 sefydlwyd cwmni recordiau SAIN ym mhentref Cymraeg Llandwrog gan Dafydd Iwan a Huw Jones. Cyflawnwyd gwaith cyffelyb dros eiddo Cwmni Adfer gan *Gymdeithas Tai Gwynedd* a sefydlwyd hefyd ym 1971, ac ym 1973 ffurfiwyd cwmni cydweithredol cymunedol *Antur Aelhaearn* er mwyn creu gwaith ym mhentref Llanaelhaearn, Dwyfor, gyda'r nod o ddiogelu'r pentref Cymraeg hwnnw rhag effeithiau diboblogi a'r mewnlifiad Seisnig.[76]

Gwythïen bwysig yn syniadaeth wleidyddol y mudiad cenedlaethol yn ystod y chwe a'r saithdegau, felly, oedd yr angen i ddiogelu ac adfer yr ardaloedd gwledig Cymraeg eu hiaith. Yr oedd yn naturiol fod Adfer a Chymdeithas yr Iaith yn cydweithio'n agored, gan fod gwaith y naill yn prynu ac yn adnewyddu tai yn yr ardaloedd gwledig

– gan gynnig gwaith ymarferol ac adeiladol ar benwythnos i nifer o aelodau'r Gymdeithas a oedd yn chwilio am weithgaredd amgenach na phrotestio – yn cyd-fynd ag ymgyrchoedd y llall i wrthwynebu'r diwydiant tai haf a thai gwyliau. Yn wir, yr oedd y Gymdeithas yn un o brif gyfranddalwyr Cwmni Adfer, ac yn Ysgol Basg 1974 bu sôn gan y Grŵp Cryfhau'r Ardaloedd Cymraeg am gynlluniau i sefydlu 'kibbutzim' Cymraeg ar y cyd ag Adfer.[77] Nodwyd eisoes bwyslais y Gymdeithas ar ddiogelu cymunedau Cymraeg yn ystod cadeiryddiaeth Dafydd Iwan a Gronw ab Islwyn, a datblygodd y cysylltiad rhwng y Gymdeithas ac Adfer ymhellach eto yn ystod cyfnod Emyr Hywel fel cadeirydd ym 1973–4. Nid oedd ar Emyr Hywel ofn galw ar aelodau'r Gymdeithas i ymadael â threfi a dinasoedd 'Seisnig' megis Caerdydd ac Abertawe lle'r oeddynt yn byw mewn 'paradwys ffŵl', ac 'i fynd ati i weithio yn y fro Gymraeg' er mwyn adeiladu'r Gymru newydd. Yn ei dyb ef, yr oedd y Gymraeg eisoes wedi marw yn yr ardaloedd dwyieithog a'r unig ateb oedd encilio er mwyn codi caer o amgylch yr iaith.[78] Ymunodd Saunders Lewis yn y ffrae, gan ddatgan bod yn rhaid sefydlu cymdeithas ar ddarn o dir na fyddai unrhyw iaith ond y Gymraeg yn anhepgor iddi; heb hynny fe beidiai'r Cymry â bod yn bobl ar wahân.[79]

Fodd bynnag, âi'n fwyfwy anodd cysoni athroniaeth enciliol Adfer, a'i phwyslais ar ganolbwyntio'n gyfan gwbl ar Y Fro Gymraeg, ag ymgyrch genedlaethol Cymdeithas yr Iaith. Er gwaethaf pwyslais *Tynged yr Iaith* ar ddiogelu'r ardaloedd Cymraeg, polisi'r Gymdeithas o'r cychwyn oedd ymgyrchu trwy Gymru gyfan. Pwysleisiodd *Maniffesto* 1972 nad diogelu'r iaith yn y broydd Cymraeg oedd unig swyddogaeth y Gymdeithas, ond cefnogi'n ogystal ymgyrchoedd i adfywio'r iaith yn yr ardaloedd di-Gymraeg:

> Na foed i neb . . . fynd i gredu mai â'r 'ardaloedd Cymraeg' yn unig y mae a wnelo Cymdeithas yr Iaith. Priod iaith Cymru gyfan yw'r Gymraeg . . . Fe ddaliai llawer ohonom yn wir na ddichon mwyach gadw'r iaith yn yr ardaloedd Cymraeg heb iddi fwynhau adfywiad yn yr ardaloedd di-Gymraeg ar yr un pryd – heb unrhyw amheuaeth ei hadfywiad yno'n iaith lafar cymdeithas unwaith eto yw ein nod.

Er bod y *Maniffesto* yn derbyn bod 'cefn gwlad Gymraeg yn ganolog bwysig yn awr i sicrhau goroesiad yr iaith', ni cheisiodd ddadlau 'mai dyfodol gwledig a ddylai fod i'r Gymraeg'; yn wir, 'fe gytunwn y byddai iaith a diwylliant a fyddai'n ymglymu'n llwyr wrth batrwm gwledig o fyw yn rhwym o drengi'.[80] Ni allai llawer o aelodau'r Gymdeithas gytuno â barn Adfer nad oedd dyfodol i'r iaith y tu allan i'r Fro Gymraeg, yn enwedig gan fod cynifer o'r aelodau hynny wedi eu magu mewn ardaloedd Saesneg a llawer iawn ohonynt yn ddysgwyr.

Yr oedd gwrthdaro rhwng arweinwyr Adfer ac arweinwyr Cymdeithas yr Iaith felly yn anorfod. Yn nodiadau golygyddol *Tafod y Ddraig* ym mis Mawrth 1973, manteisiodd Dafydd Iwan ar y cyfle i fflangellu athroniaeth 'gul' Adfer, gan ddatgan nad oedd yr angen am ddiogelu'r ardaloedd Cymraeg yn gyfystyr 'â dweud bod yn rhaid tynnu Clawdd Offa draw at Bumlumon, nac fod holl drigolion yr ardaloedd di-Gymraeg naill ai'n alltudion, neu'n golledig neu'n Saeson'. Yr oedd Cymdeithas yr Iaith o'r cychwyn, meddai, 'wedi gweld Cymru gyfan fel uned, ac wedi ymgyrchu dros greu'r amodau i sicrhau bywyd i'r iaith ledled y wlad'.[81] Ychydig fisoedd yn ddiweddarach cafwyd dadl gyhoeddus ar dudalennau *Tafod y Ddraig* rhwng cefnogwyr a gwrthwynebwyr Adfer, a chyhoeddwyd sylwadau miniog gan y naill ochr a'r llall am briodoldeb yr enciliad.[82] Dyfnhawyd y rhwyg pan glywyd sibrydion yn nechrau 1975 fod Mudiad Adfer ar fin cychwyn ymgyrch dorcyfraith i fynnu hawliau uniaith i'r Gymraeg. Ystyriwyd hyn yn ymgais fwriadol i gipio ymaith aelodau'r Gymdeithas a phenderfynwyd mewn cyfarfod o'r Senedd ym mis Rhagfyr 1974 y byddai raid i aelodau ddewis rhwng y Gymdeithas ac Adfer. Yng Nghyfarfod Cyffredinol 1975 galwodd Dafydd Iwan ar holl aelodau'r Gymdeithas i ymwrthod ag Adfer ac i ymwrthod â'r encilio i'r Fro Gymraeg.[83] Penderfynodd y Gymdeithas, felly, ymbellhau oddi wrth athroniaeth enciliol Adfer, gan ddewis yn hytrach fabwysiadu arwyddair Emrys ap Iwan: 'Cymru Rydd, Cymru Gyfan, a Chymru Gymreig . . . Cymry hyd at ei hen derfynau, sef Cymru hyd at Hafren.'[84] Am flynyddoedd wedi hynny cafwyd ymrysonfeydd cyson rhwng aelodau Adfer a Chymdeithas yr Iaith, a daeth y rhwyg i'w uchafbwynt mewn dadl ffyrnig ar dudalennau'r *Cymro* ym 1976 pan honnodd Dr R. Tudur Jones ei fod yn gweld 'Cysgod y Swastika' ar syniadau Emyr Llewelyn.[85] Er bod y drafodaeth ar Y Fro Gymraeg wedi achosi rhwyg yn rhengoedd Cymdeithas yr Iaith yn ystod y saithdegau, rhaid cydnabod cyfraniad gwerthfawr yr ymryson i ddatblygiad y Gymdeithas fel mudiad gwleidyddol.

Ymgais at wyro strategaeth wleidyddol Cymdeithas yr Iaith i gyfeiriad sosialaeth oedd nod y drydedd ddogfen a gyhoeddwyd gan y Gymdeithas ym 1972, sef llyfryn Gareth Miles, *Cymru Rydd, Cymru Gymraeg, Cymru Sosialaidd.* Yr oedd Miles yn athro, yn llenor ac yn Farcsydd brwd. Byrlymai â syniadau ffres ynglŷn ag anghenion ac amcanion yr achos cenedlaethol yng Nghymru.[86] Yn ôl ei dystiolaeth ef ei hun ym 1981, gorfodwyd Gareth Miles ac eraill yn nechrau'r saithdegau 'i gydnabod annigonolrwydd protestio di-drais fel dull o newid cymdeithas, ac i sylweddoli mor ansylweddol oedd sylfaen gymdeithasol' Cymdeithas yr Iaith.[87] Nod ei lyfryn oedd cynnig dehongliad Marcsaidd o sefyllfa'r Gymraeg a dadlennu gwendid pennaf y mudiad cenedlaethol, sef iddo fethu yn llwyr â sylweddoli bod yn rhaid gosod dirywiad yr iaith a chenedligrwydd Cymru mewn cyd-destun cymdeithasol ac economaidd. Yn nhyb Gareth Miles, pennaf gelynion Cymru oedd 'cyfalafiaeth' ac 'imperialaeth': 'dwy ochr i'r un geiniog yw gorthrwm diwylliannol a gorthrwm economaidd, ac [ni] ellir dileu'r naill heb ddileu'r llall'. Honnodd nad sefydlu llywodraeth Gymreig gyfalafol oedd yr ateb, gan y byddai honno, yn ôl pob tebyg, yr un mor ddinistriol â llywodraeth Brydeinig gyfalafol, fel y gwelwyd yn hanes yr iaith Wyddeleg, a ddioddefodd yn waeth dan lywodraeth rydd gyfalafol Iwerddon nag erioed o'r blaen. Gan nad oedd unrhyw ddiwylliant lleiafrifol yn ddiogel mewn cymdeithas gyfalafol, 'tanseilio a dryllio Imperialaeth' oedd tasg bwysicaf y mudiad cenedlaethol yng Nghymru.[88]

Ond nid neges newydd i'r Cymry mo hon. Galwyd ar genedl y Cymry i sefyll yn erbyn gormes imperialaeth Lloegr a drygau cyfalafiaeth gan Michael D. Jones ac Emrys ap Iwan yn ystod oes Fictoria, ac ni fu gan R. J. Derfel a chenedlaetholwyr adain chwith eraill megis T. E. Nicholas ac R. Silyn Roberts yn niwedd y bedwaredd ganrif ar bymtheg a dechrau'r ugeinfed ganrif lawer i ddweud o blaid cyfalafiaeth ryngwladol ychwaith.[89] Er bod Saunders Lewis wedi achub ar bob cyfle tra oedd yn llywydd Plaid Cymru i ymosod ar sosialaeth wladwriaethol a Marcsiaeth,[90] yr oedd dylanwad syniadau'r 'Guild Socialists' a'r 'Distributist League' Catholig yn peri ei fod yr un mor ffyrnig ei feirniadaeth ar gyfalafiaeth. Mynnodd mor gynnar â 1926 'mai cyfalafiaeth yw un o elynion pennaf cenedlaetholdeb'.[91] Yn wir, tybiai fod yr iaith Gymraeg yn arf delfrydol i 'ymladd yn erbyn gormes busnes mawr' ac yn wrthglawdd a fyddai'n diogelu'r gwareiddiad Cymreig: 'Creu Cymru Gymraeg uniaith yw'r moddion diogel i godi gwlad na fedr gormes cyfalafiaeth gydwladol drigo o'i mewn . . .'.[92]

Yn nhyb Gareth Miles, yr oedd y Gymdeithas erbyn diwedd y chwedegau wedi mynd ar ddisberod drwy fodloni ar fod yn fudiad pwnc unigol yn ymgyrchu dros hawliau ieithyddol a thrwy beidio â datblygu unrhyw athroniaeth wleidyddol. Awgrymodd yn *Cymru Rydd, Cymru Gymraeg, Cymru Sosialaidd* mai:

> Mudiad di-ideoleg o bobl ddi-ideoleg yw Cymdeithas yr Iaith Gymraeg. Mudiad a lwyddodd i ddryllio ffydd ei aelodau yn yr ideolegau a lywodraethai eu bywydau cyn iddynt ymuno ag ef – e.e. materoliaeth fas Prydeindod a chenedlaetholdeb bourgeois aflwyddiannus Plaid Cymru – heb allu cynnig dim boddhaol yn eu lle.

Gan hynny, meddai, byddai raid i'r Gymdeithas ddatblygu 'athrawiaeth chwyldroadol' drwy ddarllen gweithiau Marx, Engels a Lenin, a chymhwyso'r meddylfryd sosialaidd at sefyllfa Cymru. Gellid gwireddu'r dyhead oesol am Gymru Rydd a Chymru Gymraeg drwy sicrhau Cymru Sosialaidd.[93]

Adeiladu ar hen draddodiad Cymreig, serch hynny, a wnâi Miles. Er bod elfennau sosialaidd i'w canfod yn radicaliaeth Michael D. Jones, y gŵr cyntaf i gyplysu sosialaeth a chenedlaetholdeb oedd R. J. Derfel, a ysgrifennodd nifer o erthyglau grymus ar sosialaeth mewn cylchgronau Cymraeg rhwng 1892 a 1903. Fe'i dilynwyd yn fuan gan eraill, megis David Thomas, a gyhoeddodd *Y Werin a'i Theyrnas* ym 1910 (sef ymgais i berswadio'r Cymry i beidio ag ofni sosialaeth) ac a sefydlodd y cylchgrawn *Lleufer* ym 1922; T. E. Nicholas, neu Niclas y Glais, a fu'n lladmerydd blaenllaw i sosialaeth yn ne Cymru, yn gyfrannwr cyson i gyfnodolion megis *Y Geninen, Llais Llafur,* a'r *Pioneer*, ac yn un o sylfaenwyr y Blaid Gomiwnyddol Brydeinig ym 1920; ac R. Silyn Roberts, gweinidog a bardd a gyhoeddodd y pamffled *Y Blaid Lafur Annibynnol* ym 1908 er mwyn amlinellu amcanion yr ILP. Nid oedd serch y Cymry at sosialaeth yn rhywbeth i'w ryfeddu ato, yn ôl David Thomas, oherwydd yr oedd yn 'ddatblygiad naturiol o ddysgeidiaeth yr Hen Radicaliaid Cymreig'.[94] Nid peth newydd ychwaith oedd egwyddor cydweithrediad yn hanes athroniaeth wleidyddol Cymru. Fel y gwelsom eisoes, un o arloeswyr enwocaf cydweithrediad oedd Robert Owen, Y Drenewydd, a thybiai

Tom Ellis fod egwyddor cydweithrediad yn elfen gynhenid o athroniaeth wleidyddol Cymru: 'Though Wales in modern times is largely individualist, we cannot but feel that it has been the land of cyfraith, cyfnawdd, cymorthau and cymanfaoedd, the land of social co-operation, of associative effort.'[95]

Dan ddylanwad Saunders Lewis ac yn enwedig D. J. Davies, crynhôi polisïau economaidd cynnar Plaid Cymru o amgylch egwyddor democratiaeth gymdeithasol gydweithredol, gan dynnu maeth o'r drefn ddelfrydol a oedd eisoes ar waith yn Ffrainc, Yr Eidal, Gwlad Belg a gwledydd Llychlyn.[96] Yn sgil cynhadledd flynyddol Plaid Cymru yn Abertawe ym 1938, cymhwyswyd polisïau'r Blaid fwyfwy i egwyddorion sosialaidd trwy gydol y pumdegau, er bod Gwynfor Evans, yn ystod ei gyfnod fel llywydd, yn bur ddrwgdybus o'r ddelfryd sosialaidd. Nododd John Davies fod nifer o aelodau amlwg Plaid Cymru wedi ymhél fwyfwy â sosialaeth yn ystod y chwe a'r saithdegau. Yn eu plith yr oedd Dr Phil Williams, aelod o 'Grŵp Ymchwil Plaid Cymru' ym 1968, a gŵr a wnaeth gyfraniad difesur wrth lunio polisïau'r Blaid rhwng y flwyddyn honno a'r dwthwn hwn.[97] At hyn, cafwyd adfywiad ym mhoblogrwydd sosialaeth yn gyffredinol yn y byd gwleidyddol yn ystod y chwedegau a dechrau'r saithdegau, wrth i nifer o fudiadau radical arbrofi ag athroniaeth Marx ac wrth i fudiadau'r myfyrwyr, y mudiad heddwch, a mudiadau'r duon yn America eu cysylltu eu hunain fwyfwy â gwleidyddiaeth yr adain chwith.[98]

Yr oedd yn anorfod y byddai sosialaeth yn lliwio'r drafodaeth ar athroniaeth wleidyddol Cymdeithas yr Iaith. Mewn erthygl a ysgrifennwyd yn wreiddiol fel atodiad ar gyfer *Maniffesto* 1972, ond a gyhoeddwyd yn hytrach yn *Tafod y Ddraig*, galwodd Gareth Miles am greu llywodraeth Gymreig a fyddai'n gallu meddiannu holl adnoddau naturiol Cymru, ynghyd â'i holl foddion cynhyrchu, dosbarthu a chyfnewid, er mwyn eu defnyddio er budd a lles materol a diwylliannol dinasyddion Cymru, yn hytrach nag er lles carfan fechan o gyfalafwyr. Dim ond llywodraeth Gymreig sosialaidd, yn ei dyb ef, a fyddai'n gallu datrys problemau economaidd a diwylliannol Cymru a diogelu'r iaith Gymraeg: 'Dim ond cyfundrefn wleidyddol wedi ei seilio ar gyd-weithrediad, yn hytrach nag ar gystadleuaeth . . . all gadw'n hiaith a'n hunaniaeth genedlaethol rhag cael eu difodi.'[99] Yr un neges a oedd ganddo yn *Cymru Rydd, Cymru Gymraeg, Cymru*

Sosialaidd, cyhoeddiad a gafodd ddylanwad mawr ar ddatblygiad Cymdeithas yr Iaith fel mudiad gwleidyddol aeddfetach, ac ar syniadau a dealltwriaeth cenhedlaeth newydd o arweinwyr y mudiad o'r pwysau gwleidyddol ac economaidd a oedd yn milwrio yn erbyn y Gymraeg. Llwyddodd Miles i osod brwydr yr iaith ac achos Cymru mewn fframwaith athronyddol ehangach, a gellir gweld ôl ei ddylanwad ar ymgyrchoedd a pholisïau'r mudiad drwy gydol y saithdegau a hyd yn oed yn yr wythdegau.

Datblygu athroniaeth 'Cymdeithasiaeth'

Datblygodd ideoleg Cymdeithas yr Iaith, felly, ar ddiwedd y chwedegau a dechrau'r saithdegau yn sgil ymgais rhai unigolion dylanwadol i ymateb i'w diffyg aeddfedrwydd gwleidyddol drwy gynllunio athroniaeth bwrpasol ac adeiladol ar gyfer y degawd nesaf o ymgyrchu. Bu cyfraniad yr unigolion hyn i strategaeth y mudiad yn sylweddol iawn, yn enwedig o safbwynt ysgogi trafodaeth a dadlau brwd ymhlith yr arweinwyr. Yn ystod blynyddoedd y saithdegau datblygodd y Gymdeithas gyfres gynhwysfawr o ymgyrchoedd yn ymwneud nid yn unig â statws y Gymraeg ond hefyd ag addysg, darlledu, gwaith a diwydiant, perchnogaeth tir ac eiddo Cymru, ac amryw bynciau eraill a oedd yn berthnasol i'r iaith. Ym 1973 cyhoeddodd y Gymdeithas lyfr poced dwyieithog yn dwyn y teitl *Bywyd i'r Iaith*, gwaith a oedd yn olrhain yn fras hanes yr iaith ac achosion ei dirywiad, a hefyd yn esbonio nodau, amcanion, a dulliau'r mudiad. Gwaith Arfon Gwilym, gŵr ifanc o Ryd-y-main a oedd newydd raddio yn Aberystwyth, oedd y llyfryn hwn. Bu ei arweiniad doeth a diymhongar ef fel un o ysgrifenyddion y Gymdeithas yn gaffaeliad mawr ar ddechrau'r saithdegau. *Bywyd i'r Iaith* oedd ymgais ddifrifol gyntaf y mudiad i gyfathrebu'n uniongyrchol â holl drigolion y wlad ac i gyfiawnhau ei ymgyrchoedd. Yr oedd felly yn garreg filltir yn hanes twf y Gymdeithas. Yr oedd hefyd yn bwysig oherwydd ei fod yn brawf o gynnydd y mudiad, ac yn tystio i'r ffaith fod ganddo bellach yr hyder, y gallu a'r aeddfedrwydd gwleidyddol angenrheidiol i 'weddnewid amgylchfyd yr iaith'. Yn ystod yr un flwyddyn, dywedodd Dafydd Glyn Jones am Gymdeithas yr Iaith: 'It is now clearly established as the vanguard of the nationalist movement and the most advanced development of Welsh radicalism.'[100]

Yr oedd datblygiad y Gymdeithas o fod yn fudiad pwnc unigol i fod yn fudiad gwasgedd a chanddo bolisïau gwleidyddol eang yn nodweddu nifer helaeth o fudiadau gwasgedd y chwedegau. Yn yr un modd, datblygodd mudiadau myfyrwyr y chwedegau cynnar o fod yn fudiadau pwnc unigol yn pwyso am welliannau mewn addysg bellach, megis llais i fyfyrwyr yng ngweinyddiaeth y colegau a'r prifysgolion, i fod yn fudiadau gwleidyddol eangfrydig a chwyldroadol.[101] Datblygodd y mudiad heddwch o fod yn fudiad pwnc unigol yn pwyso am ddiarfogi i fod yn fudiad a oedd yn ymgyrchu yn erbyn nid yn unig arfau rhyfel ond rhyfel ei hun ym mhob ffurf. Meddai Frank Parkin am ddatblygiad CND erbyn diwedd y chwedegau:

> As the Bomb becomes a less emotive public issue the Campaign is able to redirect its energies towards those matters which have replaced it in the political arena, particularly of course, in the field of international affairs . . . Thus, by the mid-nineteen-sixties the movement's main focus of attention had shifted from nuclear weapons to the war in Vietnam, with protest at American policies, and the British government's support of these policies, supplying the central theme of demonstrations.[102]

Nid oedd hyd yn oed athroniaeth yr enciliad yn unigryw i wleidyddiaeth Cymru yn y cyfnod hwn. Datblygwyd syniadau cyffelyb ymhlith mudiadau'r duon yn America. Dan arweiniad grwpiau megis y Mwslemiaid Duon a 'The Republic of New Africa', galwyd am greu talaith ddu annibynnol yn neheudir y wlad. Cefnogwyd y datblygiad hwn gan yr Athro J. R. Jones. Sylwodd ef ym 1970 ei bod 'hi'n dechrau gwawrio [ar y dyn du] na sicrheir iddo fyth sylfaen ddiogel i'w freintiau onis tynnir allan o lifeiriant y troetryddid Americanaidd a rhoi iddo *ei dir ei hun o dan ei draed*'.[103]

Ond y datblygiad pwysicaf a welwyd yng nghynnydd gwleidyddol Cymdeithas yr Iaith, o ganlyniad i'r drafodaeth a fu ar ei hathroniaeth wleidyddol, oedd creu strategaeth gwbl newydd. Er ei ffurfio ym 1962, ystyrid Cymdeithas yr Iaith yn flaenllym weithredol yn y mudiad cenedlaethol ac yn asgell brotestgar o Blaid Cymru. Yr oedd y farn honno yn gwbl deg, gan mai aelodau rhwystredig o Blaid Cymru oedd sylfaenwyr y Gymdeithas, fel y gwelwyd eisoes. Yr oedd yn dilyn wedyn mai polisïau digon tebyg a fyddai gan y ddau fudiad a'u bod yn ymgyrchu dros yr un amcanion cymdeithasol ac economaidd.

Fodd bynnag, yn sgil aeddfedu gwleidyddol y Gymdeithas, rhoddwyd y gorau i'r cydweithio hwnnw, a chafwyd bod arweinwyr y Gymdeithas yn agored feirniadol o lawer o bolisïau Plaid Cymru. Yn nhyb Cynog Dafis, yr oedd y gwahanol syniadau a goleddid gan aelodau'r Gymdeithas yn nechrau'r saithdegau, yn amrywio o Farcsiaeth Gareth Miles i syniadau enciliol Emyr Llewelyn ac Adfer, yn arwydd fod y Gymdeithas yn ymwrthod â gweledigaeth gymdeithasol ac economaidd Plaid Cymru. Rhan bwysig o neges *Cymru Rydd, Cymru Gymraeg, Cymru Sosialaidd* oedd rhybuddio Plaid Cymru na ddylid ceisio cymhwyso cyfalafiaeth i wladwriaeth rydd Gymreig, fel yr awgrymwyd ym mholisi economaidd ei Grŵp Ymchwil. Meddai Cynog Dafis, 'The division between *Plaid Cymru* and *Cymdeithas yr Iaith* now stemmed not from emphasis and their separate fields of activity but increasingly from a differing philosophy and method.'[104]

Gorfodwyd y Gymdeithas hefyd i ddatblygu athroniaeth wleidyddol gredadwy gan y sefyllfa wleidyddol ym Mhrydain ac yng ngweddill y byd. Ar ddiwedd y chwedegau ceryddwyd amryw o bolisïau gwleidyddol a chymdeithasol y Llywodraeth Lafur yng Nghymru, gan gynnwys ei pholisïau tai a chyflogaeth. Daeth y Ceidwadwyr hwythau dan y lach yn sgil etholiad cyffredinol 1970. Dim ond saith sedd a oedd gan y Ceidwadwyr yng Nghymru, a Peter Thomas, Cymro Cymraeg ac Aelod Seneddol Hendon Heath, oedd yr Ysgrifennydd Gwladol newydd. Hyd yn oed os credai rhai o'r aelodau na allai neb fod yn waeth na'i ragflaenydd, George Thomas, o ran ymroddiad i'r Gymraeg, buan iawn y dechreuwyd beirniadu'r ysgrifennydd newydd am lywodraethu Cymru o'i gartref yn Llundain fel petai'n dirfeddiannwr estron o'r ddeunawfed ganrif. Radicaleiddiwyd y Gymdeithas fwyfwy hefyd gan yr anufudd-dod sifil a oedd ar gynnydd ledled Ewrop ac America: protestiai pobl yn erbyn y rhyfel yn Fietnam, gafael haearnaidd yr Undeb Sofietaidd ar wledydd dwyreiniol Ewrop, apartheid yn Ne Affrica, triniaeth anghyfartal y duon yn yr Unol Daleithiau, a phresenoldeb milwyr Prydain yng Ngogledd Iwerddon. Cyfrannodd y datblygiadau hyn oll at ymwybyddiaeth wleidyddol aelodau'r Gymdeithas, fel y dengys y sylwebaeth graff a geir ar wleidyddiaeth y dydd yn rhifynnau *Tafod y Ddraig*.

Wedi deng mlynedd o ymgyrchu, felly, yr oedd y Gymdeithas wedi datblygu o fod yn fudiad a sefydlwyd er mwyn canolbwyntio ar un agwedd arbennig o'r frwydr dros ryddid cenedlaethol, sef diogelu'r iaith Gymraeg, i fod yn fudiad a chanddo ddiddordebau gwleidyddol eang a barn bendant am y sefyllfa wleidyddol yng Nghymru. Penllanw'r drafodaeth ar strategaeth wleidyddol y Gymdeithas yn niwedd y chwedegau a dechrau'r saithdegau oedd pwyslais cynyddol ei harweinwyr ar yr angen i ymgyrchu o blaid dymchwel y drefn Brydeinig yng Nghymru a sicrhau Cymru rydd a Chymraeg. Sylweddolai nifer o'i harweinwyr bellach fod yn rhaid ennill rhyddid cenedlaethol cyn y gellid diogelu ac adfer y Gymraeg. Ni roddid clust mwyach i rybudd gwreiddiol Saunders Lewis ym 1962 fod diogelu'r Gymraeg yn bwysicach na sicrhau hunanlywodraeth i Gymru. Gellir olrhain y datblygiad hwn yn natganiadau Cynog Dafis, Gareth Miles ac Emyr Llewelyn. Yn *Maniffesto* Cymdeithas yr Iaith ym 1972 honnwyd 'mai dim ond mewn Cymru Rydd y mae gobaith creu'r amodau sylfaenol newydd' a'r 'math o bolisïau creadigol y mae eu hangen er mwyn hyrwyddo adferiad y Gymraeg . . . Am hynny y gwelwn ni frwydr yr iaith yn un â'r frwydr dros sefydliadau politicaidd cenedlaethol i Gymru'.[105] Yn *Cymru Rydd, Cymru Gymraeg, Cymru Sosialaidd*, cyhoeddodd Gareth Miles mai:

> Un arf yn unig fedr achub yr iaith Gymraeg a'r diwylliant Cymreig, sef gwladwriaeth rydd a chanddi'r awdurdod a'r gallu a'r ewyllys i wneud hynny. Dylai perswadio eu cydwladwyr o bosibilrwydd – ac o briodoldeb – sefydlu gwladwriaeth o'r fath fod yn bennaf swydd aelodau Cymdeithas yr Iaith yn ystod y blynyddoedd nesaf.[106]

Nid unwaith na dwywaith ychwaith yr honnodd Emyr Llewelyn mai dymchwel neu ymwrthod â Phrydeindod oedd yr unig ffordd i adeiladu'r Gymru newydd, ac er na chredai y byddai raid aros am Senedd Gymreig yng Nghaerdydd cyn medru dechrau byw bywyd Cymraeg cyflawn, yr oedd o'r farn fod rhaid sicrhau gwladwriaeth rydd er mwyn diogelu dyfodol Cymru, ei hiaith a'i diwylliant.[107]

Yn ôl ei chadeirydd, Gronw ab Islwyn, ym 1973, yr oedd Cymdeithas yr Iaith wedi sylweddoli ar ôl deng mlynedd o ymgyrchu na fyddai byth fodd i'r iaith Gymraeg ffynnu o fewn fframwaith Prydeinig, waeth pa faint bynnag o ffurflenni a dogfennau swyddogol a ddarperid. Gan hynny, yr unig ffordd i adfer yr iaith oedd trwy greu sefydliadau a strwythurau i'r gymdeithas Gymraeg, a hynny drwy gyfrwng y Gymraeg ac er mwyn y Gymraeg.[108] Bellach yr oedd y

Gymdeithas yn fodlon ysgwyddo'r cyfrifoldeb o geisio sicrhau rhyddid cenedlaethol Cymru.[109] Gwireddwyd gobeithion nifer o genedlaetholwyr Cymru, megis Bobi Jones, a oedd wedi 'hyderu'n ddwl optimistaidd' ar droad y degawd y gwelid '[g]ogwydd mwy cyrhaeddbell a threfniadau mwy cadarnhaol' yng ngweithgarwch y Gymdeithas yn y saithdegau.[110] A chyda rhifau aelodaeth y mudiad yn cynyddu a'r gweithredu yn ymddifrifoli, ymddangosai fel petai chwyldro yn hanes y Gymraeg ar fin digwydd.

Yn ystod y saithdegau, yn sgil aeddfedrwydd gwleidyddol newydd Cymdeithas yr Iaith, datblygwyd nifer o ymgyrchoedd economaidd a chymdeithasol a dynnodd sylw at effeithiau andwyol cau'r rheilffyrdd, boddi dyffrynnoedd, chwalu ffermydd, mewnfudiad estroniaid i gefn gwlad, allfudiad yr ieuenctid, tai haf, a'r cyfryngau torfol, ar yr iaith Gymraeg. O'r Cyfarfod Cyffredinol ym 1970 ymlaen sefydlodd y Gymdeithas nifer o grwpiau ymgyrchu arbennig i ganolbwyntio ar wahanol agweddau o'r frwydr dros yr iaith, a datblygodd y rhain drwy gydol y degawd. Mewn cynnig cwmpasog o'r enw 'Bywyd i'r Iaith' yng Nghyfarfod Cyffredinol 1973, datganwyd 'mai'r iaith Gymraeg yw priod iaith Cymru, ac y dylai felly gael y lle blaenaf ym mhob agwedd ar fywyd y genedl'.[111] Tystiai holl benderfyniadau Cyfarfod Cyffredinol 1973 i aeddfedrwydd gwleidyddol y Gymdeithas, a gallwn weld yn awr eu bod yn ernes o'i pholisïau yn y dyfodol. Cafwyd prawf o'r aeddfedrwydd hwn hefyd mewn nifer fawr o ddogfennau polisi a memoranda a gyhoeddwyd yn ystod y flwyddyn honno ac yn sgil y Cyfarfod Cyffredinol. Yn ystod yr ymgyrch i ddiogelu'r ardaloedd Cymraeg, cyhoeddwyd llyfrynnau a phamffledi megis *Ateb yr Her, Ein Tir a'n Tai* ac *R.T.Z. Cwm Hermon a Meirion.* Lluniwyd nifer o ·femoranda cynhwysfawr yn galw am goleg Cymraeg oddi mewn i Brifysgol Cymru, am Awdurdod Cefn Gwlad, ac am bolisïau iaith manwl gan y cynghorau sir a dosbarth newydd. Cyfnerthwyd yr ymgyrch statws gan ddogfen bolisi ar *Y Llythyrdy,* a chyhoeddwyd amryw o daflenni megis *Cefnogwn Weithwyr Shotton, Hawliwn Ein Tai, Pam Sianel Gymraeg?* a *Ble Mae'r Arwyddion Dwyieithog?* yn ystod nifer o ymgyrchoedd eraill. Yn ystod ail hanner y saithdegau cyhoeddwyd mwy na 130 o daflenni, pamffledi, memoranda, dogfennau polisi, llyfrynnau a llyfrau yn trafod polisïau'r Gymdeithas ar addysg, amaethyddiaeth, darlledu, tai a thai haf, statws cynllunio, datblygu cefn gwlad, dysgwyr, a hyd yn oed dwristiaeth.

Estynnwyd maes gweithgaredd Cymdeithas yr Iaith yn sylweddol yn ystod y saithdegau. Mewn gwirionedd, cyd-ddigwyddodd y pwyslais newydd hwn ar bob math o faterion cymdeithasol ac economaidd â datblygiad cyfamserol ym mholisïau Plaid Cymru, a oedd hefyd yn ymestyn ei gweithgarwch dan ddylanwad Dafydd Wigley a Dafydd Elis Thomas, arweinwyr y dyfodol. Ond hanfod polisïau'r Gymdeithas oedd ei phwyslais unigryw ar warchod cymunedau a phrofiad yr aelodau a oedd yn byw yn y cymunedau hynny. O ran tai, galwyd ar y llywodraeth am rymoedd i alluogi cynghorau newydd Cymru i brynu tai gwag a thai ar y farchnad agored (trwy bryniant gorfodol, petai raid), er mwyn medru eu gosod i bobl leol a'u diogelu rhag mynd yn dai haf. Mynnwyd hefyd fod awdurdodau lleol yn gwrthod caniatâd cynllunio i adeiladwyr godi ystadau mawrion diangen ac yn ehangu eu polisïau cynllunio i gynnwys diwylliant ac ystadegau iaith.[112] Ym 1975, am y tro cyntaf erioed, camodd y Gymdeithas o ddifrif i faes addysg gan gyhoeddi *Addysg Gymraeg: Rhai Pynciau Trafod.* Yng Nghyfarfod Cyffredinol y flwyddyn honno cyhoeddwyd 'mai addysg gyflawn Gymraeg a Chymreig o'r ysgolion meithrin hyd at ac yn cynnwys addysg uwch yw ein nod ym mhob rhan o Gymru', ac yng nghyfarfodydd cyffredinol y ddwy flynedd ganlynol cafwyd dau gynnig ar bymtheg yn amlinellu yn fanwl raglen y Gymdeithas ar gyfer pob awdurdod addysg yng Nghymru a hefyd ar gyfer Prifysgol Cymru. O ran addysg bellach Gymraeg, rhoddid pwyslais cynyddol ar hyfforddi pobl ifainc ar gyfer byd busnes a gwaith lleol yn hytrach nag ar addysg academaidd a oedd fel rheol yn peri i'r rhai mwyaf galluog gefnu ar Gymru. Wynfford James oedd un o hyrwyddwyr amlycaf y syniad hwn; yr oedd ef yn gadeirydd y Gymdeithas rhwng 1975 a 1977, ond mor gynnar â 1973 yr oedd wedi honni y dylid 'gwyro plant chweched dosbarth i gyfeiriadau eraill a fydd yn fwy gwerthfawr yn y pen draw o ran cael gwaith yn eu hardaloedd eu hunain. Dylid eu hannog i fynd i ddilyn cwrs mewn astudiaethau masnachol a phethau o'r fath . . .'.[113]

Yn wyneb y mewnlifiad cynyddol i ardaloedd Cymraeg cefn gwlad Cymru, galwodd y Gymdeithas am gymathu mewnfudwyr di-Gymraeg drwy sefydlu cyrsiau carlam a chanolfannau hwyr-ddyfodiaid i'w plant.[114] Datblygwyd polisi yn unol â'r slogan 'Tai a Gwaith i Gadw'r Iaith', a galwyd am sefydlu Bwrdd Gweithredol Cefn Gwlad Cymru i 'annog datblygiadau economaidd a fyddai'n creu gwaith cydnaws â phoblogaeth gynhenid yr ardaloedd gwledig'. Trefnwyd cynhadledd yn Y Bala ym mis Gorffennaf 1976 er mwyn sefydlu fforwm i drafod sut orau i greu gwaith yng nghefn gwlad. Anogwyd mesurau cyffelyb ar gyfer gwella cyflwr economaidd a chymdeithasol yr ardaloedd diwydiannol. Estynnwyd yr ymgyrch statws i feysydd y tu hwnt i lywodraeth ganol, awdurdodau lleol a chyrff cyhoeddus, er mwyn cynnwys siopau, banciau, a phob math o sefydliadau masnachol a diwydiannol.[115] Erbyn 1976 yr oedd gan y Gymdeithas Grŵp Undebau Llafur a fyddai'n ceisio dyrchafu statws yr iaith ym myd diwydiant yng Nghymru. Yn sgil ymgyrchu dygn gan gell Y Rhyl yn benodol, datblygodd y Gymdeithas bolisi twristiaeth manwl a deallus a oedd yn rhybuddio rhag gwneud twristiaeth yn sylfaen economi unrhyw ardal. Er 1974, pan ffurfiwyd y Grŵp Dysgwyr yn y Cyfarfod Cyffredinol, bu'r mudiad hefyd yn weithgar yn trefnu gwersylloedd a chyrsiau ac yn cynhyrchu deunydd darllen a chanu i ddysgwyr.[116] Ym maes darlledu amlinellwyd 'Pum Amod' ar gyfer darlledu yng Nghymru, sef cyllid digonol, lleiafswm o 25 awr o raglenni Cymraeg, derbyniad ledled Cymru, cyfundrefn hyfforddiant ar gyfer cynhyrchwyr rhaglenni, ac Awdurdod Darlledu Cymreig.[117]

Yr oedd yn amlwg, felly, fel yr aeddfedai'r Gymdeithas, ei bod yn gallu ymgyrchu dros ystod eang iawn o feysydd. Yr oedd wedi llwyddo i 'gydnabod pwysigrwydd pob elfen o fywyd dyn i dynged a pharhad iaith', ac wedi llunio polisïau i ateb yr anghenion hyn, fel y nodwyd mewn llythyr i'r *Faner* gan nifer o aelodau Senedd y Gymdeithas ym 1974.[118] Ond er gwaethaf y drafodaeth hirfaith a gafwyd ar ddechrau'r saithdegau ar athroniaeth wleidyddol y mudiad, nid oedd y Gymdeithas eto wedi llwyddo i gynhyrchu rhaglen gynhwysfawr ar gyfer adfer y Gymraeg. Gwaith Cynog Dafis oedd *Maniffesto* 1972; gweledigaeth Emyr Llewelyn oedd Adfer; a syniadau Gareth Miles a gafwyd yn *Cymru Rydd, Cymru Gymraeg, Cymru Sosialaidd*. Ni chafwyd yr un athroniaeth yn sylfaen i holl bolisïau'r mudiad, a gadawyd y gwaith o ffurfio polisïau i nifer o unigolion, er bod yn rhaid wrth drafodaeth gerbron y Senedd cyn bwrw ymlaen ag ymgyrchoedd. Ar ôl deng mlynedd o ymgyrchu, felly, nid oedd gan y Gymdeithas athroniaeth gydnabyddedig a chynhaliol. Gwyddai Cynog Dafis yn dda am y diffyg hwn, ac meddai ym 1979, 'many of its most active campaigners, had they at that time been required to negotiate conditions for the cessation of illegal agitation, may well have found difficulty in precisely defining their objectives'.[119] At hynny, ymbellhaodd nifer o'r arweinwyr mwyaf deallus yn ystod y saithdegau. Canolbwyntiodd Dafydd Iwan fwyfwy ar waith Cymdeithas Tai Gwynedd a safodd fel ymgeisydd Plaid Cymru yn Ynys Môn ym 1974; troes Cynog Dafis ei sylw at effeithiau'r mewnlifiad ar addysg; hybu buddiannau Adfer a wnaeth Emyr Llewelyn ar ôl ei ffrae fawr â'r Gymdeithas; a throes Gareth Miles ei olygon at geisio datblygu gwleidyddiaeth sosialaidd oddi mewn i Blaid Cymru.

Er hynny, rhwng 1972 a 1978 cododd to newydd o arweinwyr ifainc a deallus, megis Wynfford James, Wayne Williams, Angharad Tomos, a Toni Schiavone. Hon oedd ail genhedlaeth y Gymdeithas, a hwy fyddai cadeiryddion y dyfodol. Trwy asio egni'r arweinwyr hyn â phrofiad a syniadau'r arweinwyr hŷn cyfoethogwyd grymoedd gwleidyddol y Gymdeithas yn aruthrol. Eto i gyd, diau mai'r arweinydd mwyaf dylanwadol yn Senedd y Gymdeithas yng nghanol y saithdegau oedd Ffred Ffransis, cadeirydd y mudiad ym 1974–5, ac is-gadeirydd y flwyddyn ganlynol. Buasai'n aelod o gorff rheoli'r Gymdeithas er 1969 ac yn ddylanwad sylweddol ar ei hymgyrchoedd a'i chyfundrefn weinyddol. Ef a fu'n bennaf cyfrifol am gynllunio'r Senedd a chyfundrefn celloedd y Gymdeithas. Yr oedd hefyd yn bropagandydd heb ei ail, fel y tystia nifer helaeth iawn o lythyrau ac erthyglau a ymddangosodd yn y wasg y pryd hwnnw, heb sôn am amryw o lyfrau a llyfrynnau a gyhoeddwyd ganddo. Meddai ar feddwl gwleidyddol miniog a chwim ac ar lawer ystyr yr oedd yn ymgorfforiad o aeddfedrwydd gwleidyddol y Gymdeithas.

Yr oedd rhai o syniadau Ffred Ffransis yn debyg iawn i eiddo Gareth Miles, yn enwedig ei wrthwynebiad i gyfalafiaeth. Pwysleisiodd nad oedd lle i'r iaith Gymraeg mewn trefn gyfalafol gystadleuol, gan nad oedd defnydd i'r Gymraeg fel iaith hysbysebu a marchnata. Nid creu llywodraeth weinyddol fiwrocrataidd a threfn gyfalafol frodorol oedd yr ateb i broblemau'r iaith Gymraeg, meddai, ond yn hytrach 'rhaid i Gymdeithas yr Iaith frwydro dros gael grym i'r werin bobl yng Nghymru . . . "Grym i'r Bobl" ac mi ddaw y werin Gymreig gyda'u grym gwleidyddol, economaidd a chymdeithasol yn eu dwylo – yn geidwaid teilwng eto i'n gwareiddiad'. Yn ei dyb ef, nod y chwyldro oedd tanseilio 'imperialaeth' yng Nghymru. Yr oedd safiad Cymdeithas yr Iaith dros hawl pobl Cymru i feddiannu eu tir, eu cartrefi, a'u gwaith eu hunain yn safiad yn erbyn 'imperialaeth economaidd', ac er mwyn tanseilio 'imperialaeth wleidyddol' byddai raid i'r Cymry gymryd cyfrifoldeb dros eu dyfodol eu hunain.[120]

Er bod tebygrwydd rhwng syniadau Ffred Ffransis a syniadau Gareth Miles fel y'u darluniwyd yn *Cymru Rydd, Cymru Gymraeg, Cymru Sosialaidd*, nid oedd athroniaeth Ffred Ffransis yn gyfystyr â Marcsiaeth na sosialaeth seneddol. Yn hytrach, datblygodd egwyddor gymdeithasol ac economaidd uchelgeisiol, wedi ei seilio ar ddatganoli, democratiaeth gyfranogol, cydweithrediad, a gwerthoedd cymdeithasol yn hytrach na rhai masnachol.[121] Y term a ddefnyddid ganddo ar gyfer yr egwyddor hon oedd 'Cymdeithasiaeth' (gair a fathwyd yn wreiddiol gan R. J. Derfel ar gyfer 'sosialaeth'). Yr oedd Cymdeithasiaeth i raddau helaeth yn adwaith yn erbyn cyfalafiaeth a thuedd y llywodraeth ac awdurdodau cyhoeddus i ganoli, ond yr oedd hefyd yn sgil-effaith pwyslais y Gymdeithas er diwedd y chwedegau ar bwysigrwydd cymunedau. Hanfod Cymdeithasiaeth, felly, oedd datblygu polisïau a oedd yn adlewyrchu anghenion y gymuned yn hytrach na thrachwant masnach rydd neu hawddfyd gweinyddol. Penderfynwyd yng Nghyfarfod Cyffredinol 1975 fabwysiadu Cymdeithasiaeth fel yr egwyddor sylfaenol yn holl bolisïau economaidd a chymdeithasol y Gymdeithas. Cynhaliwyd ysgol undydd yn Abertawe ym mis Ionawr 1976 i drafod ac esbonio Cymdeithasiaeth, ac yn ystod 1976 a 1977 cyhoeddwyd nifer o bamffledi a llyfrynnau yn ymwneud â'r egwyddor honno.[122]

Yr oedd esblygiad egwyddor Cymdeithasiaeth yn ddatblygiad pwysig iawn yn hanes strategaeth a syniadaeth wleidyddol Cymdeithas yr Iaith, gan iddi roi ystyr a fframwaith syniadol i'w hymgyrchoedd dros y Gymraeg a'i phwyslais ar gymunedau. Datblygwyd amryw o ymgyrchoedd economaidd a chymdeithasol a oedd yn seiliedig ar egwyddor Cymdeithasiaeth. Ym 1977 dilëwyd y grwpiau Ardaloedd Cymraeg ac Ardaloedd Diwydiannol, gan osod yn eu lle Grŵp Cynllunio Cymdeithasol-Ieithyddol, arwydd pendant iawn o aeddfedrwydd gwleidyddol y mudiad. Ar gais Senedd y Gymdeithas ym 1978 paratôdd Cynog Dafis y llyfryn *Cymdeithaseg Iaith a'r Gymraeg*, gan ddadlennu bod angen ymdrin â dirywiad y Gymraeg mewn dull cymdeithasegol-broffesiynol. Yng Nghyfarfod Cyffredinol 1978 siarsiwyd rhanbarthau'r Gymdeithas i lunio siarterau iaith er mwyn cyflwyno polisïau, gofynion ac argymhellion y mudiad i'r cynghorau sir.[123] Erbyn diwedd 1979 yr oedd siarterau Gwynedd,

Dyfed, Clwyd a Gorllewin Morgannwg wedi eu cyflwyno i'r cynghorau. Ond penllanw datblygiad y Gymdeithas a'i hathroniaeth yn seiliedig ar gymdeithasau lleol oedd cynhyrchu cynlluniau ieithyddol manwl ar gyfer Dyffryn Nantlle a phlwyf Llanwenog ym 1978, ac ar gyfer ardal Y Rhyl ym 1981.[124] Teg fyddai ystyried y siarterau rhanbarthol a'r cynlluniau iaith hyn yn uchafbwynt cynnydd ac aeddfedrwydd gwleidyddol Cymdeithas yr Iaith Gymraeg yn y saithdegau, gydag egwyddor Cymdeithasiaeth yn goron arno. Yr oedd y Gymdeithas nid yn unig wedi cychwyn ar gyfnod newydd yn ei hymgyrch dros y Gymraeg, ond hefyd yn arwain y ffordd i fudiadau eraill yng Nghymru, gan gynnwys y Blaid Genedlaethol, mewn ymgyrchoedd economaidd a chymdeithasol tra blaengar a radical.

Symud i gyfeiriad y Chwith

Erbyn dechrau'r wythdegau yr oedd y mudiad cenedlaethol yng Nghymru yn wynebu cyfnod anodd iawn. Ar Ddydd Gŵyl Dewi 1979, pleidleisiodd 46.5 y cant o'r etholwyr yn gadarn yn erbyn cynlluniau'r Llywodraeth Lafur ar gyfer datganoli yng Nghymru ac 11.8 yn unig o blaid. Yn yr Etholiad Cyffredinol ym mis Mai ysgubwyd y Blaid Geidwadol i rym ledled Prydain; enillodd un sedd ar ddeg yng Nghymru a 32 y cant o'r bleidlais, gan sicrhau safle cryfach nag a fuasai ganddi oddi ar y 1870au. Tynnwyd y gwynt o hwyliau Plaid Cymru gan ergydion creulon y Refferendwm a'r Etholiad Cyffredinol. Methodd ag ennill rhagor na dwy sedd a chrebachodd ei chanran o'r bleidlais yn yr ardaloedd diwydiannol yn ddifrifol. Tybiai'r llywodraeth newydd fod cenedlaetholdeb Cymreig mwyach 'mewn parlys o ddiymadferthwch', ac, yn ôl Gwyn A. Williams, yr oedd canlyniadau'r Refferendwm ac Etholiad Cyffredinol 1979 wedi dileu arwahanrwydd gwleidyddol Cymru yn llwyr.[125]

Er na fu'r Gymdeithas yn gysylltiedig â'r ymgyrch dros ddatganoli (mewn gwirionedd, y mae'n syndod cyn lleied o drafod a fu yn ei rhengoedd ar bwnc datganoli a hunanlywodraeth), ysigwyd ysbryd a hyder y mudiad gan ganlyniad y Refferendwm. Ond yn fwy difrifol na'r canlyniad hwnnw, yn nhyb aelodau'r Gymdeithas, oedd ethol Llywodraeth Geidwadol newydd dan Margaret Thatcher. Yn sgil yr etholiad cynhaliwyd cyfarfod cyffredinol arbennig er mwyn llunio strategaeth newydd i'r Gymdeithas:

Wynebwn gyda phryder ddyfodiad y Llywodraeth newydd wedi'i ffurfio gan blaid na fu erioed wedi'i gwreiddio yn nyheadau pobl Cymru ac na chafodd . . . ond llai na thraean o bobl Cymru, a llawer o'r rhain yn bobl sy' wedi symud i'n gwlad yn ddiweddar.

Yn rhifyn mis Mehefin *Tafod y Ddraig*, rhybuddiodd y golygydd, Cen Llwyd, rhag bygythiad enbyd y Llywodraeth Dorïaidd – 'plaid wedi ei gwreiddio yn ddwfn mewn Seisnigrwydd' – i'r iaith Gymraeg.[126] Gwireddwyd rhai o'r pryderon hyn pan gyhoeddodd William Whitelaw, yr Ysgrifennydd Cartref, ym mis Medi nad oedd y llywodraeth yn bwriadu anrhydeddu ei haddewid etholiadol i sefydlu sianel deledu Gymraeg.

Yn y Cyfarfod Cyffredinol ym mis Hydref 1979 cafwyd storm o brotest yn erbyn y Llywodraeth Geidwadol. Nid eu polisi newydd ar y bedwaredd sianel yng Nghymru yn unig a enynnodd lid arweinwyr y Gymdeithas, ond y ffaith i Nicholas Edwards, Ysgrifennydd Gwladol newydd Cymru, ddatgan mai dewis personol ar ran pobl Cymru a fyddai'n sicrhau parhad yr iaith.[127] Mewn cyfres o gynigion yn enw'r Grŵp Cynllunio Cymdeithasol-Ieithyddol, ymosodwyd yn ffyrnig ar bolisïau *laissez-faire* y Ceidwadwyr mewn perthynas â diwylliant ac economi Cymru, polisïau a oedd, yn eu tyb hwy, yn gyfystyr â gweithredu'n fwriadol i ladd y Gymraeg. Galwyd am gyfres o gyfarfodydd gyda'r Ysgrifennydd Gwladol er mwyn trafod effeithiau andwyol polisi'r llywodraeth ar addysg a datblygu economaidd a diwydiannol 'rhanbarthol'. Galwyd yn ogystal ar awdurdodau lleol Cymru i wrthod gweinyddu'r cwtogi ariannol ac i anwybyddu cyfarwyddiadau llywodraeth ganolog wrth weithredu polisïau addysg, tai a chynllunio er mwyn 'amddiffyn gwareiddiad y gymdeithas leol ar adeg argyfwng enbyd'. Prin ddeunaw mis ar ôl i'r llywodraeth ddod i rym, cyhoeddodd y Gymdeithas 'nad oes gan y Llywodraeth hon unrhyw amgyffred o anghenion Cymru a'r Gymraeg, a bod seiliau diwylliannol y wlad yn cael eu dinistrio er mwyn hybu dogma wleidyddol eithafol'.[128]

Fodd bynnag, nid arweiniodd adwaith ffyrnig y Gymdeithas yn erbyn ethol Llywodraeth Geidwadol at gyfnod newydd o weithredu eofn a chwyldroadol. Yn sgil y Refferendwm a'r Etholiad Cyffredinol disgynnodd y mudiad cenedlaethol i bwll o anobaith llwyr.[129] Chwalwyd y consensws barn o blaid y sianel Gymraeg, a bu'n rhaid i'r Gymdeithas ganolbwyntio ei holl adnoddau – yn egni, arian, a gweithgarwch – ar yr ymgyrch ddarlledu nes yr oedd pawb wedi llwyr ymlâdd erbyn i'r frwydr gael ei hennill ym mis Medi 1980.[130] O ganlyniad i'r pwyslais anferthol a roes y Gymdeithas ar yr ymgyrch honno yn ystod y saithdegau, esgeuluswyd nifer o ymgyrchoedd eraill, megis tai, addysg, statws a chynllunio. Fel y nododd Wayne Williams, y cadeirydd ym 1981, nid oedd yr un ymgyrch na maes arall a oedd 'yn ddigon datblygedig eto i gynnig cyfeiriad newydd i'n gweithgarwch'.[131]

Awgrymwyd gan rai sylwebyddion fod y Gymdeithas, yn sgil yr ymgyrch ddarlledu, wedi colli cyfeiriad ac yn ymbalfalu am arweiniad newydd. Nodwyd yn *Y Cymro* ar ôl Cyfarfod Cyffredinol 'di-stŵr' 1981 'fod llai o dân a chyfeiriad ynddi nag a fu, a bod nifer yr ieuenctid sy'n cael eu denu i'w rhengoedd yn prinhau'. Ym mis Rhagfyr 1981 nododd Aled Eirug, cadeirydd cysgodol y Gymdeithas ym 1979, fod llawer o genedlaetholwyr a myfyrwyr a fyddai ychydig flynyddoedd yn ôl wedi mynd i'r carchar dros achos y mudiad iaith bellach yn teimlo bod Cymdeithas yr Iaith wedi 'chwythu'i phlwc'. Yr oedd y Gymdeithas ei hun yn ymwybodol iawn o'r llesgedd hwn, a nodwyd yng ngholofn olygyddol *Tafod y Ddraig* ym mis Ionawr 1981 fod angen 'ailadeiladu'r mudiad, ennyn diddordeb a chwilfrydedd eto fel bod gan y Cymry fudiad cenedlaethol i droi ato mewn cyfyngder'.[132] Yr oedd y diffyg cyfeiriad yn boenus o amlwg, fel y dengys y brotest fawr ym 1981 yn erbyn penderfyniad Cyngor Sir Powys i beidio ag adnewyddu swydd Wayne Williams fel athro Cymraeg yn Ysgol Uwchradd Llanidloes. Y mae Ffred Ffransis hyd heddiw yn cyfeirio at 1981 fel 'blwyddyn Wayne'. Rhybuddiwyd arweinwyr y mudiad gan olygydd *Y Cymro* ym mis Hydref 1981 mai 'camgymeriad fyddai defnyddio'r frwydr yn erbyn cynghorwyr Powys i geisio sbarduno'r aelodau a thynnu'r Gymdeithas o'r gwagle y mae ynddo wedi llwyddiant eu hymgyrch ddarlledu'.[133]

Ym 1981 cafwyd ffrae ymhlith rhai o aelodau'r Senedd ynghylch trywydd y mudiad. Honnodd Tudur Jones, golygydd *Tafod y Ddraig*, fod ansicrwydd o fewn y Gymdeithas 'ynglŷn â pha stôl ideolegol i syrthio arni', gan awgrymu y dylai fod yn fudiad gwleidyddol yn ymgyrchu ar bob ffrynt dros y Gymraeg, yn hytrach nag yn fudiad gwasgedd ieithyddol uniongred yn unig. Wrth amddiffyn ei sylwadau rhag ymosodiad Angharad Tomos yn y rhifyn canlynol, dywedodd 'mai cwbl ddamweiniol' oedd bodolaeth a statws polisïau cymdeithasol ac economaidd y Gymdeithas, 'am eu bod yn ddibynnol am eu lle o fewn strategaeth y Gymdeithas ar eu defnyddioldeb a'u perthnasoldeb o fewn brwydr yr iaith'. Yn ei dyb ef, yr oedd yr hawl i dai a gwaith 'yr un mor bwysig os nad pwysicach na'r hawl i siarad iaith', ac, yn ei ddadrith, penderfynodd adael rhengoedd y mudiad iaith a chwilio am loches yn rhengoedd Plaid Cymru. Ymosododd Gareth Miles yntau ar ddiffyg cyfeiriad y mudiad, gan gyhoeddi'n groyw ym 1981 fod y Gymdeithas yn 'fudiad di-gyfeiriad sydd wedi hen oroesi ei ddefnyddioldeb'. Galwodd felly ar yr aelodau naill ai i adael 'tir diffaith y brotest a'r ddeiseb a'r Siarter' neu i weithio i sefydlu gweriniaeth sosialaidd yng Nghymru drwy ymuno â Mudiad Gweriniaethol Sosialaidd Cymru.[134]

Cyhoeddwyd ail faniffesto Cymdeithas yr Iaith Gymraeg ym 1982 er mwyn rhoi amgenach nod i'r mudiad. Er bod Senedd y Gymdeithas wedi cynllunio ymgyrchoedd yn ôl egwyddorion Cymdeithasiaeth er canol y saithdegau, honnai rhai sylwebyddion megis Clive Betts fod y math o Gymru a ddeisyfai Cymdeithas yr Iaith yn parhau yn amwys ar ddiwedd y degawd a'i fod yn fudiad rhy ifanc o ran datblygiad ei athroniaeth wleidyddol i wybod yn iawn beth oedd ei wir nod.[135] Oherwydd hynny, cyhoeddwyd yn rhagair *Maniffesto* 1982:

> Er hybu y broses chwyldroadol o finiogi ymwybyddiaeth penderfynwyd ysgrifennu *Maniffesto* Cymdeithas yr Iaith Gymraeg ar ei newydd wedd; pwrpas y *Maniffesto* yw gosod allan ein polisïau a'n hamcanion fel mudiad er mwyn sicrhau trafodaeth adeiladol a gweithredu pwrpasol.

Y mae'r ddogfen bolisi hon o ryw hanner can tudalen yn brawf sicr o ddatblygiad ac aeddfedu gwleidyddol Cymdeithas yr Iaith drwy gydol y saithdegau ac yn ymgais i grynhoi yr athroniaeth wleidyddol a oedd wrth wraidd holl ymgyrchoedd a pholisïau'r mudiad. Prif bwyslais *Maniffesto* 1982 oedd yr angen sylfaenol i sicrhau amodau byw i'r iaith Gymraeg yn y cymunedau. Gan 'ni fydd byw yr iaith Gymraeg ar ewyllys da a statws symbolaidd yn unig', nod y Gymdeithas, yn ôl y *Maniffesto,* oedd sicrhau bod yr iaith yn cael ei defnyddio'n drwyadl ym mhob rhan o fywyd Cymru a bod iddi sylfaen gymunedol iach. I raddau helaeth, penllanw pwyslais y Gymdeithas ar gymunedau fel y'i diffiniwyd drwy egwyddor Cymdeithasiaeth oedd athroniaeth gynhaliol *Maniffesto* 1982, ac y mae ôl meddwl a syniadau Ffred Ffransis yn amlwg iawn arni.[136]

Yn *Maniffesto* 1982 crynhowyd cyfres o bolisïau ac ymgyrchoedd yn ymwneud ag addysg, tai, cynllunio ieithyddol a chymdeithasol, twristiaeth ac economi a oedd wedi eu cynllunio yn unol ag egwyddor Cymdeithasiaeth. Gan fod 'cynnal sylfeini materol cymdeithasau lleol' yn brif nod i bolisïau tai, cynllunio ac economaidd y Gymdeithas, yr oedd yn rhaid fod gan gymdeithasau lleol 'reolaeth dros amodau eu tynged'. Pwysleisiwyd, er enghraifft, y dylid darparu addysg a fyddai'n gwasanaethu anghenion lleol a galwyd am sefydlu trefn newydd o wasanaeth radio lleol a fyddai'n cynrychioli'r gymdeithas leol. Lluniwyd nifer o bolisïau cynllunio a datblygu yn yr adran dai er mwyn darparu cartrefi ar gyfer pobl leol a sicrhau cymunedau sefydlog a fyddai'n fodd i gryfhau Cymreictod ardal. Ac o ran polisïau economaidd, galwodd y Gymdeithas am reolaeth gymunedol dros bolisïau datblygu diwydiannol a darparu gwaith i'r bobl yn eu cymunedau.[137]

Fel y nodwyd eisoes, yr oedd egwyddor Cymdeithasiaeth wedi datblygu yn unol ag egwyddorion sosialaeth gymunedol Gymreig. Er hynny, cyndyn iawn fu arweinwyr y Gymdeithas yn y saithdegau i gofleidio athroniaeth sosialaeth *per se,* er gwaethaf galwad daer Gareth Miles yn *Cymru Rydd, Cymru Gymraeg, Cymru Sosialaidd.* Mynegodd Dafydd Iwan ei amheuon ynghylch mabwysiadu sosialaeth seneddol drwy ychwanegu at alwad Gareth Miles am 'Gymru Rydd, Cymru Gymraeg, a Chymru Sosialaidd' y geiriau 'yn niffyg gair gwell'.[138] Y mae hyd yn oed y teitl a roddwyd i fersiwn y Gymdeithas o'r athroniaeth adain chwith yn awgrymu ymdrech fwriadol i beidio â chysylltu athroniaeth y mudiad yn rhy agos â sosialaeth seneddol. Fodd bynnag, daeth yr agwedd wyliadwrus hon i ben pan gyhoeddwyd *Maniffesto* 1982:

> Daethom i'r casgliad fod angen cymdeithasoli ym mhob maes y buom yn ei astudio yn y *Maniffesto* – y farchnad dai, cynllunio, twristiaeth, yr economi, addysg, etc. Daeth y patrwm gwleidyddol ar gyfer parhad yr iaith a chymdeithasau lleol yn amlwg. Sylweddolwyd nad oes modd i'r Gymraeg barhau oni sefydlir yng Nghymru drefn economaidd a gwleidyddol a weinyddir o'i bôn i'w brig yn ôl egwyddorion sosialaeth Gymreig.[139]

Canmolwyd y safiad adain chwith diamheuol hwn gan yr Athro Gwyn A. Williams yng Nghyfarfod Cyffredinol 1984, lle y disgrifiodd *Maniffesto* 1982 fel y 'cyhoeddiad pwysicaf yng Nghymru ers *The Miner's Next Step* ym 1912'.[140]

Nid oedd y symudiad hwn tua'r chwith yn unigryw i Gymdeithas yr Iaith, fodd bynnag. Wedi colli'r etholiad ym 1979 bu galw mawr o du'r adain chwith yn y Blaid Lafur, dan arweiniad Tony Benn, am i'w plaid ddychwelyd at ei gwreiddiau sosialaidd am ysbrydoliaeth. Cafwyd symud gofalus i'r cyfeiriad hwnnw pan etholwyd Michael Foot gan yr adain chwith i fod yn arweinydd y blaid. Ond nid oedd pawb yn fodlon â'r cyfeiriad newydd ac o ganlyniad ffurfiwyd y Social Democratic Party ym 1981 gan aelodau adain dde anfoddog o'r Blaid Lafur. Oddi ar hynny, symud fwyfwy tua'r canol a wnaeth Llafur, yn enwedig dan arweiniad Neil Kinnock, a etholwyd i'r arweinyddiaeth ym 1983 er mwyn uno ac atgyfodi'r blaid wedi chwalfa etholiad cyffredinol y flwyddyn honno. Cofleidiwyd sosialaeth hefyd gan Blaid Cymru wrth iddi ymbalfalu am gyfeiriad newydd yn sgil ergydion dolurus y Refferendwm ac etholiad 1979. Ar ôl pwyso a mesur y methiant etholiadol, honnodd Comisiwn Ymchwiliad Plaid Cymru fod yn rhaid iddi arddel ideoleg fwy penodol, ac aethpwyd ati yn y man i gyfuno cenedlaetholdeb, radicaliaeth a sosialaeth drwy fath o sosialaeth ddatganoledig yn seiliedig ar y gymuned. Ym 1981 cyhoeddodd Plaid Cymru ei hawydd i sicrhau 'gwladwriaeth sosialaidd ddatganoledig' i Gymru, trywydd a hybwyd gan Dafydd Elis Thomas, sosialydd rhyngwladol tra nodedig y pryd hwnnw.[141]

Bellach derbynnid sosialaeth yn elfen gwbl naturiol o athroniaeth gynhaliol Cymdeithas yr Iaith, ac ni phetrusodd awduron y *Maniffesto* i gyhoeddi eu bod yn ddiogel ar y chwith o ran syniadaeth wleidyddol. Gan fod 'trefn economaidd a chymdeithasol cyfalafiaeth y Gorllewin yn yr ugeinfed ganrif yn milwrio yn erbyn parhad yr iaith', dilynodd *Maniffesto* 1982 yr un trywydd gwrth-gyfalafol a gwrth-imperialaidd ag a gafwyd yn hanes y Gymdeithas er dechrau'r saithdegau. Gan fod y Gymraeg yn dal i wynebu problemau economaidd a chymdeithasol yn sgil tai haf, cau ysgolion, sgil-effeithiau twristiaeth, a'r angen am gynllunio ieithyddol, rhaid oedd datblygu polisïau sosialaidd 'gan mai ynddynt hwy yn unig y gwelai y Gymdeithas amodau byw i'r iaith Gymraeg'. Yn ôl y *Maniffesto*:

Brwydr i ryddhau pobloedd oddi wrth y camddefnydd a wneir o gyfalaf preifat, a gwladwriaethau canoledig yw ein brwydr ni, sy'n ymgiprys i roi i gymunedau lleol y rheolaeth lwyraf dros yr economi, tai, addysg, yr heddlu a grym llywodraeth. Am inni fabwysiadu set o bolisïau o'r fath gyda budd y gymuned yn llinyn mesur, yr ydym wedi ein rhestru yn y sbectrwm gwleidyddol gyda'r mudiadau Sosialaidd.[142]

Gellir canfod ymrwymiad y Gymdeithas i egwyddor sosialaeth yn amlwg yn ei pholisïau economaidd a chymdeithasol. O ran tai, cyhoeddwyd y byddai'r mudiad yn ymgyrchu dros drefn newydd o gydraddoldeb cymdeithasol yn nosbarthiad tai annedd i drigolion a oedd yn byw yn yr ardaloedd Cymraeg. Rhan bwysig o bolisi economaidd y Gymdeithas oedd 'sicrhau perchnogaeth gyhoeddus ar gynllunio datblygiadau ac ar yr holl foddion cynhyrchu a dosbarthu'. Anogwyd datblygu mentrau cymunedol, megis mentrau preifat lle y rhennid y berchenogaeth a'r rheolaeth rhwng y gweithwyr, neu fentrau cydweithredol wedi eu gwreiddio mewn pentrefi lle y ceid partneriaeth rhwng y gymuned a'r gweithwyr. Galwyd hefyd am ddarparu unedau o ffermydd wedi eu rheoli gan y gymuned leol er mwyn ateb problem diweithdra ymhlith ffermwyr ifainc Cymru, a galwyd hefyd am wladoli adnoddau twristiaeth yn ddi-oed.[143]

Er nad gwaith un person oedd *Maniffesto* 1982 (yn wahanol i fersiwn 1972) a'i fod oherwydd hynny yn adlewyrchu daliadau personol nifer o awduron gwahanol, yr oedd y Gymdeithas yn ffyddiog 'fod athroniaeth unol yn rhedeg trwy'r holl feysydd yr ydym wedi ymwneud â nhw yn y *Maniffesto* hwn'. Ei nod oedd sicrhau mwy o rym gwleidyddol i'r cymunedau lleol a pheirianwaith llywodraethol a fyddai'n galluogi pobl Cymru i gyfrannu'n uniongyrchol ac yn ddemocrataidd iddo. Galwyd am drafodaeth eang a manwl ar holl hanfod a swyddogaeth llywodraeth yng Nghymru, gan ddatgan y dylid seilio unrhyw drefn newydd o lywodraeth ar gymunedau lleol ac y dylai unrhyw lywodraeth genedlaethol fod yn atebol i awdurdodau cymunedol yn hytrach na bod yn feistr arnynt.[144]

Cafwyd cyfnod tawel iawn o safbwynt ymgyrchu yn sgil sicrhau sianel deledu Gymraeg ym 1982. Y brotest yn erbyn diswyddo Wayne Williams a hawliodd sylw'r cyfryngau torfol ym 1981–2, ac er ceisio troi ei olygon tuag at ymgyrchoedd eraill, digon diymadferth fu'r mudiad mewn gwirionedd. Rhygnodd yr ymgyrch ddarlledu yn ei blaen wrth i'r Gymdeithas bwyso ar yr awdurdodau i brysuro â'u paratoadau ar gyfer lansio'r sianel newydd. Ceisiwyd atgyfodi'r ymgyrch addysg ond fe'i herwgipiwyd i raddau helaeth gan fyfyrwyr Coleg Prifysgol Cymru, Aberystwyth, a oedd yn awyddus i Gymreigio'r coleg. Uchafbwynt yr ymgyrch honno oedd pan achosodd tri myfyriwr werth dros £6,000 o ddifrod i eiddo'r coleg ym mis Ionawr 1981. Yr unig ymgyrch a lwyddodd i gyffroi rhywfaint ar y mudiad oedd yr ymgyrch dai. Cyhoeddwyd y ddogfen bolisi *Tai yn yr Ardaloedd Gwledig – Cyfrifoldebau Cyngor Dosbarth* mewn cynhadledd i'r wasg yn Nolgellau ym mis Mai 1981, a chafwyd protestiadau llwyddiannus yn erbyn datblygu ystadau o dai 'diangen' yn Y Gaerwen a Thalwrn ym Môn, Rhiwlas, ger Bangor, Dolgellau a Harlech. Dechreuwyd ymgyrch dra ffrwythlon hefyd yn erbyn y cynlluniau i adeiladu marina ym Mhwllheli.[145] Ond, ac eithrio'r cyffro yng Ngwynedd, nid oedd yr un ymgyrch ganolog a chenedlaethol i fynd â bryd y Gymdeithas, ac o'r herwydd ymddangosai'n llesg a diymadferth.

Gan sylweddoli'r angen am gyfeiriad pendant i'r ymgyrchu, aethpwyd ati yn sgil cyhoeddi *Maniffesto* 1982 i lunio rhaglen waith hirdymor, gan osod cyfres o dargedau i'w cyrraedd erbyn diwedd y degawd. Ymhlith y rheini yr oedd galwadau am Ddeddf Iaith ddiwygiedig yn argymell gwneud defnydd llawn o'r Gymraeg yn orfodol ym mhob maes o weinyddiaeth gyhoeddus; sefydlu corff newydd dan reolaeth Cyd-bwyllgor Addysg Cymru i ddatblygu addysg Gymraeg ym mhob rhan o'r wlad; seilio polisïau tai awdurdodau lleol ar anghenion y gymuned leol ac ar y stoc dai bresennol, a bod y Gymraeg yn cael ei diogelu fel ffactor cynllunio.[146] Ar sail y rhaglen waith hon, a seiliwyd ar egwyddorion sosialaeth a Chymdeithasiaeth fel y'u crynhowyd yn *Maniffesto* 1982, bwriodd y Gymdeithas ati i ymgyrchu dros statws ieithyddol mewn ystod eang o feysydd addysgol, cymdeithasol, economaidd, a gwleidyddol er mwyn sicrhau amodau angenrheidiol i ffyniant y Gymraeg.

Yn yr ymgyrch statws parhawyd â'r gwaith o bwyso ar fanciau, cymdeithasau adeiladu, siopau cadwyn, awdurdodau cyhoeddus, gwasanaethau cymdeithasol, yr heddlu, Swyddfa'r Post, ac amryw byd o gyrff eraill am ddwyieithrwydd llwyr yn eu gweinyddiaeth a'u llenyddiaeth – gwaith y cychwynnwyd arno yn y saithdegau – ac ailgychwynnwyd ar yr ymgyrch arwyddion ffyrdd hyd yn oed. Yn ystod modurgad a gynhaliwyd yng Nghaernarfon ym mis Ionawr

1983, cychwynnwyd ymgyrch platiau 'D' ar gyfer y rhai a oedd yn dysgu gyrru, a chafwyd ymgyrchu dygn yn erbyn diffyg statws y Gymraeg yng ngweinyddiaeth Awdurdodau Iechyd yng Nghymru, yn enwedig yng Ngwynedd lle y cyhoeddwyd y ddogfen *Awdurdod Afiach Gwynedd* ym mis Hydref 1983. Bu cell Caerdydd yn arloesi gyda'i hymgyrch o blaid cownteri Cymraeg yn Swyddfa'r Post ym 1985 a'r 'fasged siopa Gymraeg' ym 1989.[147] Ond datblygiad pwysicaf yr ymgyrch statws oedd yr alwad am Ddeddf Iaith Newydd. Nodwyd mor gynnar â mis Ebrill 1975 fod angen pwyso am Ddeddf Iaith ddiwygiedig i ddisodli Deddf Iaith annigonol 1967, ond ni ddechreuwyd trefnu ymgyrch tan ar ôl cyhoeddi *Maniffesto* 1982. Ym mis Tachwedd penodwyd cyfreithiwr i gychwyn ar y gwaith o lunio mesur iaith newydd ar ran y Gymdeithas, ac yng Nghyfarfod Cyffredinol 1986 cyhoeddwyd y drafft cyntaf o Ddeddf Iaith Newydd i'r Gymraeg. Tynnwyd sylw at ddiffygion ac annigonolrwydd Deddf Iaith 1967 ac israddoldeb parhaol y Gymraeg yn y llyfryn *Llyfr Du ar Statws* a gyhoeddwyd ym 1983, a thrwy gydol yr wythdegau cynhaliwyd ymgyrchoedd niferus yn dangos yr angen am ddiwygio'r Ddeddf Iaith.[148]

Cafwyd ymgyrchu brwd a beiddgar hefyd ym maes addysg drwy gydol yr wythdegau. Prif ymgyrch addysg y Gymdeithas er 1982 oedd honno dros Gorff Datblygu Addysg Gymraeg. Yn y *Llyfr Du ar Addysg Gymraeg*, a gyhoeddwyd ym 1983, aseswyd sefyllfa addysg Gymraeg yng Nghymru ac yn y ddogfen *Rhaglen Waith i Gorff Datblygu Addysg Gymraeg,* a gyhoeddwyd yr un flwyddyn, esboniwyd yn fanwl yr hyn y gallai Corff Datblygu cenedlaethol ei gyflawni. Pwyswyd hefyd ar golegau technegol, colegau addysg bellach a cholegau amaethyddol Cymru i sefydlu rhagor o gyrsiau drwy gyfrwng y Gymraeg. Cefnogwyd ymgyrchoedd rhieni ym Morgannwg am ragor o addysg Gymraeg. Yn sgil cynhadledd yn Aberystwyth ym mis Mai 1986 a chyhoeddi'r ddogfen *Cau Ysgol – Lladd Cymuned,* ymgyrchwyd yn ddygn yn erbyn cau ysgolion gwledig yng Ngwynedd, Clwyd, Powys a Dyfed. Ceisiwyd mynd i'r afael â'r problemau dybryd a wynebai'r system addysg yng Nghymru o ganlyniad i'r mewnlifiad. Datblygiad diddorol yn ymgyrch addysg y Gymdeithas oedd yr ymgyrch dros 'Addysg Berthnasol i Gymru' a'i galwad ar Gyngor Cwricwlwm Cymru i gynnwys 'Astudiaethau Cymunedol' fel thema draws-gwricwlaidd yn addysg Cymru.[149] Yr oedd y cam hwn, a oedd yn estyniad naturiol ar egwyddor Cymdeithasiaeth ym maes addysg, yn brawf sicr o aeddfedrwydd gwleidyddol y mudiad.

Datblygwyd hefyd, yn ystod yr wythdegau, ymgyrchoedd tai a statws cynllunio. Ymgyrchwyd yn ddiflino yn erbyn 'hapfasnachiaeth', sef cynlluniau i adeiladu marinas ledled y wlad (megis ym Mhwllheli, Aberystwyth, Bangor a'r Felinheli), ac yn erbyn datblygiadau ymwelwyr a oedd yn anghydnaws â'r gymdeithas leol (megis yn Llyn Padarn a Glyn Rhonwy, Llanberis). Parhawyd hefyd i wrthwynebu datblygiadau tai 'diangen', megis yn Y Gaerwen a Llanfair Pwllgwyngyll, ac yn Ninbych, Harlech, a Morfa Bychan.[150] Pwyswyd ar gynghorau dosbarth Cymru i ddrafftio Cynllun Iaith manwl neu gyhoeddi 'adroddiad pwnc' ar y Gymraeg yn eu hardaloedd. Yn sgil Cynadleddau Cynllunio yng Nghaerfyrddin, Preselau a Cheredigion yn ystod 1985, cyhoeddwyd dogfennau manwl a chynhwysfawr dan y teitl *Cynllunio Dyfodol i'r Iaith* ym mhob un o'r ardaloedd hynny.[151] Bu'r Grŵp Tai yn ymgyrchu i sicrhau'r grym a'r cyllid angenrheidiol i alluogi'r awdurdodau lleol i reoli'r stoc dai yng Nghymru, a galwyd ar y Swyddfa Gymreig i gyhoeddi canllawiau yn cynghori'r awdurdodau lleol i wrthod ceisiadau cynllunio a ystyrid yn niweidiol i'r iaith. Yn Eisteddfod Genedlaethol Bro Madog ym 1987 sefydlwyd y gweithgor 'Nid yw Cymru ar Werth' er mwyn ailgychwyn yr ymgyrch dai, gan ganolbwyntio ar achosion lle'r oedd tai, busnesau, gwasanaethau, a thir Cymru yn cael eu prynu gan gwmnïau o'r tu allan. Ac ym 1989 cyhoeddwyd y ddogfen *Rheolaeth Gymunedol ar y Farchnad Eiddo*.[152]

Parhaodd gwaith y grwpiau eraill hefyd, ac ymgyrchodd y Grŵp Twristiaeth yn erbyn 'Gŵyl Cestyll' Bwrdd Croeso Cymru trwy gydol 1983. Trefnodd y Grŵp Dysgwyr gyrsiau a chyhoeddi deunydd darllen ar gyfer y rhai a oedd yn awyddus i ddysgu Cymraeg. Pwyswyd hefyd ar S4C i ddarparu rhaglenni addas i ddysgwyr. Ymgyrchodd y Grŵp Cyfryngau Torfol dros sefydlu paneli rhanbarthol o wylwyr er mwyn arolygu rhaglenni S4C, a cheisiwyd dwyn perswâd ar Radio Cymru i ddarparu ar gyfer pobl ifainc drwy sefydlu Adran Rhaglenni Ieuenctid. Ym 1988 sefydlwyd gweithgor 'Rhyddid i'r Ifanc' er mwyn codi ymwybyddiaeth pobl ifainc ynglŷn â dyfodol yr iaith.[153] Er mwyn meithrin gwell dealltwriaeth ymhlith yr aelodau o'r prosesau economaidd a chymdeithasol a oedd yn bygwth dyfodol yr iaith Gymraeg, penderfynwyd yng Nghyfarfod Cyffredinol 1984 benodi swyddog i fod yn gyfrifol am 'hybu addysg wleidyddol' ymhlith yr aelodau. Etholwyd Angharad Tomos i'r swydd, a chychwynnodd ar ei gwaith trwy drefnu penwythnos Addysg Wleidyddol yn Nant Gwrtheyrn ym mis Ionawr 1985, pryd y trafodwyd 'Sosialaeth a'r Iaith Gymraeg'.[154] Cafwyd deg swyddog addysg wleidyddol mewn cyfnod o wyth mlynedd, a threfnwyd cyfres o gyrsiau ac ysgolion undydd yn trafod ystod eang o bynciau, megis hawliau cyfreithiol, cynllunio, cyrff enwebedig, preifateiddio, dyletswyddau awdurdodau lleol, a'r angen am faniffesto newydd. Ond diau mai ym mholisïau ac ymgyrchoedd economaidd a chymdeithasol y Gymdeithas y profwyd y datblygiad gwleidyddol pennaf.

Er mor ddatblygedig oedd athroniaeth wleidyddol Cymdeithas yr Iaith yn *Maniffesto* 1982, ni ddarbwyllwyd pawb ganddi. Mewn adolygiad o'r *Maniffesto,* lleisiodd *Y Faner Goch* ei hamheuon ynglŷn â diffuantrwydd sosialaeth y Gymdeithas: 'nid yw crybwyll y gair "sosialaeth" ychydig weithiau . . . ac enwi Lenin yn "ddadansoddiad sosialaidd" ynddo'i hun . . . Sosialaeth gosmetig y chwith Genedlaethol yw eiddo Cymdeithas yr Iaith, yn ôl yr hyn a welir yn y *Maniffesto*', meddai, gan awgrymu mai rheitiach fyddai i aelodau'r Gymdeithas ddarllen y Maniffesto Comiwnyddol ac erthyglau Lenin. Ffurfiwyd Mudiad Gweriniaethol Sosialaidd Cymru yn nechrau'r wythdegau er mwyn canolbwyntio, i raddau helaeth, ar yr ymgyrchoedd economaidd a chymdeithasol a esgeuluswyd gan y Gymdeithas a'i diffyg ymrwymiad i'r egwyddor sosialaidd.[155]

Ni roddwyd unrhyw brawf ar ymrwymiad y Gymdeithas i'r egwyddor sosialaidd nes iddi ddod wyneb yn wyneb â holl effeithiau Thatcheriaeth yng Nghymru. O ganlyniad i ddealltwriaeth newydd llawer o aelodau'r Gymdeithas o'r pwysau economaidd a chymdeithasol a oedd yn effeithio ar yr iaith Gymraeg yn sgil polisïau'r Llywodraeth Geidwadol, esgorwyd ar nifer o ymgyrchoedd a pholisïau aeddfed a soffistigedig. Datblygodd Grŵp Materion Economaidd y Gymdeithas yn rym gwleidyddol pwysig iawn yn ystod yr wythdegau, gan hybu polisïau economaidd sosialaidd er mwyn creu sylfaen gymdeithasol ac economaidd a fyddai'n fodd i ddiogelu ac adfer yr iaith. Grŵp arall a ddatblygodd yn aruthrol yn yr wythdegau oedd y Grŵp Undebau Llafur – grŵp a ffurfiwyd yn gynnar yn y saithdegau – a hynny gan iddo ganolbwyntio fwyfwy ar y gwaith pwysig o 'feithrin dealltwriaeth o broblemau'r iaith Gymraeg ymysg undebwyr', 'a rhoi cymorth ymarferol . . . i weithwyr sydd dan fygythiad yn ein cymunedau'.[156]

Ailafaelwyd yn yr ymgyrch yn erbyn effeithiau cyfalafiaeth y drefn Brydeinig, a oedd mor boenus o amlwg ym mholisïau marchnad rydd y Llywodraeth Geidwadol. Rhoddwyd pwyslais newydd ar ddatblygu polisïau economaidd a chymdeithasol sosialaidd dan ddylanwad to newydd o arweinwyr megis Toni Schiavone, Steve Eaves, Angharad Tomos, Gwyn Edwards, Ifor Glyn, Richard Wyn Jones a Robyn Parri, a oedd yn gogwyddo'n gryf iawn at wleidyddiaeth yr adain chwith, a rhai yn amlwg yn coleddu syniadau Marcsaidd. Amlygwyd y tueddiad hwn yn natganiad y Grŵp Materion Economaidd y byddai'n cyhoeddi llyfryn ar economi Cymru wedi ei seilio ar y llyfr *The Irish Industrial Revolution* a gyhoeddwyd gan y 'Workers' Party' yn Nulyn. Ym 1984 cyhoeddwyd y ddogfen *Cymru 2000*, dogfen sy'n brawf o ddatblygiad y Gymdeithas fel mudiad sosialaidd. Wrth gymharu'r ddogfen hon â phamffled Phil Cooke, *Datganoli, Sosialaeth a Democratiaeth*, honnai Toni Schiavone fod brwydr y Gymdeithas nid yn unig yn erbyn y drefn ganoledig Brydeinig gyfalafol, ond hefyd yn erbyn y dosbarth llywodraethol yng Nghymru a oedd yn prysur aberthu eu cymunedau ar allor cyfalafiaeth. Yn sicr, meddai, 'ni welir yr iaith Gymraeg yn fyw ac yn iach tu allan i "sefydliadau" megis y Steddfod, oni cheir Cymru Rydd a Chymru Sosialaidd'.[157]

Trwy gyfuno egwyddor Cymdeithasiaeth â sosialaeth, datblygwyd amryw o ymgyrchoedd 'bara a chaws' i ddiogelu seiliau economaidd cadarn cymunedau Cymru.[158] Ymgyrchodd Grŵp Materion Economaidd y Gymdeithas yn erbyn cau Hufenfa Castellnewydd Emlyn ym 1983 a Hufenfa Tre Ioan, Caerfyrddin ym 1986, a chefnogwyd yr ymdrech i ddiogelu buddiannau ffermwyr Cymru yn sgil cyflwyno cwotâu llaeth. Picedwyd ffatri Le Fray yn Abertyleri ym mis Rhagfyr 1983 mewn protest yn erbyn diswyddo gweithwyr, ac ym 1985 addawyd rhoi pob cymorth posibl i chwarelwyr Blaenau Ffestiniog yn ystod eu streic.[159] Ond diau mai ymgyrch bwysicaf y Gymdeithas yn y cyswllt hwn drwy gydol yr wythdegau oedd ei chefnogaeth i Streic y Glowyr ym 1984–5. Casglwyd bwyd ac arian i'r glowyr a'u teuluoedd, a chynigiwyd gwyliau i'w plant; cynhaliwyd cyfarfodydd cyhoeddus ledled Cymru, gan esbonio'r angen i ddiogelu'r diwydiant glo er mwyn cynnal yr iaith; a gwelwyd aelodau'r Gymdeithas yn sefyll gyda phicedwyr y tu allan i byllau Aber-nant, y Parlwr Du a Chynheidre. Yn ôl un sylwebydd, Cymdeithas yr Iaith oedd un o'r carfanau mwyaf cefnogol y tu allan i'r gymdeithas lofaol ei hun, a chymaint oedd gwerthfawrogiad y glowyr fel y'i gwahoddwyd i anfon cynrychiolwyr i Gyngres Glowyr Cymru.[160]

Cafwyd prawf pellach o safiad y Gymdeithas yn erbyn Thatcheriaeth mewn amryw feysydd eraill. Gwrthwynebwyd cynlluniau'r llywodraeth i werthu tai cyngor a'u hymdrechion i breifateiddio'r Gwasanaeth Iechyd Gwladol. Cyfarfu aelodau'r Grŵp Undebau Llafur â chynrychiolwyr o undeb NUPE er mwyn trafod sut y gallai'r Gymdeithas fod o gymorth yn yr ymgyrch yn erbyn preifateiddio. Condemniwyd y toriadau mewn nawdd cymdeithasol a'r newidiadau a wnaed i Ddeddf Tai (Pobl Ddigartref) 1977 a oedd yn diddymu'r orfodaeth ar awdurdodau lleol i ddarparu lletty ar gyfer pobl ddigartref. Galwodd y Gymdeithas am sefydlu clymblaid o fudiadau neu 'ffrynt radicalaidd' yng Nghymru i wrthwynebu effeithiau polisïau dinistriol y Llywodraeth Geidwadol, ac er mwyn ceisio gwireddu hynny cysylltwyd â mudiadau fel y 'Wales Campaign Against Social Security Cuts', 'Shelter' Cymru a Chymorth Tai Cymru. Cymaint oedd gwrthwynebiad y Gymdeithas i'r cynlluniau i breifateiddio Telecom Prydain fel y teimlwyd rheidrwydd i gondemnio ymgyrch mudiad iaith Cefn i geisio Cymreigio Telecom Prydain drwy brynu cyfranddaliadau yn y cwmni. Gwrthwynebwyd hefyd ymdrechion y llywodraeth i gymell ysgolion yng Nghymru i eithrio rhag gofal yr awdurdodau addysg lleol, ac ymunwyd â'r ymgyrch yn erbyn Treth y Pen. Ymddangosodd nifer o swyddogion ac aelodau'r Gymdeithas gerbron llysoedd barn am wrthod talu'r dreth.[161]

Gwleidyddiaeth 'Y Gymuned Rydd'

Ond nid tuedd nodweddiadol y dosbarth canol i ymgyrchu yn erbyn anghyfiawnderau cymdeithasol yn unig a oedd wrth wraidd llawer o ymgyrchoedd y Gymdeithas yn yr wythdegau. Yr oedd cefnogaeth y mudiad mewn egwyddor, a chefnogaeth weithredol ei haelodau i achosion mor amrywiol â streic y glowyr, protest Comin Greenham, gwrthwynebu treth y pen, cefnogi'r mudiad gwrth-apartheid, a hawliau hoywon a lesbiaid, yn rhan o'r meddylfryd rhyngwladol eangfrydig a berthynai i'r mudiad cenedlaethol yn gyffredinol yng Nghymru yn y cyfnod hwnnw. Er gwaethaf y beirniadu hallt a fu ar y Gymdeithas ar adegau am fod yn rhy barod i ymgymryd â phob math o brotestiadau gwleidyddol, ni chollwyd golwg ar y nod pennaf. Yr oedd holl athroniaeth Thatcheriaeth fel y'i mynegwyd ym mhob agwedd o wleidyddiaeth Prydain trwy gydol 'blynyddoedd y pla', chwedl Gwyn A. Williams, yn milwrio yn erbyn popeth a oedd yn agos at galon caredigion y Gymdeithas. Yr oedd ergydio yn erbyn Thatcheriaeth, felly, yn ergydio o blaid Cymru a'r iaith Gymraeg.

Y farn gyffredinol yn rhengoedd y Gymdeithas oedd na allai'r iaith Gymraeg ffynnu dan drefn gyfalafol y farchnad rydd. Tra safai'r Gymdeithas dros fuddiannau'r gymuned, safai Margaret Thatcher dros fuddiannau'r unigolyn. Tra safai'r Gymdeithas dros economi gymunedol a chydweithredol, safai Margaret Thatcher dros economi breifat a chystadleuaeth. Tra safai'r Gymdeithas dros ddemocratiaeth lawn a grym y gymuned leol, yr oedd y Llywodraeth Geidwadol yn prysur ganoli grym y wladwriaeth Brydeinig ac yn araf erydu democratiaeth yng Nghymru drwy leihau grym awdurdodau lleol.[162] Er mai'r Llywodraeth Lafur a gychwynnodd y proses, gosododd y Llywodraeth Geidwadol dan Margaret Thatcher fwyfwy o rym a chyfrifoldeb yn nwylo cyrff annemocrataidd a enwebwyd gan Ysgrifennydd Gwladol Cymru – sef y cwangos.[163] Mor gynnar â 1984 galwodd y Gymdeithas am ymgyrch i ddemocrateiddio'r cwangos hyn ac am sefydlu cyrff democrataidd, etholedig yn eu lle. Wedi hynny bu gwrthdaro cynyddol ag amryw o gyrff enwebedig, megis Bwrdd Datblygu Cymru Wledig, Bwrdd Croeso Cymru, Awdurdod Tir Cymru, Tai Cymru, Cyngor Cwricwlwm Cymru, a Bwrdd yr Iaith Gymraeg. Wedi trafodaeth ar 'Ddemocratiaeth' yng Nghyfarfod Cyffredinol 1992, cyhoeddwyd:

> Ni all y QUANGOS hyn fyth gynrychioli dyheadau pobl Cymru i weld yr iaith a'r cymunedau'n fyw . . . Cyhoeddwn fod y QUANGOS yn gyfryngau Torïaidd i reoli Cymru yn ôl buddiannau'r Llywodraeth a'r Farchnad, a'u bod yn dargedi dilys i ymgyrchoedd Cymdeithas yr Iaith yn y nawdegau.[164]

Mabwysiadwyd yng Nghyfarfod Cyffredinol 1985:

> gynllun o lywodraeth yn seiliedig ar y gymuned leol h.y. bod cynulliad cenedlaethol i'w ffurfio o ddirprwyon o gynghorau lleol a chymunedol. Credwn mai trefn fel hon yn unig a all fod yn abl i amddiffyn bywyd cymunedol yng Nghymru – o ran ei seiliau materol a'i gwareiddiad.

I'r diben hwnnw, siarsiwyd y Grŵp Materion Economaidd i gynllunio cyfres o bolisïau er mwyn ateb anghenion cymdeithasol ac economaidd cymunedau lleol Cymru, a galwyd ar gynrychiolwyr y cynghorau sir a dosbarth, undebau llafur a sefydliadau cenedlaethol Cymru i ymffurfio'n gynulliad.[165]

Datblygwyd yn ogystal gyfres soffistigedig o bolisïau ar addysg, statws, tai, a rhyddid i'r ifainc – y cyfan yn seiliedig ar y 'Gymuned Rydd', ac yn herio'r pwyslais Thatcheraidd ar y 'Farchnad Rydd'. Yn y ddogfen *Rhyddhau'r Gymraeg* (1990), a oedd yn dadlau'r achos o blaid Deddf Iaith newydd a chynhwysfawr, rhoddwyd pwyslais ar 'ddwyieithrwydd naturiol cymunedol', gan ymwrthod â phwyslais Bwrdd yr Iaith Gymraeg ar 'ddilysrwydd cyfartal'. Nod dwyieithrwydd naturiol cymunedol oedd 'cyfreithloni sefyllfa lle bydd pob gwybodaeth a anelir at y gymuned yn dod yn naturiol ddwyieithog heb i neb orfod gwneud cais am y naill iaith na'r llall'. Credid y byddai hynny yn fodd i gyfoethogi bywyd y gymuned i Gymry Cymraeg a di-Gymraeg fel ei gilydd:

> Drwy gydnabod hawliau cymunedol gwrthwynebwn y syniad o hawliau unigolyddol a chydnabyddwn ein bod yn wlad o gymunedau dwyieithog lle gallai'r ddwy iaith fyw yn heddychlon ochr yn ochr a'i gilydd.[166]

Yn y ddogfen addysg *Canoli a Rheoli – Y Papur Lliwgar* (1992), gwrthwynebwyd yn chwyrn y Papur Gwyn ar addysg a gyhoeddwyd gan y llywodraeth yn ystod haf 1992, sef *Choice and Diversity*. Nid y cwricwlwm cul, Seisnig, yn unig a oedd yn wrthun gan Gymdeithas yr Iaith; beirniadwyd holl bwyslais y Papur Gwyn ar gystadleuaeth, ynghyd â'i gynlluniau ar gyfer trefn o asesu cyrhaeddiad disgyblion a chyhoeddi canlyniadau graddau pob ysgol. Estyniad o ddogma *laissez-faire* y Llywodraeth Geidwadol oedd y pwysau a roddid ar ysgolion i eithrio o ofal yr awdurdodau addysg lleol, a'r hawl a roddid i rieni i ddewis i ba ysgol i anfon eu plant. Yr hyn a oedd wrth wraidd polisi'r Gymdeithas oedd sicrhau addysg 'gymunedol' Gymraeg a Chymreig a fyddai'n galluogi plant i gyfrannu'n llawn i ddyfodol eu cymunedau:

> Mae Cymdeithas yr Iaith yn credu y dylid edrych ar blant fel rhan hanfodol o'r gymuned sy'n mynd i gael eu dysgu gyda'i gilydd i gymryd eu lle fel dinasyddion yn y gymuned honno.[167]

Condemniwyd y polisi o annog ysgolion i eithrio, a galwyd am 'reolaeth gymunedol' dros addysg a threfn addysg annibynnol i Gymru.

Erbyn Cyfarfod Cyffredinol 1989 yr oedd y Grŵp Cynllunio Economaidd wedi datblygu ei bolisi tai hyd yr eithaf, ac yn sôn fwyfwy am bwysigrwydd Deddf Eiddo i Gymru. Datguddiwyd pwyslais y polisi hwn eto ar y 'Gymuned Rydd' yn nheitl y ddogfen, *Cartrefi, Mudo, Prisiau – Rheolaeth Gymunedol ar y Farchnad Eiddo,* a gyhoeddwyd ym 1989 fel rhagarweiniad i'r ymgyrch Deddf Eiddo. Mewn cynhadledd i'r wasg ym Mangor ym mis Ebrill 1992, cyhoeddwyd dogfen gynhwysfawr a phroffesiynol, sef *Llawlyfr Deddf Eiddo.* Seiliwyd yr argymhellion ar gyfer Deddf Eiddo ar dair egwyddor sylfaenol, sef y dylid 'ystyried tai ac eiddo fel angen yn hytrach nag fel nwydd masnachol'; y dylid 'sicrhau mynediad i bobl leol i'r stoc bresennol o dai ac eiddo'; ac y 'dylai prisiau tai ac eiddo adlewyrchu'r farchnad leol'. Yr oedd pob un o'r egwyddorion hyn yn elyniaethus i bolisi tai'r llywodraeth, a oedd yn seiliedig ar y farchnad rydd, ac mewn cyfarfod o Senedd y Gymdeithas ym mis Ebrill nodwyd mai nod terfynol y Grŵp Cynllunio Economaidd oedd 'meddiannu grym i'r gymuned' a diogelu cymunedau Cymru a'r iaith Gymraeg.[168]

Mewn ymgyrch a oedd megis meicrocosm o holl ymgyrchoedd eraill y Gymdeithas, ond a oedd wedi ei hanelu'n benodol at bobl ifainc, cyhoeddwyd datganiad polisi y Gweithgor Rhyddid i'r Ifanc – *Mynnwn Ein Rhyddid Mewn Cymuned Rydd* (1992). Yn y ddogfen hon amlinellwyd awydd y Gymdeithas i sicrhau llais gwleidyddol i bobl ifainc, hyblygrwydd yn y system addysg, llais i bobl ifainc yn y cyfryngau, cartrefi i bobl ifainc, gwaith i bobl ifainc yn lleol, a diwylliant ieuenctid bywiog. Yr oedd yr holl alwadau hyn yn seiliedig ar 'wleidyddiaeth y gymuned rydd' ac yn gwbl groes i 'wleidyddiaeth y farchnad rydd' a pholisïau'r Blaid Geidwadol.[169]

Pan gyhoeddwyd trydydd *Maniffesto* Cymdeithas yr Iaith ym 1992, felly, rhoddwyd iddo'r is-deitl 'Gweledigaeth y Gymuned Rydd'. Uchafbwynt esblygiad athronyddol y Gymdeithas dros ddeng mlynedd ar hugain yw *Maniffesto* 1992. Yn ei ragair, crynhodd Alun Llwyd, y cadeirydd ar y pryd, y datblygiad hwn:

> Bellach nid ydym yn ymladd am ddyfodol i'r Gymraeg yn unig ond hefyd dros ddyfodol ein cymunedau wrth i Gymru gael ei darnio'n

economaidd gan bolisïau'r farchnad rydd. Mae brwydr yr iaith yn gymhlethach nag erioed, ac eto mae'n gosod i ni ddewis syml rhwng brwydro dros ddyfodol y Gymraeg a'i chymunedau neu dderbyn trefn gwleidyddiaeth y farchnad rydd.

O ganlyniad i fodolaeth y 'llywodraeth Brydeinig fwyaf gelyniaethus erioed i'r holl gysyniad o gymunedau Cymraeg', rhybuddiwyd 'fod pob rheswm yn dweud mai marw a wna'r Gymraeg fel iaith gymunedol fyw tu fewn i drefn y farchnad rydd', gan nad oedd 'unrhyw swyddogaeth wrthrychol sylfaenol' mewn trefn o'r fath. Nod Cymdeithas yr Iaith yn ystod y nawdegau, felly, fyddai rhoi dewis syml i bobl Cymru rhwng 'Gwleidyddiaeth y Farchnad Rydd' a 'Gwleidyddiaeth y Gymuned Rydd'.[170]

Uchafbwynt y datblygu a fu ar egwyddor Cymdeithasiaeth a'r proses o ailddiffinio sosialaeth yn wyneb athroniaeth Thatcheriaeth oedd *Maniffesto* 1992 a syniadaeth 'rhyddid cymunedol fel alternatif byw i Ryddid y Farchnad neu i Fiwrocratiaeth Ganoledig'. Tra oedd *Maniffesto* 1972 wedi rhestru nifer o amodau angenrheidiol yr oedd angen eu creu cyn medru sicrhau adfywiad yr iaith, a *Maniffesto* 1982 wedi addasu'r amodau angenrheidiol hynny i sefyllfa'r wythdegau, yr oedd *Maniffesto* 1992 yn asio'r cyfan ynghyd mewn un synthesis o blaid rhyddid cymunedol:

> Mae'r gallu i ddefnyddio'r iaith ym mhob rhan o fywyd yn gymaint mynegiant o'r rhyddid hwnnw ag ydyw'r hawl i gael cartref neu waith yn y gymuned ac y mae'r hawl i gael addysg Gymraeg yn rhan o frwydr y gymuned am reolaeth dros ei threfn addysg ei hun.

'Nid yw ein brwydr yn ddim llai na chreu democratiaeth yng Nghymru', meddid drachefn. Er mwyn cyflawni hynny, byddai rhaid creu'r chwyldro y breuddwydiwyd amdano ym 1962, gan 'na wna unrhyw beth llai na newid llwybr hanes Cymru achub yr iaith Gymraeg'. Gan hynny, ceir trafodaeth drylwyr yn *Maniffesto* 1992 ar Ryddid i Ddefnyddio'r Iaith, Addysg ar gyfer Cymunedau Rhydd, Diwylliant Rhydd, Cynllunio Economaidd mewn Cymuned Rydd, Grym Gwleidyddol i Gymunedau Rhydd, Tai a Chynllunio mewn Cymuned Rydd, a Rhyddid i'r Ifanc. Am y tro cyntaf erioed mabwysiadwyd ennill hunanlywodraeth i Gymru yn bolisi gan Gymdeithas yr Iaith, a galwyd am Senedd Gymreig fel pinacl i strwythur o awdurdodau cymunedol rhydd yng Nghymru.[171]

Dechreuodd Saunders Lewis ei ddarlith radio *Tynged yr Iaith* ym 1962 â'r rhybudd: 'mi ragdybiaf . . . y bydd terfyn ar y Gymraeg yn iaith fyw, ond parhau'r tueddiad presennol, tua dechrau'r unfed ganrif ar hugain'.[172] Yn sgil y rhybudd hwnnw y sefydlwyd Cymdeithas yr Iaith Gymraeg ac y dechreuwyd ymgyrch anghyfansoddiadol o blaid ennill statws swyddogol i'r iaith. Deng mlynedd ar hugain yn ddiweddarach, rhybuddiodd y Gymdeithas wrth gloi ei thrydydd *Maniffesto*: 'Os pery y tueddiadau presennol, gan ganiatáu rhwydd hynt i rymoedd y farchnad, bydd y Gymraeg wedi peidio â bod yn iaith gymunedol fyw yn gynnar yn y ganrif newydd. Bydd miloedd o unigolion yn parhau i allu siarad yr iaith ac yn wir fe ychwanegir at y nifer o siaradwyr newydd. Ond ni fydd unrhyw gymunedau naturiol Gymraeg ar ôl.'[173] Yr oedd y newid hwn yng ngeiriad y rhybudd yn adlewyrchiad cynnil iawn o'r newid a fu yn natur y bygythiad i'r Gymraeg a hefyd o'r datblygiad a fu yn nealltwriaeth a strategaeth wleidyddol y Gymdeithas. Er mai gair diystyr yn y nawdegau yw 'cymuned' yn rhethreg gwleidyddion o bob lliw, yr oedd pwyslais Cymdeithas yr Iaith Gymraeg ar gymuned yn deillio o brofiad uniongyrchol ei hymgyrchoedd, ac yn faen clo i'w holl strategaeth er diwedd y chwedegau.[174]

Fel yn achos ei chyfundrefn weinyddol, hanes cynnydd a thwf hefyd oedd hanes strategaeth a syniadaeth wleidyddol Cymdeithas yr Iaith Gymraeg rhwng 1962 a 1992. Yn ystod y deng mlynedd ar hugain er 1962, bu'n rhaid i'r Gymdeithas ddatblygu strategaeth wleidyddol er mwyn ceisio datrys y problemau affwysol a wynebai'r iaith Gymraeg, a chynnig iddi ddyfodol ffyniannus a hirhoedlog. Er nad oedd gan y Gymdeithas unrhyw fath o raglen ymgyrchu nac athroniaeth wleidyddol gynhaliol pan y'i ffurfiwyd ym 1962, yr oedd ganddi erbyn 1992 gyfres o bolisïau diwylliannol, economaidd, cymdeithasol ac addysgol tra soffistigedig, a syniadaeth wleidyddol gynhwysfawr a datblygedig. Nid ar chwarae bach y llwyddwyd i gyflawni hyn. Tynnwyd yn helaeth ar lafur cariad carfan fechan a dethol o arweinwyr deallus a roddodd yn hael o'u hamser a'u gallu i ddatblygu athroniaeth a strategaeth gynhaliol y mudiad. Go brin fod gan fwyafrif helaeth yr aelodau cyffredin y diddordeb lleiaf yn yr athronyddu a'r gwleidydda; profiadau uniongyrchol y brotest a'r weithred a oedd yn eu diddori hwy. Ond bu dylanwad syniadau'r

Gymdeithas ar drywydd brwydr yr iaith, a hyd yn oed ar drywydd y frwydr genedlaethol yng Nghymru, yn aruthrol. Llwyddwyd sawl gwaith i lunio'r agenda gwleidyddol yng Nghymru drwy baratoi cynlluniau manwl a chynhwysfawr ar faterion megis darlledu, addysg a thai, heb sôn am statws yr iaith, a mawr fu dylanwad polisïau'r Gymdeithas, yn ogystal â'i gweithredoedd, ar lywodraeth ganol a lleol. Diau mai un o'r rhesymau sy'n esbonio dylanwad parhaol Cymdeithas yr Iaith Gymraeg ar wleidyddiaeth Cymru yw'r ffaith, os oes coel ar eiriau Clive Betts, fod gan ei harweinwyr 'some excellent brains'.[175]

Nodiadau

1 27 Henry 8, c.26, par.1. Bowen (gol.), *The Statutes of Wales,* tt.75–6.
2 Gw., e.e., sylwadau Lewis Valentine ar siaced lwch record hir *Tynged yr Iaith* (SAIN, 1983).
3 Saunders Lewis, *Argyfwng Cymru* (Dinbych, 1947); idem, 'Tynged Darlith', *Barn,* 5 (1963).
4 T. Emyr Pritchard, 'Chwyldroad', *Y Faner,* 29/8/1968. Awgrymwyd rhywbeth tebyg gan J. Gwyn Griffiths, 'Saunders Lewis fel Gwleidydd', yn D. Tecwyn Lloyd a Gwilym Rees Hughes (goln.), *Saunders Lewis* (Dinbych, 1975), t.95.
5 Hywel Teifi Edwards, 'Emrys ap Iwan a Saisaddoliaeth: Maes y Gad yng Nghymru'r 70au', yn idem, *Codi'r Hen Wlad yn ei Hôl,* tt.155–6. Gw. hefyd Dafydd Glyn Jones et al., *Emrys ap Iwan: Tair Darlith Goffa* (Yr Wyddgrug, 1991), passim.
6 Emrys ap Iwan (o dan y ffugenw Emrij van Jan), 'Llythyr arall alltud', yn D. Myrddin Lloyd (gol.), *Erthyglau Emrys ap Iwan – (I): Gwlatgar, Cymdeithasol, Hanesiol* (Dinbych, 1937), t.112.
7 Emrys ap Iwan, 'Detholion', a 'Paham y gorfu'r Undebwyr', yn Lloyd (gol.), *Erthyglau Emrys ap Iwan,* tt.180, 23–41.
8 Dafydd Glyn Jones, 'Aspects of his Work: His Politics', yn Alun R. Jones a Gwyn Thomas (goln.), *Presenting Saunders Lewis* (Caerdydd, 1973), t.53; Dafydd Glyn Jones, 'The Welsh Language Movement', tt.296–300; D. Tecwyn Lloyd, 'Chwilio am Gymru', yn Geraint H. Jenkins (gol.), *Cof Cenedl IV* (Llandysul, 1989), tt.121–51.
9 D. Myrddin Lloyd, *Emrys ap Iwan* (Caerdydd, 1979), t.42.
10 Dafydd Glyn Jones, 'The Welsh Language Movement', t.299.
11 D. Tecwyn Lloyd, *John Saunders Lewis: Y Gyfrol Gyntaf* (Dinbych, 1988), tt.225, 245.
12 Saunders Lewis, *Egwyddorion Cenedlaetholdeb* (ail argraffiad, Caerdydd, 1975), tt.12–14.

13 Gellir darllen rhesymau Saunders Lewis am weithredu ym Mhenyberth yn yr anerchiad a baratôdd ar gyfer achos Llys y Goron, Caernarfon, 13/10/1936. Cyhoeddwyd yr araith yn *Paham y Llosgasom yr Ysgol Fomio* (Caernarfon, 1937). Gw. hefyd Dafydd Jenkins, *Tân yn Llŷn: Hanes Llosgi'r Ysgol Fomio* (ail argraffiad, Caerdydd, 1975), tt.93–153.

14 Dafydd Glyn Jones, 'His Politics', t.70.

15 Trafodir canlyniadau 'Brad y Llyfrau Gleision' yn Prys Morgan (gol.), *Brad y Llyfrau Gleision* (Llandysul, 1991), passim; Edwards, *Codi'r Hen Wlad yn ei Hôl*, Penodau 1 a 5; idem, 'Y Gymraeg yn y bedwaredd ganrif ar bymtheg', yn Geraint H. Jenkins (gol.), *Cof Cenedl II* (Llandysul, 1987), tt.119–51.

16 *Y Cronicl*, XXIII (1865), t.306; Philologos, *Y Gwladgarwr*, 15/7/1865. Dyfynnwyd yn Hywel Teifi Edwards, 'Emrys ap Iwan a Saisaddoliaeth', tt.148–9.

17 Emrys ap Iwan, 'Wele dy Dduwiau, O Walia!', a 'Y Llo arall', yn Lloyd (gol.), *Erthyglau Emrys ap Iwan*, tt.42–50, 51–61.

18 Hywel Teifi Edwards, 'Y Gymraeg yn y Bedwaredd Ganrif ar Bymtheg', t.128.

19 Dan Isaac Davies, *1785, 1885, 1985! neu Tair Miliwn o Gymry Dwy-Ieithawg mewn Can Mlynedd* (Dinbych, 1885). Gw. J. Elwyn Hughes, *Arloeswr Dwyieithedd. Dan Isaac Davies, 1839–1887* (Caerdydd, 1984).

20 Dafydd Glyn Jones, 'The Welsh Language Movement', t.295.

21 Marion Löffler, *'Iaith Nas Arferir, Iaith i Farw Yw': Ymgyrchu dros yr Iaith Gymraeg rhwng y Ddau Ryfel Byd* (Aberystwyth, 1995), passim.

22 R. E. Griffith, *Urdd Gobaith Cymru, 1922–1972. Cyf. I, II, a III* (Aberystwyth, 1971–3); Löffler, *'Iaith Nas Arferir'*, tt.10–18; Gerald Morgan, 'Dannedd y Ddraig', t.16; Davies, *The Welsh Nationalist Party 1925–1945*, tt.73–9.

23 A. O. H. Jarman, 'Y Blaid a'r Ail Ryfel Byd', yn Davies (gol.), *Cymru'n Deffro*, tt.88–91; Löffler, *'Iaith Nas Arferir'*, t.19; Cassie Davies, *Undeb Cymru Fydd: 1939–1960* (Aberystwyth, 1960), tt.1–2; Jones, *A Bid for Unity*, tt.18–21.

24 Robin Okey, 'The first Welsh Language Society', *Planet*, 58 (1986), tt.90–6; Dafydd Glyn Jones, 'The Welsh Language Movement', t.294; Hywel Teifi Edwards, 'Y Gymraeg yn y bedwaredd ganrif ar bymtheg', tt.146–9.

25 Dafydd Glyn Jones, 'The Welsh Language Movement', t.296; Lloyd, *John Saunders Lewis*, t.184.

26 Löffler, *'Iaith Nas Arferir'*, t.20.

27 Meddai Saunders Lewis, llywydd Plaid Cymru ym 1933, 'cael Cymru Gymraeg uniaith sy'n unig yn gyson â dibenion ac athroniaeth cenedlaetholdeb Cymreig'. Saunders Lewis, 'Un iaith i Gymru', *Canlyn Arthur: Ysgrifau Gwleidyddol* (ail argraffiad, Llandysul, 1985), tt.61–5.

28 Cynog Davies, *Maniffesto Cymdeithas yr Iaith Gymraeg* (Aberystwyth, 1972), t.26.

29 Idem, 'Cymdeithas yr Iaith Gymraeg', t.267; Thomas, *The Welsh Extremist*, t.102.

30 LlGC, PJD 13. Cerdyn aelodaeth Cymdeithas yr Iaith, 1963.

31 Gw., e.e., E. G. Millward, 'Dadl y ddwy iaith', *Y Faner*, 16/5/1951; idem, 'How to save the vernacular', *WM*, 4/12/1954; idem, 'Bilingual education', *WM*,

---

28/12/1954; idem, 'Speaking in two tongues', *LDP*, 6/1/1956; idem, 'Rhaid gweithredu polisi gwir ddwyieithog', *Y Faner*, 3/10/1956; idem, 'Cymru ddwyieithog', *Y Genhinen* (10/1958).

32 John Davies, 'Blynyddoedd Cynnar', tt.18–19, 35–7.

33 Nododd Hywel Teifi Edwards hynny wrth drafod yr ymgyrch yn erbyn penodi Homersham Cox yn farnwr i un o gylchdeithiau llysoedd sirol Cymru yn y bedwaredd ganrif ar bymtheg. Hywel Teifi Edwards, 'Helynt Homersham Cox', t.185.

34 Cynog Davies, 'Israddoldeb y Gymraeg', *Y Faner*, 2/6/1966.

35 John Davies, 'Blynyddoedd Cynnar', t.18.

36 Lewis, *Tynged yr Iaith,* t.32; Owen Owen, 'Un y cant', *Y Crochan,* 2 (1963); idem, 'Iaith y papurach', *Barn,* 18 (1964); idem, 'Yr iaith – arf gwleidyddol', *Y Faner*, 12/11/1964; idem, 'Gweithredu gwleidyddol', *Y Faner*, 26/11/1964; J. R. Jones, 'Strategiaeth brwydr Cymru', *Y Faner*, 3/12/1964. Gw. hefyd 'Rydym yn fodlon cymryd ein mwydo allan o fod', *Y Faner*, 11/2/1965; 'Barn ein gwŷr amlwg', *TDd*, 4 (11/1967); Emyr Llewelyn, 'Mewn iaith mae rhyddid', *Y Faner*, 26/5/1966; idem, 'Sut chwyldro?', *Y Faner*, 20/2/1969. Gw. hefyd Ffransis, *Daw Dydd*, tt.27–38.

37 Cynog Davies, 'Cymdeithas yr Iaith Gymraeg', t.267.

38 'Barn ein gwŷr amlwg', *TDd*, 1–6 (8/1967–1/1968). Gw. yn enwedig sylwadau Dr Iorwerth C. Peate, y Prifathro Thomas Parry, yr Athro Jac L. Williams, a'r Gwir Barchedig G. O. Williams.

39 Parkin, *Middle Class Radicalism*, t.56.

40 Peter Cadogan, 'From Civil Disobedience to Confrontation', t.174.

41 J. R. Roberts, 'Camau Ymlaen 1929–36', yn Davies (gol.), *Cymru'n Deffro*, t.47.

42 Gw. *Maniffesto* (1972), tt.18–24 am grynhoad o'r holl broblemau gwleidyddol, cymdeithasol ac economaidd a flinai'r iaith Gymraeg erbyn dechrau'r 1970au.

43 Bu rhai yn galw ar y Gymdeithas i ehangu maes ei hymgyrchu ac ymladd ar bob ffrynt a oedd yn gysylltiedig â'r iaith mor gynnar â 1964, ond anwybyddwyd eu galwadau gan yr arweinyddiaeth gynnar. Gw., e.e., Geraint Jones, 'Maes y frwydr', *Llais y Lli*, 12/2/1964. Yn wir, bu Geraint Jones yn ddyfal yn ystod y blynyddoedd hynny yn hel tystiolaeth ynglŷn â lle'r Gymraeg ar y teledu ac yn trefnu cyfarfodydd â swyddogion y BBC. John Davies, 'Blynyddoedd Cynnar', t.31.

44 Cynog Davies, 'Brwydr yr iaith', *DdG* (11/1965). Gw. hefyd Tudur, *Wyt Ti'n Cofio?*, t.49.

45 'Ymgyrch y B.B.C.', *TDd*, 3 (12/1967). Yr oedd Pwyllgor Canol y Gymdeithas wedi penderfynu 'ehangu'r frwydr dros gael trwyddedau radio a theledu Cymraeg i frwydr yn erbyn diffyg Cymreigrwydd y BBC yn gyffredinol' yn niwedd y flwyddyn flaenorol, yn ôl adroddiad 'Ymgyrchoedd Newydd Cymdeithas yr Iaith', *Y Faner*, 8/12/1966.

46 Cynog Davies, 'Cymdeithas yr Iaith Gymraeg', t.275.

47 'Cymdeithas yr Iaith a'r Arwisgo', *TDd*, 3 (10/1967).

48 Er bod Alan Butt Philip yn honni bod y Gymdeithas wedi ymhél â'r ymgyrch yn erbyn yr Arwisgo o ganlyniad i'r ffaith mai Dafydd Iwan, cadeirydd y mudiad ar

y pryd, oedd gwrthwynebydd huotlaf a ffyrnicaf y seremoni, myn Dafydd Iwan
iddo siarad yn erbyn rhoi blaenoriaeth i'r ymgyrch yng Nghyfarfod Cyffredinol
1968. Butt Philip, *The Welsh Question*, t.237; Iwan, *Dafydd Iwan*, t.43.

49 J. R. Jones, 'Gwrthwynebu'r Arwisgo', *TDd*, 13 (9/1968). Gw. hefyd idem, 'Nid
    mor hawdd y'n gollyngir', *Barn,* 79 (1969); idem, 'Yr Arwisgo: mutholeg y
    gwaed', *Barn,* 80 (1969); idem, 'Cilmeri', *Barn,* 84 (1969); idem, 'Ni chedwir
    mo'r iaith am ei bod hi'n "werth ei chadw"', *TDd*, 26 (11/1969); idem, 'Politics
    a'r goron', *TDd*, 19 (3/1969). Ailargraffwyd rhai o'r ysgrifau hyn yn J. R. Jones,
    Gwaedd yng Nghymru (Pontypridd, 1970). Gw. hefyd Cynog Davies,
    'Cymdeithas yr Iaith Gymraeg', t.276; Tudur, *Wyt Ti'n Cofio?*, t.49.
50 Saunders Lewis, 'Un iaith i Gymru', tt.63–4; idem, *Paham y Llosgasom yr Ysgol
    Fomio,* passim.
51 Dafydd Iwan, 'Bryncroes', *TDd*, 32 (5/1970). Ceir ychydig o hanes yr ymgyrch
    hefyd yn idem, *Dafydd Iwan*, tt.90–1.
52 Dafydd Glyn Jones, 'The Welsh Language Movement', t.295; D. J. Gwenallt
    Jones, 'Michael D. Jones', yn Gwynedd Pierce (gol.), *Triwyr Penllyn* (Caerdydd,
    1956); R. Tudur Jones, 'Michael D. Jones a thynged y genedl', yn Geraint H.
    Jenkins (gol.), *Cof Cenedl [I]* (Llandysul, 1986), tt.95–123; Glyn Williams,
    'Nationalism in Nineteenth Century Wales: The Discourse of Michael D. Jones',
    yn idem (gol.), *Crisis of Economy and Ideology: Essays on Welsh Society,
    1840–1980* (Bangor, 1983), tt.180–200.
53 Saunders Lewis, 'Undebau Llafur', a 'Deg pwynt polisi', yn idem, *Canlyn
    Arthur*, tt.56, 15–17. Am drafodaeth, gw. John Davies, *The Green and the Red:
    Nationalism and Ideology in 20th Century Wales* (Aberystwyth, 1982), t.13.
54 Phil Williams, 'Plaid Cymru a'r Dyfodol', yn Davies (gol.), *Cymru'n Deffro*,
    tt.121–46. Gw. hefyd Gwynfor Evans, *Wales: A Historic Community. Who Are
    We? What Are We?* (Caerdydd, 1988); Laura McAllister, 'Community in
    Ideology: The Political Philosophy of Plaid Cymru' (Prifysgol Cymru, PhD,
    1995); Richard Wyn Jones, 'Care of the community', *Planet,* 109 (1995),
    tt.16–25.
55 J. R. Jones, *Prydeindod* (Llandybïe, 1966), tt.9–33. Gw. hefyd idem, *Yr Ewyllys i
    Barhau* (Aberdâr, 1968); idem, *Ac Onide* (Llandybïe, 1970); idem, *A Raid i'r
    Iaith Ein Gwahanu?* (ail argraffiad, Aberystwyth, 1978). Am astudiaethau ar
    athroniaeth J. R. Jones, gw. Meredydd Evans, *Proffwyd ac Argyfwng* (Llandybïe,
    1982); R. Tudur Jones, 'Cenedlaetholdeb J. R. Jones', *Efrydiau Athronyddol*, 35
    (1972), tt.26–38; Dewi Z. Phillips, *J. R. Jones* (Writers of Wales, Caerdydd,
    1995).
56 Dafydd Iwan, 'Anadl einioes cenedl', *Y Faner*, 4/12/1969.
57 LlGC, PCYIG 1/4. Cyf. Cyff. 1971.
58 Gronw ab Islwyn, 'Yr ymgyrch bysgota', *TDd*, 46 (3/1972); Dafydd Iwan,
    'Byddwn yn parhau'r pysgota anghyfreithlon', *DdG* (4/1972). Gw. hefyd
    'Fishing – the new line in protest action', *WN*, 17/3/1972.
59 LlGC, PCYIG 4/2, 17/2, 1/4. Cyf. Cyff. 1972, 1973; Senedd, 30/12/1972,
    28/4/1973.
60 Dafydd Iwan, 'Byddwn yn parhau'r pysgota anghyfreithlon', *DdG* (4/1972).

61 Ibid., tt.25–40.

62 *Maniffesto* (1972), t.8.

63 Butt Philip, *The Welsh Question*, t.245.

64 John Davies, 'Plan pum mlynedd ar gyfer yr iaith Gymraeg', *Y Faner*, 4/10/1962. Seiliwyd polisi'r Gymdeithas ar yr egwyddor hon yn ystod y blynyddoedd cynnar, fel y tystia John Davies yn 'Blynyddoedd Cynnar', t.27.

65 Owen Owen, 'Y Fro Gymraeg', *TDd*, 4 (cyfres I, 1/1964). Gw., e.e., idem, 'Yr iaith – arf gwleidyddol', *Y Faner*, 12/11/1964; idem, 'Gweithredu gwleidyddol', *Y Faner*, 26/11/1964.

66 Lewis, *Tynged yr Iaith*, t.31; idem, 'Plaid Cymru – Y Cam Nesaf', *Barn*, 29 (1965). Ailgyhoeddwyd fel 'Arf hunan-lywodraeth', *TDd*, 23 (cyfres I, 8/1965).

67 Tegwyn Watkin, 'Achosion dirywiad ein cenedl', *Y Faner*, 2/9/1965; Ioan ab Owain, 'Mynnwn Fro Gymraeg', *Y Faner*, 25/11/1965.

68 J. R. Jones, 'Nid dihangfa ond crynhoad', *Barn*, 50 (1966); idem, 'Troedle', *Barn*, 87 (1970). Ailgyhoeddwyd yn idem, *Gwaedd yng Nghymru*, tt.62–8. Dylanwadodd y cymhariaeth â'r Hebraeg yn gryf iawn ar feddyliau llawer o genedlaetholwyr Cymraeg; gw., e.e., Elin Garlick, 'Adfywiad yr Hebraeg', *Barn*, 71 (1968); Gwynfor Evans, 'Digwyddodd yn Israel', *Barn*, 78 (1969).

69 Hywel ap Dafydd, 'Cadarnleoedd Cymraeg', *Barn*, 53 (1967); idem, 'Gwlad Canaan neu English region', *Barn*, 88 (1970); Dafydd Iwan, 'Awn yn ôl i gefn gwlad', *Oriau gyda Dafydd Iwan. Llyfr Un* (Talybont, 1969); idem, 'Anadl einioes cenedl', *Y Faner*, 4/12/1969.

70 Emyr Llewelyn, 'Adfer', yn idem, *Y Chwyldro a'r Gymru Newydd* (Aberystwyth, 1972), tt.3–7. Gw. hefyd 'Ymwrthod yn llwyr â Phrydeindod', *Y Cymro*, 26/5/1971.

71 Dafydd Glyn Jones, 'The Welsh Language Movement', tt.336–40.

72 Deian Hopkin, 'Y werin a'i theyrnas: ymateb Sosialaeth i Genedlaetholdeb, 1880–1920', yn Geraint H. Jenkins (gol.), *Cof Cenedl VI* (Llandysul, 1991), t.169.

73 Davies, *The Green and the Red*, t.10. Gw., e.e., Saunders Lewis, 'Deg pwynt polisi', tt.15–17.

74 Saunders Lewis, *Braslun o Hanes Llenyddiaeth Gymraeg Hyd 1535: I* (Caerdydd, 1932). Casglwyd nifer o ysgrifau Saunders Lewis ar hanes llenyddiaeth Gymraeg gan R. Geraint Gruffydd (gol.), *Meistri'r Canrifoedd* (Caerdydd, 1973). Gw. trafodaeth A. O. H. Jarman ar ddelfryd cymdeithasol Saunders Lewis yn 'Llosgi'r Ysgol Fomio: Y Cefndir a'r Canlyniadau' yn Lloyd a Hughes (goln.), *Saunders Lewis*, tt.107–11; Lloyd, *John Saunders Lewis*, tt.266–70. Am y dyfyniad, gw. Saunders Lewis, 'Cenedlaetholdeb a chyfalaf' yn idem, *Canlyn Arthur*, tt.19–27.

75 Gw. Dafydd Jenkins, 'Penyberth a'r Cyfnod Wedyn, 1936–1938' yn Davies (gol.), *Cymru'n Deffro*, t.63; Davies, *The Green and the Red*, t.29.

76 Dafydd Glyn Jones, 'The Welsh Language Movement', tt.336–7. Gw. hefyd Carl Clowes, *Antur Aelhaearn* (Caernarfon, 1982).

77 LlGC, PCYIG 1/4. Senedd, 28/4/1974. Gw. hefyd 'O'r Ysgol Basg', *TDd*, 71 (5/1974).

78 Emyr Hywel, 'Y ffordd ymlaen', *TDd*, 52 (9/1972); idem, 'Brwydr ein tir a'n tai', *TDd*, 57 (2/1973); idem, 'Ydyn ni am adael i'r Gymru Gymraeg farw?', *TDd*, 60 (5/1973); idem, 'Ghetto eto', *TDd*, 63 (8/1973); idem, 'Y Cyngor Iaith', *TDd*, 66 (11/1973).

79 Saunders Lewis, 'Y ghetto Cymraeg', *Barn,* 122 (1972), tt.46–7.

80 *Maniffesto* (1972), tt.25, 18, 39–40.

81 Dafydd Iwan, 'Ble mae'r Gorllewin?', *TDd*, 58 (3/1973).

82 'Ghetto eto', sylwadau gan Emyr Hywel, Neil ap Siencyn, Cynog Davies, Siân Edwards, Dafydd Iwan, Ffred Ffransis a Wynfford James, *TDd*, 63 (8/1973).

83 LlGC, PCYIG 1/4. Senedd, 21/12/1974, a 'Gwrthod athroniaeth Adfer', *Y Cymro*, 14/10/1975.

84 Emrys ap Iwan, 'Paham y gorfu'r Undebwyr', tt.31–2.

85 R. Tudur Jones, 'Cysgod y Swastika'. Ailgyhoeddwyd yn *TDd*, 98 (1/1977). Gw. amddiffyniad Adfer yn Ieuan Wyn, 'Ateb Adfer: pardduo di-sail', *TDd*, 99 (2/1977); Emyr Llewelyn, 'Ateb Adfer', *TDd*, 100 (3/1977).

86 Dafydd Iwan, 'Cymdeithas i herio'r drefn', yn Eirug (gol.), *Tân a Daniwyd,* t.47.

87 Gareth Meils, 'Tynged Cymdeithas yr Iaith', *Y Faner Goch* (Gwanwyn 1981).

88 Gareth Meils, *Cymru Rydd, Cymru Gymraeg, Cymru Sosialaidd* (Aberystwyth, 1972), tt.12–14, 18, 19.

89 Gw. Hywel Teifi Edwards, 'Emrys ap Iwan a Saisaddoliaeth', t.155; R. Tudur Jones, 'Michael D. Jones a thynged y genedl', tt.95–123; Deian Hopkin, 'Y werin a'i theyrnas', tt.161–92.

90 Cafwyd yr ymosodiad enwocaf yn Saunders Lewis, 'Marcsiaeth a'r Blaid Genedlaethol', *DdG* (3–5/1938). Ailgyhoeddwyd gan Iestyn Daniel (gol.) fel 'Saunders Lewis a Marcsiaeth', yn *Y Traethodydd,* CXLVIII (1993), tt.88–102.

91 Saunders Lewis, 'Cenedlaetholdeb a chyfalaf', t.24. Cyhoeddodd hefyd yn y 'Deg pwynt polisi' fod 'cyfalafiaeth ddiwydiannol a chystadleuaeth economaidd rydd oddi wrth reolaeth llywodraeth gwlad (h.y. masnach rydd) yn ddrwg dirfawr ac yn gwbl groes i athrawiaeth cenedlaetholdeb cyd-weithredol'. Lewis, *Canlyn Arthur,* t.15. Ceir trafodaeth ar ddylanwad y Sosialwyr Gild a'r 'Distributivists' Catholig megis Hilaire Belloc a G. K. Chesterton, a'r ddysgeidiaeth gymdeithasol a welir yng nghylchlythyr y Pab Leo XIII yn Lloyd, *John Saunders Lewis*, tt.264–82; gw. hefyd Davies, *The Green and the Red*, tt.10–15; Davies, *The Welsh Nationalist Party 1925–1945,* tt.85–103.

92 Saunders Lewis, 'Un iaith i Gymru', tt.63–4.

93 Meils, *Cymru Rydd, Cymru Gymraeg, Cymru Sosialaidd,* tt.10–11, 18; idem, 'Sefyllfa Cymru'n waeth ar ôl ethol Gwynfor', *Y Cymro*, 20/11/1979.

94 Casglwyd ynghyd llawer o ysgrifau gwleidyddol R. J. Derfel gan D. Gwenallt Jones yn *Detholiad o Ryddiaith Gymraeg R. J. Derfel* (Llandysul, 1945). Gw. hefyd Davies, *Hanes Cymru*, t.459; Deian Hopkin, 'Y werin a'i theyrnas', tt.161–92.

95 Dyfynnwyd yn Gwynfor Evans, *Aros Mae* (Abertawe, 1971), t.252.

96 Saunders Lewis, 'Cenedlaetholdeb a'r diwydiannau I a II', yn idem, *Canlyn Arthur*, tt.81–100; D. J. Davies, *Towards Welsh Freedom* (Dinbych, 1958). Gw. trafodaeth ar syniadau Saunders Lewis a D. J. Davies ar gydweithrediad yn

Davies, *The Green and the Red*, tt.9–19; Davies, *The Welsh Nationalist Party 1925–1945*, tt.85–103; Phil Williams, 'Plaid Cymru's policy of self-managing Socialism' (darlith anghyhoeddedig, 3/1996), tt.5–12.

97 Gw. Phil Williams, 'Plaid Cymru a'r Dyfodol', tt.121–46; idem, *Voice from the Valleys* (Aberystwyth, 1981). Nodwyd yn Davies, *The Green and the Red*, t.35; Gwynfor Evans, 'Hanes twf Plaid Cymru 1925–1995', t.175.

98 Barbrook a Bolt, *Power and Protest in American Life*, t.274; Gavin Drewry, 'Political Parties and Members of Parliament', t.271; August Meier, Elliott Rudwick a Francis L. Broderick, *Black Protest Thought in the Twentieth Century* (ail argraffiad, New York, 1971), tt.xlvi–ii, xlviii.

99 Gareth Meils, 'Cymru rydd, Gymraeg, Sosialaidd', *TDd*, 47 (4/1972).

100 *Bywyd i'r Iaith*, t.32; Dafydd Glyn Jones, 'His Politics', t.71.

101 Barbrook a Bolt, *Power and Protest in American Life*, tt.265–80; Crawley, *A Degree of Defiance*, passim; Brian MacArthur, 'Universities and Violence', yn Benewick a Smith (goln.), *Direct Action and Democratic Politics*, tt.203–15.

102 Parkin, *Middle Class Radicalism*, tt.39–40.

103 Gw., e.e., Robert S. Browne, 'A Case for Separation' yn Robert S. Browne a Bayard Rustin, *Separatism or Integration: Which Way for America? – A Dialogue* (New York, 1968), tt.7–15. Ailgyhoeddwyd yn Meier, Rudwick a Broderick, *Black Protest Thought*, tt.516–28; J. R. Jones, 'Troedle', t.67.

104 Meils, *Cymru Rydd, Cymru Gymraeg, Cymru Sosialaidd*, tt.12–13; Cynog Davies, 'Cymdeithas yr Iaith Gymraeg', t.279.

105 *Maniffesto* (1972), tt.41–2.

106 Meils, *Cymru Rydd, Cymru Gymraeg, Cymru Sosialaidd*, t.10. Cyhoeddodd eto, mewn erthygl yn *Tafod y Ddraig* ym 1972, nad digon oedd protestio: 'os yw'r genedl i osgoi difodiant, rhaid iddi fynnu ymreolaeth, ynghyd â'r hawl i reoli ei bywyd economaidd ei hun, er mwyn adeiladu yma gymdeithas a ffynnai'n economaidd a diwylliannol'. 'Adolygu adolygiad', *TDd*, 64 (9/1973).

107 Emyr Llewelyn, 'Adfer', tt.3–7; idem, 'Y Gymru newydd', tt.10–15.

108 Gronw ab Islwyn, 'Life for the language', *WN*, 16/2/1973.

109 Dafydd Glyn Jones, 'The Welsh Language Movement', t.334.

110 Bobi Jones, 'Plaid a Chymdeithas', *Barn*, 98 (1970).

111 LlGC, PCYIG 17/2. Cyf. Cyff. 1973.

112 LlGC, PCYIG 17/2. Cyf. Cyff. 1973. Cafwyd penllanw'r polisi tai yn y ddogfen *Tai yn yr Ardaloedd Gwledig – Cyfrifoldebau Cyngor Dosbarth* (Aberystwyth, 1981).

113 LlGC, PCYIG 4/3 a LlGC, PRhW 1, 2. Cyf. Cyff. 1975, 1976, 1977; Wynfford James, 'Ghetto eto', *TDd*, 63 (8/1973).

114 LlGC, PRhW 1. Cyf. Cyff. 1976.

115 Gw. Aled Eirug, 'Creu gwaith yng nghefn gwlad', *TDd*, 93 (8/1976); 'Concern at rural decline', *LDP*, 22/6/1976; 'Sefydlu bwrdd i gadw golwg ar y Bwrdd', *Y Cymro*, 6/7/1976; LlGC, PCYIG 4/3, a LlGC, PRhW 1, 3. Senedd, 14/8/1976; Cyf. Cyff. 1975, 1976, 1978.

116 LlGC, PRhW 1. Cyf. Cyff. 1976; LlGC, PCYIG 4/3. Cyf. Cyff. 1975; LlGC, PRhW 1. Cyf. Cyff. 1974. Yr oedd Emyr Llewelyn wedi ceisio newid y

Gymdeithas ym 1965 i fod yn fudiad 'Cymraeg i oedolion'. Fodd bynnag, gwrthodwyd y cais ac yn hytrach penderfynwyd annog pobl i gefnogi'r dosbarthiadau nos. Tudur, *Wyt Ti'n Cofio?*, t.35.

117 Gw. *Teledu Cymru i Bobl Cymru* (Aberystwyth, 1977); *Y Pum Amod* (Aberystwyth, 1979); *Sianel Gymraeg: Yr Unig Ateb* (Aberystwyth, 1979).

118 Llythyr 'Dulliau Cymdeithas yr Iaith', yn *Y Faner*, 27/9/1974, oddi wrth Wynfford James, Wayne Williams, Anita Jones, Cen Llwyd, Eirlys Williams, Menna Elfyn, Gronw ab Islwyn, Marc Phillips ac Edryd Gwyndaf.

119 Cynog Davies, 'Cymdeithas yr Iaith Gymraeg', t.281.

120 Ffred Ffransis, 'Mae arnom angen deffroad ysbrydol', *Y Faner*, 25/8/1972; idem, *Daw Dydd*, tt.27–38; idem, 'The steps of the revolution in Wales', *Peace News*, 20/4/1973.

121 Dafydd Glyn Jones, 'The Welsh Language Movement', t.335; Cynog Davies, 'Cymdeithas yr Iaith Gymraeg', t.284.

122 LlGC, PCYIG 4/3. Cyf. Cyff. 1975; Senedd, 31/1/1976. Gosodwyd y seiliau ar gyfer egwyddor Cymdeithasiaeth mewn cyfarfod o Grŵp Polisi Economaidd / Cymdeithasol y Gymdeithas, 6/9/1975. Gw. hefyd *Cymdeithasiaeth* (Aberystwyth, 1976); *Cymdeithasiaeth* (dogfen drafod fewnol, 1976); *Cymdeithasiaeth – Pamffled Ymgyrchu 8* (Aberystwyth, 1977).

123 LlGC, PRhW 3. Cyf. Cyff. 1977; Cynog Dafis, *Cymdeithaseg Iaith a'r Gymraeg* (Llandysul, 1978).

124 LlGC, PRhW 3 a LlGC, PCYIG 2/2. Cyf. Cyff. 1978, 1979.

125 Morgan, *Rebirth of a Nation*, t.407; Gwyn A. Williams, *When Was Wales?* (London, 1985), t.297; Davies, *Hanes Cymru*, t.655; Gwynfor Evans, *Byw neu Farw? Y Frwydr dros yr Iaith a'r Sianel Deledu Gymraeg* (Caerdydd, 1980), t.15.

126 Galwodd Rhodri Williams, cadeirydd 1977–9, ar aelodau'r Gymdeithas i ymgyrchu'n ddygn dros yr iaith er gwaethaf siom enbyd canlyniad y Refferendwm. 'Colofn y Cadeirydd', *TDd*, 121 (4/1979); LlGC, PRhW 3. Cyf. Cyff. Arbennig 19/5/1979. Gw. hefyd 'Heriwn y Torïaid – pigion o'r areithiau' a 'Llais Y Tafod', *TDd*, 123 (6/1979).

127 Nicholas Edwards, *Yr Iaith Gymraeg: Ymrwymiad a Her. Polisi'r Llywodraeth ar gyfer yr Iaith Gymraeg* (Caerdydd, 1980).

128 LlGC, PCYIG 2/2. Cyf. Cyff. 1979; LlGC, PRhW 4. Cyf. Cyff. 1980.

129 Gw. 'Welsh anger at TV plans', *LDP*, 15/9/1979; John Osmond, 'Storm on two-way Welsh TV split', *WM*, 15/9/1979; 'Dim sianel Gymraeg', *Y Cymro*, 18/9/1979.

130 Gw. Clive Betts, 'The Government climbdown on Channel Four', *WM*, 18/9/1980; Tim Jones, 'Welsh TV concession to avoid violence', *The Times*, 18/9/1980; 'Ennill y frwydr', *Y Cymro*, 23/9/1980.

131 Wayne Williams, 'Di-gyfeiriad, amherthnasol, llesg', *TDd*, 143 (6/1981).

132 Golygyddol, 'Pwy lanwai'r bwlch?', *Y Cymro*, 20/10/1981; Aled Eirug, 'Pa ffordd ymlaen i frwydr yr iaith?', *Y Cymro*, 8/12/1981; Golygyddol, *TDd*, 138 (1/1981).

133 'Pwy lanwai'r bwlch?', *Y Cymro*, 20/10/1981.

134 Golygyddol, *TDd*, 144 (7/1981), a 145 (8/1981); 'Tynged Cymdeithas yr Iaith', *Y Faner Goch* (Gwanwyn 1981).

135 Clive Betts, 'Inside the Welsh Language Society', *WM*, 7/7/1977.

136 *Maniffesto Cymdeithas yr Iaith Gymraeg* (Aberystwyth, 1982), tt.2, 4, 41, 44.

137 Ibid., tt.11–37, 42.

138 Dafydd Iwan, 'Byddwn yn parhau'r pysgota anghyfreithlon', *DdG* (4/1972).

139 *Maniffesto* (1982), t.42.

140 'Y Sefydliad yn pylu min', *Y Cymro*, 16/10/1984.

141 John Cole, *The Thatcher Years: A Decade of Revolution in British Politics* (London, 1987), tt.18–30, 56–67; Bruce P. Lenman, *The Eclipse of Parliament: Appearances and Reality in British Politics since 1914* (London, 1992), t.266; Davies, *Hanes Cymru*, tt.655–60; Richard Wyn Jones, 'From "community socialism" to quango Wales: the amazing odyssey of Dafydd Elis Thomas', *Planet*, 118 (1996), tt.59–70.

142 *Maniffesto* (1982), tt.4–5.

143 Ibid., tt.23, 34, 37.

144 Ibid., tt.44–5.

145 LlGC, PCYIG 11/3, 30. Senedd, 10/1/1981, 15/8/1981, 14/11/1981, 27/3/1982, 16/4/1982.

146 LlGC, PCYIG 30. 'Rhaglen waith amser hir', Senedd, 9/10/1982.

147 LlGC, PCYIG 30. Senedd, 8/1/1983, 18/6/1983, 16/10/1983; Cyf. Cyff. 1983, 1985.

148 LlGC, PCYIG 2/1, 24, 30. Senedd, 26/4/1975, 6/11/1982; Cyf. Cyff. 1982, 1986. Casglwyd hanes ymgyrch y Gymdeithas dros Ddeddf Iaith yn *Deddf Iaith Newydd: Yr Hanes 1983–1989* (Aberystwyth, 1989).

149 LlGC, PCYIG 30, 24, 51/5. Cyf. Cyff. 1982, 1984, 1986, 1987; Senedd, 12/5/1984, 7/12/1985, 12/4/1986, 11/6/1988. PCYIG, Swyddfa Aberystwyth. Cyf. Cyff. 1988, 1989.

150 LlGC, PCYIG 30, 12/1. Cyf. Cyff. 1983, 1984; Senedd, 10/9/1983, 9/12/1989.

151 LlGC, PCYIG 30, 12/1. Senedd, 9/7/1983, 10/12/1983, 2/2/1985; Cyf. Cyff. 1984.

152 LlGC, PCYIG 30. Senedd, 8/2/1986, 10/1/1987, 11/7/1987, 11/2/1989.

153 LlGC, PCYIG 24, 30. Senedd, 6/11/1982, 12/3/1983; Cyf. Cyff. 1983, 1987, 1988.

154 LlGC, PCYIG 12/1, 30. Cyf. Cyff. 1984; Senedd, 8/12/1984, 2/2/1985. Gw. hefyd 'Sylwedd tu ôl i'r gweithredu', *Y Cymro*, 15/1/1985.

155 'Maniffesto Cymdeithas yr Iaith', *Y Faner Goch*, 13 (1982). Gw. ymateb Cymdeithas yr Iaith i sefydlu'r Mudiad Gweriniaethol Sosialaidd ac ymdrechion y mudiad hwnnw i ymgyrchu ym meysydd y Gymdeithas gan Tudur Jones, 'Y Mudiad Gweriniaethol a'r byd go iawn', *TDd*, 134 (8/1980).

156 LlGC, PCYIG 30. Senedd, 7/12/1985.

157 LlGC, PCYIG 30. Senedd, 13/10/1985; Toni Schiavone, 'Cynhadledd Plaid Cymru 1984', *TDd*, 176 (11/1984).

158 Sylwer bod Ffred Ffransis wedi cyhoeddi *Cymdeithasiaeth – yr Ail Ffrynt* tra

oedd yng ngharchar ym 1986, gan ailddatgan hanfodion egwyddor Cymdeithasiaeth.

159 LlGC, PCYIG 12/1, 30. Cyf. Cyff. 1983, 1984, 1985; Senedd, 9/7/1983, 10/12/1983, 7/12/1985, 18/1/1986.

160 LlGC, PCYIG 30. Senedd, 12/5/1984, 14/7/1984, 16/2/1985; Tony Heath, 'Bridge over troubled water', *Radical Wales* (Gaeaf 1984), t.13.

161 LlGC, PCYIG 30, 24, a PCYIG, Swyddfa Aberystwyth. Senedd, 8/1/1983, 13/4/1985, 13/10/1985, 10/3/1990; Cyf. Cyff. 1983, 1985, 1986, 1987, 1989, 1992.

162 Am drafodaeth ar ystyr Thatcheriaeth, gw. Dylan Griffiths, *Thatcherism and Territorial Politics: A Welsh Case Study* (Aldershot, 1996); Dylan Morris, 'Dehongli Thatcheriaeth', yn W. Arthur Thomas a D. Roy Thomas (goln.), *Cymru a'r Byd: Detholiad o Drafodion Economaidd a Chymdeithasol 1981–1986* (Caerdydd, 1988), tt.33–45.

163 Gw. John Osmond, 'The Dynamic of Institutions', yn idem (gol.), *The National Question Again: Welsh Political Identity in the 1980s* (Llandysul, 1985), tt.225–55.

164 LlGC, PCYIG 12/1. Cyf. Cyff. 1984. Gwelwyd hynny mewn cynnig ar statws y Gymraeg yn Awdurdod Iechyd Gwynedd; PCYIG, Swyddfa Aberystwyth. Cyf. Cyff. 1992.

165 LlGC, PCYIG 30. Cyf. Cyff. 1985.

166 *Rhyddhau'r Gymraeg* (Aberystwyth, 1990), tt.2–4.

167 *Canoli a Rheoli – Y Papur Lliwgar* (Aberystwyth, 1992), t.4.

168 PCYIG, Swyddfa Aberystwyth. Cyf. Cyff. 1989; Senedd, 8/2/1992, 11/4/1992; *Llawlyfr Deddf Eiddo* (Aberystwyth, 1992), par.0.3.

169 *Mynnwn Ein Rhyddid Mewn Cymuned Rydd* (Aberystwyth, 1992), passim.

170 *Maniffesto Cymdeithas yr Iaith Gymraeg* (Aberystwyth, 1992), tt.1–7.

171 Ibid., tt.2, 4–9, 45.

172 Lewis, *Tynged yr Iaith,* t.7.

173 *Maniffesto* (1992), t.55.

174 Richard Wyn Jones, 'Care of the community', tt.16–25. Gw. hefyd ymdriniaethau â 'chymuned' yn Raymond Williams, *Keywords: A Vocabulary of Culture and Society* (ail argraffiad, London, 1988), tt.75–6, ac idem, *Resources of Hope: Culture, Democracy, Socialism* (London, 1989), tt.111–19.

175 Clive Betts, 'It started with a wobbly bike', *WM*, 3/2/1983.

Herio 'Deddf y Sais yn Enw Hawl': Dulliau Gweithredu Cymdeithas yr Iaith Gymraeg

Oes aur gwleidyddiaeth gwasgedd ym Mhrydain oedd chwe a saithdegau'r ugeinfed ganrif. Fodd bynnag, nid peth newydd oedd bodolaeth grwpiau gwasgedd gan fod buddgarfanau neu 'grwpiau diddordeb' wedi bodoli yn Lloegr mor gynnar â'r ddeunawfed ganrif. Yn ystod y bedwaredd ganrif ar bymtheg ffurfiwyd grwpiau a chanddynt ddiddordebau diwydiannol a phroffesiynol, megis 'Cymdeithas Meddygon Prydain' (1830), 'Cyngres yr Undebau Llafur' (1868), ac 'Undeb Cenedlaethol yr Athrawon' (1870). Gweithredai'r grwpiau hyn yn annibynnol ar y pleidiau gwleidyddol er mwyn hyrwyddo buddiannau eu haelodau drwy lobïo a dwyn pwysau ar y llywodraeth. Sefydlwyd, yn ogystal, nifer o fudiadau 'achosion teilwng' megis yr RSPCA (1824) a'r NSPCC (1884) a oedd hefyd i gymryd rhan yn y proses gwleidyddol, gan arfer dulliau tebyg i'r buddgarfanau diwydiannol a phroffesiynol. O ganlyniad i natur gyfyng yr etholfraint, datblygodd yr arfer o lobïo llywodraeth ac awdurdodau cyhoeddus yn y dull hwn yn rhan naturiol a derbyniol o'r drefn wleidyddol ddemocrataidd ym Mhrydain ac mewn nifer o wledydd rhyddfrydig eraill.[1] Yn raddol ffurfiwyd canghennau neu amrywiadau Cymreig o'r buddgarfanau economaidd a phroffesiynol uchod yng Nghymru, yn ogystal ag amryw o fudiadau gwasgedd addysgol a diwylliannol megis y mudiad cyntaf i ddwyn yr enw Cymdeithas yr Iaith Gymraeg (1885), Undeb Cenedlaethol y Cymdeithasau Cymraeg (1914), ac Undeb Cymru Fydd (1939).

Ar ôl yr Ail Ryfel Byd lluosogodd nifer y mudiadau gwasgedd yn eithriadol. Rhoes mwy o bobl eu ffydd mewn dulliau mwy uniongyrchol o wleidydda, gan ymuno â nifer fawr o fudiadau a oedd yn cynrychioli pob math o fuddiannau economaidd, gwleidyddol a chymdeithasol.[2] Yn sgil y defnydd helaethach o wleidyddiaeth gwasgedd, cafwyd hefyd newid pwysig iawn yn y dulliau a ddefnyddid at bwrpas dylanwadu ar yr awdurdodau. O ganlyniad i benderfyniad Mrs Rosa Parks ar 1 Rhagfyr 1955 i beidio ag ildio ei sedd i berson gwyn ar y bws yr oedd yn teithio arno ym Montgomery, Alabama, datblygodd yr ymgyrch o blaid hawliau'r bobl dduon yn America ddulliau protest herfeiddiol a radical. Ym Mhrydain ym 1958 sefydlwyd yr Ymgyrch dros Ddiarfogi Niwclear yn sgil protest yng nghanolfan y Sefydliad Ymchwil Arfau Niwclear yn Aldermaston, lle y cyplyswyd yr arfer traddodiadol o lobïo llywodraeth â phrotestio torfol ac anufudd-dod sifil. Trwy gydol y chwedegau ceid cynnwrf yng ngholegau a phrifysgolion Ewrop ac America wrth i fyfyrwyr gofleidio dulliau'r brotest i frwydro am ryddid barn a threfn addysg decach, gan ddilyn esiampl Mario Savio a'i ddilynwyr yn Berkeley, Prifysgol California, yn Hydref 1964.[3] Yr oedd 'Oes y Brotest' wedi gwawrio a rhaid ystyried sefydlu Cymdeithas yr Iaith Gymraeg ym 1962 yn y cyd-destun hwnnw.

Gwleidyddiaeth gwasgedd a phrotest

Astudiwyd datblygiad grwpiau gwasgedd a phrotest gan nifer o ysgolheigion yn ystod yr ugeinfed ganrif er mwyn ceisio pwyso a mesur cyfraniad gwleidyddiaeth gwasgedd i'r proses democrataidd. Dosbarthwyd grwpiau gwasgedd yn fras gan ysgolheigion megis J. D. Stewart, yr Athro S. E. Finer, yr Athro Frank Stacey a Graham Wootton yn ôl eu hamcanion fel grwpiau 'diddordeb' a grwpiau 'pwnc', megis y TUC a'r RSPCA, fel y gwelwyd uchod.[4] Yn ôl ysgolheigion eraill, megis Bridget Pym a Wyn Grant, 'the most important dividing line is between groups that are politically acceptable and groups that are not'. Honnodd y ddau hyn y cydnabyddid dilysrwydd rhai grwpiau gwasgedd gan awdurdodau megis adrannau llywodraethol neu gyrff cyhoeddus oherwydd eu bod yn angenrheidiol i'r economi, neu am eu bod yn sefyll o blaid pynciau derbyniol megis hawliau anifeiliaid neu fuddiannau plant. Gosodid grwpiau eraill, fodd bynnag, y tu allan i wleidyddiaeth dderbyniol am eu bod yn ymgyrchu o blaid pynciau amhoblogaidd neu o blaid hawliau lleiafrifoedd. Ym maes astudiaeth Pym, sef mudiadau diwygio cymdeithasol, gellid yn hawdd wahaniaethu rhwng y grwpiau annerbyniol megis y mudiadau gwasgedd radical a oedd yn pwyso am ddiwygio deddfau yn ymwneud ag ysgariad a gwrywgydiaeth, ac yn y blaen, a'r grwpiau derbyniol megis y mudiadau eglwysig a oedd yn eu gwrthwynebu.[5] Ond yn ôl T. May ac

N. Nugent, y mae'r dosbarthiad hwnnw yn llawer rhy elfennol. Er mwyn adlewyrchu holl gymhlethdodau gwleidyddiaeth gwasgedd, meddent, rhaid yn hytrach ddosbarthu mudiadau gwasgedd yn grwpiau *derbyniol* neu *annerbyniol* ar sail eu statws a'u dilysrwydd yn nhyb yr awdurdodau, yn grwpiau *mewnol* neu *allanol* ar sail eu strategaeth a'u dulliau gweithredu, ac yn grwpiau *cymedrol* neu *radical* ar sail eu gofynion a'u hamcanion.[6]

Gellir dosbarthu'r cyrff a'r mudiadau hynny yng Nghymru sy'n gysylltiedig â'r iaith Gymraeg yn ôl dosbarthiad cyffelyb. Dosbarthwyd mudiadau'r Gymraeg yn fras gan Dafydd Glyn Jones yn grwpiau sy'n bodoli yn bennaf er mwyn rhoi swyddogaeth i'r iaith Gymraeg, megis Urdd Gobaith Cymru, Merched y Wawr, a Chyngor Llyfrau Cymru, a grwpiau sy'n bodoli er mwyn ymgyrchu o blaid yr iaith, megis Plaid Cymru a Chymdeithas yr Iaith Gymraeg. Cydnabu'r awdur fod y ddau ddosbarth hyn o bryd i'w gilydd yn gorgyffwrdd, gan mai ychydig iawn o'r grwpiau sy'n perthyn i'r dosbarth cyntaf sydd heb, rywdro neu'i gilydd, gymryd rhan mewn protest neu gyflwyno argymhellion a syniadau i lywodraeth ganol neu leol yn trafod rhyw agwedd ar ddyfodol yr iaith.[7] Er hynny, gwell fyddai dosbarthu mudiadau'r Gymraeg yn ôl dosbarthiad May a Nugent, yn grwpiau derbyniol ac annerbyniol, mewnol ac allanol, cymedrol a radical. Fel y nododd Dafydd Glyn Jones, amrywiai'r grwpiau iaith yn fawr iawn; yn eu plith yr oedd rhai a gawsai'r fraint o dderbyn nawdd y goron yn ogystal â rhai y cawsai eu harweinwyr y fraint o aros ym mhlasau'r goron. Er bod Urdd Gobaith Cymru a Merched y Wawr wedi cymryd rhan mewn ymgyrchoedd a phrotestiadau o blaid yr iaith yr oeddynt yn *dderbyniol* gan yr awdurdodau, yn *gymedrol* o ran eu hamcanion, ac yn cael eu hystyried yn fudiadau *mewnol* o ran eu strategaeth a'u dulliau gweithredu; ystyrid Cymdeithas yr Iaith Gymraeg, ar y llaw arall, yn *annerbyniol* gan y sefydliad, yn *radical* o ran ei hamcanion, ac yn fudiad *allanol* o ganlyniad i'w ddulliau gweithredu torcyfraith.

Ym marn rhai ysgolheigion, gan gynnwys Grant a Pym, y mae'r mudiadau hynny sy'n 'dderbyniol' i'r awdurdodau yn mwynhau amryw o fanteision dros fudiadau a ystyrir yn 'annerbyniol'. Tra bo grwpiau derbyniol yn gallu datblygu perthynas agos â'r awdurdodau, y mae grwpiau annerbyniol yn gorfod eu herio o'r tu allan. Yng ngeiriau Bridget Pym: 'Groups may besiege a citadel, but its walls can only be stormed within Parliament and by parliamentarians.'[8] Caiff grwpiau sy'n dderbyniol fynediad i drafodaethau ac ymgynghoriadau swyddogol ar faterion polisi ochr yn ochr â phleidiau gwleidyddol fel sefydliadau cynrychioliadol parchus. Er enghraifft, croesewir gan yr awdurdodau gyfraniad mudiadau megis yr RSPB i unrhyw drafodaeth ar bolisïau yn ymwneud â chadwraeth bywyd gwyllt, fel y gwnaed pan baratôdd Adran yr Amgylchedd Ddeddf Bywyd Gwyllt a Chefn Gwlad (a basiwyd ym 1981). Wrth reswm, y mae'r wybodaeth arbenigol sydd gan y mudiadau hyn o fudd mawr. Ar y llaw arall, nid oes modd i grwpiau sy'n ymgyrchu dros newidiadau radical i'r drefn wleidyddol neu sy'n defnyddio dulliau anghyfansoddiadol o weithredu fwynhau perthynas agos â'r awdurdodau na chael eu gwahodd i gymryd rhan yn y proses o lunio polisi. Yn yr ystyr hwn, felly, arferir mwy o ddylanwad dros bolisïau'r awdurdodau gan grwpiau mewnol sy'n gymedrol eu hamcanion ac yn dderbyniol i'r sefydliad.[9]

Serch hynny, nid yw'r mwyafrif o'r grwpiau sy'n annerbyniol yn awyddus i dderbyn statws mewnol. Y mae bod yn 'dderbyniol' i'r awdurdodau yn rhwymo mudiad wrth batrwm arbennig o ymddygiad. Rhaid i fudiad fod yn gymedrol ei amcanion ac yn gyfrifol ei ddulliau cyn y gellir ei ystyried yn 'dderbyniol'. Yn ôl Grant:

> . . . the state sets the rules of the game for pressure group activity. Access and consultation flow from the adoption of a pattern of behaviour which is acceptable to government, particularly to civil servants. This creates incentives for groups to act in a particular way; pressure groups are thus tamed and domesticated.[10]

Mewn geiriau eraill, rhaid derbyn amodau a rheolau'r awdurdodau. Ond bydd cydweithio â hwy yn fynych yn golygu bod rhaid aberthu rhyddid barn ac argyhoeddiad athronyddol. Rhaid bod yn barod i gyfaddawdu ac i roi'r gorau i'r hawl i ymosod ar bolisïau. Yn wyneb yr amodau caeth hyn, gwell gan rai mudiadau gwasgedd ddulliau amgen o ddwyn pwysau ar yr awdurdodau i dderbyn eu gofynion.[11] Er enghraifft, yn achos yr amgylchfyd neu hawliau anifeiliaid, er bod yr awdurdodau yn fwy parod i wrando ar ofynion ac argymhellion grwpiau gwasgedd megis 'Cyfeillion y Ddaear' a'r RSPCA, sy'n dra derbyniol o ran eu dulliau, y mae 'Greenpeace' a'r 'Hunt Saboteurs Association' wedi dewis defnyddio dulliau uniongyrchol o weithredu.

Er bod hyn yn peri eu bod yn annerbyniol i'r awdurdodau, cânt ddiogelu eu purdeb athronyddol a'u rhyddid i weithredu.

Ceir sefyllfa gyffelyb yng Nghymru ymhlith y cyrff a'r mudiadau hynny sy'n gysylltiedig â'r iaith Gymraeg. Y mae amryw o'r mudiadau yn dderbyniol gan yr awdurdodau ac yn fynych yn cael mynediad i drafodaethau ac ymgynghoriadau yn ei chylch. Er enghraifft, yng nghanol berw'r ymgyrch dros Gorff Datblygu Addysg Gymraeg ym 1988, cytunodd Peter Walker, Ysgrifennydd Gwladol Cymru, i gyfarfod â dirprwyaeth yn cynnwys aelodau UCAC, yr Urdd, Merched y Wawr a Rhieni dros Addysg Gymraeg, ond gwrthodwyd caniatâd i Gymdeithas yr Iaith anfon cynrychiolydd oni cheid ymrwymiad ganddi i roi'r gorau i'w hymgyrchoedd anghyfansoddiadol.[12] Tra oedd y Swyddfa Gymreig yn fodlon derbyn dirprwyaethau ar ran llu o fudiadau a oedd yn awyddus i drafod agweddau ar yr iaith Gymraeg, megis arwyddion ffyrdd, darlledu, datblygu addysg Gymraeg, a Deddf Iaith Newydd, cyndyn iawn fu gweinidogion i gwrdd â swyddogion Cymdeithas yr Iaith. Dros gyfnod o ddeng mlynedd ar hugain rhwng 1962 a 1992, dim ond ar ddeg achlysur y bu i gynrychiolwyr o'r Gymdeithas gyfarfod yn swyddogol â swyddogion y llywodraeth, a dim ond unwaith y cafodd ei harweinwyr gyfarfod yn swyddogol ag Ysgrifennydd Gwladol, sef gyda George Thomas ym mis Mai 1969, a hynny i drafod ffurflenni ac arwyddion ffyrdd dwyieithog. Byr iawn fu'r cyfarfod hwnnw, fodd bynnag, gan fod George Thomas yn gofidio y byddai aelodau'r Gymdeithas yn cychwyn 'sit-in' yn ei swyddfa ac na fyddai'n gallu cael gwared arnynt.[13] Anwybyddwyd cais ffurfiol oddi wrth y Gymdeithas am gyfarfod i drafod y bedwaredd sianel yng Nghymru gan y Swyddfa Gartref ym 1978.[14] Ond go brin y byddai'r Gymdeithas yn deisyf statws mewnol nac yn awyddus i gael ei hystyried yn dderbyniol gan yr awdurdodau, gan fod ei haelodau yn argyhoeddedig na ddylid cyfaddawdu ar faterion yn ymwneud â dyfodol yr iaith.

Yr hyn sy'n peri bod rhai mudiadau gwasgedd yn 'dderbyniol' ac eraill yn 'annerbyniol' yw natur radical eu hamcanion a natur anghyfansoddiadol eu dulliau. Y mae hawl unigolion a chymunedau i ddod at ei gilydd ac i ddwyn pwysau ar y llywodraeth er mwyn diogelu eu buddiannau yn un o feini clo pob cymdeithas ddemocrataidd. Ond bydd yr awdurdodau bob tro yn gwgu ar ddefnydd dulliau anghyfansoddiadol o wleidydda, gan ffafrio yr hyn a alwyd gan John Wilson yn 'politics of order' (sef gwleidyddiaeth gyfansoddiadol a seneddol) uwchlaw 'politics of disorder' (sef gwleidyddiaeth anghyfansoddiadol a thorcyfraith). Serch hynny, dengys tystiolaeth y chwe a'r saithdegau fod cynnydd aruthrol wedi digwydd yn nifer y mudiadau gwasgedd a fabwysiadodd ddulliau uniongyrchol o weithredu a phrotestio er mwyn diogelu hawliau unigolion a chymunedau.[15] O ganlyniad i'r cynnydd hwn, bwriodd nifer o ysgolheigion ati i geisio esbonio poblogrwydd gwleidyddiaeth gwasgedd yn ystod y saithdegau, a chafwyd dadansoddiadau trylwyr iawn o'r math o ddulliau a ddefnyddid, yn enwedig gan Ralph H. Turner a Gene Sharp.[16]

Ond er gwaethaf yr amrywiaeth barn ynglŷn â phriodoldeb gwahanol ddulliau, y mae'r ysgolheigion hyn yn gytûn mai un o'r prif gymhellion y tu ôl i'r defnydd o ddulliau anghyfansoddiadol mewn gwleidyddiaeth yw ymdeimlad o ddadrithiad a rhwystredigaeth. Priodolodd Gavin Drewry symudiad y mudiad heddwch at ddulliau uniongyrchol o weithredu i'r ffaith fod pobl wedi dechrau amau doethineb a hawl y wladwriaeth i ddatblygu grym niwclear. Gan fod llywodraeth Prydain a'r Blaid Lafur wedi anwybyddu galwadau'r mudiad diarfogi, yn enwedig galwadau cyfansoddiadol CND, sefydlwyd y 'Direct Action Committee' ac wedyn y 'Pwyllgor Cant' er mwyn gweithredu'n uniongyrchol o blaid diarfogi. Gan fod llywodraeth America a llywodraethwyr taleithiau'r de wedi anwybyddu galwadau am hawliau cyfartal i bobl dduon, sefydlwyd y 'Student Non-violent Coordinating Committee' i weithredu'n uniongyrchol o blaid sicrhau cydraddoldeb. A chan fod llywodraethwyr prifysgolion America wedi anwybyddu cwynion yr undebau myfyrwyr ynghylch trefn addysg y colegau, sefydlwyd 'Students for a Democratic Society' er mwyn ymgyrchu'n uniongyrchol yn erbyn y 'peiriant addysg' annynol. Rhwystredigaeth a dadrithiad â'r proses gwleidyddol cyfansoddiadol a barodd i'r bobl hyn fabwysiadu dulliau uniongyrchol o weithredu. Meddai Ned Thomas: 'Everywhere direct action is the child of bureaucracy. It is produced by the realization that however strong your case, however reasonable your approach, you will be ignored or fobbed off with technical objections. This is what happened in Wales.'[17] Rhwystredigaeth hefyd a barodd i sylfaenwyr Cymdeithas yr Iaith Gymraeg fabwysiadu anufudd-dod sifil a thorcyfraith yn rhan ganolog o'u dull o weithredu.

Ymgyrchu cyfansoddiadol

Fel y nodwyd eisoes, ffurfiwyd Cymdeithas yr Iaith yn Ysgol Haf Plaid Cymru ym Mhontarddulais ar 4 Awst 1962 o ganlyniad i gynnig a roddwyd gerbron y gynhadledd gan gangen tref Aberystwyth. Yr oedd aelodau'r gangen honno yn awyddus i ffurfio mudiad iaith wedi i Gareth Miles, myfyriwr ymarfer dysgu yng Ngholeg Prifysgol Cymru, gael ei arestio ym mis Ionawr am gario cyfaill ar gefn ei feic yn anghyfreithlon. Oherwydd i Miles wrthod ufuddhau i'r wŷs uniaith Saesneg a dderbyniodd wedi i'w gais am wŷs Gymraeg gael ei wrthod gan fainc ynadon Aberystwyth, dirwywyd ef yn ei absenoldeb, a phan wrthododd dalu'r ddirwy o bunt gorfu iddo dreulio noson yng nghelloedd yr heddlu ar 8 Mai cyn i'r arian gael ei gipio o'i boced.[18] Yn sgil yr achos hwnnw y cytunodd dwsin o aelodau yn yr Ysgol Haf sefydlu mudiad newydd a fyddai'n ymgyrchu'n ddigyfaddawd o blaid y Gymraeg. Lai na chwe mis yn ddiweddarach, wedi ymgyrch ddiffrwyth o ohebu cyson ag ynadon Aberystwyth a Cheredigion, heidiodd dros ddeg a thrigain o garedigion yr iaith i'r dref ar 2 Chwefror 1963 gyda'r nod o dorri'r gyfraith yn fwriadol fel rhan o'r ymgyrch o blaid gwysion Cymraeg. Erbyn Cyfarfod Cyffredinol cyntaf Cymdeithas yr Iaith ym mis Mai y flwyddyn honno, gallai'r mudiad rybuddio'r sawl a oedd yn gwrthod statws cyfartal i'r Gymraeg a'r Saesneg: 'lle bo dulliau cyfreithlon yn methu, mae'r Gymdeithas yn barod i ddefnyddio dulliau anghyfreithlon'.[19]

Annheg, fodd bynnag, fyddai gorbwysleisio ymgyrchoedd anghyfansoddiadol Cymdeithas yr Iaith ar draul ei hymgyrchoedd cyfansoddiadol drwy gydol y cyfnod dan sylw. Er gwaethaf galwad Saunders Lewis am weithredu chwyldroadol o blaid y Gymraeg yn *Tynged yr Iaith,* gweithredu cyfansoddiadol fu bron y cyfan o waith y Gymdeithas yn ystod ei blynyddoedd cychwynnol. Gohebwyd yn helaeth iawn ag awdurdodau lleol ynglŷn â phapurau'r dreth ac enwau lleoedd ar arwyddion ffyrdd, a chyda Swyddfa'r Post, y Comisiwn Coedwigaeth a Rheilffyrdd Prydain ynglŷn â safle'r Gymraeg. Trafodwyd cyhoeddiadau'r Bwrdd Croeso, hysbysfyrddau'r Ymddiriedolaeth Genedlaethol, ffurflenni treth incwm, a biliau teleffon a thrydan, a cheisiwyd cau pen y mwdwl ar yr ymgyrch hirfaith i sicrhau sieciau dwyieithog. Gosodwyd labeli 'Siaredir Cymraeg Yma' mewn ffenestri siopau, a dosbarthwyd arwyddion 'Dim Parcio' a 'Gwely a Brecwast' mewn nifer o drefi megis Bangor ac Aberystwyth. Gweithredwyd hefyd fel mudiad ambarél i amryw byd o ymgyrchoedd personol dros yr iaith, megis ymgyrchoedd Phillip Lloyd yng Nghlwyd a Peter Hughes Griffiths yng Ngheredigion o blaid cael anfonebau Cymraeg gan gwmni trydan MANWEB, a safiad teuluoedd Hywel ac Almutt Davies, Michael a Margaret Tucker, a Cynog a Llinos Dafis o blaid ffurflen cofrestru genedigaeth yn Gymraeg.[20]

Er i sawl aelod ymddangos gerbron llys barn yn ystod yr ymgyrch o blaid gwysion llys Cymraeg, ymgyrchu cyfansoddiadol tawel a distŵr a nodweddai ddulliau gweithredu'r Gymdeithas am y tair blynedd gyntaf, yn nhraddodiad ei rhagflaenwyr, mudiadau megis Cymdeithas yr Iaith Gymraeg (1885), Undeb Cenedlaethol y Cymdeithasau Cymraeg, Urdd Gobaith Cymru, Plaid Cymru ac Undeb Cymru Fydd. Trwy weithgaredd y mudiadau hyn y sicrhawyd statws pwnc i'r Gymraeg yn yr ysgolion a gwasanaeth Cymraeg ar y radio, ac y diwygiwyd statws yr iaith yn y llysoedd barn; yn ogystal darparwyd gweithgareddau diwylliannol ac adloniant i gannoedd o filoedd o blant ac oedolion trwy gyfrwng y Gymraeg. Mawr fu dylanwad gwaith rhagarweiniol y mudiadau hyn ar Gymdeithas yr Iaith Gymraeg. Rhaid cofio bod cysylltiadau cryfion rhwng Plaid Cymru a'r Gymdeithas, fel y nodwyd eisoes, a bod aelodaeth y ddau fudiad yn tueddu i orgyffwrdd. Teg nodi yn ogystal fod nifer o aelodau'r Gymdeithas wedi eu magu gan rieni a fuasai'n gefnogol i Undeb y Cymdeithasau ac Undeb Cymru Fydd. Diau hefyd fod nifer ohonynt wedi bod yn aelodau o'r aelwydydd a sefydlwyd gan Urdd Gobaith Cymru yn y blynyddoedd wedi'r Ail Ryfel Byd.[21]

Eithr yr hyn sy'n bwysig i'w gofio am ragflaenwyr Cymdeithas yr Iaith yw eu '[g]weithgarwch dygn a diflino', chwedl Marion Löffler. Gweithgarwch cyfansoddiadol fu gweithgarwch caredigion yr iaith Gymraeg cyn 1962 ar bob achlysur. Wrth ymgyrchu dros ragor o statws i'r Gymraeg mewn addysg neu bwyso ar gyrff llywodraethol i'w hystyried yn iaith swyddogol, byddai Undeb Cenedlaethol y Cymdeithasau Cymraeg yn ofalus iawn o'i ddulliau:

> the methods used in pursuit of these aims were always constitutional and relied heavily on public meetings, petitions and delegations to state institutions – from LEAs to the Board of Education and the BBC, and taking positive action on behalf of the language.[22]

Trwy ddulliau cyfansoddiadol yr ymgyrchai'r Undeb a Phlaid Cymru dros wasanaeth Cymraeg ar gyfrwng newydd y radio. Gan fanteisio ar adnoddau Cymdeithas Addysg y Gweithwyr a'r awdurdodau addysg lleol y llwyddodd yr Undeb i drefnu nifer fawr o ddosbarthiadau Cymraeg i oedolion. Gwaith cyfansoddiadol tawel a roes fod i'r ysgol gynradd Gymraeg gyntaf, a sefydlwyd yn Aberystwyth ym 1939 dan nawdd Urdd Gobaith Cymru, ac i'r nifer o ysgolion eraill a sefydlwyd dan nawdd awdurdodau addysg lleol, megis yr ysgol gynradd Gymraeg gyntaf yn Llanelli ym 1947, a'r ysgol uwchradd Gymraeg gyntaf yn Y Rhyl ym 1956. Sicrhawyd Deddf Llysoedd Cymru ym 1942 yn sgil ymgyrch fawr y ddeiseb genedlaethol cyn yr Ail Ryfel Byd dan ysgrifenyddiaeth Dafydd Jenkins. Anfonwyd dirprwyaethau at awdurdodau addysg lleol gan Undeb Cymru Fydd er mwyn sicrhau addysg uwchradd drwy gyfrwng y Gymraeg, a thrwy ddulliau cyfansoddiadol hefyd y pwyswyd ar gynghorau tref Cymru i roi enwau Cymraeg yn ogystal â rhai Saesneg ar eu strydoedd.[23] Nid anwybyddwyd y wers hon gan arweinwyr cyntaf Cymdeithas yr Iaith Gymraeg. Cydiasant yn eiddgar yn nhraddodiad anrhydeddus mudiadau iaith Cymru o ymgyrchu'n gyfansoddiadol trwy ohebu, deisebu a phwyso tawel. Er gwaethaf yr enw sydd gan y Gymdeithas bellach o fod yn fudiad anghyfansoddiadol, rhaid cydnabod yn deilwng y gwaith cyfansoddiadol aruthrol bwysig a oedd wrth wraidd pob ymgyrch a drefnwyd ganddi erioed.

Yn eu dadansoddiad o ddulliau gweithredu mudiadau gwasgedd, pwysleisia Turner a Sharp bwysigrwydd dulliau cyfansoddiadol o ymgyrchu. Yn ôl Turner, bydd mudiadau gwasgedd yn defnyddio cyfuniad o 'ddarbwyllo', 'bargeinio' a 'gorfodi' wrth geisio dwyn perswâd ar y grŵp targed i gefnogi eu hamcanion. Trwy 'ddarbwyllo' bydd mudiad gwasgedd yn defnyddio pob math o ddulliau cyfansoddiadol i geisio profi pa mor rhesymol a synhwyrol yw'r hyn y mae'n ymgyrchu drosto neu, efallai, yn ceisio dwyn cyhoeddusrwydd anffafriol i safiad neu bolisïau'r grŵp targed er mwyn ei ddarbwyllo i gefnogi amcanion y mudiad. Dull arall a ddefnyddir, yn ôl Turner, yw cynnig i'r grŵp targed rywbeth sydd ei angen arno, megis gwybodaeth neu bleidleisiau, yn gyfnewid am gefnogaeth i ofynion y mudiad. Fodd bynnag, ni all pob mudiad gwasgedd 'fargeinio' yn y modd hwn oherwydd amharodrwydd ei aelodau i gyfaddawdu ar fater o egwyddor. Rhydd Sharp yntau gryn dipyn o bwys ar 'ddarbwyllo' fel dull o ymgyrchu, gan restru cyfres o ddulliau symbolaidd a ddefnyddir er mwyn datgan gwrthwynebiad heddychlon i safiad neu bolisïau arbennig gan y grŵp targed, ac i'w ddarbwyllo i newid ei safiad. Ymhlith y dulliau hyn ceir datganiadau cyhoeddus, llythyrau o wrthwynebiad neu gefnogaeth, deisebau, dirprwyaethau, cyfarfodydd cyhoeddus, gorymdeithiau, gwylnosau, taflenni, pamffledi a llyfrau.[24] Gwelir, felly, fod dulliau cyfansodd-iadol o weithredu yn rhan allweddol o arfogaeth pob mudiad gwasgedd wrth lobïo'r awdurdodau.

Er mai'r gweithredu anghyfreithlon a'r achosion llys a ddenai sylw'r cyfryngau torfol, byddai'r Gymdeithas, yn ei hymgais i hyrwyddo ei pholisïau, yn defnyddio pob dull cyfansoddiadol posibl o bwyso ar lywodraeth ganol a lleol a chyrff cyhoeddus a phreifat cyn cychwyn ar unrhyw ymgyrch anghyfansoddiadol. Defnyddid y dull o lythyru gan Gymdeithas yr Iaith yn fynych iawn. Trwy gydol y saithdegau, yn ystod yr ymgyrch faith dros sianel deledu Gymraeg, lobïwyd y llywodraeth, y Swyddfa Gymreig, a'r awdurdodau darlledu, trwy ohebu a chylchlythyru cyson, a chanfasiwyd cynghorau lleol, y wasg, ac amryw byd o gyrff a mudiadau Cymraeg mewn ymgais i ennill eu cefnogaeth. Ym mis Ionawr 1978 anfonwyd telegramau a llythyrau at Harold Wilson, y Prif Weinidog, a holl aelodau'r Cabinet Llafur yn galw arnynt i sefydlu'r sianel deledu Gymraeg yn ddi-oed.[25] Fel rhan o'r ymgyrch yn erbyn tai haf ac o blaid statws cynllunio i'r Gymraeg, cylchlythyrwyd y Swyddfa Gymreig, yr awdurdodau cynllunio, a'r cynghorau dosbarth a sirol yng Nghymru bron yn flynyddol yn ystod y cyfnod 1970–92. Ehangwyd maes gohebu'r Grŵp Cynllunio yng Nghyfarfod Cyffredinol 1984 pan benderfynwyd meithrin cysylltiadau cydwladol â chynrychiolwyr ieithoedd lleiafrifol mewn rhannau eraill o Ewrop er mwyn trafod swyddogaeth cynllunio wrth geisio diogelu dyfodol ieithoedd a chymunedau. Bu'r Gymdeithas yn trafod dulliau o ymgyrchu dros ieithoedd lleiafrifol gydag amryw o fudiadau Celtaidd, ynghyd â darlledu mewn ieithoedd lleiafrifol gyda mudiadau ledled Ewrop.[26]

Bu'r ddeiseb hefyd yn arf defnyddiol yn nwylo'r Gymdeithas. Un o'i deisebau cyntaf oedd honno a drefnwyd ym 1968 i alw am wasanaeth Cymraeg amgenach gan y BBC a sianel deledu Gymraeg dan reolaeth awdurdod darlledu Cymreig. Llwyddwyd i gasglu dros 6,500 o enwau cyn ei chyflwyno i swyddogion y Gorfforaeth yn

Llandaf mewn rali genedlaethol ym mis Mai.[27] Casglwyd deisebau yn ystod pob math o ymgyrchoedd, gan gynnwys deiseb i gefnogi gwrthwynebiad gweithwyr Shotton i gau'r gwaith dur ym 1973, deiseb ar faes yr Eisteddfod Genedlaethol ym 1980 yn galw am ddwyieithrwydd mewn siopau cadwyn, a deiseb yn hawlio rhagor o ysgolion Cymraeg yn Ne Morgannwg ym 1984.[28] Oherwydd diffyg cyfundrefn weinyddol broffesiynol a rhwydwaith effeithiol o gelloedd lleol, ni lwyddodd y Gymdeithas erioed i efelychu camp ryfeddol y mudiad iaith yn y blynyddoedd cyn cychwyn yr Ail Ryfel Byd pan dorrodd 'yn ymyl hanner miliwn' o bobl, yn ôl tystiolaeth J. E. Jones, eu henwau ar ddeiseb genedlaethol yn galw am wneud y Gymraeg 'yn unfraint â'r Iaith Saesneg'.[29] Serch hynny, o gofio pa mor gyfyng oedd adnoddau ariannol a dynol y Gymdeithas, cafwyd ymateb eithriadol o dda i'r deisebau cenedlaethol o blaid sefydlu Corff Datblygu Addysg Gymraeg ym 1983, pan gasglwyd dros 22,000 o enwau, ac o blaid cael Deddf Iaith Newydd ym 1987, pan gasglwyd oddeutu 29,000 o enwau.[30]

Er mai cyndyn iawn fu'r Swyddfa Gymreig erioed i gyfarfod â swyddogion Cymdeithas yr Iaith, derbyniwyd cynrychiolwyr y mudiad yn swyddogol gan weinidogion y llywodraeth yng Nghaerdydd ar saith achlysur gwahanol. Cafwyd cyfarfodydd i drafod arwyddion ffyrdd a ffurflenni dwyieithog ym 1969, darlledu, addysg a chynllunio ym 1979, a chyfres o gyfarfodydd ym 1983–4 i drafod yr alwad am Gorff Datblygu Addysg Gymraeg, Deddf Iaith Newydd, a Statws Cynllunio i'r Iaith. Trefnwyd cyfarfodydd pellach â gweinidogion y Swyddfa Gymreig ym Mangor ac Aberystwyth ym 1990 a 1992. Ym mis Medi 1976 cyfarfu Wynfford James a Rhodri Williams, cadeirydd ac arweinydd Grŵp Darlledu'r Gymdeithas, â swyddogion o Adran Ddarlledu'r Swyddfa Gartref yn Llundain i geisio sicrhau dyddiad cychwyn pendant i'r sianel deledu Gymraeg.[31] Yn aml iawn hefyd anfonid cynrychiolwyr i gyfarfod ag awdurdodau lleol a chyrff cyhoeddus a phreifat. Rhwng 1970 a 1992 cyfarfu swyddogion y Gymdeithas â chynrychiolwyr llywodraeth leol ledled yr ardaloedd Cymraeg, o Ddinefwr i Wrecsam Maelor ac o'r Preselau i Ddyffryn Lliw, er mwyn trafod effeithiau polisïau tai a chynllunio ar yr iaith Gymraeg. Ym 1986–7 anfonwyd dirprwyaethau at awdurdodau addysg Clwyd, Gwynedd, Dyfed a De Morgannwg. Profiad mwy pleserus, mae'n siŵr, oedd cyfarfod â swyddogion bragwyr Buckleys, Brains, Bragwyr Cymru, a Felinfoel yn ystod yr ymgyrch i Gymreigio'r byd masnach ym 1976![32]

Un dull na fabwysiadwyd yn aml gan y Gymdeithas oedd defnyddio'r gyfraith i hyrwyddo buddiannau'r iaith Gymraeg, er bod ymgyrchu trwy'r llysoedd yn rhan anhepgor o strategaeth nifer o fudiadau gwasgedd erbyn heddiw. Gosodwyd seiliau'r ymgyrch dros bobl dduon America gan weithgaredd yr NAACP trwy'r llysoedd barn o 1910 ymlaen, gan gyrraedd uchafbwynt ym 1954 pan ddaeth achos 'Brown vs. Board of Education' gerbron y Goruchaf Lys ac y chwalwyd y system addysg wahaniaethol trwy ganiatáu, am y tro cyntaf yn America, i deulu du anfon eu merch i ysgol ar gyfer plant gwynion yn Topeka, Kansas.[33] Braidd gyffwrdd â'r dull hwn o ymgyrchu a wnaeth Cymdeithas yr Iaith. Bu trafodaeth yn ystod cyfarfod o'r Senedd ym 1971 ynghylch dwyn achos sifil yn erbyn awdurdodau darlledu Prydain am eu bod – trwy ddarparu gwasanaeth teledu Saesneg yr honnid bod ei ddylanwad ar iaith plant mewn cartrefi Cymraeg mor llethol – yn annog hil-laddiad y Cymry. Ym 1976 arweiniodd rhanbarth Dyfed o'r Gymdeithas ymgyrch i ddwyn gerbron Llys Iawnderau Dynol Ewrop hawl pob disgybl ysgol i gael ei addysg drwy gyfrwng ei famiaith. Ac ym 1989 penderfynwyd cyflwyno apêl gydwladol i Gymdeithas y Cenhedloedd Unedig yng Nghaerdydd o blaid Deddf Iaith Newydd yn seiliedig ar y dystiolaeth a gasglwyd yn Refferendwm 1989.[34] Serch hynny, nid yw defnyddio'r gyfraith yn y dull hwn yn ymarferol yn achos mudiad gwasgedd o faint Cymdeithas yr Iaith oherwydd y gost enfawr, ac felly ni chafwyd ymgyrchoedd o blaid y Gymraeg ar raddfa ymgyrchoedd sylweddol yr NAACP yn America.

Fel rheol, defnyddid dulliau cyfansoddiadol er mwyn dwyn perswâd ar y sawl a oedd mewn grym i weithredu o blaid yr iaith Gymraeg. Yn fynych pwysid yn uniongyrchol ar aelodau seneddol – dull cyffredin ymhlith llawer o fudiadau gwasgedd – gan roi cyfle iddynt gyfrannu'n anuniongyrchol at drafodaethau yng nghoridorau grym San Steffan. Manteisiodd y Gymdeithas ar gefnogaeth aelodau seneddol o bob lliw gwleidyddol yn ystod yr ymgyrch o blaid sianel deledu Gymraeg, yn enwedig Tom Ellis, aelod Llafur Wrecsam, Geraint Howells, aelod Rhyddfrydol Ceredigion, Geraint Morgan, aelod Ceidwadol Dinbych, a'r ddau aelod o Blaid Cymru, Dafydd Wigley, Arfon, a Dafydd Elis Thomas, Meirionnydd. Bu'r rhain, ac eraill, yn annerch ar lwyfannau ralïau'r Gymdeithas, yn cynnal trafodaethau â gweinidogion y Swyddfa Gartref, ac yn codi cwestiynau ar lawr Tŷ'r Cyffredin.[35] Y mae'n arfer gan rai undebau llafur a grwpiau gwasgedd noddi ymgeiswyr ar gyfer etholiadau cyffredinol neu geisio pwyso ar aelodau seneddol cefnogol i gyflwyno mesurau preifat gerbron Tŷ'r Cyffredin, ond dim ond ar ddau achlysur y ceisiodd y Gymdeithas ddefnyddio'r dacteg hon, sef pan gyflwynodd Raymond Gower, aelod Ceidwadol Y Barri, fesur preifat yn hawlio ffurflenni cofrestru etholwyr Cymraeg ym 1964, a phan ofynnwyd i S. O. Davies, aelod Llafur Merthyr Tudful, fabwysiadu Deddf Statws Cyfartal i'r Iaith Gymraeg fel mesur seneddol preifat ym 1966.[36]

Serch hynny, bu aelodau seneddol Cymru yn dargedau cyson i lobïo a chanfasio gan aelodau o Gymdeithas yr Iaith. Ym 1976 a 1985 trefnwyd lobi seneddol yn Nhŷ'r Cyffredin er mwyn ceisio sicrhau cefnogaeth aelodau Cymru i sefydlu sianel deledu Gymraeg a Chorff Datblygu Addysg Gymraeg. Yng Nghyfarfod Cyffredinol 1991 penderfynwyd canfasio am gefnogaeth gan ymgeiswyr yn etholiad cyffredinol 1992.[37] Lobïwyd cynghorwyr llywodraeth leol yn ddygn iawn, a manteisiwyd ar ad-drefnu llywodraeth leol ym 1974 i geisio sicrhau bod y cynghorau dosbarth a'r cynghorau sir newydd yn mabwysiadu polisi iaith cynhwysfawr. Trefnwyd deisebau ym mhob rhanbarth a threfnwyd cyfweliadau â'r ymgeiswyr etholiadol a dirprwyaethau at bwyllgorau cysgodol y cynghorau newydd. Yn ystod etholiadau lleol mis Mai 1976 a 1990, cyhoeddodd y Gymdeithas gyfres o ddogfennau ar gyfer darpar gynghorwyr yn amlinellu ei gofynion.[38]

Datblygodd y gwaith o baratoi tystiolaeth ac argymhellion ar fater yr iaith Gymraeg yn weithgarwch hollbwysig yn rhengoedd Cymdeithas yr Iaith yn ystod y deng mlynedd ar hugain rhwng 1962 a 1992. Rhan bwysig o'r gweithgarwch oedd casglu gwybodaeth am amryw agweddau ar statws a chyflwr yr iaith cyn dechrau ymgyrchu yn y meysydd hynny. Ar sail y 'llythyr Cymraeg diniwed' a anfonwyd gan John Davies at y 158 o gynghorau dosbarth a bwrdeistref yng Nghymru ym 1964, gallai'r Gymdeithas wrthbrofi canlyniadau adroddiad Cyngor Cymru, *Adroddiad ar yr Iaith Gymraeg Heddiw* (a oedd yn datgan bod mwyafrif cynghorau Cymru yn ateb gohebiaeth Gymraeg yn Gymraeg) a chychwyn ymgyrch i Gymreigio llywodraeth leol.[39] Cyn cychwyn ymgyrch dorfol y Gymdeithas o blaid sianel deledu Gymraeg ym 1968, bu aelodau megis Geraint Jones yn casglu tystiolaeth am safle'r Gymraeg yng ngwasanaeth y BBC ar y teledu a'r radio er 1964.[40] Ym 1974 gwnaeth Grŵp Addysg y Gymdeithas gais am grant oddi wrth Brifysgol Cymru er mwyn cyflogi aelod yn rhan amser i ymchwilio i'r angen am goleg Cymraeg. Treuliwyd misoedd lawer yn casglu tystiolaeth i brofi'r angen am Gorff Datblygu Addysg Gymraeg, Deddf Iaith Newydd, a Deddf Eiddo. Penderfyniad poblogaidd, bid siŵr, oedd hwnnw yng Nghyfarfod Cyffredinol 1983 pan gefnogwyd ymgyrch i hel gwybodaeth am Gymreictod tafarnau Cymru! Drwy gasglu gwybodaeth fanwl a dibynadwy fel hyn, yr oedd modd dwyn cryn dipyn o bwysau ar yr awdurdodau. Er enghraifft, ym 1974 llwyddwyd i berswadio Awdurdod Addysg Dyfed i adolygu ei bolisi drwy fygwth cyhoeddi 'rhestr ddu' o'r ysgolion cynradd hynny yn y sir lle y dysgid ychydig iawn o Gymraeg, neu ddim Cymraeg o gwbl.[41]

Cyhoeddid yr holl wybodaeth a gesglid am gyflwr yr iaith mewn adroddiadau ac argymhellion a'u cyflwyno i lywodraeth ganol a lleol, ynghyd â chyrff cyhoeddus. Rhwng 1962 a 1992 cyflwynodd y Gymdeithas dystiolaeth i amryw byd o bwyllgorau a chomisiynau'r llywodraeth, megis Pwyllgor Syr David Hughes-Parry ar Statws Cyfreithiol yr Iaith Gymraeg (1965), Comisiwn yr Athro Charles Gittins ar yr Iaith Gymraeg mewn Addysg (1967), Pwyllgor Roderic Bowen ar Arwyddion Ffyrdd Dwyieithog (1972), Pwyllgor Dethol y Senedd ar Ddarlledu Cymraeg (1981), a Phwyllgor Dethol y Senedd ar Dai yng Nghymru (1987). Yn ystod yr ymgyrch dros sianel deledu Gymraeg cyflwynwyd tystiolaeth fanwl i Bwyllgorau yr Arglwydd Annan (1973), Syr Stewart Crawford (1974), a John Siberry (1975).[42] Defnyddiwyd y dull hwn hefyd wrth bwyso ar gyrff cyhoeddus. Cyflwynwyd tystiolaeth i Fwrdd Post Cymru a'r Gororau ym 1976 adeg diwygio Deddf Swyddfa'r Post, a thrwy gynnal arolygon barn ledled Cymru ar y gwasanaeth Cymraeg a geid ar y teledu a'r radio casglwyd ynghyd gorff o dystiolaeth i'w gyflwyno i'r awdurdodau darlledu ynglŷn ag anghenion gwylwyr a gwrandawyr Cymraeg. Nid dull anghyffredin mo hwn yn hanes mudiadau gwasgedd; er enghraifft, un o ddulliau gweithredu pwysicaf mudiad fel 'Cyfeillion y Ddaear' oedd cyflwyno tystiolaeth i bwyllgorau llywodraethol a chomisiynau brenhinol.[43]

Fel rheol cyflwynid yr holl dystiolaeth, ynghyd ag argymhellion a gofynion y Gymdeithas, mewn dogfennau polisi a memoranda cynhwysfawr. Yr oedd cyhoeddi memoranda yn rhan hollbwysig o weithgarwch y mwyafrif o fudiadau gwasgedd. Y mae mudiad 'Greenpeace' wedi neilltuo llawer o'i amser a'i adnoddau i baratoi adroddiadau a chyhoeddi dogfennau polisi proffesiynol. Honnodd Charles Secrett, trefnydd llawnamser 'Cyfeillion y Ddaear' yn Llundain ym 1985, mai nod mudiadau amgylcheddol wrth gyhoeddi memoranda ar faterion megis peryglon pla-laddwyr ac ynni niwclear yw gweithredu fel 'intellectual cattle-prod' er mwyn addysgu'r cyhoedd a dwyn pwysau ar y llywodraeth.[44] Cyhoeddodd y Gymdeithas dros 185 o femoranda a dogfennau polisi rhwng 1962 a 1992, sef, ar gyfartaledd, o leiaf un bob chwe mis – camp aruthrol o gofio mai rhyw ugain neu ddeg ar hugain o aelodau gwirfoddol a oedd yn perthyn i'r Senedd. Yn ogystal ag amlinellu'r problemau a wynebai'r iaith Gymraeg, byddai memoranda a dogfennau polisi'r Gymdeithas hefyd yn cynnig cynlluniau a strategaethau cynhwysfawr i ateb y problemau hynny. Datblygodd y Gymdeithas nifer o gynlluniau manwl er mwyn diogelu cymunedau Cymraeg. Ym 1977 paratowyd model o bentref Cymraeg nodweddiadol er mwyn dangos maint y bygythiadau a wynebai'r iaith a pha fath o gynlluniau yr oedd eu hangen i'w diogelu. Cynlluniau ymarferol a chynhwysfawr i geisio ateb yr anghenion hyn oedd y Siarterau Rhanbarthol a gychwynnwyd yng Nghyfarfod Cyffredinol 1978.[45] Cydnabu nifer o wleidyddion a sylwebyddion werth y dogfennau a'r cynlluniau hyn. Ymhlith casgliad papurau Ben G. Jones, cadeirydd Cyngor yr Iaith Gymraeg (1973–8), yn Archif Wleidyddol y Llyfrgell Genedlaethol, ceir amryw o ddogfennau'r Gymdeithas, gan gynnwys *Maniffesto* 1972. Ym 1983 gofynnodd Wyn Roberts, Gweinidog Gwladol Cymru, am gael cip ar ddeunydd y Gymdeithas wrth iddo ystyried yr angen am Ddeddf Iaith ddiwygiedig.[46]

Agwedd hollbwysig ar ddulliau cyfansoddiadol Cymdeithas yr Iaith oedd y defnydd cyson o gyfarfodydd cyhoeddus, ralïau, gorymdeithiau a phrotestiadau torfol. Pwrpas 'identification moves' fel hyn, chwedl Anthony Oberschall, yw rhoi mynegiant gweladwy i anniddigrwydd carfan o'r boblogaeth ynghylch polisïau'r awdurdodau.[47] Trefnwyd protest dorfol gyntaf y Gymdeithas ym mis Chwefror 1963, pan ymgasglodd dros 70 o garedigion yr iaith yn nhref Aberystwyth er mwyn tynnu sylw at ddiffyg statws y Gymraeg ym mhob agwedd ar fywyd cyhoeddus. Prif wrthrych y brotest y dwthwn hwnnw ac am bedair blynedd wedyn oedd Swyddfa'r Post. Rhwng 1965 a 1967 trefnodd y Gymdeithas brotestiadau cyffelyb yn Nolgellau, Llanbedr Pont Steffan, Machynlleth, Bangor, Llangefni, Wrecsam ac Aberdâr, gan lwyddo i sicrhau cyhoeddusrwydd eang iawn i'w galwad am statws cyfartal i'r Gymraeg a'r Saesneg.[48] Profodd amryw o gynrychiolwyr y sefydliad Seisnig a llywodraeth Prydain gynddaredd aelodau Cymdeithas yr Iaith ar sawl achlysur yn ystod protestiadau ar faes yr Eisteddfod Genedlaethol ac Eisteddfod yr Urdd. Un o'r protestiadau enwocaf oedd honno ym 1969 pan gynhaliwyd gwrthdystiad ym mhafiliwn Eisteddfod yr Urdd yn Aberystwyth yn ystod ymweliad y Tywysog Charles.[49] Ond trwy gydol y cyfnod dan sylw bu maes yr Eisteddfod Genedlaethol yn beryclach cyrchfan i ysgrifenyddion gwladol Cymru a swyddogion y Swyddfa Gymreig nag Eisteddfod yr Urdd. Datblygodd protestiadau blynyddol Cymdeithas yr Iaith ar faes yr Eisteddfod Genedlaethol yn rhan o galendr yr wythnos, a bu raid i bron pob un o ysgrifenyddion gwladol Cymru wynebu protest o ryw fath gan aelodau'r Gymdeithas ar faes y Brifwyl.[50]

Gallai'r brotest dorfol fod yn rhan o ymgyrch hirdymor neu'n wrthdystiad byrfyfyr yn erbyn penderfyniad neu gyhoeddiad anffafriol. Er enghraifft, yn sgil eu hanfodlonrwydd â chyhoeddiad y Llywodraeth Lafur ym 1976 ei bod o blaid yr egwyddor o sefydlu sianel deledu Gymraeg, ond na ellid mo'i sefydlu tan 1982 oherwydd y dirwasgiad economaidd, bu aelodau'r Gymdeithas yn protestio y tu allan i'r Swyddfa Gymreig am dridiau. Cynhaliwyd hefyd nifer o wylnosau a chyfarfodydd protest adeg carcharu aelodau o'r Gymdeithas. Mynychwyd gwasanaeth crefyddol y tu allan i furiau Carchar Caerdydd gan 500 o bobl ym mis Ionawr 1970, adeg carchariad Dafydd Iwan am ei ran yn yr ymgyrch arwyddion, a chynhaliwyd gwasanaeth carolau y tu allan i Garchar Abertawe noswyl Nadolig 1978 pan oedd Wynfford James a Rhodri Williams yng ngharchar dros achos sianel deledu Gymraeg. Ym mis Medi 1991 ymunodd cangen Lerpwl o'r *Glór na nGael* ag aelodau'r Gymdeithas mewn piced y tu allan i Garchar Walton, Lerpwl, i brotestio yn erbyn carchariad Alun Llwyd a Branwen Nicholas am eu rhan yn yr ymgyrch o blaid Deddf Eiddo.[51]

Rali o blaid sianel deledu Gymraeg, Caerfyrddin, Gorffennaf 1978

Carmarthen Times

Wynfford James a Rhodri Williams yn ystod ail achos cynllwyn Blaen-plwyf,
Tachwedd 1978

Western Mail

Gwynfor Evans, 1980

Dorothea Heath

Protest yn erbyn datblygiad tai yn Llanbedr Pont Steffan, Rhagfyr 1984

[*CYIG*]

Dafydd Morgan Lewis, Toni Schiavone a Siân Howys yn arwain rali dros Ddeddf Iaith Newydd, Aberystwyth, Mai 1986

Marian Delyth

Helen Greenwood yn swyddfa Aberystwyth, 1986

Protest ar do pencadlys Cyd-bwyllgor Addysg Cymru, Caerdydd, Ionawr 1987

Gweithredai Cymdeithas yr Iaith hefyd yn ymarferol o blaid y Gymraeg drwy gyflawni gwaith di-sôn-amdano. Ym mlynyddoedd cychwynnol y mudiad cynhyrchwyd arwyddion Cymraeg ar gyfer is-swyddfeydd Post yn lle'r hen arwyddion swyddogol a oedd yn camsillafu enwau Cymraeg megis 'Dolgelley'. Cyflwynwyd arwyddion newydd fel hyn i dros ddeg ar hugain o lythyrdai ledled Cymru, yn cynnwys rhai Garn-swllt, Dinas Mawddwy a Llanbedr ym Meirionnydd. Nid tynnu arwyddion uniaith Saesneg oedd unig dacteg y Gymdeithas, ond codi rhai dwyieithog hefyd, megis y gwnaed ym Mhenmaen-mawr ym 1971 ac yn Yr Wyddgrug ym 1984.[52] Ym mis Mawrth 1972, yn ystod yr ymgyrch i Gymreigio gwasanaethau llywodraeth leol, cerddodd nifer o aelodau'r Gymdeithas i mewn i lyfrgell Caerfyrddin a threulio ugain munud yn gludo dalennau dyddiadau dwyieithog yn rhyw 500 o lyfrau. Yn ystod yr ymgyrch yn erbyn siopau, banciau, cymdeithasau adeiladu a chwmnïau masnachol eraill, cynigiodd y Gymdeithas wasanaeth cyfieithu yn rhad ac am ddim i'r sawl a oedd yn awyddus i ymgymreigio. Byddai'r Gymdeithas hefyd yn annog Cymry Cymraeg i wneud mwy o ddefnydd o'u mamiaith, megis yn ystod haf 1984 pan fu aelodau o gell Caerdydd yn casglu hen gylchgronau Cymraeg i'w dosbarthu yn ysbytai, meddygfeydd a deintyddfeydd yr ardal.[53]

Rhan arall o waith y mudiad oedd goruchwylio gwasanaeth Cymraeg llywodraeth leol a chyrff cyhoeddus. Soniwyd eisoes am 'lythyr Cymraeg diniwed' John Davies at y cynghorau dosbarth a bwrdeistref ym 1964 ac yn yr un flwyddyn dechreuodd aelodau'r Gymdeithas grwydro maes yr Eisteddfod Genedlaethol yn monitro gweithrediad y 'rheol Gymraeg' ar stondinau'r maes.[54] Cedwid llygad barcud ar gyrff ac awdurdodau cyhoeddus a oedd wedi ymrwymo i gynnig gwasanaeth Cymraeg, ac awgrymwyd ym 1971 y dylid cyflawni 'civil arrest' bob tro y gwrthodid ffurflen Gymraeg. Ffurfiwyd Bwrdd Datblygu Gwarchodol ym 1976 er mwyn cadw llygad ar bolisïau a gweithgareddau'r Bwrdd Datblygu Cefn Gwlad, a sefydlwyd Panelau Gwylwyr Rhanbarthol ym 1983 i arolygu rhaglenni S4C. Ym 1984 penodwyd Arthur Edwards, prifathro wedi ymddeol yn Y Rhyl, i fod yn 'ombwdsman iaith' y mudiad ac i ymdrin â chwynion yn ymwneud â diffyg statws y Gymraeg.[55]

Ar gychwyn y saithdegau, pan oedd athroniaeth y Gymdeithas yn datblygu o amgylch y 'gymuned', symudwyd y pwyslais fwyfwy i gyfeiriad gweithredu adeiladol ac ymarferol o blaid yr iaith. Mewn erthygl yn y *Welsh Nation* ym mis Chwefror 1973, cyhoeddodd Gronw ab Islwyn, y cadeirydd ym 1971–3: 'Cymdeithas yr Iaith must now turn its attentions towards the work of building life-patterns and institutions in and for the Welsh language.'[56] Er 1970 bu'r Gymdeithas yn ymhél fwyfwy â'r gwaith o ddiogelu cymunedau a phentrefi Cymraeg eu hiaith. Yn yr ymgyrch yn erbyn cau ysgol gynradd Bryncroes, Llŷn, llwyddwyd i feddiannu'r adeilad a'i ailagor fel ysgol annibynnol, gyda chymorth dodrefn o Ysgol Gymraeg Glyndŵr, Pen-y-bont ar Ogwr. Darparwyd llyfrau Cymraeg, llyfrau gwaith, offer ysgrifennu a theganau ar gyfer y plant yn ogystal. Cynorthwywyd trigolion Cwm Senni yn eu gwrthwynebiad i gynlluniau Awdurdod Dŵr Afon Wysg i foddi'r dyffryn ym 1970, a'r flwyddyn ganlynol ceisiwyd cofrestru Cymdeithas yr Iaith fel cymdeithas dai er mwyn ei galluogi i brynu a gosod tai i bobl leol ac osgoi sefyllfa debyg i'r un a gafwyd ym mhentref Rhyd ger Maentwrog, ac yn Nerwen-gam ger Aberaeron, pan werthwyd y tai i gyd ymron i fewnfudwyr fel tai haf.[57]

Datblygodd y gweithredu adeiladol ac ymarferol hwn yn syfrdanol yn ystod y saithdegau. Yn sgil yr ymgyrch i wrthwynebu cynlluniau RTZ i gloddio mwynau yn sir Feirionnydd, sefydlwyd pwyllgor arbennig o'r Senedd gan Gyfarfod Cyffredinol 1972 i ystyried dulliau o greu gwaith addas i drigolion yr ardal.[58] Ym 1973 pwyswyd ar y Llywodraeth Geidwadol i sefydlu Bwrdd Datblygu Cefn Gwlad i Gymru ar ffurf gyffelyb i'r Bwrdd a sefydlwyd yn Ynysoedd yr Alban, ac ystyriwyd cynlluniau i feddiannu ffatrïoedd gweigion er mwyn cael gwaith ar gyfer trigolion lleol. Cyfarwyddid disgyblion ysgol ar y math o waith a oedd i'w gael yn Y Fro Gymraeg, a chyhoeddwyd llawlyfr gyrfaoedd ym 1979. Trafodwyd hefyd y syniad o greu unedau amaethyddol cydweithredol yn Y Fro Gymraeg, neu sefydlu 'kibbutzim' Cymraeg. Cyfetholwyd Carl Clowes i'r Senedd gan fod ganddo 'syniadau pendant a gwerthfawr' yn sgil ei ran yn ffurfio Antur Aelhaearn. Yn Ysgol Basg 1973 cychwynnwyd apêl ariannol i alluogi'r Grŵp Addysg i brynu darn o dir fel canolfan weithredol ac addysgol lle y gallai dysgwyr fynd i ddysgu Cymraeg. Yr oedd y Gymdeithas wedi dangos diddordeb ym mhentref Nant Gwrtheyrn mor gynnar â mis Hydref 1972, ac nid yw'n syndod, felly, fod cynifer o aelodau'r Gymdeithas wedi cymryd rhan flaenllaw yn sefydlu Ymddiriedolaeth Nant Gwrtheyrn ym 1978.[59]

Yr oedd y datblygiad hwn yn nodweddiadol o weithgarwch nifer o fudiadau gwasgedd. Wedi blino ar yr ymgyrchu hir a'r ymgyfreitha diddiwedd o blaid hawliau pobl dduon America trwy gydol y pedwar a'r pumdegau, trodd mudiadau fel y 'Student Non-violent Co-ordinating Committee' (SNCC) a'r 'Congress of Racial Equality' (CORE) eu golygon fwyfwy at gynlluniau hunan-gymorth. Er enghraifft, ym 1961 cychwynnwyd cyfres o brosiectau haf ym Mississippi gan yr SNCC, dan arweiniad Robert Moses, ac agorwyd canolfannau cofrestru etholwyr yn ardaloedd y duon er mwyn addysgu'r trigolion ynglŷn â'u hawl i'r bleidlais. Erbyn diwedd y chwedegau canolbwyntiai mudiadau megis CORE lawer o'u hegni ar geisio lliniaru tlodi affwysol ardaloedd fel Harlem mewn dinasoedd mawrion megis Efrog Newydd.[60] Yr ysbryd hwn o hunan-gymorth a barodd i'r Gymdeithas wneud cais am grant oddi wrth Gynllun Creu Gwaith y Llywodraeth Lafur ym 1977 i gyflogi dau drefnydd iaith ar gyfer pob dosbarth etholiadol ym Morgannwg a Gwent. Yr un cymhelliad a oedd wrth wraidd cyfarwyddyd y Senedd ym 1981 yn argymell celloedd y mudiad i ffurfio cynlluniau iaith ar gyfer eu hardaloedd, megis *Cynllun Iaith i'r Rhyl,* ac a barodd i aelodau yn Rhosllannerchrugog ym 1984 alw cyfarfod cyhoeddus er mwyn sefydlu Corff Datblygu'r Gymraeg yn y pentref gyda'r bwriad o lunio cynllun iaith a fyddai'n mynd i'r afael â phroblem dirywiad yr iaith yn lleol.[61]

Teimlai llawer o garedigion yr iaith nad creu strwythurau a sefydliadau newydd i gynnal yr iaith yn yr ardaloedd Cymraeg oedd y frwydr bwysicaf, ond y dylid yn hytrach geisio ailgyflwyno'r Gymraeg yn yr ardaloedd Saesneg. Ym 1963 cyhoeddodd Bobi Jones: 'Pe gofynnid i mi beth sy ar goll yn yr ymdrechion heddiw i adfywio Cymru fel cenedl . . . fe atebwn ar fy mhen "Dosbarthiadau ail-iaith i bobl mewn oed".'[62] Ond ni fuasai'r Gymdeithas erioed yn ddall i'r angen sylfaenol am adennill y Cymry di-Gymraeg. Mor gynnar â 1965 yr oedd Emyr Llewelyn wedi honni y dylai Cymdeithas yr Iaith newid o fod yn fudiad gwasgedd dros statws swyddogol i'r iaith i fod yn fudiad Cymraeg i oedolion. Er gwrthod yr awgrym, anogodd y Gymdeithas ei chefnogwyr a'i haelodau i gefnogi a chynorthwyo dosbarthiadau iaith i oedolion yn eu hardaloedd.[63] Ym 1973 dechreuodd Grŵp Ardaloedd Di-Gymraeg y Gymdeithas drefnu cyrsiau penwythnos a chyrsiau undydd i ddysgwyr, a pharatoi deunydd Cymraeg syml ar eu cyfer, ar y cyd â Gwasg y Dref Wen, a cholofnau i ddysgwyr mewn papurau lleol. Ym 1974 ffurfiwyd y Grŵp Dysgwyr ac oddi ar hynny trefnwyd dros hanner cant o wersylloedd ar gyfer rhai cannoedd o ddysgwyr mewn amryw o ganolfannau megis Llangrannog, Glan-llyn, Aberystwyth ac Abertawe. Ceisiwyd poblogeiddio'r iaith ymhlith y di-Gymraeg a'r dysgwyr trwy drefnu gweithgareddau megis mabolgampau yn ystod tymor yr haf; at hynny, cynhyrchwyd gêm 'Lotto' a *Llyfr Caneuon i Ddysgwyr,* a threfnwyd gwyliau i ddysgwyr yn yr ardaloedd Cymraeg. Pwyswyd ar adrannau allanol Prifysgol Cymru i sefydlu cyfundrefn o ddosbarthiadau Cymraeg ac ar S4C a HTV Cymru i gynhyrchu a darlledu rhaglenni teledu ar gyfer dysgwyr.[64]

Ymgyrchu anghyfansoddiadol

Rhaid cydnabod, felly, fod Cymdeithas yr Iaith Gymraeg wedi rhoi pwys mawr ar weithredu cyfansoddiadol drwy gydol y cyfnod dan sylw. Trown yn awr at y gweithredu anghyfansoddiadol a thorcyfraith, sef y math o weithredu a hawliodd iddi sylw enfawr yn ogystal â chondemniad hallt gan ei beirniaid a chosbau llym gan yr awdurdodau a'r llysoedd.

Gwyddai Emrys ap Iwan ar ddiwedd y bedwaredd ganrif ar bymtheg pa mor bwysig oedd ymgyrchu'n ddi-dderbyn-wyneb o blaid Cymru, gan y credai mai dim ond 'the power of resistance', chwedl yr hanesydd J. A. Froude, a gyfiawnhâi hawl cenedl i annibyniaeth.[65] Oherwydd hynny honnodd Emrys ap Iwan yn ei ysgrif 'Paham y Gorfu'r Undebwyr' y byddai'n rhaid i'r Celtiaid ddatgan rhyfel yn erbyn y Saeson ac ymladd 'yn y modd mwyaf Parnelaidd' os am sicrhau eu hannibyniaeth. Ond llawer pwysicach, yn ei dyb ef, oedd ymladd dros yr iaith, prif hanfod cenedligrwydd y Cymry, ac mewn ysgrif bedair rhan yn *Y Geninen* rhwng 1890 a 1892, disgrifiodd freuddwyd a gafodd am y flwyddyn 2012 O.C. Yn y freuddwyd daeth ar draws 'Y Cyfammodwyr Cymreig' a oedd yn arwyr mawr yn eu cyfnod oherwydd iddynt frwydro'n anghyfansoddiadol dros y Gymraeg. 'Cymdeithas o wŷr ifingc' oedd y rhain, 'wedi ymdynghedu i ddileu o'r Dywysogaeth holl olion Seisnigaeth', a hynny drwy wrthod siarad Saesneg wrth fynd o gwmpas eu pethau, drwy wrthod derbyn unrhyw ohebiaeth drwy gyfrwng y Saesneg, a thrwy brotestio yn erbyn penodiadau di-

Gymraeg i swyddi cyhoeddus yng Nghymru. Rhagwelodd hefyd y byddai'r Cyfamodwyr hyn 'yn tynnu i lawr ac yn dinistrio pob ystyllen âg arni enw Seisnig ar hewl ne dre yng'Hymru; yn dileu pob enw Cymreig a fydde wedi ei gam-lythrennu yn y gorsafoedd; ac yn taro i lawr bob gwesyn trên a weudde *Pen-all* yn lle Pennal, a *Lenverveckn* yn lle Llanfair Fechan'.[66]

Fodd bynnag, ni wireddwyd breuddwyd Emrys ap Iwan yn ystod ei oes ef ei hun nac am sawl cenhedlaeth wedi hynny. Er gwaethaf ymdrechion glew mudiadau megis Undeb Cenedlaethol y Cymdeithasau Cymraeg, y Pwyllgor er Diogelu Diwylliant Cymru, ac Undeb Cymru Fydd i ymgyrchu dros statws swyddogol i'r Gymraeg, nid oedd y mudiadau hyn yn awyddus i gynhyrfu'r dyfroedd a chymhellid eu haelodau i ochel rhag ymgyrchu'n herfeiddiol o blaid yr iaith. Peth mentrus oedd arddel cysylltiad â Phlaid Cymru hyd yn oed, yn enwedig yn sgil llosgi'r Ysgol Fomio ym 1936, ac meddai Undeb y Cymdeithasau: 'Nid ydym nac yn torri ffenestri nac yn llosgi adeiladau; nid ydym yn boycotio nac yn bygwth . . .' Serch hynny, gwyddai arweinwyr y mudiad iaith erbyn dechrau'r Ail Ryfel Byd nad oedd eu dulliau hyd hynny wedi esgor ar lawer iawn o lwyddiant, ac ym 1938 cyhoeddodd William George, llywydd Undeb Cenedlaethol y Cymdeithasau Cymraeg, yn ystod cynhadledd flynyddol yr Undeb yng Nghoed-poeth, 'ei bod yn hwyr bryd sefydlu "Mudiad Ymosodol o Blaid yr Iaith"', ac o ganlyniad trefnwyd Deiseb Genedlaethol o blaid rhoi statws cyfartal i'r Gymraeg a'r Saesneg, gyda Dafydd Jenkins yn ysgrifennydd llawnamser i'r ymgyrch.[67] Ond er gwaethaf y gefnogaeth aruthrol i'r Ddeiseb Genedlaethol, yr unig hawl a gafwyd yn sgil Deddf Llysoedd 1942 oedd yr hawl i'r Cymry hynny y gellid profi eu bod dan anfantais wrth siarad Saesneg i gael eu hachosion llys wedi eu cyfieithu.

At hynny, anwybyddwyd brwydr yr iaith i raddau helaeth gan Blaid Cymru ar ôl yr Ail Ryfel Byd (er gwaethaf ei nod cychwynnol o weithredu 'fel mudiad iaith a diwylliannol'), a hynny er mwyn canolbwyntio fwyfwy ar ymgyrchu yn yr ardaloedd diwydiannol Saesneg yn ne Cymru.[68] Oherwydd diffyg llwyddiant y mudiad iaith a'i ddulliau cymedrol o weithredu i sicrhau statws cyfartal i'r Gymraeg, a methiant Plaid Cymru i sicrhau cynnydd etholiadol yn lleol ac yn genedlaethol, yr oedd rhwystredigaeth cenedlatholwyr Cymru yn fawr iawn, yn enwedig wrth i'r dirywiad cyflym yn niferoedd y Cymry Cymraeg ddod fwyfwy i'r amlwg ym mhob cyfrifiad. Ond cyndyn iawn fu arweinwyr Plaid Cymru i arddel dulliau anghyfansoddiadol o ymgyrchu, boed hynny o blaid yr iaith neu o blaid unrhyw bolisi arall o'i heiddo. Yn ystod ei hymgyrch i sicrhau gwasanaeth Cymraeg i Gymru ar gyfrwng newydd y radio rhwng y Ddau Ryfel Byd, ymunodd Saunders Lewis yn y ffrae trwy ddatgan mewn erthygl yn *Y Ddraig Goch* ym mis Mawrth 1927:

> Ar fater y T.D.W. [Teleffon Diwifr, sef y radio], ni ellir aros yn hir yn dawel. Oni wrendy'r Llywodraeth ar ein hawliau, bydd yn rhaid inni benderfynu ar ddull o weithredu. Efallai y bydd yn rhaid inni ystyried trefnu crwsâd cenedlaethol yn erbyn talu trwydded y T.D.W. neu ynteu ddyfeisio dull o rwystro gweithredu'r T.D.W. yng Nghymru. Nid yw'n fater i gwyno amdano yn unig a heb weithredu.

Fodd bynnag, ni weithredwyd ar yr argymhellion hyn, nac ar syniad gŵr o'r enw Mr E. G. Bowen (nid y daearyddwr enwog), a awgrymodd mewn erthygl yn y *Welsh Nationalist* ym mis Awst 1932 y dylid sefydlu gorsaf radio anghyfreithlon ar fwrdd llong oddi ar arfordir Cymru.[69] Yn sgil y weithred ym Mhenyberth ym Medi 1936, pan losgwyd adeiladau Ysgol Fomio'r Llu Awyr, cariwyd penderfyniad yn Ysgol Haf 1938 yn annog y Blaid i ddefnyddio dulliau uniongyrchol di-drais i hyrwyddo ei hachos.[70] O ganlyniad, arweiniodd Plaid Cymru ymgyrch anghyfansoddiadol i wrthwynebu gorfodaeth filwrol yn ystod ac ar ôl yr Ail Ryfel Byd, pan garcharwyd oddeutu pymtheg o'i haelodau (yn ôl tystiolaeth Gwynfor Evans). Ond diau mai daliadau heddychol a barodd i'r rhan fwyaf o'r aelodau hyn wrthod gwasanaethu yn lluoedd arfog Prydain. Daliadau heddychol hefyd, mwy na thebyg, a oedd wrth wraidd y brotest anghyfansoddiadol a drefnwyd gan Blaid Cymru yn Nhrawsfynydd ym 1951 yn erbyn ehangu'r gwersyll milwrol gerllaw'r pentref, pan eisteddodd nifer o aelodau ar ganol y ffordd a rhwystro cerbydau'r fyddin.[71]

O ganol y pumdegau ymlaen bu llawer o aelodau anfoddog y Blaid yn pwyso am fabwysiadu dulliau anghyfansoddiadol o ymgyrchu; yr oeddynt, megis Saunders Lewis, wedi blino ar y 'wên fêl yn gofyn fôt'. Yn y *Welsh Nation* ym mis Tachwedd 1960 cyhoeddwyd llythyr gan John Davies yn mynegi rhwystredigaeth ddifrifol oherwydd diffyg cynnydd Plaid Cymru ac aneffeithiolrwydd ei dull o weithredu.

Pwysleisiodd fod angen atgyfodi'r ymgyrch dros statws swyddogol i'r Gymraeg, gan awgrymu y dylid sefydlu mudiad i drefnu ymgyrch anghyfansoddiadol cenedlaethol o blaid yr iaith, ac i bwyso ar lywodraeth ganol a lleol, cyrff cyhoeddus a busnesau preifat. 'Bold and effective action on these lines would be an immense stimulus to the national movement – we have been starved of such a stimulus since 1936.' Ym mis Hydref 1960 trefnwyd cynhadledd yng ngwesty'r Belle Vue yn Aberystwyth i drafod dulliau gweithredu'r Blaid. Yn ystod yr ymgyrch yn erbyn ymdrechion Corfforaeth Dŵr Lerpwl i foddi Tryweryn, tystiodd Phil Williams i'r teimlad o rwystredigaeth yn rhengoedd Plaid Cymru adeg Ysgol Haf y Blaid yn Llangollen ym 1961, lle y cyfeiriwyd dro ar ôl tro at Benyberth 'ac weithiau at Swyddfa'r Post yn Nulyn'.[72] Ond ni newidiodd y Blaid ei dulliau gweithredu; glynodd yn hytrach wrth y llwybr cul, cyfansoddiadol.

At ei gilydd yr oedd arweinwyr Plaid Cymru yn awyddus i osgoi gweithredu'n anghyfansoddiadol, ac enynnodd yr agwedd hon gryn feirniadaeth yn ystod ymgyrch Tryweryn. Trefnodd y Blaid amryw o ralïau a chyfarfodydd cyhoeddus ond ni chafwyd dim o'r 'dulliau eraill' i 'amddiffyn y dreftadaeth Gymreig' y cyfeiriwyd atynt gan Gwynfor Evans ym 1959.[73] Yn ôl Butt Philip, un awgrym a roddwyd i esbonio cyndynrwydd y Blaid i ddefnyddio dulliau anghyfansoddiadol oedd ei bod yn anodd darbwyllo nifer o'i harweinwyr 'that it was fitting for respectable and intelligent citizens to practise techniques of non-violent resistance'.[74] Serch hynny, nid oedd gweithredu anghyfansoddiadol a dulliau anufudd-dod sifil yn ddieithr i rai aelodau o'r mudiad cenedlaethol cyn 1962. Yn ddiamheuaeth bu penderfyniad diysgog Trefor ac Eileen Beasley, Llangennech, rhwng 1952 a 1960, i wrthod talu eu trethi i Gyngor Gwledig Llanelli nes iddynt gael eu biliau drwy gyfrwng y Gymraeg, yn ddylanwad pwysig ar feddylfryd sylfaenwyr Cymdeithas yr Iaith, yn enwedig gan fod Saunders Lewis, yn *Tynged yr Iaith*, wedi annog cenedlaetholwyr i efelychu eu safiad anghyfansoddiadol.[75] Rhwng 1960 a 1964 ymladdodd pentrefwyr Llangyndeyrn frwydr nodedig, gan ddefnyddio pob math o ddulliau, gan gynnwys rhai anghyfan-soddiadol, yn erbyn cynlluniau Corfforaeth Abertawe ac awdurdodau Gorllewin Morgannwg i foddi Cwm Gwendraeth Fach. Ac er gwaethaf barn gymedrol arweinwyr Plaid Cymru, achoswyd difrod troseddol i beiriannau gwaith Tryweryn ym 1962 ac eto ym 1963 gan rai o aelodau Plaid Cymru, megis David Pritchard a David Walters, Emyr Llewelyn, John Albert Jones ac Owain Williams.[76]

Ffactor arall a ddylanwadodd yn fawr ar bwyslais y Gymdeithas o safbwynt gweithredu'n anghyfansoddiadol oedd effeithiolrwydd dulliau o'r fath mewn cyfnodau cynharach ac mewn gwledydd eraill, megis ymgyrch y *suffragettes* cyn y Rhyfel Byd Cyntaf ac, mewn cyfnod mwy diweddar, gorymdeithiau anferth CND a phrotestiadau 'sit-in' mudiadau'r duon yn America ar ôl yr Ail Ryfel Byd. Bu dulliau anghyfansoddiadol yn rhan allweddol o ymgyrchu y rhan fwyaf o fudiadau gwasgedd. Cychwynnwyd ymgyrch anufudd-dod sifil mudiad y duon yn America ym mis Rhagfyr 1955 pan drefnwyd boicot llwyr o fysiau cyhoeddus ym Montgomery, Alabama, gan weinidog ifanc o'r enw Martin Luther King. Ym Mhrydain, pan newidiwyd y 'Direct Action Committee' yn ystod yr ymgyrch diarfogi niwclear yn 'Bwyllgor Cant' ym 1961, yr oedd Bertrand Russell, yn ei bamffledyn *Act or Perish,* yn gwbl argyhoeddedig y byddai rhyfel niwclear yn anochel ymhen deuddeg mis oni chymerid camau uniongyrchol difrifol iawn i'w rwystro. Defnyddiwyd dulliau anufudd-dod sifil gan fyfyrwyr ledled y byd i leisio eu cwynion, a dysgodd ymgyrchwyr 'Stop the Seventy Tour' yn gynnar iawn yn eu hymgais i ddwyn pwysau ar y sefydliad chwaraeon i roi'r gorau i'w trefniadau i groesawu timau criced a rygbi o Dde Affrica ym 1969 a 1970 fod dulliau anghyfansoddiadol yn dwyn ffrwyth. Meddai Peter Hain, un o brif arweinwyr ymgyrch STST:

> Direct action played a crucial role in the campaign against the Springbok tours to Britain of 1969–70. If any one factor could be singled out in the overwhelming success of this campaign against the white South African tourists, it would be these direct action tactics which formed the basis of the campaign strategy.[77]

Hwyrach mai'r mudiadau gwasgedd amgylcheddol a sylweddolodd orau werth dulliau uniongyrchol o weithredu. Gwnaeth 'Greenpeace' ddefnydd helaeth iawn o ddulliau anghyfansoddiadol, fel y gwelwyd ym 1981 pan gadwynodd nifer o aelodau eu hunain wrth glwydi Llysgenhadaeth Norwy yn Llundain i brotestio yn erbyn lladd morfilod. Trwy chwistrellu paent glas dros forloi ifainc llwyddodd grŵp amgylcheddol o'r enw 'Sea Shepherd' i hawlio cyhoeddusrwydd eang i'w hymgyrch ac ar yr un pryd i wneud cotiau ffwr y morloi yn

ddi-werth i helwyr crwyn. Enillodd aelodau'r 'Animal Liberation
Front' gryn sylw drwy ryddhau anifeiliaid a ddefnyddid mewn
arbrofion gwyddonol, ac felly hefyd yr 'Hunt Saboteurs Association'
wrth rwystro helfeydd. Diddorol yw nodi bod Hugh Ward o'r farn fod
mudiad 'Cyfeillion y Ddaear' wedi methu yn ei ymdrechion i
ddylanwadu ar bolisi amgylchedd y llywodraeth oherwydd iddo
ganolbwyntio'n ormodol ar geisio sicrhau statws 'mewnol' a
'derbyniol' yn hytrach na defnyddio dulliau anghyfansoddiadol fel y
gwnâi nifer o fudiadau amgylcheddol eraill.[78]

Nid oes amheuaeth na theimlai aelodau'r Gymdeithas eu bod yn
rhan o batrwm o brotestio rhyngwladol a oedd ar gerdded trwy'r byd
yn ystod y chwe a'r saithdegau, fel y dengys ysgrif Dafydd Iwan yn
Tafod y Ddraig ym mis Ionawr 1969: 'wrth frwydro dros barhad yr
iaith . . . rydym yn brwydro yn erbyn anghyfiawnder ym mhob
gwlad'.[79] Ar furiau swyddfa'r Gymdeithas yn Aberystwyth ceid
posteri o Angela Davies, un o arweinwyr huawdl adain-chwith y
mudiad duon yn America yn y chwe a'r saithdegau, a bu poster o Che
Guevara, un o arweinwyr y chwyldro yng Nghiwba ym 1959, gyda
bathodyn Tafod y Ddraig yn addurno ei 'beret', ar wal swyddfa'r
Gymdeithas am gyfnod. (Bu'n rhaid tynnu'r poster i lawr yn y diwedd
oherwydd cefnogaeth Che Guevara i ddulliau trais.) Gyda'r teledu yn
darlledu delweddau protest i dros 92 y cant o holl gartrefi Cymru
erbyn 1970, gwyddai aelodau'r Gymdeithas yn dda am effeithiol-
rwydd protestio torfol ac anufudd-dod sifil. Cofier hefyd mai cofiant
T. J. Davies i Martin Luther King oedd un o'r llyfrau Cymraeg mwyaf
poblogaidd ym mlwyddyn ei gyhoeddi ym 1969.[80]

Ond diau mai Saunders Lewis a oedd yn bennaf cyfrifol am y ffaith
i Gymdeithas yr Iaith ymrwymo i ddulliau anghyfansoddiadol o
ymgyrchu. Byth oddi ar y weithred ym Mhenyberth, cysylltid ei enw
ef â gweithredu uniongyrchol ac anufudd-dod 'not-so-civil', chwedl
Dafydd Glyn Jones. Ond nid y 'Tân yn Llŷn' oedd unig gyfraniad
Saunders Lewis i'r ddadl o blaid dulliau anghyfansoddiadol. Yr oedd
Lewis wedi cynddeiriogi llawer o'i gyd-wladwyr mor gynnar â mis
Awst 1923 trwy ddatgan mai da o beth i Gymru fyddai carcharu
cenedlaetholwr yn enw'r genedl. Dechreuodd anesmwytho ynghylch
diffyg ymgyrchu Plaid Cymru dros yr iaith yn nechrau'r tridegau;
dywedodd ym 1932: 'the whole tone of Welsh Nationalists is not
challenging enough and not revolutionary enough'.[81] Bum mlynedd

yn ddiweddarach, cafodd ef, ynghyd â Lewis Valentine a D. J. Williams eu carcharu am losgi'r Ysgol Fomio. Ym 1947 cyhoeddodd Lewis bamffledyn yn dwyn y teitl *Argyfwng Cymru,* lle y mynegodd ei farn mai dim ond trwy ddulliau uniongyrchol y gellid ymladd y frwydr genedlaethol yng Nghymru:

> Credaf y bydd rhaid i'r Cymry, os mynnant wneud dim effeithiol, ailgychwyn ar y ffordd honno [sef trwy ddulliau uniongyrchol]. Nid fel y gwnaethom ni ym Mhenyberth ddeng mlynedd yn ôl. Ond trwy foddion yr un mor gostus ac amhoblogaidd. Nid trwy basio penderfyniadau. Na chwaith drwy sefyll gerbron tribiwnlysoedd. Eithr tasg gwleidyddion Cymreig fydd darganfod sut i addasu method Gandhi i amgylchiadau Cymru, dwyn grym di-drais i wasanaeth ysbrydol yng Nghymru.

Mynnodd mai diffyg penderfyniad a diffyg asgwrn cefn ei gyd-wladwyr a oedd yn gyfrifol am y ffaith nad oedd y sefydliad yn rhoi unrhyw sylw i alwadau'r Cymry. Rhaid i arweinwyr gwleidyddol Cymru, meddai, fod yn barod i herio grym y llywodraeth, y gyfraith a'r heddlu. Gan ddefnyddio'r ymgyrch i wrthwynebu sefydlu gwersyll gwyliau Butlins ym Mhen Llŷn fel enghraifft, honnodd mai gormod o basio penderfyniadau a dim digon o weithredu uniongyrchol a oedd yn gyfrifol am y ffaith fod yr awdurdodau wedi anwybyddu'r gwrthwynebiad lleol a mynd yn eu blaen i sefydlu'r gwersyll. 'Rhaid i Gymru', meddai, a 'rhaid i Blaid Cymru hefyd ddewis cyn hir rhwng penderfyniad a phenderfyniadau . . . Petai gennym bender-fyniad, fe lawenychem ac fe chwarddem ragor, ac fe fyddai Cymru'n cyfrif, ac am reswm syml, sef bod ychydig Gymry wedi ymryddhau o'u hofn.'[82] Trwy bwyso'n benderfynol ar yr awdurdodau lleol a'u 'cynhyrfu a'u cymell yn chwyldroadol', meddai ym 1950, gellid sicrhau statws swyddogol i'r iaith ac addysg Gymraeg i holl blant Cymru o fewn ychydig iawn o amser. Nid oes ryfedd, felly, pan sefydlwyd Cymdeithas yr Iaith Gymraeg ym mis Awst 1962 fod geiriau Saunders Lewis yn *Tynged yr Iaith* yn seinio'n uchel yn eu clustiau, sef mai 'dim llai na chwyldroad yw adfer yr iaith Gymraeg . . . Trwy ddulliau chwyldro yn unig y mae llwyddo'.[83]

Pan sefydlwyd Cymdeithas yr Iaith, felly, yr oedd arweinwyr y mudiad yn ymwybodol iawn o werth a photensial dulliau anghyfan-soddiadol o weithredu. Mewn traethawd a gyhoeddwyd yn *Y Faner* ym mis Hydref 1962, sef gwaith buddugol mewn cystadleuaeth i ffurfio cynllun pum mlynedd ar gyfer yr iaith Gymraeg, dadleuodd John Davies o blaid sefydlu mudiad ymosodol 'gyda threfnydd llawn-amser i arwain ymgyrch dros yr iaith ym mhob rhan o Gymru'. Yn ei dyb ef, yr oedd y teulu Beasley 'wedi dangos i ni y modd i weithredu', ac ymhlith y dulliau a argymhellwyd ganddo oedd gwrthod talu trethi a biliau, gwrthod derbyn nac ateb unrhyw ohebiaeth uniaith Saesneg, boicotio siopau, banciau a busnesau lle na ellid derbyn gwasanaeth trwy gyfrwng y Gymraeg, a gwrthod talu trwydded deledu a radio. Mewn bygythiad a wireddwyd ychydig flynyddoedd yn ddiweddarach, dywedodd yr awdur:

> Dylem anelu at Gymreigyddio golwg ein trefi yn y bum mlynedd nesaf. Os na cheir cydweithrediad masnachwyr yn hyn o beth, efallai byddai nifer o aelodau'r mudiad yn barod i fynd â phot o baent i ddileu peth o'r Saesneg holl-bresennol sy'n nodweddu trefi Cymru.[84]

Yn ail rifyn *Y Crochan,* cylchgrawn myfyrwyr Cymraeg Coleg Prifysgol Gogledd Cymru, Bangor, ym 1963, honnodd Owain Owain, cadeirydd cangen Bangor a rhanbarth Arfon y Gymdeithas, y gallai 'lleiafrif argyhoeddedig ddod ag ymwared i'n cenedl yn gynt na mwyafrif glastwraidd . . . trwy wneud y dull presennol o lywodraethu a gweinyddu Cymru yn anymarferol'. Trwy annog un y cant yn unig o'r holl siaradwyr Cymraeg yng Nghymru i ddefnyddio dulliau anghyfansoddiadol, meddai, 'ni allwn ond llwyddo'. Ac yn ei lythyr at aelodau a chefnogwyr ym mis Ionawr 1963, yn eu gwahodd i'r brotest dorfol gyntaf yn Aberystwyth, dywedodd John Davies: 'mae'n rhaid i ni wynebu'r rhai sydd nawr mewn awdurdod yng Nghymru, a'u trechu'. Nid rhyfedd, felly, fod ail fersiwn cerdyn aelodaeth Cymdeithas yr Iaith ym 1963 yn cynnwys y rhybudd: 'Lle bo dulliau cyfreithlon yn methu, mae'r Gymdeithas yn barod i ddefnyddio dulliau anghyfreithlon.'[85]

Dull cyffredin o ymgyrchu ymhlith llawer iawn o fudiadau gwasgedd yw 'anghydweithrediad', dull a ddatblygwyd yn erfyn hynod o effeithiol gan Gandhi yn ei ymdrechion i herio holl rym Ymerodraeth Prydain yn India. Nid dwyn grym oddi ar y rhai mewn awdurdod yw bwriad protestwyr sy'n defnyddio'r dull hwn o weithredu (er mai dyna oedd canlyniad gweithredoedd Gandhi yn India), ond yn hytrach gymell y cyhoedd i wrthod rhoi cefnogaeth i'r awdurdodau a'u gorfodi i drafod â phrotestwyr. Rhestrir nifer o enghreifftiau o 'anghydweithrediad' gan Sharp, gan gynnwys streiciau, boicotiau, ymddiswyddiadau, a gwrthod talu biliau, dyledion neu drethi.[86] Profodd myfyrwyr a gweithwyr Ffrainc pa mor effeithiol oedd y dull 'anghydweithrediad' trwy dynnu llywodraeth de Gaulle i'w gliniau ym mis Mai 1968. Serch hynny, cred Oberschall nad y pwysau uniongyrchol a roddir ar yr awdurdodau trwy 'anghydweithrediad' yw'r elfen fwyaf effeithiol mewn protest, ond yn hytrach y cyhoeddusrwydd a geir: 'In civil disobedience campaigns, the symbolic aspect of the confrontation is a more powerful factor than the potential harm to the material interests of the target group.' Sylweddolodd Cymdeithas yr Iaith yn fuan iawn mai trwy ennill cefnogaeth y cyhoedd y gellid dylanwadu orau ar yr awdurdodau.[87]

Defnyddiwyd amrywiaeth mawr o ddulliau o 'anghydweithrediad' yn ystod ymgyrchoedd y Gymdeithas rhwng 1962 a 1992. Dibynnai llawer o'r gweithgaredd anghyfansoddiadol ar 'weithrediadau personol' yr aelodau a'r cefnogwyr, megis gwrthod llenwi ffurflenni Saesneg, gwrthod derbyn unrhyw ohebiaeth yn Saesneg, gwrthod talu biliau yn Saesneg, a gwrthod siarad Saesneg. Ym 1964 dangosodd Robat Gruffudd, myfyriwr ifanc o Abertawe, faint o sylw y gellid ei ennill trwy beidio â chydymffurfio pan wrthododd dderbyn ei radd yn ystod seremoni raddio Coleg Prifysgol Gogledd Cymru, Bangor. Protest oedd hon yn erbyn Seisnigrwydd y coleg ac amharodrwydd yr awdurdodau i roi lle teilwng i'r Gymraeg yn ei gweinyddiaeth a'i chyrsiau.[88] Mewn taflen a gyhoeddwyd gan ranbarth Arfon ym 1964, sef *Gweithrediadau Personol,* anogodd Owain Owain y Cymry Cymraeg i ddefnyddio eu mamiaith ar bob achlysur, anogaeth a oedd yn hynod debyg i eiddo Undeb y Cymdeithasau yn y 1920au. Trwy gymell aelodau a chefnogwyr i siarad Cymraeg wrth siopa neu mewn swyddfa, trwy lenwi sieciau yn Gymraeg, gohebu yn Gymraeg a defnyddio cyfeiriadau Cymraeg wrth bostio, a thrwy fynnu ffurflenni Cymraeg bob tro a dychwelyd ffurflenni Saesneg heb eu llenwi, gobeithid dwyn pwysau sylweddol ar awdurdodau a gwasanaethau cyhoeddus i ganiatáu rhyw fesur o statws cyfartal i'r Gymraeg.[89] Aethpwyd un cam ymhellach trwy gymell aelodau i 'anwybyddu' eu Saesneg wrth lenwi ffurflenni cyfrifiad neu ateb ymholiadau ynghylch cynulleidfa radio a theledu, gan honni eu bod yn uniaith Gymraeg. Mewn llythyr i'r *Faner* ym mis Mehefin 1966, meddai Cynog Dafis, cadeirydd y Gymdeithas:

Un ffordd ymarferol . . . sy' o sicrhau cydraddoldeb gwirioneddol [i'r Gymraeg], a honno yw mynnu ffurflenni a gohebiaeth dwyieithog ar bob achlysur posibl. Oni chaniateir y cyfryw gydraddoldeb i ni, Gymry Cymraeg, gan yr awdurdodau, fe ddaw'n rhaid arnom ystyried gwrthod cydnabod unrhyw ohebiaeth, yn ffurflen neu'n ddogfen o unrhyw fath, na ddaw atom yn ein hiaith ein hunain, a gwneud hewl o weinyddiad llywodraeth yng Nghymru.[90]

Trwy gydol y chwedegau bu teuluoedd yn ymgyrchu dros ffurflenni a thystysgrifau geni Cymraeg, gan wrthod cofrestru genedigaeth eu plant yn Saesneg. Ym 1968 gwrthododd Dafydd a Marian Iwan lenwi eu tystysgrif briodas yn Saesneg. Yng Nghyfarfod Cyffredinol 1975 anogwyd disgyblion ysgol i ddychwelyd eu tystysgrifau arholiad uniaith Saesneg i Gyd-bwyllgor Addysg Cymru tan y ceid 'lle teilwng a blaenorol i'r iaith Gymraeg', ac yng Nghyfarfod Cyffredinol 1977 galwyd ar aelodau i ddinistrio eu dogfennau cofrestru ceir a'u dychwelyd i'r Ganolfan Trwyddedu Cerbydau yn Abertawe, gan fynnu eu bod yn derbyn pob dogfen yn Gymraeg.[91]

Anogwyd aelodau a chefnogwyr hefyd i foicotio siopau a busnesau a oedd yn gwrthod Cymreigio eu sefydliadau. Sicrhawyd peth llwyddiant yn yr ymgyrch i Gymreigio siop *Boots* yng Nghaerfyrddin pan gytunodd y rheolwr i gyfarfod â dirprwyaeth o'r Gymdeithas ym mis Ionawr 1976 wedi i nifer o gwsmeriaid fygwth cadw draw o'r siop. Ond ni wyddys pa mor effeithiol oedd galwad Cyfarfod Cyffredinol 1977 ar yr aelodau i beidio â phrynu rhagor o gwrw nes i fragwyr Cymru gytuno i fabwysiadu polisi dwyieithog![92] Mewn ymgyrchoedd eraill byddai aelodau'r Gymdeithas yn gwrthod talu biliau mewn ymgais i ddwyn pwysau ar yr awdurdodau i ymgymreigio. Mabwysiadwyd y dull anghyfansoddiadol hwn gan aelodau cangen Blaenau Morgannwg ym 1965 pan wrthodasant godi disg treth ffordd uniaith Saesneg ar gyfer eu ceir. Yng Nghyfarfod Cyffredinol 1965 rhybuddiwyd Swyddfa'r Post y byddai'r ymgyrch yn cael ei hehangu i weddill Cymru oni ddarperid dogfennau Cymraeg priodol erbyn Dydd Calan 1966.[93] Cychwynnwyd ymgyrch genedlaethol ym 1972 i wrthod talu trethi lleol a biliau trydan, nwy a dŵr, ac ym 1978, yn ystod cyfres o raliau mewn gorsafoedd rheilffordd o Aberystwyth i Gastell-nedd, bu aelodau o'r Gymdeithas yn teithio ar y trenau heb dalu am eu tocynnau. Ond yr ymgyrch enwocaf un oedd yr ymgyrch dros sefydlu sianel deledu Gymraeg.

Ymddangosodd dros 500 o bobl mewn dros 250 o achosion llys rhwng 1971 a 1981 am wrthod talu am eu trwydded deledu. Yn eu plith yr oedd Robat Gruffudd, perchennog Gwasg Y Lolfa yn Nhal-y-bont erbyn hynny. Prynodd ef deledu ugain mlwydd oed yn unswydd er mwyn gallu ymuno â'r ymgyrch, ond fe'i cadwai o'r golwg yn y tŷ bach. Pan wysiwyd ef gerbron llys Aberystwyth am fod heb drwydded, esboniodd ymh'le y cedwid y teledu, gan ddatgan yn ddireidus fod yna 'bleserau hyd yn oed mewn tŷ bach sy'n amgenach na gwylio'r gwasanaeth teledu presennol'! Nid gwrthod talu biliau yn unig a wnâi rhai o aelodau'r Gymdeithas. Am ddeng mis cyfan yn ystod 1966 bu Miss Sali Davies, Llanbedr Pont Steffan, yn ddibensiwn oherwydd iddi wrthod derbyn llyfr pensiwn uniaith Saesneg, a gwrthododd Cennydd Puw dderbyn siec cyflog uniaith Saesneg oddi wrth Gyngor Pontardawe am rai misoedd ym 1969.[94]

Gwnaed defnydd helaeth hefyd o ddulliau anghyfansoddiadol neu yr hyn a alwyd gan Sharp yn 'ymyrraeth ddi-drais'.[95] Ymhlith y dulliau hyn ceid protestiadau megis picedu, ymyrryd, rhwystro, a meddiannu. Bu'r biced yn hynod effeithiol yn yr ymgyrch i Gymreigio siopau cadwyn ledled Cymru gan nad oedd unrhyw reolwr yn awyddus i weld aelodau Cymdeithas yr Iaith yn picedu y tu allan i'w siop bob dydd Sadwrn ac yn cymell pobl i wario'u harian mewn siopau eraill. Perffeithiwyd y dechneg hon o brotestio a phicedu gan gell Caerdydd yn ystod ei hymgyrchoedd llwyddiannus o blaid sefydlu cownteri Cymraeg yn Swyddfa Bost y brifddinas ym 1986 ac o blaid 'Y Fasged Siopa Gymraeg' ar ddechrau'r nawdegau. Picedwyd cynghorau lleol er mwyn sicrhau polisïau dwyieithog cynhwysfawr a statws cynllunio i'r iaith, ac arwerthwyr tai er mwyn tynnu sylw at broblem ddifrifol tai haf yng nghefn gwlad Cymru. Yn ystod yr ymgyrch o blaid sefydlu Corff Datblygu Addysg Gymraeg cynhaliwyd piced am dair wythnos y tu allan i bencadlys Cyd-bwyllgor Addysg Cymru ym mis Tachwedd 1984, pryd y bu aelodau'r Gymdeithas yn byw mewn carafán yn y maes parcio. Bu aelodau'r Gymdeithas hyd yn oed yn picedu cyngherddau Opera Cenedlaethol Cymru er mwyn protestio yn erbyn diffyg Cymreigrwydd y cwmni, a hefyd yn picedu bragdy Welsh Brewers yn Aberystwyth mewn protest yn erbyn eu penderfyniad i rwystro'r staff rhag siarad Cymraeg yn ystod oriau gwaith.[96]

Trwy darfu ar weithgareddau pwyllgorau, cynghorau, arwerthiannau, neu hyd yn oed y Senedd ym Mhalas Westminster ei hun, gallai aelodau'r Gymdeithas beri anhwylustod ac ennill cyhoeddusrwydd. Ym 1972–3 ymyrrwyd ar arwerthiannau tai yng Nghaernarfon, Pwllheli, Llanfynydd, Llanilar, Aberangell, Llanymddyfri ac Aberaeron er mwyn tynnu sylw at ddifrifoldeb y broblem tai haf yng nghefn gwlad Cymru. Byddai'r dull hwn o weithredu yn llwyddiannus iawn yn aml, gan y byddai gwerthwyr lleol yn cywilyddio a phrynwyr estron yn cilio'n dawel. Ond ni fu mor effeithiol pan geisiwyd aflonyddu ar arwerthiant tai yn Llundain ym 1988 yn ystod yr ymgyrch 'Nid yw Cymru Ar Werth'; boddwyd gweiddi'r dwsin o brotestwyr gan gantores opera yn canu 'Rule Britannia'.[97] Eto i gyd, bu'r dull hwn yn fodd effeithiol iawn o sicrhau cyhoeddusrwydd da, fel y profwyd pan lwyddodd dau ar hugain o fyfyrwyr o Aberystwyth i darfu ar achos enllib pwysig yn Uchel Lys Llundain ym mis Chwefror 1972 ac ennill cyhoeddusrwydd ledled Prydain. Gellid sicrhau sylw eang iawn drwy ymyrryd â rhaglenni teledu a radio. Yn ystod yr ymgyrch o blaid sianel deledu Gymraeg torrodd y Gymdeithas ar draws rhaglen deledu 'Pebble Mill' yn Birmingham, ac ar draws darllediadau byw o 'Post Prynhawn' ar Radio Cymru, a'r 'Radio One Roadshow' o Borthmadog.[98] Nid oedd ar aelodau'r Gymdeithas ofn ymyrryd â gweithgarwch y Senedd ychwaith. Tarfwyd ar hedd Tŷ'r Arglwyddi ddwywaith, y tro cyntaf ym mis Ionawr 1971 pan geisiodd pedwar aelod eu cadwyno eu hunain yn yr oriel gyhoeddus ac annerch yr aelodau, a tharfwyd ar weithgareddau Tŷ'r Cyffredin saith gwaith. Un o brotestiadau mwyaf lliwgar y Gymdeithas yn Nhŷ'r Cyffredin oedd honno ym mis Tachwedd 1977 pan daflwyd cawod o awyrennau papur o'r oriel gyhoeddus mewn protest yn erbyn parodrwydd y Llywodraeth Lafur i wario £12 miliwn yr un ar gynnal 385 o awyrennau MRCA, a'i hamharodrwydd i sefydlu sianel deledu Gymraeg 'oherwydd y gost'.[99]

Yr oedd aelodau'r Gymdeithas hefyd yn hoff iawn o ddefnyddio techneg rhwystro, neu'r 'sit-in', yn eu hymgyrchoedd anghyfan-soddiadol, dull a oedd yn boblogaidd ymhlith protestwyr ledled y byd, o North Carolina i Warsaw.[100] Y dull hwn a ddefnyddiwyd ym mhrotest gyntaf un y Gymdeithas ym mis Chwefror 1963, pan eisteddodd tua deugain o aelodau a chefnogwyr yng nghanol y ffordd fawr ar bont Trefechan yn Aberystwyth, gan rwystro trafnidiaeth am hanner awr. Ym mis Tachwedd 1965 meddiannwyd llythyrdy Dolgellau gan dros ddau gant o aelodau a chefnogwyr yn sgil rali a gorymdaith o gwmpas y dref, ac ym mis Rhagfyr meddiannwyd llythyrdy Llanbedr Pont Steffan pan eisteddodd aelodau ar y llawr y tu mewn ac ar y palmant y tu allan, gan rwystro busnes y llythyrdy am ddwy awr gron. Yn ystod yr ymgyrch o blaid sianel Gymraeg yn y saithdegau, bu aelodau ar sawl achlysur yn rhwystro mynedfeydd pencadlysoedd yr awdurdodau darlledu yng Nghaerdydd a Llundain, ac yn achosi tagfeydd difrifol yn Stryd Farrington a Stryd Oxford, Llundain, ym mis Mai 1980 drwy eistedd ar y ffordd. Defnyddiwyd yr un dacteg drachefn yng nghanol yr wythdegau yn ystod yr ymgyrch dros sefydlu Corff Datblygu Addysg Gymraeg.[101]

Mewn dros ddau gant o brotestiadau torfol meddiannodd Cymdeithas yr Iaith stiwdios, swyddfeydd, colegau, a phob math o adeiladau fel rhan o'r ymgyrchu anghyfansoddiadol. Cynhaliwyd dros chwarter yr achosion hyn yn ystod yr ymgyrch dros sianel deledu Gymraeg yn y saithdegau, er y dechreuwyd meddiannu stiwdios y BBC ym Mangor a Chaerdydd mor gynnar â mis Tachwedd 1968. Nid stiwdios a swyddfeydd gweinyddol yr awdurdodau darlledu yng Nghymru yn unig a oedd mewn perygl, oherwydd meddiannwyd swyddfeydd a stiwdios hefyd yn Llundain, Manceinion, Newcastle, Plymouth a Southampton. Torrwyd i mewn i swyddfa etholiadol William Whitelaw, yr Ysgrifennydd Cartref, yng Nghaerliwelydd ym mis Medi 1980, a chlowyd yr asiant yn ei ystafell tra oedd pum aelod o'r Gymdeithas yn gwasgaru ffeiliau a phapurau.[102] Yn yr ymgyrch dai a statws cynllunio i'r Gymraeg, meddiannwyd tua chant o dai haf gan aelodau'r Gymdeithas, gan gynnwys tŷ haf Esgob Caerwrangon yn Nhrefdraeth ger Aberteifi ym mis Mawrth 1973, a thŷ haf Anthony Steen, A.S. Ceidwadol Wavertree, yn Y Bala ym mis Ebrill 1983. Yn yr ymgyrch dros sefydlu coleg cyfun Cymraeg ym 1983, meddiannwyd ystafelloedd yng ngholegau amaethyddol ac addysg bellach Llysfasi, Aberystwyth, a Bangor o fewn wythnos i'w gilydd, ac ym mis Mai 1984 cynhaliwyd 'Coleg Rhydd Undydd' ar do Coleg Technegol Gwynedd, Bangor, lle y cynhaliwyd darlithoedd a seminarau trwy gyfrwng y Gymraeg ar bob math o bynciau. Yn yr ymgyrch dros Ddeddf Iaith Newydd meddiannwyd siopau Telecom Prydain, llythyrdai Swyddfa'r Post, swyddfeydd y Ganolfan Trwyddedu Ceir, gorsaf Heddlu Gogledd Cymru ym Mangor, a hyd yn oed un o fysiau cwmni Crosville yn Aberystwyth.[103]

Rhwystro mynediad i gyfarfod o'r Pwyllgor Datblygu Addysg Gymraeg yn Nghaerdydd, Chwefror 1987

Western Mail

Dyfrig Thomas, Cen Llwyd, John Rowlands, Robat Gruffudd, Enfys Llwyd, Helen Prosser, Manon Rhys a Gwilym Tudur yn ystod achos llys ym mis Awst 1988 am eu rhan yn yr ymgyrch dros Ddeddf Iaith Newydd

Western Mail

Rali Addysg gyda Dafydd Orwig, Gwynfor Evans, Helen Prosser, Ffred Ffransis a Wayne Williams, Aberystwyth, Mawrth 1989

Arvid Parry-Jones

Angharad Tomos a Siân Howys yn ystod rali Deddf Iaith Newydd, Caerdydd, Ionawr 1989

Marian Delyth

Rali 'Nid yw Cymru ar Werth', Aberystwyth, Tachwedd 1989

Marian Delyth

Cyfarfod rhwng Wyn Roberts, Gweinidog Gwladol Cymru, a Chymdeithas yr Iaith, dan arweiniad Alun Llwyd, Aberystwyth, Ionawr 1992

Arvid Parry-Jones

Marian Delyth

Ymhlith y dulliau eraill o anufudd-dod sifil a ddefnyddid yn achlysurol yr oedd codi posteri a dwyn ymaith ffurflenni uniaith Saesneg. Yn yr ymgyrch yn erbyn tai haf ym 1973 a 1981 cynhaliwyd cyrchoedd i gludo posteri 'Ar Werth i Gymro' ac 'Ar Werth i Bwy?' ar dai haf ledled Cymru, a phan ymlwybrai faniau'r 'TV Detector' drwy Lanelli ym 1980 fe'u dilynid o amgylch y dref gan aelodau'r Gymdeithas, yn glynu posteri 'Sianel Gymraeg Nawr' wrthynt. Nid gwrthod derbyn ffurflenni a thaflenni uniaith Saesneg yn unig a wnâi aelodau'r Gymdeithas, ond eu cipio o fanciau, llythyrdai, a swyddfeydd y llywodraeth. Cipiwyd ffurflenni, taflenni, a phosteri uniaith Saesneg allan o ddegau o swyddfeydd post ledled Cymru mewn ymgyrchoedd hynod o lwyddiannus yn y saith a'r wythdegau, gan gynnwys un ymgyrch ym mis Rhagfyr 1987 pan gipiwyd ffurflenni Saesneg allan o wyth llythyrdy gan aelodau a oedd yn gwisgo dillad Siôn Corn, ac ymgyrch arall ym mis Ebrill 1989 pan wthiwyd ffurflenni Saesneg yn ôl i mewn i flychau post y llythyrdai. Mewn ralïau yn Aberystwyth, Caernarfon, Aberteifi a Wrecsam ym 1977 llosgwyd pentyrrau anferth o ffurflenni uniaith Saesneg a gasglwyd o swyddfeydd llywodraeth ganol a lleol, ac ym 1984 bu aelodau'r Gymdeithas yn ddigon eofn i gipio holl lenyddiaeth uniaith Saesneg Awdurdod Heddlu Dyfed-Powys o'u pabell ar faes Eisteddfod Genedlaethol Llanbedr Pont Steffan.[104]

Ychydig yn fwy anghyffredin oedd arfer y Gymdeithas o bysgota'n anghyfreithlon, cloi cyfnewidfeydd ffôn, a dringo mastiau. Yn sgil penderfyniad yng Nghyfarfod Cyffredinol 1971 i ddiogelu hawliau'r Cymry dros eu tiroedd a'u hafonydd, cychwynnwyd ymgyrch newydd dan adain Grŵp y Werin i drefnu protestiadau pysgota. Yn Nolwyddelan ym mis Mawrth 1972 daeth dros hanner cant o aelodau'r Gymdeithas ynghyd i bysgota yn anghyfreithlon (ac yn aflwyddiannus!) yn y rhan o afon Lledr a oedd yn eiddo i Glwb Pysgota Macclesfield. Ceisiwyd peri anhwylustod i adrannau llywodraethol a sefydliadau preifat drwy eu ffonio yn ddi-baid am rai oriau a cheisio cloi eu cyfnewidfeydd. Yn yr ymgyrch dros sianel deledu Gymraeg llwyddodd rhai cannoedd o aelodau a chefnogwyr y Gymdeithas i gloi cyfnewidfa ffôn y Weinyddiaeth Bost a Thelathrebu yn Llundain am bedair awr a hanner ym mis Chwefror 1973. Ond diau mai ymgyrchoedd mwyaf trawiadol Cymdeithas yr Iaith erioed oedd y rhai ym 1971 a 1976 pan ddringodd amryw o aelodau gannoedd o droedfeddi i ben trosglwyddyddion teledu ledled Cymru a Lloegr yn ystod yr ymgyrch dros sefydlu sianel deledu Gymraeg.[105]

Dull arall a ddefnyddid yn achlysurol er mwyn dwyn pwysau ar yr awdurdodau yn ogystal â hawlio sylw a chyhoeddusrwydd oedd ymprydio. Cynhaliwyd yr ympryd cyntaf ym mis Rhagfyr 1965 pan ymprydiodd Emyr Llewelyn, Siôn Daniel, Geraint Jones a Gareth Miles am bum niwrnod er mwyn protestio yn erbyn 'statws israddol parhaus yr iaith Gymraeg', ac er mwyn 'rhoi praw pendant o benderfyniad y Gymdeithas i ddwyn yr israddoldeb hwn i ben'. Ymprydiwyd hefyd yn yr ymgyrch dros sianel deledu Gymraeg, yn ogystal â thros Gymreigio Swyddfa'r Post ac Awdurdod Iechyd Gwynedd, dros Gorff Datblygu Addysg Gymraeg, Deddf Iaith Newydd a Deddf Eiddo. Er mai am gyfnodau o wythnos neu ychydig ddyddiau, fel arfer, y byddai'r aelodau'n ymprydio, ac er na cheisiodd y Gymdeithas erioed efelychu bygythiad Gwynfor Evans i ymprydio hyd at farwolaeth dros yr iaith, llwyddwyd i ennill cryn dipyn o sylw yn y modd hwn. Er na ŵyr neb faint yn union o bwysau a rôi'r ymprydio hwn ar yr awdurdodau perthnasol, y mae'n arwyddocaol fod Swyddfa'r Post ym 1975 wedi mabwysiadu polisi dwyieithog cynhwysfawr a Phwyllgor Addysg Dyfed wedi penderfynu peidio â chau ysgolion cynradd Llanfihangel-ar-arth a Phenwaun ym 1986 ar ôl i Ffred Ffransis gychwyn ymprydio am gyfnod 'amhenodol'.[106]

Yr oedd y dulliau hyn i gyd yn hynod effeithiol gan eu bod yn dwyn pwysau uniongyrchol ar yr awdurdodau i ymateb i argyfwng yr iaith a gofynion y Gymdeithas, ac yn fodd hefyd i ennill cyhoeddusrwydd i ymgyrchoedd y mudiad. Serch hynny, mater o raid oedd y defnydd o ddulliau anghyfansoddiadol i raddau helaeth. Rhwystredigaeth a barodd i'r Gymdeithas fabwysiadu dulliau uniongyrchol o wleidydda yn wyneb sefyllfa argyfyngus yr iaith a diffyg ymateb yr awdurdodau. Yn ôl Bhikhu Parekh, y mae defnyddio dulliau anghyfansoddiadol yn gwbl rhesymol a chyfiawn pan fo cwyn y garfan anfoddog yn difrifoli beunydd. Gyrrid aelodau'r Gymdeithas i weithredu gan eu hofn fod tranc y Gymraeg yn prysur nesáu. Meddai Alan Butt Philip: 'It is a sense of crisis, and the sense that remedies must be applied almost immediately to have any success . . . which has encouraged the intransigence of . . . the Welsh Language Society.'[107]

Mewn gwirionedd, gorfodwyd y defnydd o ddulliau anghyfansoddiadol ar y Gymdeithas gan nad oedd unrhyw lwybr arall yn agored iddi. Nid oedd yr awdurdodau yn debyg o roi clust i'w thystiolaeth a'i hargymhellion gan nad ystyrid hi yn fudiad 'derbyniol'. Nid oedd ganddi ychwaith gefnogaeth boblogaidd debyg i eiddo mudiadau fel yr RSPCA neu'r 'Mudiad Gwrth-Apartheid', ac ni allai fygwth defnyddio unrhyw sancsiynau megis gweithredu diwydiannol, fel y gwnâi undebau llafur ac undebau proffesiynol fel TUC Cymru neu UCAC. Gwendid pennaf rhag-flaenwyr y Gymdeithas wrth ymgyrchu o blaid y Gymraeg oedd y gwyddai'r awdurdodau yn dda nad oedd unrhyw rym ganddynt i fygwth y sefydliad. Gan hynny, gorfodwyd Cymdeithas yr Iaith, i raddau helaeth, i fabwysiadu dulliau uniongyrchol o weithredu. Nid oedd dull amgen o hawlio sylw a chyhoeddusrwydd yn lleol ac yn y wasg na phrotestiadau tanllyd a gweithredoedd anghyfansoddiadol.[108]

Ymgyrchoedd torcyfraith

Canlyniad gweithredu uniongyrchol, yn fynych iawn, yw torri'r gyfraith. Bu torcyfraith yn ddull cydnabyddedig o herio cyfreithiau a pholisïau gwleidyddol anghyfiawn ers cyfnod y Groegwyr. Deil Cristnogaeth hefyd fod cyfraith foesol Duw yn uwch na chyfraith gwlad, a gosodir rheidrwydd moesol ar unigolion i dorri cyfreithiau anghyfiawn.[109] Yn unol â'r argyhoeddiad Cristnogol hwnnw yr arweiniodd Martin Luther King bobl dduon America mewn ymgyrch i dorri cyfreithiau anghyfiawn a oedd yn gwahaniaethu rhwng dinasyddion y wlad ar sail lliw eu croen. Yn ôl Robert T. Hall, y mae dau fath o dorcyfraith, sef 'anufudd-dod uniongyrchol', hynny yw, torri cyfreithiau anghyfiawn, ac 'anufudd-dod anuniongyrchol', hynny yw, torri'r gyfraith yn fwriadol er mwyn tynnu sylw at anghyfiawnder.[110] Trwy 'anufudd-dod anuniongyrchol', felly, y dewisodd aelodau Cymdeithas yr Iaith dynnu sylw at ddiraddiad a statws eilradd yr iaith Gymraeg yng Nghymru. Nid ar chwarae bach y gwnaed y penderfyniad hwn. Dim ond pan fyddai pob dull cyfansoddiadol wedi methu y byddai'r Gymdeithas yn defnyddio dulliau anghyfansoddiadol o ymgyrchu. Er enghraifft, dim ond ar ôl pum mlynedd o lythyru cyson a seithug ag awdurdodau lleol yn galw am arwyddion ffyrdd dwyieithog y cychwynnwyd ymgyrch dorcyfraith mewn rali yn ardal Wybrnant ym mis Ionawr 1969.[111] Serch hynny, yr oedd torcyfraith yn ddull effeithiol o ddwyn pwysau ar yr awdurdodau ac o ddenu sylw'r cyhoedd at safle israddol y Gymraeg.

Datblygodd torcyfraith yn elfen gwbl allweddol yn ymgyrch y Gymdeithas dros statws cyfartal i'r Gymraeg rhwng 1962 a 1992. Dechreuwyd yr ymgyrch anghyfansoddiadol, fel y nodwyd eisoes, pan wrthododd Gareth Miles dderbyn gwŷs uniaith Saesneg am drosedd yn ymwneud â marchogaeth beic. Yn fuan wedi hynny dechreuodd aelodau eraill dorri'r gyfraith yn fwriadol er mwyn cael eu gwysio gerbron llys a defnyddio'r cyfle i wrthod ufuddhau i'r wŷs fel protest yn erbyn iaith y llys. Yr oedd yr wŷs, wrth gwrs, yn symbol cryf iawn o rym y gyfraith a hefyd o israddoldeb y Gymraeg. Ymhen ychydig amser yr oedd aelodau yn parcio eu ceir mewn mannau lle nad oedd ganddynt hawl i barcio, neu'n parcio fin nos heb oleuadau. Ceir adroddiad difyr iawn yn y *Western Mail,* ym mis Ionawr 1963, am ymdrech Emyr Llewelyn a Geraint Jones i gael eu gwysio drwy geisio canfod plismon yn Aberystwyth; neidiasant ar gefn beic merch a marchogaeth yn simsan heibio iddo gyda'r naill ar y sedd a'r llall yn eistedd ar gyrn y beic. Cawsant wŷs a'u dirwyo deg swllt yr un. Y bwriad y tu ôl i'r brotest enwog a gynhaliwyd yn Aberystwyth ym mis Chwefror 1963, wrth gwrs, oedd sicrhau bod cynifer â phosibl o garedigion yr iaith yn torri'r gyfraith gyda'i gilydd er mwyn codi proffil cyhoeddus yr ymgyrch dros statws yr iaith. Daeth dros 70 o aelodau a chefnogwyr ynghyd i godi posteri 'Defnyddiwch y Gymraeg' a 'Statws i'r Iaith Gymraeg' ar furiau Swyddfa'r Post, gorsaf yr heddlu ac adeiladau'r cyngor. Pan fethwyd ag ennyn unrhyw ymateb oddi wrth yr heddlu, penderfynodd oddeutu deugain o brotestwyr rwystro'r ffordd fawr dros bont Trefechan.[112]

Serch hynny, nid oedd pawb yn gwbl hapus â chyfeiriad anghyfansoddiadol y mudiad. Yn wir, gadawodd rhai cynadleddwyr gyfarfod sefydlu'r Gymdeithas ym mis Awst 1962 wedi iddynt ddeall y byddai rhyw fesur o dorcyfraith yn rhan o'i gweithgareddau. Er gwaethaf yr ymrwymiad ar ail fersiwn cerdyn aelodaeth y Gymdeithas ym 1963 i 'ddefnyddio dulliau anghyfreithlon' pan fyddai dulliau cyfreithlon yn methu, ac er gwaethaf y dechreuad addawol gyda'r ymgyrch gwysion a chynnwrf y brotest ar bont Trefechan, cymharol ddof fu gweithgarwch y Gymdeithas am sawl blwyddyn wedi hynny. Yng Nghyfarfod Cyffredinol blynyddol cyntaf y mudiad ym mis Hydref 1963 penderfynwyd cynnal cadoediad yn yr ymgyrch anghyfansoddiadol er mwyn rhoi amser i Bwyllgor Hughes-Parry gasglu tystiolaeth ynglŷn â statws cyfreithiol yr iaith Gymraeg, gan ganolbwyntio yn y cyfamser ar lawer o'r gwaith cyfansoddiadol y cyfeiriwyd ato eisoes. Yr oedd yr anghytundeb barn ynghylch enw'r mudiad yn dadlennu llawer am ei natur yn nechrau ei hanes, gan fod rhai wedi gwrthwynebu'r gair 'Cymdeithas' oherwydd yr awgrym 'clustogaidd-gapelaidd-bwyllgorol', a ffafrio yn hytrach y gair 'Cyfamodwyr', yn unol â breuddwyd Emrys ap Iwan. Yn ôl Geraint Jones, nid oedd rhai o arweinwyr y Gymdeithas yn fodlon hyd yn oed â'r stamp anghyfreithlon a gyhoeddwyd gan y Gymdeithas ym 1966.[113]

Nid oedd y gwrthdaro hwn yn gwbl anghyffredin mewn mudiadau gwasgedd, fodd bynnag. Dengys y ffaith nad oedd y Canon Collins, cadeirydd CND, na rhai o'r aelodau eraill yn berffaith fodlon â dulliau uniongyrchol y 'Direct Action Committee' a'r 'Pwyllgor Cant' fod gwrthdaro o'r fath yn bodoli yn rhengoedd y mudiad hwnnw.[114] Rhaid cofio mai darlithwyr ac athrawon oedd llawer o aelodau cynnar y Gymdeithas ac nad oeddynt yn awyddus nac yn rhydd i arwain ymgyrch anghyfansoddiadol, filwriaethus. Mewn gwirionedd, ni fyddai modd gweithredu'n dorfol hyd nes i fyfyrwyr gydio yn awenau'r mudiad.[115] Erbyn 1966 yr oedd to newydd o arweinwyr a chanddynt lawer llai o amynedd wedi dod i'r amlwg yn rhengoedd Pwyllgor Canol y mudiad, ac yr oedd amryw ohonynt yn bleidiol iawn i weithredu anghyfansoddiadol. Penderfynwyd yng Nghyfarfod Cyffredinol 1966 fod angen i'r Gymdeithas 'weithredu yn fwy fel cyfangorff . . . [ac] ei bod yn cynyddu nifer y protestiadau anghyfreithlon di-drais'.[116] Serch hynny, ni fu torcyfraith erioed yn orfodol, gan mai dewis personol yr unigolyn oedd cymryd rhan mewn gweithredoedd anghyfansoddiadol. Yn wir, trechwyd cynnig a ddaeth gerbron Cyfarfod Cyffredinol 1972 yn galw am gynnwys ymrwymiad gan bob aelod i ymuno yn ymgyrchoedd anghyfansoddiadol y Gymdeithas, yn enwedig yr ymgyrch i wrthod talu trwydded deledu.[117]

Yr ymgyrch drefnus gyntaf a barodd wysio nifer helaeth o aelodau gerbron llysoedd barn oedd yr ymgyrch i wrthod talu treth ffordd, a gychwynnwyd o ganlyniad i rwystredigaeth ddifrifol â'r 'llythyru sidêt di-dorcyfraith' a nodweddai'r mudiad yn ei blynyddoedd cyntaf. Swyddogion cangen Blaenau Morgannwg, sef Neil ap Siencyn a

Geraint Jones, a fu'n bennaf cyfrifol am gychwyn yr ymgyrch hon, y naill yn athro ifanc ym Merthyr a'r llall yn ymgynghorydd cyfreithiol yn Aberdâr. Hwy hefyd oedd y rhai cyntaf i ymddangos gerbron y llysoedd yn yr ymgyrch. Wrth i fwyfwy o aelodau droseddu drwy yrru eu cerbydau di-dreth ar y ffordd fawr, llwyddodd y Gymdeithas i sicrhau cyhoeddusrwydd sylweddol i'w hymgyrch. Ond cyfyng oedd gorwelion yr ymgyrch honno. Penderfynwyd yng Nghyfarfod Cyffredinol 1966 ledu gorwelion yr ymgyrchoedd torcyfraith er mwyn galluogi 'aelodau heb fod ganddynt gerbyd' i gymryd rhan.[118] Yn sgil hynny cychwynnwyd ymgyrch dorcyfraith i wrthod talu trwydded deledu er mwyn dwyn pwysau ar y Weinyddiaeth Bost a Thelathrebu i gynhyrchu trwydded ddwyieithog. Dyma'r arwydd cyntaf na fyddai Cymdeithas yr Iaith yn rhoi'r gorau i'w hymgyrchu ar ôl sicrhau un fuddugoliaeth.

Rhwng 1962 a 1992 datblygodd ymgyrchu anghyfansoddiadol y Gymdeithas ymhell y tu hwnt i'r hyn a ragwelodd Saunders Lewis yn *Tynged yr Iaith.* Yn ystod y cyfnod hwnnw treuliodd 1,105 o unigolion dros 1,200 o ddiwrnodau mewn llysoedd barn gerbron eu gwell am droseddau a gyflawnwyd yn ystod ymgyrchoedd y Gymdeithas. Carcharwyd Geraint Jones – yr aelod cyntaf o'r Gymdeithas i gael ei garcharu – ym mis Ebrill 1966 am wrthod talu dirwyon gwerth £16 a gawsai am yrru cerbyd heb dreth ffordd. Ni synnwyd neb pan ddedfrydwyd ef eilwaith i fis o garchar ym mis Gorffennaf gan ynadon Abertawe, gan ei fod wedi ennill enw iddo'i hun fel 'rebel digyfaddawd' pan oedd yn Aberystwyth.[119] Rhwng 1962 a 1992 dedfrydwyd 171 o aelodau i gyfnodau o garchar, yn amrywio o gwta ddiwrnod yng nghelloedd yr heddlu i ddwy flynedd hirfaith mewn carchar. Yn ôl un amcangyfrif yn y wasg ym 1983, bu dros ddwy fil o aelodau'r Gymdeithas dan glo yng ngharchar neu swyddfeydd yr heddlu am ryw hyd.[120]

Yr oedd achosion llys yn rhoi llwyfan i aelodau'r Gymdeithas dynnu sylw at ddiffyg statws yr iaith Gymraeg, a byddai'r sylw a geid yn y wasg yn sgil carchariad yn gyfle gwych i daenu propaganda. Defnyddid achosion llys yn y dull hwn gan amryw o fudiadau gwasgedd. Yn sgil eu protestiadau torcyfraith, sef peintio rhifau tai, difrodi cerbydau trên, arllwys jam i mewn i flychau post, meddiannu orielau a difrodi gwaith celf, a hyd yn oed losgi adeiladau, byddai'r *suffragettes* yn troi eu hachosion llys yn fforwm lle y cyhuddid y barnwr a'r llywodraeth o fod yn orthrymwyr menywod. Pan gynhelid achosion llys yn America yn erbyn gwrthwynebwyr y rhyfel yn Fietnam am iddynt losgi eu cardiau drafft ar gyfer gwasanaeth milwrol, byddai'r protestwyr yn fynych yn manteisio ar y cyfle i draethu yn erbyn anghyfiawnderau rhyfel, dull tra effeithiol o daenu propaganda, o gofio bod cymaint â deg ar hugain o achosion fel hyn wedi eu cynnal yn wythnosol mewn dinasoedd fel Los Angeles yn ystod 1968.[121] Defnyddio'r achosion llys fel llwyfan i dystio i ddiffyg statws y Gymraeg a wnâi aelodau'r Gymdeithas hefyd, gan wrthod yr hawl i gael cyfreithwyr i'w cynrychioli a mynnu eu hamddiffyn eu hunain. Serch hynny, bu'r Gymdeithas yn ffodus iawn fod rhai cyfreithwyr wedi amddiffyn, yn ddi-dâl, rai aelodau rhag cyhuddiadau o drais neu o gynllwynio.

Diau mai'r ymgyrch arwyddion ffyrdd oedd yr enwocaf i'r Gymdeithas erioed ei chynnal. Dechreuwyd yr ymgyrch ym mis Awst 1964 pan symudwyd arwyddion pentref 'Trevine' liw nos, gan osod yn eu lle arwyddion Cymraeg. Ailgydiwyd yn yr ymgyrch ym 1968 wedi i dri myfyriwr o Goleg Prifysgol Cymru fynd ar gyrch o gwmpas ardal Aberystwyth, heb ganiatâd y Pwyllgor Canol, yn difrodi arwyddion ffyrdd uniaith Saesneg.[122] Yn sgil hyn, yng Nghyfarfod Cyffredinol 1968 penderfynwyd 'dechrau ymgyrch dorcyfraith ddi-drais i sicrhau i'r Gymraeg ei lle haeddiannol ym mhob agwedd ar Lywodraeth Leol yn ein gwlad', gan awgrymu'n gynnil mai arwyddion ffyrdd fyddai'r prif darged. Cyhoeddwyd canllawiau manwl iawn i weithredwyr yn rhifyn mis Ionawr 1969 o *Tafod y Ddraig,* gan gynnwys pa liw paent i'w ddefnyddio a pha arwyddion y dylid eu peintio, ac yn rhifyn mis Gorffennaf cyhoeddwyd cyngor cyfreithiol manwl i aelodau a oedd am gymryd rhan yn yr ymgyrch.[123] Ymunodd rhai cannoedd yn y ralïau peintio arwyddion a gynhaliwyd yn ardal Wybrnant a Chefn-brith. Mynychwyd rali beintio Post-mawr ym mis Rhagfyr 1970 gan dros ddau gant o aelodau, a chynhaliwyd dros 185 o achosion llys ledled Cymru yn erbyn aelodau'r Gymdeithas am achosi difrod troseddol i arwyddion ffyrdd trwy eu peintio.[124] Yr oedd yr ymgyrch hon yn dra effeithiol oherwydd bod yr arwyddion yn symbol gweladwy iawn o israddoldeb y Gymraeg ym mywyd cyhoeddus Cymru ac yn wrthrychau diriaethol a hylaw y gellid yn hawdd weithredu yn eu herbyn.

Yr oedd hwn yn gychwyn cyfnod newydd yn hanes ymgyrchu'r Gymdeithas, gan na chaniateid cyn hynny unrhyw ddifrod i eiddo cyhoeddus na phreifat. Hanfod yr ymgyrchu anghyfansoddiadol cyn yr ymgyrch arwyddion oedd torri'r gyfraith a defnyddio'r achosion llys Saesneg fel llwyfan i esbonio amcanion y mudiad.[125] Bellach, trwy dorri'r gyfraith mewn dull ymosodol ac agored, gellid hawlio sylw eang iawn a dwyn pwysau uniongyrchol ar yr awdurdodau. Nid peth newydd, wrth reswm, oedd achosi difrod troseddol mewn ymgyrchoedd anufudd-dod sifil. Ni fu'r *suffragettes* yn gyndyn i wneud hynny, ac yn ystod penllanw eu hymgyrchu ym 1912–14, yn ôl Norman F. Cantor, 'the suffragettes' ingenuity in destructiveness was wondrous to behold. They smashed windows, not singly but systematically, by the streetful'. Cafwyd rhagflaenydd enwog iawn mewn cyd-destun Cymreig ym Mhenyberth, pan achoswyd gwerth £2,671 o ddifrod i adeiladau'r Ysgol Fomio. Yr oedd arweinwyr y Gymdeithas yn fwy na bodlon arddel – ac efelychu – dulliau anghyfansoddiadol Merched Beca, a phenderfynwyd yng Nghyfarfod Cyffredinol 1971 y byddai aelodau yn gosod 'proclamasiwn' ar arwyddion Saesneg yn rhybuddio y byddent yn dychwelyd ymhen ychydig ddyddiau i'w difa, yn union fel y gwnâi Merched Beca wrth fygwth y tollbyrth a'r clwydi.[126]

Defnyddid difrod troseddol ym mron pob un o ymgyrchoedd uniongyrchol y Gymdeithas. Taenid cot o baent newydd nid yn unig dros arwyddion ffyrdd, ond hefyd dros ugeiniau, os nad cannoedd o lythyrdai, siopau cadwyn, banciau, swyddfeydd arwerthwyr tai, tai haf, swyddfeydd llywodraeth ganol a lleol, a swyddfeydd y Blaid Geidwadol. Ym 1989–90 cafwyd ymgyrchoedd i beintio blychau post yn wyrdd a chodi proclamasiynau ar flychau ffôn – dwy ymgyrch hynod o boblogaidd ymhlith yr aelodau oherwydd eu symlrwydd a'u tebygrwydd i'r ymgyrch arwyddion ffyrdd chwedlonol yn y chwedegau. Achoswyd cryn drafferth i siopau cadwyn a swyddfeydd arwerthwyr tai pan roddid glud yng nghloeon eu drysau ac ym mheiriannau dosbarthu arian y banciau. Yn ystod protestiadau pan feddiennid llythyrdai, swyddfeydd y llywodraeth a'r awdurdodau darlledu, byddai aelodau yn fynych yn gwasgaru ac yn rhwygo ffeiliau a dogfennau, ac yn datgysylltu gwifrau ffôn. Yn ystod yr ymgyrch dros Gorff Datblygu Addysg Gymraeg torrwyd i mewn i swyddfeydd y llywodraeth a'r Blaid Geidwadol dros ddeg ar hugain o weithiau. Yn ystod yr ymgyrch dros sianel Gymraeg torrwyd i mewn i ddeugain a rhagor o orsafoedd trosglwyddo rhaglenni teledu a diffodd y mastiau darlledu, gan gynnwys dros ddwsin o fastiau y tu draw i Glawdd Offa. Rhoddwyd sylw mawr i weithred Angharad Tomos a Sali Wyn Harris yn peintio sloganau yn galw am sianel deledu Gymraeg ar gofgolofn Nelson yn Sgwâr Trafalgar ym mis Mai 1980, gweithred a sicrhaodd i Angharad Tomos dri mis yng Ngharchar Drake Hall, Stafford.[127]

Er bod rhai cannoedd o aelodau wedi cymryd rhan yn yr ymgyrch arwyddion ffyrdd ar y cychwyn, i bob pwrpas yr oedd cyfnod y gwrthdystiadau mawrion a'r 'sit-ins' torfol wedi dod i ben erbyn 1973. Yr oedd hyn yn wir hefyd am nifer o fudiadau gwasgedd eraill ledled y byd. Yn ôl Ffred Ffransis ym 1982, datblygodd dwy garfan o fewn y Gymdeithas yn ystod y saithdegau, sef 'y gweithredwyr a'r rhai nad oeddynt yn fodlon gweithredu'.[128] Nid yw'n hawdd esbonio'r rhesymau paham y digwyddodd hyn. Rhaid cofio bod nifer yr aelodau wedi lleihau erbyn 1974, a diau fod yr holl erlyniadau, dirwyon a charchariadau wedi lladd cryn dipyn ar ysbryd hwyliog a mentrus y mudiad. Yr oedd y llywodraeth hefyd, trwy ohirio a llusgo traed ar faterion yn ymwneud â'r Gymraeg, wedi peri i lawer o ymgyrchwyr wangalonni. Erbyn yr wythdegau nid hawdd oedd dod o hyd i dargedau dilys, a chyfyngid llawer o weithredoedd ymgyrchoedd megis yr un dros Gorff Datblygu Addysg Gymraeg i swyddfeydd y llywodraeth a Chyd-bwyllgor Addysg Cymru yng Nghaerdydd.[129] Mewn gwirionedd, diffyg targedau amlwg a oedd yn bennaf cyfrifol am boblogrwydd y gweithredu yn erbyn blychau post a blychau ffôn ym 1989–90.

Gan nad oedd gan y Gymdeithas yr adnoddau dynol bellach wrth law, yr oedd yn rhaid difrifoli'r gweithredoedd er mwyn adfywio'r mudiad ac ennill cyhoeddusrwydd o'r newydd. Ym 1976 ffurfiwyd 'Grŵp Gweithredol' gan Senedd y Gymdeithas, a fyddai'n gyfrifol am ymchwilio i dargedau addas yng Nghymru ac yn Lloegr, gan gynnwys gorsafoedd darlledu y gellid eu meddiannu. Ni fu'r ymchwil hon bob amser yn ddibynadwy, fodd bynnag, fel y profodd nifer o aelodau ym mis Tachwedd 1978 wedi iddynt ganfod eu bod wedi torri i mewn i weithfeydd nwy Wreakin yn lle'r orsaf ddarlledu drws nesaf. Cynyddu a wnâi maint y difrod hefyd. Dim ond gwerth ychydig bunnoedd o ddifrod a achoswyd gan beintwyr arwyddion ffyrdd ar gychwyn yr ymgyrch honno ym 1969, o'i gymharu â thros fil o bunnau o ddifrod a wnaed i arwyddion yn ardal Sanclêr ym 1975. Achoswyd cryn ddifrod i eiddo'r awdurdodau darlledu yn ystod ymgyrch y sianel hefyd, gan gynnwys gwerth £322 o ddifrod i offer darlledu yn nhrosglwyddydd Holme Moss yn Huddersfield ym mis Chwefror 1973. Pan dorrwyd i mewn i orsaf drosglwyddo Blaen-plwyf ym 1977, achoswyd gwerth £25,000 o ddifrod i'r offer darlledu, yn ôl yr erlyniad. Dair blynedd yn ddiweddarach torrwyd pob record pan honnwyd i aelodau'r Gymdeithas achosi gwerth £28,000 o ddifrod i orsaf ddarlledu East Harptree a Goosemoor, ger Bryste. Ni chafwyd difrod ar raddfa gyffelyb wedi hynny (yn bennaf am nad oedd unrhyw offer arall mor gostus â throsglwyddyddion teledu), ond achoswyd difrod helaeth iawn yn yr ymgyrchoedd dros sefydlu Corff Datblygu Addysg Gymraeg a Deddf Eiddo, gan gynnwys gwerth £8,000 o ddifrod i babell y Swyddfa Gymreig ar faes Eisteddfod Genedlaethol Y Rhyl ym 1985, a gwerth £6,500 o ddifrod i adeiladau'r Swyddfa Gymreig yn Llandrillo-yn-Rhos ym 1991.[130]

Fodd bynnag, yr oedd gofyn bod yn hynod o ofalus â'r dull hwn o weithredu. Er mwyn sicrhau na fyddai'r Senedd yn colli rheolaeth, yr oedd gan y Gymdeithas reolau llym iawn ynglŷn â'r defnydd o dorcyfraith. Credai'r arweinwyr yn gryf iawn fod dyletswydd ar aelodau i ymddwyn yn gyfrifol wrth dorri'r gyfraith, fel y dengys datganiad Gareth Miles yn Llys Ynadon Wrecsam ym mis Mai 1968:

> Mae'n rhaid i'r sawl a fynn dorri cyfraith anghyfiawn wneud hynny'n agored a bod yn barod i ddwyn y gosb . . . Daliaf fod yr unigolyn sy'n torri'r gyfraith y tystia'i gydwybod ei bod yn anghyfiawn, os yw'n fodlon i wynebu'r gosb a mynd i'r carchar i ddeffro cymdeithas i sylweddoli'r anghyfiawnder, mewn gwirionedd yn dangos y parch mwyaf i'r gyfraith.[131]

Yr oedd yn amhosibl osgoi erlyniad yn ystod ymgyrchoedd cynharaf y Gymdeithas oherwydd bod torri'r gyfraith a derbyn y canlyniadau yn rhan hanfodol o'r brotest. Yn sgil y weithred dyngedfennol honno ym 1967, pan gychwynnwyd yr ymgyrch dorcyfraith yn erbyn arwyddion ffyrdd uniaith Saesneg yn Aberystwyth, aeth y tri myfyriwr – sef Morys Rhys, Eurig Dafydd a Geraint Eckley – yn syth i swyddfa heddlu Aberystwyth i dderbyn cyfrifoldeb am y difrod a wnaed, ac ar ôl y ralïau a'r gorymdeithiau peintio arwyddion byddai'r gweithredwyr i gyd yn mynd yn lleng i swyddfa'r heddlu i gymryd cyfrifoldeb am eu troseddau. Fodd bynnag, ymhen fawr o dro newidiodd holl naws yr ymgyrchu wrth i lai a llai o aelodau ddangos parodrwydd i weithredu'n agored a chymryd cyfrifoldeb am eu gweithredoedd, gan roi eu bryd yn hytrach ar geisio dileu cynifer o arwyddion uniaith Saesneg ag yr oedd modd cyn cael eu dal. Yn rhifyn mis Mawrth 1969 o *Tafod y Ddraig,* nodwyd bod y mudiad wedi newid ei bolisi ynghylch cymryd cyfrifoldeb am y peintio arwyddion ffyrdd; bellach anogid aelodau i wrthod dweud dim wrth yr heddlu pe holid hwy ynghylch achosion o beintio arwyddion. Yng Nghyfarfod Cyffredinol 1974 datganwyd yn gynnil y dylai aelodau 'dderbyn cyfrifoldeb llawn am unrhyw weithred *ddifrifol* a gyflawnir yn enw'r Gymdeithas'.[132]

O ganlyniad yr oedd perygl difrifol erbyn canol y saithdegau y gallai gweithredu torcyfraith gynyddu fel caseg eira a mynd y tu hwnt i reolaeth y Senedd. Cafwyd adroddiadau yn y wasg mor gynnar â 1972 fod Neil ap Siencyn a rhai aelodau eraill yn awyddus i'r Gymdeithas ddatblygu dulliau mwy 'milwriaethus' o weithredu, gan awgrymu bod ei hymlyniad wrth ddulliau di-drais yn arwydd o lwfrdra.[133] Yn ddiarwybod i'r Senedd achoswyd difrod mawr i faniau Swyddfa'r Post ym Mangor ym 1974, pan aeth aelodau o golegau Bangor ati i lynu posteri a pheintio sloganau wrth y faniau, gollwng gwynt o'u teiars, a difetha'r tanciau petrol – ond heb gymryd cyfrifoldeb am y weithred. Cymaint oedd pryder rhai o aelodau cell y ddinas fel y bu'n rhaid i'r Senedd gystwyo'r troseddwyr yn llym. Flwyddyn yn ddiweddarach cafwyd gwrthdaro eto rhwng aelodau colegau Bangor a'r Senedd wedi i fyfyrwyr fod wrthi'n peintio arwyddion ffyrdd yn ystod cadoediad yn yr ymgyrch yng Ngwynedd. Gan na dderbyniodd neb gyfrifoldeb am y difrod a wnaed yng ngorsaf ddarlledu Blaen-plwyf ym 1977, cyhuddwyd Wynfford James, cadeirydd y Gymdeithas, a Rhodri Williams, arweinydd y Grŵp Cyfryngau Torfol, o gynllwynio i achosi difrod i'r orsaf honno a gorsafoedd eraill. Er mwyn osgoi sefyllfa gyffelyb yn y dyfodol penderfynwyd yng Nghyfarfod Cyffredinol 1977 y byddai'r Senedd yn cymryd cyfrifoldeb am weithredoedd o ddifrod difrifol neu achosion a hawliai gyfnod o garchar am fwy na thri mis. Fodd bynnag, ymhen blwyddyn mynegwyd pryder mawr fod y Gymdeithas yn prysur ddatblygu i fod yn fudiad tanddaearol gan fod cyn lleied o aelodau yn fodlon derbyn cyfrifoldeb am eu gweithredoedd.[134]

Ymgyrchu di-drais

Serch y protestio a'r gweithredu difrifol a fu yn ystod y deng mlynedd ar hugain rhwng 1962 a 1992 glynodd y Gymdeithas yn ffyddlon wrth ei hegwyddor ddi-drais. Nis temtiwyd erioed i fabwysiadu dulliau treisgar o weithredu, er gwaethaf proffwyd-oliaethau ei gelynion fod dulliau'r mudiad yn rhwym o arwain at sefyllfa debyg i Ulster yng Nghymru. Y mae'n bosibl y dylanwadwyd ar y beirniaid hyn gan hanes mudiadau gwasgedd eraill yn y chwedegau, megis gwrthdrawiadau'r myfyrwyr a'r mudiad heddwch yn erbyn yr heddlu yn ystod y protestiadau yn erbyn rhyfel Fietnam, neu ddatblygiad 'Black Power' ym mudiad y duon yn America dan arweinwyr megis Stockley Carmichael, H. Rap Brown, Huey Newton ac Eldridge Cleaver.[135] Fodd bynnag, parhaodd aelodau'r Gymdeithas yn ffyddlon i ymgyrchu di-drais er gwaethaf pob erlyniad a chaledi, gan ennyn cydymdeimlad eang i'w safiad ledled Cymru.

Bu ymgyrchu di-drais yn rhan anhepgor o strategaeth y Gymdeithas o'r cychwyn, ac yn bolisi swyddogol rhwng 1962 a 1992. Dim ond unwaith yn y cyfnod hwnnw y bu ychydig o wrthdaro ynghylch y dull di-drais o weithredu, a hynny ym 1966 pan oedd y Gymdeithas yn ceisio canfod ei thraed wrth i'w hymgyrchoedd torcyfraith ddechrau o ddifrif ac wrth i'w phrotestiadau torfol arwain yn anorfod at wrthdaro. Ar y pryd cafwyd cryn amrywiaeth barn a gwrthdaro ar Bwyllgor Canol y Gymdeithas rhwng 'hebogiaid' cangen Blaenau Morgannwg a'r 'colomennod', chwedl Dafydd Iwan, a hynny ynghylch y ffaith nad oedd ymgyrchu cyfansoddiadol yn dwyn ffrwyth amlwg. Daeth yr anghytundeb hwn i'r berw ym mis Mai 1966 pan gafwyd ysgarmes rhwng rhai o aelodau'r Gymdeithas a'r heddlu ar risiau'r Swyddfa Gymreig yn ystod protest yn erbyn carchariad Neil ap Siencyn yn sgil yr ymgyrch treth ffordd. Cyhuddwyd tri aelod o ymladd â'r heddlu a gwrthododd Pwyllgor Canol y Gymdeithas eu cais am gymorth ariannol. Mor ffyrnig oedd y gwrthdaro ar y Pwyllgor Canol yn sgil y penderfyniad hwnnw fel y bu'n rhaid cynnal Cyfarfod Cyffredinol arbennig ym mis Tachwedd yng Ngwesty'r Belle Vue yn Aberystwyth i drafod polisi di-drais y Gymdeithas gan 'nad oedd y naill garfan yn fodlon gweithredu polisi a seilid ar ddehongliad y llall o'r egwyddor di-drais'. Mewn cyfarfod stormus a barhaodd am bum awr dadleuodd Geraint Jones a Neil ap Siencyn o blaid hawl yr aelodau dan amgylchiadau arbennig i'w hamddiffyn eu hunain yn gorfforol, tra galwodd Cynog Dafis, Gareth Miles a Siôn Daniel am yr hawl i ddiarddel unrhyw aelod am ddefnyddio trais. Yn y diwedd derbyniwyd y dull di-drais yn bolisi swyddogol yn sgil apêl daer gan Emyr Llewelyn, a phenderfynwyd o 83 pleidlais yn erbyn 47 'fod Cymdeithas yr Iaith yn datgan unwaith eto mai dulliau di-drais yw'r unig rai a arddelir ganddi, a'i bod yn dehongli "di-drais ar bersonau" fel na chaniateir i aelod o'r Gymdeithas fyth daro'n ôl mewn ymgyrch neu brotest a drefnwyd gan y Gymdeithas'. Ni fu unrhyw anghytundeb barn wedi hynny ynghylch priodoldeb y dull hwn o weithredu.[136]

Arweinwyr ysbrydol y Gymdeithas o safbwynt yr egwyddor ddidrais oedd Mahatma Gandhi a Martin Luther King. Gandhi oedd y cyntaf i ddysgu i'r byd sut i ddefnyddio grym moesol at amcanion gwleidyddol. Datblygodd dechneg y dull di-drais trwy gyfuno cysyniadau o ddysgeidiaeth Hindŵaidd megis *ahimsa* (y dull di-drais) a *satyagraha* (grym yr ewyllys). Credai Gandhi fod yn rhaid i'r sawl a oedd yn ceisio newid amgylchiadau dynion achosi cynnwrf mewn cymdeithas, ac y gellid cyflawni hynny mewn dwy ffordd yn unig, sef trwy ddull treisgar neu annhreisgar. Ond credai hefyd fod y dulliau a ddefnyddid wrth ymgyrchu yn bwysicach na'r nod ei hun, ac er mwyn profi'r ffaith honno yr oedd yn barod i ddioddef yn bersonol trwy ymprydio am wythnosau ar y tro. Cyfuno egwyddor ddi-drais Gandhi a phwyslais Cristnogaeth ar gariad ac amynedd a wnaeth Martin Luther King. Credai'n ffyddiog y byddai grym protest heddychol ac urddasol yn sicr o ddeffro cydwybod America a thanseilio'r drefn hiliol anghyfiawn a oedd wedi gormesu'r bobl dduon cyhyd.[137] Mawr fu dylanwad dysgeidiaeth a gweithredoedd y ddau wron hyn ar rai o aelodau Cymdeithas yr Iaith, fel y dengys cyfeiriadau mynych yr arweinwyr at y ddau mewn datganiadau gerbron llysoedd barn, mewn areithiau ac mewn ysgrifau.[138]

Ysbrydolwyd aelodau'r Gymdeithas gan safiad cenedlaetholwyr India, mudiad y duon yn America, a rhai eraill a fabwysiadodd ddulliau di-drais o weithredu, megis y 'Direct Action Committee' a'r 'Pwyllgor Cant'. Dadleuwyd yn gryf iawn, fel y gwnâi Gandhi, na ddylai'r Gymdeithas ddefnyddio dulliau annheilwng wrth ymgyrchu o blaid achos aruchel a chyfiawn, a chyhoeddwyd yn eglur yng Nghyfarfod Cyffredinol Arbennig 1966 fod nerth y Gymdeithas yn gorwedd 'yn ein parodrwydd i ddatgelu gormes trwy ei ddioddef yn hytrach nag yn ein dyrnau a'n traed'.[139] Cyflyrwyd rhai aelodau i dderbyn y dull hwn o weithredu gan ei fod yn gydnaws â'u daliadau Cristnogol a heddychol, a darbwyllwyd eraill gan ymarferoldeb gwleidyddol y dull. Bu Cristnogion yn amlwg iawn yn rhengoedd y Gymdeithas erioed; ysbrydolwyd rhai i weithredu o blaid yr iaith oherwydd eu hargyhoeddiad mai rhodd gan Dduw ydoedd ac mai ewyllys Duw oedd ei diogelu. Ac yntau gerbron ynadon Y Fflint am 'achosi difrod maleisus' i bedwar arwydd ffordd uniaith Saesneg ym mis Ebrill 1969, cyhoeddodd Ieuan Bryn mewn araith i'r llys mai ar sail egwyddorol foesol, Gristnogol, a dyngarol y bu iddo ddifrodi'r arwyddion.[140] Yr oedd Cristnogaeth yn bwysig iawn i Dafydd Iwan, Gronw ab Islwyn a Ffred Ffransis yn ystod y saithdegau a brithid eu hareithiau a'u hysgrifau â chyfeiriadau Cristnogol. Mewn neges at aelodau'r Gymdeithas ym mis Ionawr 1969, meddai Dafydd Iwan: 'rhaid inni bwyso'n drwm ar . . . y gwerthoedd hynny a amlygwyd ym mywyd Crist. Dylai brwydr Cymru fod yn rhan o'n Cristnogaeth ymarferol ninnau, fel yr oedd eu brwydrau hwy i Martin Luther King a Gandhi'. Mewn achos llys yn Yr Wyddgrug ym 1971, dywedodd Gronw ab Islwyn, a oedd yn fyfyriwr yng Ngholeg Coffa Abertawe ar y pryd, fod pob iaith yn 'Greadigaeth Gysegredig', ac mai tarddle 'Cristnogol neu foesol' oedd i'r ymgais i adfer yr iaith Gymraeg.[141] Ar ddiwedd y saithdegau ac ar ddechrau'r wythdegau yr oedd carfan dra dylanwadol o Gristnogion efengylaidd yn aelodau o Senedd y Gymdeithas, gan ffurfio lobi gref a allai ddylanwadu ar gynnwys polisïau'r mudiad.

Yr oedd eraill yn gwrthwynebu trais am resymau pragmataidd a gwleidyddol ymarferol. Yn hytrach na choleddu argyhoeddiad dwfn yng ngwerth cydwybodol ac ysbrydol dulliau di-drais, credent, fel Thoreau, mai nod anufudd-dod sifil a gweithredoedd anghyfan-soddiadol oedd dwyn pwysau ar yr awdurdodau a'u gorfodi i blygu i ofynion y protestwyr. Credai Emyr Llewelyn ym 1966 y dylai'r Gymdeithas fabwysiadu dulliau di-drais oherwydd rheidrwydd tactegol, gan na wyddai'r awdurdodau sut i ymateb i weithredu heddychlon. Digon hawdd oedd gwastrodi terfysg â thrais, ond nid mor hawdd oedd dygymod â rhai cannoedd o brotestwyr yn gwrthdystio'n dawel. Buasai defnyddio dulliau treisgar o weithredu hefyd wedi colli cydymdeimlad ac ewyllys da y cyhoedd tuag at amcanion a nod y mudiad.[142]

Anodd iawn gan rai o feirniaid y Gymdeithas oedd credu'r honiad fod y mudiad yn arddel dulliau heddychlon, a hwythau'n achosi'r fath ddifrod i eiddo. Yn nhyb golygyddion y *Western Mail* a'r *Liverpool Daily Post,* twyll oedd polisi di-drais Cymdeithas yr Iaith:

> At the society's annual general meeting the retiring president spoke grandiloquently about the need to restate its belief in the non-violent philosophies of Dr Martin Luther King and Gandhi. It now transpires that this non-violence does not have to be interpreted too narrowly by society members – they can for instance still legitimately give vent to their aggressive feelings by smashing up transmitting stations, thieving from Conservative Party offices or trying their hand with an aerosol paint spray. And these are supposed to be the methods by which the society is going to show the rest of Wales that it retains the initiative and will secure its own demands?[143]

Ond daliai'r Gymdeithas i fynnu'n daer nad gweithred dreisgar oedd achosi difrod i eiddo. Meddai Dafydd Iwan, mewn neges at yr aelodau ym mis Ionawr 1969: 'Os yw dyn yn gysegredig, 'dyw ei eiddo ddim, ac os yw'r eiddo hwnnw yn digwydd cynrychioli gormes ar yr iaith Gymraeg (megis ffurflenni neu arwyddion Saesneg) yna y mae ei ddileu yn gyson â'n polisi. O safbwynt y Gymraeg, DILEU trais yw dileu arwydd Saesneg, nid YMARFER trais.'[144] Gan na niweidid 'corff neu bersonoliaeth cyd-ddyn', nid oedd yr ymgyrchoedd yn dreisgar, a gellid honni'n rhwydd fod y Gymdeithas yn parhau'n ffyddlon i ddulliau di-drais. Mor ddiweddar â mis Tachwedd 1990, cadarnhawyd bod y traddodiad hwn mor gryf ag erioed gan Alun Llwyd, cadeirydd y Gymdeithas: 'Mae'r weledigaeth o werth a phwysigrwydd y dull di-drais mor ddwfn yn aelodau Cymdeithas yr Iaith fel na allwn ni ar unrhyw gyfrif ystyried dull arall o weithredu.'[145]

Er gwaethaf amheuon y wasg, ni fu safbwynt y Gymdeithas ynghylch gweithredu treisgar erioed yn amwys. Ar ddiwedd 1966 cyhoeddodd ei bod yn ei datgysylltu ei hun yn llwyr oddi wrth 'Byddin Rhyddid Cymru', a diarddelwyd Eryl Fychan o'r Gymdeithas ym 1979 yn ystod achos cynllwyn ym Midhurst, Sussex, gan fod yr heddlu wedi dod o hyd i lythyr yn ei feddiant ar bapur swyddogol y Gymdeithas wedi ei gyfeirio at Ruari O'Braidaigh, cadeirydd Sinn Fein, yn gofyn am loches yn Iwerddon.[146] Pan gychwynnodd yr ymgyrch llosgi tai haf ym mis Rhagfyr 1979 rhyddhawyd datganiad i'r wasg yn syth gan y Gymdeithas yn gwrthwynebu llosgi tai haf oherwydd ei fod yn groes i bolisi di-drais y mudiad. Eto i gyd, dywedwyd bod y Gymdeithas yn deall y rhwystredigaeth a yrrai'r llosgwyr i weithredu mewn dull mor eithafol. Cydnabuwyd yng Nghyfarfod Cyffredinol 1980 'mai diffyg arweiniad ac ymroddiad gan y Gymdeithas i arwain ymgyrch ddi-drais ddifrifol sy'n bennaf gyfrifol am greu'r gwagle a roddodd fod i drais' a diddorol yw nodi bod cymal yn y cynnig gwreiddiol yn galw am 'wrthwynebiad diamod' i'r ymgyrch losgi wedi ei wrthod.[147] Er gwaethaf pardduo didostur gan y wasg a chan feirniaid y Gymdeithas, anfonwyd dirprwyaeth i Belfast yn hydref 1985, ar wahoddiad Sinn Fein, er mwyn astudio adfywiad yr Wyddeleg yng Ngogledd Iwerddon. Yn sgil hynny gwahoddwyd cynrychiolwyr o amryw o fudiadau iaith Gogledd Iwerddon i Gymru yng ngwanwyn 1987.[148]

Camp nid bychan oedd llwyddiant y Gymdeithas i lynu'n ffyddlon wrth ddulliau heddychlon o weithredu dros gyfnod o ddeng mlynedd ar hugain, a hynny hyd yn oed pan ymosodid ar ei haelodau yn eiriol, ac weithiau yn gorfforol, gan eu gwrthwynebwyr. Gweithiodd y Gymdeithas yn galed iawn i ddiogelu'r egwyddor hon. Gwahoddwyd y Parchedig Colin Hodgetts, swyddog gydag Ymddiriedolaeth Martin Luther King, ac aelod o'r 'London School of Non-Violence', i gyfarfod cyhoeddus yn Aberystwyth ym mis Chwefror 1970 i drafod dulliau di-drais o weithredu; dosbarthwyd rheolau gwrthdystio i aelodau a chefnogwyr cyn protestiadau; a neilltuwyd Ysgol Basg y mudiad yn Llanrwst ym 1973 i hyfforddi aelodau mewn dulliau gweithredu heddychlon.[149] Glynwyd wrth y dull hwn mewn llu o ralïau a phrotestiadau ac o ganlyniad ni fu unrhyw wrthdaro â'r heddlu. Bron na ellid dweud bod gweithredoedd y Gymdeithas bob amser yn gwrtais os nad yn gyfreithlon: pan feddiannwyd tri thŷ haf gan aelodau'r Gymdeithas yng ngogledd a chanolbarth Cymru ym mis Ionawr 1973, trefnwyd casgliad i dalu am y trydan a ddefnyddiwyd yn ystod y brotest ac am ailosod y ffenestri a dorrwyd er mwyn sicrhau mynediad i'r tai.[150] Cymaint oedd llwyddiant y Gymdeithas yn pleidio'r dull di-drais fel y dywedodd Cynog Dafis: 'There can be little doubt in fact that the activities of *Cymdeithas yr Iaith* defused the danger of violent action that was very real early in the sixties.'[151]

Gellir dweud yn ddibetrus fod Cymdeithas yr Iaith Gymraeg, trwy gyfuno dulliau cyfansoddiadol a thraddodiadol o ymgyrchu â gweithredu uniongyrchol ac anghyfansoddiadol, wedi ennill lle pwysig iawn iddi'i hun yng ngwleidyddiaeth Cymru yn ystod y cyfnod rhwng 1962 a 1992. O ganlyniad i waith selog a dygn yr arweinwyr yn gohebu, deisebu, llunio memoranda, cynnal cyfarfodydd cyhoeddus a threfnu cynadleddau, gosodwyd sail gadarn ar gyfer holl ymgyrchoedd y mudiad. Eto i gyd, oherwydd eu parodrwydd i herio 'deddf y Sais yn enw hawl' yn bennaf yr enillodd aelodau'r Gymdeithas fri ac enwogrwydd.[152] Oherwydd ymrwymiad diwyro'r aelodau i'r egwyddor ddi-drais, sicrhawyd ymgyrchu digyfaddawd a beiddgar o blaid yr iaith mewn ysbryd o gariad a chyfiawnder, ac o ganlyniad i barodrwydd aelodau'r Gymdeithas i ddioddef erledigaeth, dirwyon a charchar datblygodd yng Nghymru genhedlaeth o feibion a merched tra phenderfynol a dewr. Gwyddai aelodau'r Gymdeithas cystal â neb fod gwirionedd yng ngeiriau Sean F. Lemass, Prif Weinidog Iwerddon ym 1964: 'A nation's language, which has been for so long the subject of a persistent campaign for its destruction . . . cannot be restored without sacrifice.'[153]

Nodiadau

1 Shipley, *The Guardian Directory of Pressure Groups and Representative Associations,* t.21; Alderman, *Pressure Groups and Government,* tt.7–13.

2 Grant, *Pressure Groups, Politics and Democracy,* t.156; Trevor Smith, 'Protest and Democracy', t.309.

3 Meier a Rudwick, *Black Protest in the Sixties,* tt.3–9; Norman F. Cantor, 'Black Liberation in the United States', tt.238–40; Driver, *The Disarmers,* passim; Parkin, *Middle Class Radicalism,* passim; Lipset, *Student Politics,* passim; Crawley, *A Degree of Defiance,* passim.

4 J. D. Stewart, *British Pressure Groups* (Oxford, 1958); S. E. Finer, *Anonymous Empire* (London, 1966); Frank Stacey, *The Government of Modern Britain* (Oxford, 1968); Graham Wootton, *Pressure Politics in Contemporary Britain* (Massachusetts, 1978).

5 Pym, *Pressure Groups and the Permissive Society,* t.19. Gw. hefyd Wyn Grant, 'Insider Groups, Outsider Groups and Interest Group Strategies in Britain' (Prifysgol Warwick, PhD, 1977). Dyfynnwyd yn Gail Steward, 'Entry to the System: A Case Study of Women's Aid in Scotland', yn A. G. Jordan a J. J. Richardson, *Government and Pressure Groups in Britain* (Oxford, 1987), t.212.

6 T. May ac N. Nugent, 'Insiders, Outsiders and Thresholders', papur a gyflwynwyd i gynhadledd y Political Studies Association, 1975, t.5. Dyfynnwyd yn Gail Steward, 'Entry to the System', t.212.

7 Dafydd Glyn Jones, 'The Welsh Language Movement', t.345.

8 Pym, *Pressure Groups and the Permissive Society*, tt.20, 116, 163; Wyn Grant, 'Insider Groups, Outsider Groups and Interest Group Strategies'; idem, *Pressure Groups, Politics and Democracy*, tt.14–21. Gw. hefyd Alderman, *Pressure Groups and Government*, t.100; Alec Barbrook, 'Radicalism as Dissent: Ideology in Recent American Politics', yn Barbrook a Bolt, *Power and Protest in American Life*, t.282.

9 Lowe a Goyder, *Environmental Groups in Politics*, t.59; Grant, *Pressure Groups, Politics and Democracy*, t.19.

10 Grant, *Pressure Groups, Politics and Democracy*, t.21.

11 J. P. Olsen, 'Integrated Organisational Participation in Government', yn P. C. Nystrom a W. D. Starbuck (goln.), *Handbook of Organisational Design* (1983), tt.157–8. Dyfynnwyd yn Gail Steward, 'Entry to the System', t.212; J. J. Richardson ac A. G. Jordan, *Governing Under Pressure* (Oxford, 1979); Gavin Drewry, 'Political Parties and Members of Parliament', t.250.

12 Gw. *WM*, 11/1/1988, 27/1/1988; *Y Cymro*, 13/1/1988.

13 Gw. *WM*, 5/5/1969, *Y Cymro*, 7/5/1969, a'r *Faner*, 8/5/1969; George Thomas, Viscount Tonypandy, *My Wales* (London, 1986), t.133.

14 LlGC, PRhW 3. Senedd, 12/1/1978, 17/3/1979.

15 John Wilson, *Introduction to Social Movements* (New York, 1973), tt.229–35; April Carter, *Direct Action and Liberal Democracy* (London, 1973), tt.3–27; Michael Randle, *Civil Resistance* (London, 1994), tt.52–100.

16 Ralph H. Turner, 'Determinants of Social Movement Strategies', yn Tamotsu Shibutani (gol.), *Human Nature and Collective Behaviour* (New Jersey, 1970), tt.145–64; Gene Sharp, *The Politics of Nonviolent Action* (Boston, 1973).

17 Gavin Drewry, 'Political Parties and Members of Parliament', t.271; Marsh, *Pressure Politics*, t.8; Thomas, *The Welsh Extremist*, t.94.

18 Gw. Gareth Miles, 'Incident at Aberystwyth', *WN*, 1/8/1962.

19 LlGC, PJD 13. Ail fersiwn cerdyn aelodaeth y Gymdeithas, 1963. Gw. hefyd Tudur, *Wyt Ti'n Cofio?*, t.21.

20 John Davies, 'Blynyddoedd Cynnar', tt.29–31; Cynog Davies, 'Cymdeithas yr Iaith Gymraeg', tt.269–70; Tudur, *Wyt Ti'n Cofio?*, t.29.

21 Löffler, *'Iaith Nas Arferir'*, t.19. Gw. hefyd John Owen Davies, 'Are Young Revolutionaries being bred in the Schools?', *WM*, 22/11/1972.

22 Löffler, *'Iaith Nas Arferir'*, t.1; idem, '"Gwnewch bopeth yn Gymraeg"', t.4.

23 Löffler, *'Iaith Nas Arferir'*, tt.4, 8–9; Lloyd, *John Saunders Lewis*, tt.324–8; Jac L. Williams, 'The Welsh Language in Education', yn Stephens (gol.), *The Welsh Language Today*, tt.93–111; Robyn ap Idris-Lewis, 'The Welsh Language and the Law', yn Stephens (gol.), *The Welsh Language Today*, tt.207–22; Davies, *Undeb Cymru Fydd*, t.32; Jones, *A Bid for Unity*, tt.34–9.

24 Ralph H. Turner, 'Determinants of Social Movement Strategies', tt.147–52; Sharp, *The Politics of Nonviolent Action*, tt.117–82.

25 Gw., e.e., LlGC, PCYIG 1/4, 4/3. Senedd, 8/11/1970, 28/4/1973, 4/3/1976; 'Rees Pressed for Statement on TV Plans', *WM*, 9/1/1978.

26 LlGC, PCYIG 1/4, 2/1 (rh.2), 12/1. Senedd, 14/6/1973, 15/4/1978. Cyf. Cyff. 1984.

27 Gw. *Y Faner*, 25/4/1968; *Y Cymro*, 16/5/1968; *WM*, 13/5/1968.

28 LlGC, PCYIG 1/4, 11/1, 30. Senedd, 28/4/1973, 12/6/1980, 11/2/1984. Gw. *Y Cymro*, 19/4/1973; *Y Faner*, 20/4/1973; a'r *Cymro*, 15/5/1984.

29 J. E. Jones, *Tros Gymru: J. E. a'r Blaid* (Abertawe, 1970), t.209. Yn ôl Chris Rees, 135,000 o enwau a oedd ar y ddeiseb genedlaethol. Chris Rees, 'The Welsh Language in Politics', yn Stephens (gol.), *The Welsh Language Today,* t.257. Gw. hefyd Pwyllgor Deiseb yr Iaith Gymraeg, *The Welsh Language Petition* (Aberystwyth, 1939).

30 Gw. *WM* a'r *LDP*, 22/8/1983; *Y Cymro*, 23/8/1983; *WM* a'r *LDP*, 31/3/1987.

31 Gw. *WM*, 5/5/1969, *Y Cymro*, 7/5/1969, a'r *Faner*, 8/5/1969; *WM*, 8/12/1979; *WM*, 18/7/1983, *Y Cymro*, 19/7/1983, *WM*, 31/3/1984, a'r *Cymro*, 3/4/1984; *LDP*, 23/1/1990; *WM* a'r *LDP*, 10/1/1992, a'r *Cymro*, 15/1/1992; 'Society to press for firm TV date', *LDP*, 1/9/1976.

32 Gw. *TDd*, 159 (2/1983); *WM*, 5/2/1983, 18/10/1983, 24/4/1987; *Y Cymro*, 25/10/1983, 10/9/1986; LlGC, PCYIG 4/3. Senedd, 10/1/1976, 31/1/1976.

33 Alderman, *Pressure Groups and Government,* t.120; Ellison, *The Black Experience,* tt.185–91; Norman F. Cantor, 'Black Liberation in the United States', tt.230–4.

34 LlGC, PCYIG 1/4, 30. Senedd, 10/1/1971, 2/9/1989, 7/10/1989; LlGC, PRhW 1. Cyf. Cyff. 1976.

35 LlGC, PCYIG 11/3. Senedd, 10/1/1981. Gw. *Y Cymro*, 11/7/1978, 28/11/1978, 20/11/1979; *WM*, 27/11/1978, 22/1/1980.

36 Gavin Drewry, 'Political Parties and Members of Parliament', t.256; *TDd*, 12 (cyfres I, 9/1964); LlGC, PCYIG 40. Pwyllgor Canol, 25/6/1966.

37 LlGC, PCYIG 4/3, 30. Senedd, 21/2/1976, 8/6/1985. Gw. *LDP*, 16/5/1985; *Y Cymro*, 21/5/1985; PCYIG, Swyddfa Aberystwyth. Cyf. Cyff. 1991.

38 LlGC, PCYIG 1/4, 4/3. Senedd, 18/11/1972, 11/11/1973, 20/12/1975, 10/1/1976; PCYIG, Swyddfa Aberystwyth. Cyf. Cyff. 1990.

39 *TDd*, 11 (cyfres I, 8/1964); *Y Cymro*, 23/7/1964, t.20; John Davies, 'Blynyddoedd Cynnar', tt.23–4; Tudur, *Wyt Ti'n Cofio?,* t.29. Gw. hanes llythyr John Davies ym Mhennod 2, tt.80–1.

40 John Davies, 'Blynyddoedd Cynnar', t.31; *Y Faner*, 8/12/1966; *TDd*, 3 (10/1967); Tudur, *Wyt Ti'n Cofio?,* t.49.

41 LlGC, PCYIG 1/4, 30, a PCYIG, Swyddfa Aberystwyth. Senedd, 2/2/1974, 30/3/1974, 22/6/1974, 23/11/1974, 8/11/1986, 10/9/1988, 9/11/1991; Cyf. Cyff. 1983.

42 LlGC, PCYIG 1/4, 2/1, 4/3, 11/3, 30. Pwyllgor Canol, 17/3/1968, Senedd, 24/3/1973, 20/10/1974, 5/4/1975, 10/1/1976, 14/2/1981, 14/3/1987; John Davies, 'Blynyddoedd Cynnar', t.27; *WM*, 30/6/1971, 17/2/1981; *Y Cymro*, 23/2/1981.

43 LlGC, PCYIG 4/3, 1/4, 51/4. Senedd, 21/2/1976, 25/2/1973, 9/1/1988. Gw. hefyd 'Not enough S4C Welsh, says survey', *WM*, 10/8/1984; Hugh Ward, 'The Anti-Nuclear Lobby', t.193.

[44] Dyfynnwyd yn Davies, *Politics of Pressure,* t.33.

[45] LlGC, PCYIG 2/1 (rh.2) a LlGC, PRhW 3. Senedd, 26/3/1977; Cyf. Cyff. 1978.

[46] LlGC, PCYIG 30. Senedd, 12/2/1983.

[47] Anthony Oberschall, *Social Conflict and Social Movements* (New Jersey, 1973), tt.308–9.

[48] Gw. *Y Cymro,* 7/2/1963, 2/12/1965, 3/2/1966, 15/12/1966, 23/2/1967, a'r *WM,* 19/6/1967.

[49] Gw. *WM,* 2/6/1969, a'r *Cymro,* 4/6/1969.

[50] Gw. *WM,* 5/8/1966, 7/8/1968, 10/8/1978, 6/8/1980, 3/8/1983, 3/8/1988, 7/8/1990. Yr unig ysgrifenyddion gwladol a lwyddodd i osgoi protest ar faes yr Eisteddfod Genedlaethol oedd James Griffiths, a oedd yn Ysgrifennydd cyn cyfnod protest y Gymdeithas, a Peter Thomas, o bosibl am iddo fod yn ddigon doeth i gadw draw o'r Brifwyl pan oedd ymgyrch arwyddion y Gymdeithas ar ei hanterth.

[51] 'Protest – dros sianel deledu', *Y Faner,* 27/2/1976; a'r *Liverpool Echo,* 20/9/1991.

[52] LlGC, PCYIG 40. Adroddiad Cyf. Cyff. 1965, 'Ymgyrchoedd – Y Newyddion Diweddaraf'; *WM,* 3/12/1971; *LDP,* 24/2/1984.

[53] Gw. *WM,* 23/3/1972, a'r *Faner,* 31/3/1972; LlGC, PCYIG 11/1. Senedd, 13/1/1979; 'Cymreigio Caerdydd diolch i'r Faner', *Y Faner,* 26/10/1984.

[54] Tudur, *Wyt Ti'n Cofio?,* t.29. Mewn arolwg a gynhaliwyd ar faes Eisteddfod Genedlaethol Caerdydd ym 1978 cafwyd bod deugain a rhagor o stondinau yn torri'r 'rheol Gymraeg'. Gw. 'Rhaid i'r Llys weithredu', *Y Dinesydd Dyddiol,* 9/8/1978.

[55] LlGC, PCYIG 1/4, 30, a LlGC, PRhW 1. Senedd, 20/11/1971, 12/5/1984; Cyf. Cyff. 1976, 1983; *LDP,* 4/5/1984, a'r *WM,* 5/5/1984.

[56] Gronw ab Islwyn, 'Life for the language', *WN,* 16/2/1973.

[57] LlGC, PCYIG 1/4. Pwyllgor Canol, 2/5/1970, 30/8/1970; Senedd, 10/1/1971. Gw. *WM,* 12/5/1970, 24/6/1970; *Y Cymro,* 1/7/1970, 12/4/1973, 6/9/1973.

[58] LlGC, PCYIG 4/2. Cyf. Cyff. 1972. Cynhaliwyd arolwg arall ym 1980 i'r math o waith a fyddai'n fwyaf addas i gefn gwlad Cymru. LlGC, PCYIG 11/1. Senedd, 5/1/1980.

[59] LlGC, PCYIG 1/4, 4/2, 11/1. Senedd, 8/10/1972, 27/1/1973, 28/4/1973, 20/8/1973, 28/4/1974, 17/3/1979; Cyf. Cyff. 1972; am hanes Antur Aelhaearn, gw. Clowes, *Antur Aelhaearn,* passim.

[60] Christine Bolt, 'Ethnic Pressure Groups in the Twentieth Century', yn Barbrook a Bolt, *Power and Protest in American Life,* t.146; Ellison, *The Black Experience,* tt.196–208; Norman F. Cantor, 'Black Liberation in the United States', tt.245–59.

[61] LlGC, PCYIG 4/3, 30. Senedd, 26/3/1977, 11/6/1981. Gw. 'Yr ymgyrch yn parhau', *Y Cymro,* 10/4/1984.

[62] Bobi Jones, 'Ni sy'n medru'r iaith a ni yn unig a fedr ei hachub', *Y Cymro,* 2/5/1963. Mewn cyfres o erthyglau yn *Y Cymro* bymtheng mlynedd yn ddiweddarach, pwysleisiodd eto 'nad yw'r "hawliau" a enillir ddim yn adfer iaith o gwbl, mwy nag y gwna sefydlu ychydig o ysgolion . . . ar hyd a lled ein gwlad. Rhaid yn y bôn gyffroi ac ennyn ewyllys y bobl gyfrifol, rhieni a dinasyddion y gymdeithas benbaladr', a'r unig ffordd i wneud hynny, meddai, oedd trwy 'sefydlu mudiad uchelgeisiol o ddysgu uniongyrchol ymhlith pobl mewn oed'.

Bobi Jones, 'Gobaith i'r Gymraeg', *Y Cymro*, 6/10/1981, 13/10/1981, 20/10/1981.

63 Tudur, *Wyt Ti'n Cofio?*, t.35.

64 LlGC, PCYIG 1/4, 11/3, 30, a LlGC, PRhW 1. Senedd, 26/3/1972, 18/11/1972, 27/1/1973, 25/2/1973, 27/6/1974, 11/4/1981, Cyf. Cyff. 1973, 1974, 1982. Gw. papurau'r Grŵp Dysgwyr yn LlGC, PCYIG 3/1–16, 14/20, 16/1–3, 48/5.

65 J. A. Froude, *The English in Ireland in the Eighteenth Century, vol I* (London, 1887), tt.2–3. Dyfynnwyd yn Hywel Teifi Edwards, 'Emrys ap Iwan a Saisaddoliaeth', t.164. Cymharer hyn ag argyhoeddiad yr Athro J. R. Jones fod angen deffro yn y Cymry 'gynddaredd eu gwahanrwydd'. Meddai: 'Dywedaf finnau fod lle cryf i amau gwerth rhyddid a ganiateid inni'n "dadol" a chyfansoddiadol . . . Credaf fi fod angen toriad ysgytiol, eglur a diarbed rhyngom a'n gorffennol Prydeiniedig: yn wir, y mae angen puredigaeth brwydr arnom cyn y byddwn ni'n barod i'r dasg o dyfu'n abl, wedi cael rhyddid, i gario baich ei gyfrifoldeb.' Jones, *Yr Ewyllys i Barhau*, t.17; gw. hefyd idem, *A Raid i'r Iaith Ein Gwahanu*, t.11.

66 Emrys ap Iwan, 'Paham y Gorfu'r Undebwyr', tt.34–5, ac idem, 'Breuddwyd Pabydd wrth ei Ewyllys', tt.15–19.

67 William George, *Yr Iaith Gymraeg: Colli ac Ennill Tir* (dim man cyhoeddi, 1937), t.2; LlGC, Papurau UCCC 3f. W. George, *Mudiad Ymosodol o Blaid yr Iaith* (Pontarddulais, 1938). Gw. hefyd *Y Brython*, 16/6/1938, 23/6/1938. Dyfynnwyd yn Löffler, *'Iaith Nas Arferir'*, tt.5, 8–9.

68 J. A. Andrews ac L. G. Henshaw, *The Welsh Language in the Courts* (Aberystwyth, 1984); Gerald Morgan, 'Dannedd y Ddraig', tt.21–2; Gwynfor Evans, 'Hanes twf Plaid Cymru 1925–1995', t.156; Charlotte Aull Davies, *Welsh Nationalism in the Twentieth Century: The Ethnic Option and the Modern State* (New York, 1989), tt.41–5.

69 Saunders Lewis, 'Nodiadau'r mis', *DdG* (3/1927), ac E. G. Bowen, 'Remarkable broadcasting scheme. A pirate transmitter for Wales?', *Welsh Nationalist* (3/1932). Dyfynnwyd yn Lloyd, *John Saunders Lewis*, tt.326–7. Er hynny, y mae'n debyg i Blaid Cymru ddefnyddio radio anghyfreithlon symudol am sawl blwyddyn yn ystod y 1950au a hefyd y 1960au pan sefydlwyd *Radio Wales* gan rai cenedlaetholwyr yn Ne Cymru er mwyn taenu propaganda'r Blaid ar donfeddi'r teledu ar adegau etholiadol. Gw. Butt Philip, *The Welsh Question*, tn.3., t.81.

70 Jenkins, *Tân yn Llŷn*, tt.69–71; Butt Philip, *The Welsh Question*, t.80.

71 Gwynfor Evans et al., *Wales Against Conscription* (Caerdydd, 1956); Rhys (gol.), *Bywyd Cymro*, tt.84, 106–7; A. O. H. Jarman, 'Y Blaid a'r Ail Ryfel Byd', tt.78–80; Davies, *The Welsh Nationalist Party 1925–1945*, tt.224–8; Butt Philip, *The Welsh Question*, t.80. Serch hynny, ymddangosodd ambell wrthwynebydd cydwybodol gerbron llys barn am wrthod ar sail cenedtaoldeb, megis J. E. Jones, Jac Williams, Emrys Roberts, a Chris Rees. Ceir hanes achos llys J. E. Jones yn *Tros Gymru*, tt.232–46, a hanes carchariad J. G. Williams yn ei hunangofiant, *Maes Mihangel* (Dinbych, 1974), a cheir cyfeiriad at achosion Emrys Roberts a Chris Rees yn Butt Philip, *The Welsh Question*, t.81.

72 Saunders Lewis, 'Senedd i Gymru', *Siwan a Cherddi Eraill* (Llandybïe, 1954), t.9. Gw., e.e., John Davies, 'Reforming Plaid Cymru', *WN* (11/1960); Graham Hughes, 'Barn Graham Hughes', *Llais y Lli* (3/1962). Darllener hefyd Phil Williams, 'Plaid Cymru a'r Dyfodol', tt.129–30; Butt Philip, *The Welsh Question*, tt.88–92.

73 Nodwyd gan Neil ap Siencyn mewn cyflwyniad i gyfrol Williams, *Cysgod Tryweryn*, t.5.

74 Butt Philip, *The Welsh Question*, t.81.

75 Davies, *The Welsh Language*, t.94; Lewis, *Tynged yr Iaith*, tt.28–31. Am hanes ymgyrch y teulu Beasley, gw. Eileen Beasley, 'Papur y dreth yn Gymraeg', *DdG* (3/1959).

76 Robert Rhys, *Cloi'r Clwydi: Hanes y Frwydr i Atal Boddi Cwm Gwendraeth Fach, 1960–65* (Llangyndeyrn, 1983), passim; Butt Philip, *The Welsh Question*, t.91; Williams, *Cysgod Tryweryn*, passim.

77 Meier a Rudwick, *Black Protest in the Sixties*, t.5; Norman F. Cantor, 'Black Liberation in the United States', tt.238–9; Peter Cadogan, 'From Civil Disobedience to Confrontation', t.168; George Clark, 'Remember Your Humanity and Forget the Rest', t.182; Driver, *The Disarmers*, passim; Norman F. Cantor, 'Student Upheavals in American Universities', yn idem, *The Age of Protest*, tt.281–99; Peter Hain, 'Direct Action and the Springbok Tours', t.192. Gw. hefyd Hain, *Don't Play with Apartheid*, passim.

78 Gw. *The Times*, 5/11/1981, 20/11/1981. Dyfynnwyd yn Alderman, *Pressure Groups and Government*, t.116. Gw. hefyd Porritt a Winner, *The Coming of the Greens*, t.503; Hugh Ward, 'The Anti-Nuclear Lobby', tt.190–3.

79 Dafydd Iwan, 'O gwmpas dy draed', *TDd*, 17 (1/1969). Byddai Ffred Ffransis yn fynych yn cyfeirio at ymdrechion mudiad y duon yn America: gw., e.e., Ffransis, *Daw Dydd*, tt.40, 56, 60, 69, 85.

80 Davies, *Hanes Cymru*, t.611; Thomas, *The Welsh Extremist*, t.122.

81 Gw. Saunders Lewis, 'Dyfodol y mudiad cenedlaethol', *Y Faner*, 9/8/1923; idem, 'Welsh nationality', *WM*, 17/8/1923; idem, *Welsh Nationalist* (5/1932). Gw. hefyd Dafydd Glyn Jones, 'His Politics', t.66; Bruce Griffiths, *Saunders Lewis* (Caerdydd, 1989), t.12; Lloyd, *John Saunders Lewis*, tt.220–1; Davies, *The Green and the Red*, t.16.

82 Lewis, *Argyfwng Cymru*, passim.

83 Saunders Lewis, 'Awdurdodau lleol a'r Gymraeg', *Y Faner*, 20/6/1950; idem, *Tynged yr Iaith*, t.32.

84 John Davies, 'Plan pum mlynedd ar gyfer yr iaith Gymraeg', *Y Faner*, 4/10/1962.

85 Owen Owen, 'Un y cant', *Y Crochan*, 2 (1963); Tudur, *Wyt Ti'n Cofio?*, t.23; LlGC, PJD 13. Ail fersiwn cerdyn aelodaeth y Gymdeithas, 1963.

86 Colin H. Williams, 'Non-violence and the development of the Welsh Language Society, 1962–*c*.1974', *CHC*, 8/4 (1977), tt.426–55. Gw. hefyd Samuel A. Bleicher, 'Nonviolent action and world order', *International Organization*, 29/2 (Gwanwyn 1975), t.517; Randle, *Civil Resistance*, tt.1–18, 29–51; Joan Bondurant, *The Conquest of Violence: The Gandhian Philosophy of Conflict* (Princeton, 1958); Sharp, *The Politics of Nonviolent Action*, tt.183–356.

87 Norman F. Cantor, 'The French Crisis', tt.316–23; Seale a McConville, *French Revolution 1968*, tt.189–206; Oberschall, *Social Conflict and Social Movements*, tt.321–2; Colin H. Williams, 'Non-violence and the development of the Welsh Language Society, 1962–*c*.1974', t.434.

88 Gw. *WM*, 21/6/1964; *Y Cymro*, 23/6/1964; a'r *Faner*, 30/7/1964.

89 *Gweithrediadau Personol* (Rhanbarth Arfon, 1964). Am y gymhariaeth ag UCCC gw. Löffler, *'Iaith Nas Arferir'*, t.7. Galwyd ar aelodau i beidio â llenwi ffurflen y cyfrifiad eto ym 1970. LlGC, PCYIG 1/4. Cyf. Cyff. 1970.

90 Cynog Davies, 'Israddoldeb y Gymraeg', *Y Faner*, 2/6/1966.

91 Gw. *Y Cymro*, 15/4/1965, 6/1/1966; *Y Faner*, 1/12/1966; *Y Cymro*, 4/1/1968; a'r *Faner*, 11/1/1968; LlGC, PCYIG 4/3 a LlGC, PRhW 2. Cyf. Cyff. 1975, 1977.

92 LlGC, PCYIG 4/3 a LlGC, PRhW 2. Senedd, 21/6/1975, 10/1/1976; Cyf. Cyff. 1977.

93 LlGC, PCYIG 40. Cyf. Cyff. 1965. Gw. hefyd *TDd*, 20 (cyfres I, 5/1965), 24 (cyfres I, 9/1965), 26 (cyfres I, 11/1965).

94 LlGC, PCYIG 1/4, 2/1 (rh.2), 4/2. Cyf. Cyff. 1972; Senedd, 18/11/1972, 6/5/1978, 19/6/1978. Gw. *Y Faner*, 25/11/1965; *Y Cymro*, 11/8/1966, 12/1/1967; *WM*, 13/4/1967; *TDd*, 20 (4/1969); *Y Cymro*, 4/3/1975; a'r *LDP*, 17/10/1978.

95 Sharp, *The Politics of Nonviolent Action*, tt.357–445.

96 LlGC, PCYIG 2/1 (rh.2). Senedd, 21/5/1977. Gw. *LDP*, 28/6/1982, *Y Cymro*, 29/6/1982, *WM*, 13/11/1984, a'r *Cymro*, 4/12/1984; *WM*, 2/5/1986, 8/12/1986; *Y Cymro*, 10/12/1986; *WM*, 13/4/1989, *LDP*, 13/7/1989, *WM*, 20/4/1990, 26/11/1990, 2/7/1991; *CN*, 25/10/1991.

97 Gw. *LDP*, 24/7/1972, 9/12/1972; *Y Cymro*, 12/7/1972, 9/11/1972, 30/11/1972; a'r *Faner*, 18/5/1973, 21/9/1973; ac yn y *WM* a'r *LDP*, 1/12/1988; *Herald Gymraeg*, 3/12/1988.

98 Gw. *WM*, 5/2/1970, *Y Cymro*, 11/2/1970, a'r *Faner*, 12/2/1970; *WM*, 26/1/1973, *Y Cymro*, 27/9/1979, *LDP*, 27/9/1979, *WM*, 12/3/1980, *CN*, 14/3/1980, *WM* a'r *LDP*, 23/8/1980.

99 Gw. *WM*, 13/1/1971, 6/11/1976, 18/11/1977, 14/7/1978, 8/11/1979; *Y Faner*, 2/3/1973, 19/12/1975, 13/2/1976; *TDd*, 107 (11/1977).

100 Norman F. Cantor, 'Black Liberation in the United States', t.240; idem, 'Communist Protest Against Stalinism', yn idem, *The Age of Protest*, t.313.

101 Gw. *WM*, 29/11/1965, *Y Cymro* a'r *Faner*, 2/12/1965, 16/12/1965; *WM* a'r *LDP*, 11/12/1970, *South Wales Echo*, 11/1/1973, *WM*, 12/1/1973, 8/3/1973; *TDd*, 57 (2/1973), 133b (5/1980); *WM*, 29/12/1984, 21/4/1986, *Y Cymro*, 18/12/1984, a'r *LDP*, 5/1/1985.

102 Gw. *WM*, 30/11/1968, a'r *Faner*, 5/12/1968; *WM*, 21/7/1972, 5/3/1976, 26/10/1979; *TDd*, 58 (3/1973); *WM*, 28/9/1979, 16/9/1980, *Y Cymro*, 5/8/1980; *TDd*, 134 (8/1980).

103 Gw. *County Echo*, 8/3/1973, *Y Cymro*, 11/4/1983; *LDP*, 25/10/1983, *WM*, 27/10/1983, a'r *Cymro*, 8/5/1984; *WM*, 16/12/1985, 20/12/1985, 28/4/1988, 16/9/1989, 19/10/1989, 15/11/1989.

104 LlGC, PCYIG 1/4, 4/3, 11/1. Senedd, 14/7/1973, 21/5/1977, 5/1/1980. Gw. *Y Cymro*, 10/6/1971, 10/11/1971; *Y Faner*, 10/7/1971, *WM*, 10/12/1971, *LDP*,

9/5/1977, 16/5/1977, *CN*, 13/5/1977, *WM*, 16/5/1977, *WM*, 11/7/1981, 3/12/1987, 12/4/1989. Gw. hefyd *TDd*, 174 (8/1984).

[105] LlGC, PCYIG 1/4. Cyf. Cyff. 1971. Gw. *WM*, 13/7/1971, 15/11/1971, 22/11/1971, 19/3/1977; *Y Cymro*, 14/7/1971, *Y Faner*, 15/7/1971; *WM* a'r *LDP*, 6/3/1972; *Y Cymro*, 8/3/1972; *WM*, 2/2/1973.

[106] 'Streic lwgu pedwar llanc tros eu hiaith', *Y Faner*, 6/1/1966. Gw. hefyd *WM*, 30/12/1965, a'r *Cymro*, 6/1/1966; *WM*, 22/12/1979, 2/8/1983, 1/8/1988; *LDP*, 26/7/1984, 19/11/1991, a'r *Cymro*, 3/8/1988; *WM*, 17/4/1975, *Y Cymro*, 16/4/1986, a'r *WM*, 17/4/1986.

[107] Bhikhu Parekh, 'Liberal Rationality and Political Violence', yn Benewick a Smith (goln.), *Direct Action and Democratic Politics*, tt.78, 81–2; Butt Philip, *The Welsh Question*, t.323.

[108] Gw., e.e., Stewart, *British Pressure Groups*, t.25; Alderman, *Pressure Groups and Government*, tt.31–43; Dafydd Jenkins, 'Penyberth a'r Cyfnod Wedyn 1936–1938', yn Davies (gol.), *Cymru'n Deffro*, t.54.

[109] Yn y ddrama *Antigone* tyr yr arwres y gyfraith yn fwriadol er mwyn herio gorchymyn y Brenin Creon na ddylid claddu ei brawd Polyneices oherwydd iddo arwain byddin yn erbyn dinas Thebau. Gw. trosiad o ddrama Sophocles gan W. J. Gruffydd, *Antigone* (Caerdydd, 1950); ac yn Gristnogol, dyma hanfod athrawiaeth Sant Tomos o Aquinas yn y 13 ganrif. Gw. Randle, *Civil Resistance*, tt.24–5.

[110] T. J. Davies, *Martin Luther King* (Abertawe, 1969), passim; Robert T. Hall, *The Morality of Civil Disobedience* (New York, 1971), tt.31–5.

[111] LlGC, PCYIG 1/3. Gw. hefyd John Davies, 'Blynyddoedd Cynnar', t.20; Tudur, *Wyt Ti'n Cofio?*, tt.29–30.

[112] 'Students refuse to pay 10s. fines', *WM*, 25/1/1963; *Y Cymro* a'r *Faner*, 31/1/1963; John Davies, 'Blynyddoedd Cynnar', tt.13–14; Tudur, *Wyt Ti'n Cofio?*, t.21.

[113] John Davies, 'Blynyddoedd Cynnar', tt.11–12; Tudur, *Wyt Ti'n Cofio?*, t.21. LlGC, PCYIG 40. Geraint Jones, 'Cymdeithas yr Iaith Gymraeg – Y Llywiawdwyr Cynnar (1962–67)'. Gw. adroddiadau ar y stamp anghyfreithlon yn 'Stomp y Stamp!', *Y Cymro*, 3/8/1967; *TDd*, 1 (8/1967), 2 (9/1967).

[114] Driver, *The Disarmers*, tt.105–32; Gavin Drewry, 'Political Parties and Members of Parliament', t.260.

[115] Tudur, *Wyt Ti'n Cofio?*, t.21.

[116] LlGC, PCYIG 40. 'Adroddiad Cyfarfod Cyffredinol 1966'.

[117] Er bod llythyr apêl gan John Davies i'r *Crochan* ym 1963 yn datgan: 'Y mae'r Gymdeithas yn fodlon torri cyfraith Lloegr pan farno fod angen hynny . . .', ychwanegwyd ar y diwedd, 'Ar y llaw arall ni rwymir neb i dorri'r gyfraith drwy ymaelodi'. John Davies, llythyr agored yn *Y Crochan*, 1 (1963), t.2; LlGC, PCYIG 4/2. Cyf. Cyff. 1972.

[118] LlGC, PCYIG 40. Cyf. Cyff. 1966.

[119] Dafydd Iwan, 'Cymdeithas i herio'r drefn', t.47. Gw. *WM*, 29/4/1966, 9/6/1966, 23/6/1966, 27/7/1966; *Y Cymro*, 9/6/1966.

[120] Clive Betts, 'It started with a wobbly bike', *WM*, 3/2/1983.

[121] Constance Rover, *Women's Suffrage and Party Politics in Britain, 1866–1914*

(London, 1967), tt.72–101; Norman F. Cantor, 'The Feminist Crusade', a 'From the Beats to the New Left', yn idem, *The Age of Protest*, tt.7, 277.

122 Gw. *WM*, 4/8/1964 a'r *Cymro*, 6/8/1964; Tudur, *Wyt Ti'n Cofio?*, t.49.

123 Tudur, *Wyt Ti'n Cofio?*, t.55. Gw. adroddiad o Gyf. Cyff. 1968 yn *Llais y Lli*, 29/10/1968, a'r *Cymro*, 7/11/1968; 'Cyfarwyddiadau ynghylch peintio arwyddion', *TDd*, 17 (1/1969); 'Cyngor cyfreithiol – Heddlu vs. Daubers', *TDd*, 23 (7/1969).

124 Nid yw nifer yr achosion llys a gynhaliwyd yn erbyn aelodau a chefnogwyr am achosi difrod i arwyddion ffyrdd yn gwbl sicr oherwydd natur fylchog y dystiolaeth. Gw. *WM*, 3/1/1969; *Y Faner*, 9/1/1969; a'r *Cymro*, 9/1/1969, 9/12/1970.

125 Mewn gwirionedd, nid oedd y Gymdeithas i ganiatáu difrod i eiddo cyhoeddus yn swyddogol tan 1969. Tudur, *Wyt Ti'n Cofio?*, t.61; Cynog Davies, 'Cymdeithas yr Iaith Gymraeg', t.276.

126 Norman F. Cantor, 'The Feminist Crusade', t.7; Jenkins, *Tân yn Llŷn*, t.80; LlGC, PCYIG 1/4. Cyf. Cyff. 1970.

127 Gw. *WM*, 18/5/1973, 4/7/1974, 17/12/1976, 14/5/1979, 1/8/1980, 13/5/1985, 14/11/1987, 17/3/1988, 5/12/1988, 16/3/1989, 28/4/1989, 30/1/1990, 3/1/1991, 7/8/1992.

128 Ffred Ffransis, 'Edrych yn ôl', *TDd*, 152 (5/1982).

129 LlGC, PCYIG 30. Senedd, 8/3/1986.

130 LlGC, PCYIG 1/4, 4/3, a LlGC, PRhW 3. Senedd, 10/1/1971, 27/7/1974, 21/12/1974, 27/6/1976, 21/1/1977, 12/11/1978. Gw. hefyd Clive Betts, 'Inside the Welsh Language Society', *WM*, 6/7/1971; *WM*, 18/5/1973, 18/11/1975; *Carmarthen Times*, 21/11/1975; *WM*, 9/2/1977 a'r *CN*, 10/2/1977; *Y Cymro*, 5/8/1980; *WM*, 10/8/1985, 3/1/1991, *LDP*, 5/1/1991, a'r *Cymro*, 9/1/1991.

131 'Torri cyfraith anghyfiawn', *Y Faner*, 23/5/1968.

132 Tudur, *Wyt Ti'n Cofio?*, t.61; 'Newid polisi', *TDd*, 19 (3/1969); LlGC, PRhW 1. Cyf. Cyff. 1974.

133 John Owen-Davies, 'Inside the Welsh Language Society: violence – the white-hot issue that is dividing members', *WM*, 21/11/1972.

134 LlGC, PCYIG 1/4, 4/3, a LlGC, PRhW 2, 3. Senedd, 1/6/1974, 22/6/1974, 15/11/1975, 12/11/1978; Cyf. Cyff. 1977. Gw. adroddiad yn y *LDP*, 4/6/1974; a'r *WM*, 24/9/1977.

135 Peter Cadogan, 'From Civil Disobedience to Confrontation', tt.172–4; John H. Bracey, Jr., August Meier, ac Elliott Rudwick, *Black Nationalism in America* (trydydd argraffiad, New York, 1970), tt.xlix–l; Ellison, *The Black Experience*, tt.238–69; Norman F. Cantor, 'Black Liberation in the United States', tt.255–7; Carter, *Direct Action and Liberal Democracy*, tt.67–74.

136 LlGC, PCYIG 40, 4/2. Pwyllgor Canol, 22/10/1966; Cyf. Cyff. 1972; Cyf. Cyff. Arbennig 1966. Gw. hefyd Cynog Davies, 'Cymdeithas yr Iaith Gymraeg', t.278; Iwan, *Dafydd Iwan*, t.54.

137 Norman F. Cantor, 'Anticolonialism: Gandhi and the Indian Experience', yn idem, *The Age of Protest*, tt.205–6; Bondurant, *The Conquest of Violence*, passim; Martin Luther King, 'The Ultimate Aim is the "Beloved Community"', a ailgyhoeddwyd yn Meier, Rudwick a Broderick, *Black Protest Thought in the*

Twentieth Century, tt.302–6. Gw. hefyd Norman F. Cantor, 'Black Liberation in the United States', tt.234, 240–1.

[138] Gw., e.e., Gareth Miles, 'Torri cyfraith anghyfiawn', *Y Faner*, 23/5/1968; Dafydd Iwan, 'O gwmpas dy draed', *TDd*, 17 (1/1969); idem, 'Breuddwyd am Gymru', *Y Cymro*, 9/12/1970; Rhodri Williams, 'Anufudd-dod dinesig', *Efrydiau Athronyddol*, 42 (1979), tt.42–56.

[139] LlGC, PCYIG 40. Cyf. Cyff. Arbennig 1966. Cyhoeddwyd y cynnig yn llawn yn *Y Cymro*, 17/11/1966. Gw. hefyd araith Emyr Llewelyn yng Nghyfarfod Cyffredinol Arbennig 1966. Cyhoeddwyd fel 'Trais neu di-drais?', *Y Faner*, 1/12/1966.

[140] Gw. *Y Cymro*, 9/4/1969, a'r *Faner*, 17/4/1969.

[141] Dafydd Iwan, 'O gwmpas dy draed', *TDd*, 17 (1/1969); Gronw Davies, 'Pigion o'r areithiau', *TDd*, 43 (12/1971). Gw. hefyd Ffred Ffransis, 'Cymdeithas yr Iaith a'r Deyrnas', *TDd*, 33 (6/1970).

[142] Araith Emyr Llewelyn yng Nghyfarfod Cyffredinol Arbennig 1966. Cyhoeddwyd fel 'Trais neu di-drais?', *Y Faner*, 1/12/1966.

[143] 'Credibility gap', *WM*, 22/10/1979.

[144] Dafydd Iwan, 'O gwmpas dy draed', *TDd*, 17 (1/1969). Credai Ffred Ffransis hefyd fod dyletswydd ar aelodau'r Gymdeithas i achosi difrod i offer darlledu dan amgylchiadau arbennig, er mwyn atal trais darlledu Saesneg ar yr iaith Gymraeg. Ffred Ffransis, 'Araith yn dilyn dyfarniad Brawdlys Yr Wyddgrug', 9/11/1971, yn idem, *Daw Dydd*, tt.75–87.

[145] Ffred Ffransis, 'Llythyr', *TDd*, 48 (5/1972); Robert Rhys, 'Holi Alun Llwyd', *Barn*, 334 (1990).

[146] 'Ymgyrchoedd newydd Cymdeithas yr Iaith Gymraeg', *Y Faner*, 8/12/1966; *WM*, 15/9/1979, 14/10/1980, 17/10/1980.

[147] LlGC, PRhW 4. Cyf. Cyff. 1980. Mynegwyd y farn honno gyntaf gan Ffred Ffransis mewn cyfarfod Senedd ym mis Mawrth 1980. LlGC, PCYIG 11/1. Senedd, 8/3/1980. Gw. *WM*, 14/12/1979, a'r *LDP*, 9/2/1980, *Y Cymro*, 23/9/1980, a'r *WM*, 29/9/1980.

[148] Gw. *WM*, 1/11/1985, 16/11/1985, 20/11/1985; *Y Cymro*, 6/11/1985, 27/11/1985; *WM*, 1/12/1986, 29/1/1987, 14/2/1987; *Y Cymro*, 18/2/1987.

[149] LlGC, PCYIG 1/4, 2/1 (rh.2). Senedd, 10/6/1972, 18/11/1972, 27/1/1973, 19/11/1977. Gw. hefyd *WM*, 16/2/1970, a'r *Cymro*, 18/2/1970.

[150] 'Polite intruders end cottage sit-in', *The Guardian*, 6/1/1973. Gw. hefyd ganllawiau 'Meddiannu tai haf', *TDd*, 60 (5/1973).

[151] Cynog Davies, 'Cymdeithas yr Iaith Gymraeg', t.278.

[152] J. Edward Williams, 'I Wynfford James a Rhodri Williams', yn Edwards (gol.), *Cadwn y Mur*, t.579.

[153] Sean F. Lemass, *Éire*, 667 (7/1964). Dyfynnwyd yn *TDd*, 12 (cyfres I, 9/1964).

'Daeargrynfeydd dan Gadarn Goncrit Philistia': Yr Ymateb i Gymdeithas yr Iaith Gymraeg

Ni fu sylwebyddion, gwleidyddion na newyddiadurwyr erioed yn brin o eiriau wrth drafod a disgrifio gweithgareddau Cymdeithas yr Iaith Gymraeg. Bydd pob mudiad gwasgedd a phrotest fel rheol yn herio confensiynau traddodiadol y *status quo*. Eu nod yw ceisio ysgogi rhyw fath o ymateb i'w galwadau, gan ddefnyddio dulliau amrywiol er mwyn ennyn sylw eang i'w hachos. Yn ôl John Wilson: 'Confrontation tactics, by their novelty and shock value, thus serve to mobilize an otherwise apathetic majority by *forcing* it to take positions on an issue.' Ond gan nad yw'r awdurdodau, na thrwch cymdeithas, fel rheol, yn ystyried gwleidyddiaeth gwasgedd yn ddemocrataidd, yn enwedig os defnyddir dulliau anghyfansoddiadol, nid yw'n rhyfedd fod yr ymateb i fudiadau gwasgedd yn gallu bod yn ffyrnig. Fel y dywed Bhikhu Parekh: 'While dissent is tolerated and is indeed regarded as the distinguishing characteristic of the liberal society, it is welcome only if it is not radical and "too" critical.'[1] Gan mai nod ymgyrchu Cymdeithas yr Iaith oedd achosi 'daeargrynfeydd dan gadarn goncrit Philistia', chwedl R. Williams Parry, nid oes ryfedd fod y sefydliad wedi ymateb mewn ffordd mor feirniadol.[2] Yn wir, bu'r ymateb ar brydiau'n agored elyniaethus, a defnyddiwyd geirfa eithafol iawn i fynegi gwrthwynebiad i'w hamcanion, ei pholisïau a'i dulliau gweithredu.

Y Sefydliad

Cafwyd beirniadaeth gyson iawn o du'r awdurdodau ar bolisïau a chynlluniau Cymdeithas yr Iaith drwy gydol y cyfnod dan sylw, a hynny yn fynych oherwydd bod eu syniadau yn gwbl groes i'w gilydd, ac weithiau yn gwrthdaro. Tra credai'r Gymdeithas yn gryf iawn fod angen ymyrraeth o du'r awdurdodau i ddiogelu dyfodol yr iaith, credai'r awdurdodau, at ei gilydd, fod dyfodol yr iaith yn dibynnu'n llwyr ar 'ewyllys y Cymry eu hunain' ac nad oedd angen unrhyw fath o ymyrraeth lywodraethol na deddfwriaethol. Pwysleisiodd James Griffiths, Ysgrifennydd Gwladol cyntaf Cymru (1964–6) ym 1965, wrth dderbyn prif argymhellion Adroddiad Pwyllgor Syr David Hughes-Parry ar statws cyfreithiol yr iaith Gymraeg, mai ewyllys y Cymry a fyddai'n achub yr iaith i'r dyfodol. Pregethid yr un neges gan Cledwyn Hughes, Ysgrifennydd Cymru rhwng 1966 a 1968, a chredai ei olynydd George Thomas (1968–70) mai yn y cartref yr achubid yr iaith, trwy ewyllys y bobl ac yn unol â dymuniad y mwyafrif o Gymry, ac nid o ganlyniad i unrhyw ddeddfwriaeth gan y llywodraeth. Meddai ym 1970: 'If the language is to survive, let alone flourish, it can only be on the basis of the good will of the Welsh people as a whole.' Datblygwyd y ddadl honno ym mholisïau *laissez-faire* y Llywodraeth Geidwadol yn ystod yr wythdegau. Ym marn Wyn Roberts, Is-Ysgrifennydd Gwladol Cymru, ym 1987, 'gorbwysleisir y camau swyddogol i hyrwyddo'r iaith a hynny ar draul ymdrechion i ennyn cariad cyson tuag at yr iaith yn rhinwedd ei phrydferthwch a'i chyfoeth hi ei hun . . . ni ellir ennyn cariad at yr iaith drwy ddeddfu'.[3] Yr oedd polisïau a chynlluniau'r Gymdeithas, felly, a oedd yn galw am ymyrraeth uniongyrchol o du'r awdurdodau ym maes addysg, cynllunio, statws a thai, yn fynych yn gwrthdaro â daliadau'r llywodraeth.

Arswydai'r wasg ac amryw o sylwebyddion gwleidyddol yn ogystal rhag rhai o'r polisïau hynny. Ymgroesid rhag unrhyw fath o 'orfodaeth' ieithyddol. Cyfeiriodd Glyn Roberts at aelodau'r Gymdeithas fel 'y Ku Klux Klan Cymreig' yn ei golofn wythnosol yn *Y Faner* ym 1967, ac mewn ysgrif yn y *Liverpool Daily Post* ym 1986 galwodd Ivor Wynne Jones yr aelodau yn 'introverted' a 'blinkered zealots', 'teenage racists', 'political fanatics' a 'medieval misanthropes', a oedd yn arddel eithafiaeth wleidyddol debyg i *Sturmabteilung* Hitler.[4] Ym 1977 rhybuddiodd y *Western Mail* fod y polisi o rannu Cymru yn bedair rhan er hwylustod ymgyrchu yn ddim llai nag 'apartheid ieithyddol', ac yn brawf amlwg o'r wythïen 'unbenaethol', onid 'ffasgaidd', a oedd yn bodoli yn y Gymdeithas. Honnwyd na fyddai lle i'r di-Gymraeg yn y rhanbarth 'Cymraeg': 'In addition to unilingual schools, councils and other public bodies, planning policies designed to exclude English-speaking immigrants would be enforced vigorously.' Honnwyd sawl tro hefyd i ymgyrchoedd y Gymdeithas beri colli ewyllys da a chefnogaeth y di-Gymraeg i'r iaith. Cyfeiriodd Rhys David at y 'rhwyg ieithyddol' hwn mewn erthygl ym 1972:

> For the polarisation that has already taken place along these lines in Wales most people would place the blame fairly and squarely on the Welsh Language Society and its illegal activities. Many believe the society's actions are proving counter-productive, discouraging people from learning Welsh, embarrassing many who speak the language, and inducing neurosis in those who do not.[5]

Mynnodd Alan Butt Philip, mewn sylw tra niwlog, yn *The Welsh Question* ym 1975 fod Cymdeithas yr Iaith wedi creu llawer iawn o elyniaeth tuag at yr iaith, 'and has probably diminished permanently the extent of goodwill that once existed throughout Wales towards the language'.[6]

Ymosodwyd yn hallt hefyd ar ddulliau gweithredu anghyfansoddiadol a thorcyfraith y Gymdeithas. Pwysleisiodd cynrychiolwyr y llywodraeth sawl tro fod yr holl brotestio yn andwyol iawn i'r iaith. Ym 1972, meddai Harold Finch, A.S. Bedwellte (1950–70) a Gweinidog Gwladol Cymru (1964–6), yn ei hunangofiant:

> If we are to have periodical outbursts by what, after all, is only a small section of the Welsh nation – with their sitting-down demonstrations and protest – when so much is being done to popularise the Welsh language, there is the danger that such actions will alienate the sympathy not only of our fellow English citizens but many sections of our Welsh-speaking communities and militate against the progress which the present and the previous Governments have achieved in recent years to enhance the Welsh language in the Principality.[7]

Yr oedd George Thomas yn ffyrnig elyniaethus i weithgareddau'r Gymdeithas, a'i 'madcap campaign'. Mewn cyfweliad yn y *Liverpool Daily Post* ym mis Awst 1980, mynnodd Wyn Roberts fod defnyddio dulliau uniongyrchol o blaid yr iaith yn ddinistriol. Wrth drafod neges Saunders Lewis yn *Tynged yr Iaith,* meddai: 'We are now seeing the fruits of that doctrine which is destructive, for more and more people are turning away from Welsh because they do not want to be revolutionaries or identified with revolution.' Hoeliodd y protestwyr sylw hyd yn oed y Prif Weinidog ei hun ym mis Gorffennaf 1990, pan gyhoeddodd Margaret Thatcher: 'Ultimately this sort of violence does nothing but harm to the image of Wales.'[8]

Rhybudd mawr beirniaid y Gymdeithas oedd y gallai ymgyrchoedd anghyfansoddiadol arwain at drais. Meddai Trevor Fishlock yn y *Times* ym mis Chwefror 1972: 'The demonstration is a currency easily debased and there is concern that the issues will be clouded, friends will be alienated and public support damaged in a spiral of larger and larger outrages, lawbreaking, and finally, violence.' O weld y mudiadau cenedlaetholgar yn Quebec ac ym Mhalestina yn troi fwyfwy tuag at drais i geisio tynnu sylw'r byd at eu hachosion, mynnodd Butt Philip ym 1975 nad oedd yn anodd rhag-weld sefyllfa debyg yn datblygu yng Nghymru o fewn yr ychydig flynyddoedd nesaf. Meddai:

> The political path which the Society has trodden so far does not show it to be a restrained body of people. By any reckoning the Welsh language urgently needs more support . . . if it is to survive in a living culture; and it is from such a premiss that linguistic nationalists begin to argue for desperate, possibly anti-democratic action.[9]

Yn y *Times* ym 1986 aeth Bernard Levin mor bell ag awgrymu y byddai 'dangerous clowns' y Gymdeithas yn hwyr neu'n hwyrach yn lladd rhywun â'u 'campaign of destruction and intimidation'. Er gwaethaf ei hymrwymiad i'r dull di-drais, cysylltid y Gymdeithas droeon â'r ymgyrch llosgi tai haf, a bu rhai yn ddigon ffôl i awgrymu bod cysylltiad rhwng ei haelodau a chenedlaetholwyr treisgar Iwerddon. Ymosododd yr Arglwydd Ganghellor Hailsham arnynt ym 1972 a'u cymharu â 'baboons' yr IRA, gan rybuddio Ceidwadwyr Llandudno y gallai dulliau'r protestwyr arwain at anhrefn ac anarchiaeth. Er bod Hailsham, yn ôl yr hanesydd Bruce Lenman, ar ei orau yn 'incorrigibly unbalanced, if not slightly insane', llyncwyd ei eiriau annoeth ac eithafol yn awchus gan y cyfryngau.[10] Hawdd dychmygu, felly, y stŵr a gafwyd pan dderbyniodd y Gymdeithas wahoddiad gan Sinn Fein i fynd i Belfast ym 1985 i ddysgu am ymdrechion y mudiadau iaith Gwyddeleg. Er mai un mudiad ymhlith nifer oedd Sinn Fein, honnwyd bod y Gymdeithas bellach yn arddel trais: 'The link with Sinn Fein can only harm Cymdeithas. By association, it is liable to harm the Welsh language movement as a whole. By more direct association, it gives support to the IRA cause of murderous violence.' Cafwyd yr un ymateb hysteraidd gan y wasg pan wahoddwyd cynrychiolwyr rhai o fudiadau iaith Gogledd Iwerddon yn ôl i Gymru ym mis Chwefror 1987.[11]

Fodd bynnag, rhaid bod yn ofalus iawn wrth ystyried yr iaith a ddefnyddir i ddisgrifio gweithredoedd mudiadau gwasgedd, gan fod cymhelliad gwleidyddol yn fynych wrth wraidd disgrifiadau o'r fath. Nododd Gavin Drewry fod gwleidyddion yn gallu defnyddio geiriau llawn emosiwn i danlinellu eu gwrthwynebiad ffyrnig i grwpiau gwasgedd, gan ddisgrifio eu gweithredoedd a'u protestiadau – rhai di-drais a heddychlon yn aml – fel gweithredoedd bygythiol a threisgar. Meddai Robert Benewick:

> Direct action has become increasingly confused with political violence. There is a tendency prevalent today, to associate with violence any attempt to bring collective pressure upon the State or upon specific institutions within the State by means outside the formally constituted channels and procedures. The many forms of politically inspired direct action – mass demonstrations, civil disobedience, civil disruption, mob action, guerrilla warfare, sabotage, terrorism, insurrection (which hardly exhausts the list) – are treated as synonymous.

Trwy gamddehongli protestiadau heddychlon fel rhai treisgar, megis trwy drafod protest meddiannu yn yr un cyd-destun â llosgi tai haf, gellir pardduo mudiad a thynnu sylw oddi ar amcanion y brotest. Yn ôl Robert T. Hall, defnyddir y gair 'trais' yn fwriadol gan yr awdurdodau fel 'gair braw'. Gellir hefyd gamddehongli gofynion digon cymedrol drwy roi'r argraff eu bod yn rhai bygythiol ac eithafol. Y mae creu amwysedd rhwng dulliau anghyfansoddiadol a thrais yn galluogi'r awdurdodau i beri bod grwpiau naill ai yn dderbyniol neu'n annerbyniol, gan greu ansicrwydd ynghylch rhesymoldeb gofynion mudiad. Er enghraifft, go brin y ceid ymateb chwyrn i brotest gan grŵp o famau a phlant yn rhwystro trafnidiaeth ar y ffordd fawr, os mai'r nod yw rhoi pwysau ar lywodraeth leol i sefydlu croesfan. Gan fod yr amcan yn ddigon anwleidyddol a chan nad yw'n bygwth y *status quo* gwleidyddol, cymeradwyir y brotest gan y wasg. Gan hynny, y mae ymosodiadau ffyrnig ar *ddulliau* protestwyr yn amlach na pheidio yn arwydd o elyniaeth tuag at *amcanion* y brotest.[12]

Gwelwyd hynny ar waith ym mherthynas yr awdurdodau a'r wasg ag amryw byd o fudiadau gwasgedd. Rhybuddiwyd y *suffragettes* droeon gan wleidyddion, sylwebyddion a doethion y wasg fod eu dulliau anghyfansoddiadol yn andwyo'u hachos, ac yn gwneud dim i ddarbwyllo'r llywodraeth fod menywod yn haeddu'r hawl i fwrw pleidlais. Ystyrid mudiad CND a'r 'Pwyllgor Cant' yn fudiadau radicalaidd anghyfrifol a oedd yn defnyddio dulliau annemocrataidd o wleidydda, a bu'r wasg yn llym iawn eu beirniadaeth o aelodau'r mudiad diarfogi. Meddai Frank Parkin: 'In the eyes of the public at large the unilateralist movement tended, however unjustly, to be stigmatized as a refuge for "beat-niks" and "bearded weirdies", as well as for communists or anarchists and other political groups thought to be potentially dangerous.' Dirywiodd y drafodaeth ar apartheid a hiliaeth yn sgil ymgyrch 'Stop the Seventy Tour' i fod yn drafodaeth ar ddulliau gweithredu'r mudiad. Clywyd hyd yn oed Esgob Woolwich yn honni bod gwrthdystiadau 'sit-in' STST yn weithredoedd 'treisgar'. Yn ôl Drewry, yr oedd ymosodiad chwyrn y llywodraeth ar ddulliau protest gwrthwynebwyr taith griced y Springbok i Brydain yn awgrymu'n gryf wrthwynebiad y Llywodraeth Geidwadol i'r alwad am ymyrryd ym mholisïau hiliol llywodraeth De Affrica.[13]

Dyma, felly, a oedd wrth wraidd llawer o'r ymosodiadau ffyrnig ar Gymdeithas yr Iaith gan gynrychiolwyr y sefydliad a'r wasg. Meddai Ned Thomas: 'The leaders of any protest, particularly if it becomes militant, are presented to everyone, including the Welsh people, as a few politically motivated fanatics . . . looked at from London, all Welsh demonstrators merge and are written off as nationalist extremists.' Trwy feirniadu ei pholisïau fel rhai diangen neu eithafol, trwy ganolbwyntio'r drafodaeth ar ei dulliau anghyfansoddiadol a'u camddehongli fel rhai treisgar, a thrwy fanteisio ar bob cyfle posibl i ddefnyddio iaith eithafol i ddisgrifio amcanion, polisïau a dulliau'r Gymdeithas, gobeithid tanseilio ei hygrededd. Gan ei bod yn annerbyniol gan yr awdurdodau, ceisid ei gwneud yn wrthun i'r cyhoedd, a gwarafun iddi unrhyw gefnogaeth eang a phoblogaidd. Rhybuddiodd Gronw ab Islwyn ym 1972 mai bwriad yr awdurdodau oedd ysgaru'r gweithredwyr oddi wrth drwch y cyhoedd 'drwy eu darlunio fel rhai yn creu anarchiaeth'.[14] Trwy weithredu egwyddor 'selective legitimacy', gallai'r awdurdodau dderbyn i ryw raddau ofynion y mudiadau mwyaf cymedrol, gan ymddangos fel petaent yn ymateb i'r galw arnynt i ystyried cwynion eu dinasyddion, a chau allan y mudiadau mwy radical trwy eu cyhuddo o fod yn anghyfrifol, yn eithafol ac yn dreisgar.[15] Dyma, yn sicr, a oedd wrth wraidd llawer o'r ymateb ffyrnig i weithgareddau Cymdeithas yr Iaith.

Y llysoedd a'r heddlu

Defnyddiodd yr awdurdodau holl rym y gyfraith, yr heddlu a'r llysoedd hefyd wrth ymateb i weithgareddau anghyfansoddiadol a thorcyfraith Cymdeithas yr Iaith. Fel y gwelwyd yn y bedwaredd bennod, prif bwrpas ymgyrchoedd torcyfraith oedd rhoi cyhoedd-usrwydd i bolisïau'r mudiad, a defnyddid y llysoedd fel llwyfannau ar gyfer lledaenu ei amcanion. Yr oedd yn anorfod, felly, y byddai nifer fawr o aelodau yn wynebu achosion llys a chosbau. Yn wir, rhwng 1962 a 1992 erlynwyd dros 1,100 o unigolion mewn llysoedd barn yng Nghymru a Lloegr am eu rhan yn ymgyrchoedd y Gymdeithas, a ddisgrifiwyd gan un newyddiadurwr fel 'Britain's largest protest group since the suffragettes – in terms of fines and the number of members sent to prison'.[16]

Ym marn yr awdurdodau, yr oedd gwrthdystiadau ac ymgyrchoedd anghyfansoddiadol Cymdeithas yr Iaith yn fygythiad i'r *status quo* gwleidyddol. Aethpwyd ati, felly, yn drefnus ac yn systematig, i geisio sathru ar y gweithredu hwn o blaid yr iaith rhag iddo ledu i agweddau eraill ar wleidyddiaeth Cymru. Ar ddechrau'r ymgyrch dros ddisgiau treth ffordd dwyieithog ym 1966, ni phetruswyd cyn carcharu Geraint Jones am fis. Erbyn diwedd y flwyddyn yr oedd tri aelod arall wedi eu carcharu. Yr oedd yr awdurdodau yn hen gyfarwydd â dangos eu nerth yn y modd hwn, gan eu bod eisoes wedi defnyddio grym y gyfraith a'r llysoedd i geisio rheoli protestiadau'r mudiad diarfogi niwclear trwy ddedfrydu hanner dwsin o'i arweinwyr i flwyddyn o garchar yn unol â'r 'Ddeddf Cyfrinachau Swyddogol' yn sgil protest fawr yn Wethersfield ym 1961.[17] Ond, yn wahanol i'r 'Pwyllgor Cant', y profodd y carcharu hwn yn ergyd farwol iddo, glynodd y Gymdeithas wrth ei hymgyrchoedd anghyfansoddiadol. Ymatebodd yr awdurdodau yn gyflym unwaith eto yn ystod yr ymgyrch arwyddion ffyrdd ac, ym mis Hydref 1969, mewn ymgais i atal yr ymgyrch honno rhag lledu trwy Gymru, cyhuddwyd Dafydd Iwan, Morys Rhys a Gwynn Jarvis, sef cadeirydd, ysgrifennydd a thrysorydd y Gymdeithas, o 'annog' aelodau i achosi difrod troseddol drwy beintio arwyddion ffyrdd Saesneg. Cawsant ddirwy, ynghyd â chostau, o dros ganpunt. Mewn erthygl yn y *London Welshman* ychydig cyn Nadolig 1969, awgrymodd Ned Thomas fod y Llywodraeth Lafur wedi ymrwymo i sathru ar y Gymdeithas. Yr un oedd barn golygydd *Tafod y Ddraig* hefyd ar ddechrau 1970: 'Cyhoeddwyd rhyfel yn erbyn y mudiad iaith yng Nghymru ac yn y rhyfel hwnnw y mae'r meistri Llundeinig wedi rhestru'r plismyn a'r ynadon yn eu rhengoedd.'[18] Ymhen tri mis yr oedd 26 aelod wedi cael eu dedfrydu i gyfanswm o bedair blynedd o garchar.

Rhwng 1962 a 1992, codwyd cyfanswm o £38,854 o ddirwyon a £26,283 o gostau llys ac iawndal ar aelodau a chefnogwyr y Gymdeithas yn y llysoedd barn, a dedfrydwyd dros 170 o unigolion i gyfanswm o 41 mlynedd a deufis o garchar. Serch hynny, ni allai'r awdurdodau fforddio erlid aelodau Cymdeithas yr Iaith mewn modd mor llawdrwm â hyn yn rhy fynych, rhag iddynt ennyn cydymdeimlad y cyhoedd ac ennill cyhoeddusrwydd yn sgil achosion llys a charchariadau.[19] Gan hynny, defnyddiwyd sawl dull arall o gosbi troseddwyr, megis dedfrydu aelodau i ddiwrnod o garchar yn unig, gan orchymyn eu cadw yng nghyffiniau'r llys am ychydig oriau. Defnyddiwyd y dull hwn o gosbi mewn achosion llys yn erbyn dwsin a rhagor o aelodau'r Gymdeithas, gan gynnwys Gwilym a Megan Tudur a ddaeth gerbron ynadon Aberaeron ym mis Awst 1969 ac a orchmynnwyd i aros yng nghyffiniau'r llys weddill y diwrnod (tair awr) fel cosb am wrthod talu dirwyon a gawsant am beintio arwyddion ffyrdd.[20] Gellid cosbi'r aelodau hynny a oedd yn dal swyddi cyhoeddus – megis gweision llywodraeth leol, athrawon a darlithwyr – trwy drefnu i'r ddirwy a oedd yn ddyledus gael ei thynnu o'u cyflog. Cosbwyd cynifer o aelodau yn y dull hwn fel y bu'n rhaid i Gyfarfod Cyffredinol 1970 alw ar awdurdodau lleol a chwmnïau preifat 'i beidio â chydweithredu â'r llysoedd barn sy'n gofyn iddynt atal dirwyon gwleidyddol o gyflogau aelodau Cymdeithas yr Iaith', ac ym 1971 anfonwyd llythyr i'r un perwyl at holl gynghorau sir a phwyllgorau addysg Cymru. Gorchmynnwyd tynnu dirwyon o gyflogau dros ddeugain o ddiffynyddion Cymdeithas yr Iaith rhwng 1962 a 1992, y mwyafrif helaeth ohonynt yn ystod yr ymgyrch o blaid sianel deledu Gymraeg. Yn eu plith yr oedd Siôn Myrddin, a orchmynnwyd gan ynadon Aberystwyth ym mis Mai 1974 i dalu dirwy gwerth £70 ar raddfa o 25 ceiniog yr wythnos dros gyfnod o saith mlynedd.[21]

Cipiwyd eiddo aelodau eraill a oedd yn gwrthod talu eu dirwyon. Dioddefodd Gareth Miles yn enbyd o ganlyniad i'r dacteg honno am ei ran yn yr ymgyrch treth ffordd; rhwng mis Ionawr a mis Mai 1968 atafaelwyd amryw o nwyddau o'i eiddo, gan gynnwys peiriant golchi'r teulu. Gorchmynnwyd atafaelu car Ann Lloyd Lewis ym mis Gorffennaf 1972, a char y Parchedig John Owen ym mis Mai 1973 er mwyn talu dirwyon gwerth £7 a £16 am ddefnyddio teledu heb drwydded. Gorchmynnwyd atafaelu eiddo dros ugain o ddiffynyddion y Gymdeithas am droseddau yn ymwneud â defnyddio teledu heb drwydded, difrodi arwyddion ffyrdd, meddiannu tai haf, a pheintio sloganau ar furiau'r Swyddfa Gymreig.[22] Defnydiwyd tacteg newydd yn ystod yr ymgyrch dros Gorff Datblygu Addysg Gymraeg yn yr wythdegau, pryd y dedfrydwyd wyth o aelodau i gyfanswm o 740 awr o wasanaeth cymunedol. Rhoddid cyfnodau o garchar gohiriedig i rai troseddwyr, gan eu rhwymo i gadw'r heddwch a pheidio â throseddu eto. Rhyddhawyd dros dri chant o aelodau a chefnogwyr yn amodol rhwng 1962 a 1992, gan ohirio cyfanswm o 26 blynedd o garchar.[23] Diau mai'r enghraifft orau o osod dedfryd o garchar gohiriedig oedd yr achos cynllwyn ym Mrawdlys Abertawe ym 1971. Yr oedd yn amlwg, yn ôl Dafydd Iwan, 'fod yr achos yn ymgais gan yr Awdurdodau i roi terfyn ar y Gymdeithas unwaith ac am byth, drwy roi taw ar yr arweinyddion'. Ond gwyddai'r awdurdodau nad doeth fyddai rhoi dedfrydau hir o garchar i'r arweinwyr mewn cyfnod pan oedd Cymru'n ferw gan brotestiadau a llawer o gydymdeimlad i'r mudiad i'w gael ymhlith y genhedlaeth hŷn. Tynnwyd y gwynt o hwyliau'r aelodau, fodd bynnag, pan roddodd y Barnwr Mars Jones ddedfryd ohiriedig i bob un o'r wyth diffynnydd. Yng ngeiriau Gareth Miles, 'troes ein coelcerth yn farwor'. Ym marn Dafydd Iwan, 'pe baem wedi cael ein carcharu mi fyddai hynny wedi bod yn sbardun aruthrol i ymgyrch yr iaith, ac wedi codi'r tymheredd gwleidyddol drwy Gymru gyfan'.[24]

Drwy gydol y saithdegau bu achosion cynllwyn yn arf defnyddiol iawn yn nwylo'r awdurdodau yn eu hymgais i wastrodi'r Gymdeithas. Cymdeithas yr Iaith oedd y mudiad protest cyntaf erioed yng Nghymru i wynebu achos cynllwyn, a rhwng 1971 a 1981 cynhaliwyd wyth achos o'r fath ac anfonwyd pedwar cadeirydd i garchar. Heuwyd cryn dipyn o amheuon ynglŷn â'r hyn a gymhellai'r awdurdodau i ddwyn cyhuddiadau o gynllwyn yn erbyn aelodau'r Gymdeithas a chredai llawer mai achosion gwleidyddol oeddynt, wedi eu cynllunio'n fwriadol er mwyn darostwng y mudiad. Meddai John Owen yn y *Welsh Nation* ym 1971: 'the Law of Conspiracy is now being used as a political weapon by the Government with the apparent consent of the courts', ac yn ddiweddarach yn yr un erthygl: 'It is becoming apparent that when the Government is concerned about the increasing influence of a group, e.g. the Welsh Language Society, it determines to use surreptitious methods in an effort to destroy it.' Cafwyd awgrymiadau cryf iawn hefyd mai achos gwleidyddol oedd yr un yn erbyn Wynfford James, cadeirydd y Gymdeithas, a Rhodri Williams, arweinydd y Grŵp Cyfryngau Torfol, ym mis Medi 1977 pan y'u cyhuddwyd o gynllwynio â'i gilydd ac â phobl anhysbys eraill i achosi difrod i orsafoedd darlledu, ac yn enwedig i drosglwyddydd Blaen-plwyf. Cynyddodd yr amheuon am natur wleidyddol achos cynllwyn Blaen-plwyf pan ddatgelwyd gan y Swyddfa Gartref fod heddwas 'isel ei radd' wedi archwilio cefndir rheithwyr yr ail achos ym Mrawdlys Caerfyrddin heb ganiatâd ei benaethiaid. Ceisiwyd codi ofn ar arweinwyr y Gymdeithas yn ystod yr wythdegau hefyd drwy fygwth dwyn achos o gynllwynio yn eu herbyn.[25]

Defnyddiwyd ystrywiau eraill hefyd er mwyn ceisio torri ysbryd diffynyddion mewn llysoedd barn. Ni chaniateid bob amser i achos gael ei gynnal yn Gymraeg, er enghraifft, a chyhoeddai sawl clerc llys ac ynad heddwch yn ddigon eofn: 'English is the language of this court', megis y gwnaed yn achos Cennydd Puw yn Llys Ynadon Pontardawe ym mis Mai 1967. Bryd arall – megis pan ymddangosodd Geraint Jones gerbron ynadon Abertawe ym mis Ebrill 1966 a Gwyneth Wiliam gerbron ynadon Pontypridd ym mis Mai 1966 – nid oedd Beibl Cymraeg i'w gael yn y llys. Pan ofynnodd pymtheg o aelodau a arestiwyd yn ystod protest ddarlledu yn Llundain am gael tyngu'r llw yn Gymraeg, cyhoeddodd cadeirydd mainc Marlborough mewn anghredinedd llwyr: 'Welsh? I have never heard such rubbish. You can speak English as well as anyone in this court and I will not listen to that nonsense.' Ac yn sgil arestio pedwar aelod am dorri i mewn i swyddfeydd y BBC yn Llundain ym mis Gorffennaf 1972, gorchmynnodd ynadon Marylebone eu cadw yn y ddalfa am fis er mwyn cael adroddiad seiciatryddol arnynt wedi iddynt fynnu cael cyflwyno eu hachos yn Gymraeg.[26] Mewn cyfarfod o'r Senedd ym mis Hydref 1971 cyfeiriwyd at y ffaith fod achosion llys pwysig y Gymdeithas yn tueddu i gael eu symud o ardaloedd Cymraeg i ardaloedd Saesneg, lle nad oedd cymaint o gefnogaeth iddi. Cafwyd enghraifft o hynny y flwyddyn honno pan symudwyd achos cynllwyn yn erbyn wyth aelod am ddifrodi arwyddion ffyrdd o Lys Ynadon Aberystwyth i Lys y Goron Abertawe.[27]

Ni fu'r cyfnodau o garchar y bu'n rhaid i rai aelodau eu hwynebu yn ddidrafferth ychwaith, a charcharwyd nifer ohonynt ar adegau anghyfleus o'r flwyddyn. Yn ystod y cyfnod dan sylw gwyddys i oddeutu dwsin o aelodau gael eu carcharu dros wyliau'r Nadolig, a charcharwyd Geraint Eckley am fis ar ddiwedd haf 1971 am wrthod talu dirwyon a gawsai ym 1967 am ddifrodi arwyddion ffyrdd, gan beri iddo golli wythnos gyntaf ei swydd newydd fel athro yn Nhreffynnon. Pan garcharwyd Arfon Jones ar ddiwedd mis Medi 1974 am wrthod talu amryw o ddirwyon, fe'i rhybuddiwyd gan awdurdodau Coleg Prifysgol Gogledd Cymru, Bangor, na dderbynnid ef yn ôl i'r coleg yn yr hydref oni bai ei fod yno i gofrestru erbyn diwedd wythnos gyntaf y tymor. Gan fod hynny'n gorfforol amhosibl, ac yntau yn y carchar, bu'n rhaid i'w rieni dalu ei ddirwyon ar ei ran. Ym 1976, yn ystod wythnos y Cyfarfod Cyffredinol, bygythiwyd carcharu nifer o swyddogion y Gymdeithas am wrthod talu dirwyon, gan gynnwys Wynfford James, y cadeirydd, Ffred Ffransis, yr is-gadeirydd, a Hefin Tomos, yr ysgrifennydd ariannol.[28] Defnyddiwyd sawl ystryw arall hefyd i geisio blino aelodau'r Gymdeithas a anfonwyd i garchar. Gan nad oedd carchar ar gyfer menywod yng Nghymru, anfonid troseddwyr benywaidd y Gymdeithas i garcharau yn Lloegr, lle y byddai swyddogion yn gwrthod caniatáu iddynt siarad Cymraeg â'u hymwelwyr. Ym 1972 gwrthododd yr Ysgrifennydd Cartref yr hawl i bedair merch a garcharwyd yn Pucklechurch, Bryste, i siarad yn Gymraeg â'u teuluoedd. Gwrthodwyd caniatâd i Tecwyn Ifan i siarad Cymraeg â'i ymwelwyr yng ngharchar Caerdydd hyd yn oed. Bu'n rhaid i'r Gymdeithas gwyno wrth y Swyddfa Gartref ym mis Awst 1977 oherwydd bod post wyth aelod a garcharwyd yn cael ei gadw'n ôl yn fwriadol. Ceisiwyd torri ysbryd Euros Owen ym 1981 trwy ei ddedfrydu i 'gyfnod o borstal', sef cyfnod amhenodol o amser mewn canolfan troseddwyr, nes penderfynu ei fod yn 'gymwys' i'w ryddhau.[29]

Gan amlaf byddai'r awdurdodau yn ofalus iawn wrth ddwyn achosion llys yn erbyn mudiadau gwasgedd. Sylwodd David G. T. Williams fel y byddai'r heddlu yn ceisio osgoi camweddau troseddol rhwysgfawr megis 'public nuisance', 'unlawful assembly' neu 'derfysg', ac yn hytrach yn cyhuddo troseddwyr o rwystro'r ffordd fawr neu rwystro'r heddlu. Trwy weithredu felly, eu bwriad oedd ceisio peidio â gor-ddramateiddio trosedd neu brotest arbennig. Gellid yn hawdd bardduo protestwyr trwy eu cyhuddo o ymddwyn yn fygythiol, o ymosod ar aelod o'r heddlu neu o ddefnyddio iaith anweddus; ceisiwyd gwneud hynny â nifer o aelodau'r Gymdeithas.[30] Ym 1967 cyhuddwyd Emyr Llewelyn o ddefnyddio iaith anweddus mewn protest yn erbyn y Tywysog Charles yng Nghaerdydd, a rhoddwyd sylw mawr i'r cyhuddiad yn y papurau. Fodd bynnag, ni roddwyd braidd dim sylw i achos apêl Emyr Llew bedwar mis yn ddiweddarach pan brofwyd mai'r heddwas a'i harestiodd a oedd wedi defnyddio iaith anweddus. Gwelwyd yr un math o ymgyrch i bardduo enw da aelodau'r Gymdeithas yn y cyhuddiadau amheus o ymosod ar weision yr heddlu a ddygwyd yn eu herbyn o bryd i'w gilydd. Ym 1969 cyhuddwyd Ffred Ffransis a Gwilym Tudur o ymosod ar yr heddlu yn ystod protest yn Llys Ynadon Aberteifi. Er nad oedd ôl yr un anaf ar gorff y ddau heddwas, ac er bod deg person yn y llys yn tystio o blaid Ffred Ffransis a Gwilym Tudur, cafwyd y naill yn euog o gicio heddwas yn ei stumog a'r llall o gicio heddwraig yn ei choes. Ac er cyhuddo Meirion Pennar, darlithydd yn y Gymraeg yng Ngholeg Dewi Sant, Llanbedr Pont Steffan, o gnoi heddwraig yn ei choes yn ystod protest yng Nghaerfyrddin ym mis Tachwedd 1978, bu'n rhaid gollwng y cyhuddiad ychydig fisoedd wedyn oherwydd diffyg tystiolaeth.[31]

Bu perthynas Cymdeithas yr Iaith â swyddogion yr heddlu yn bur anesmwyth ar sawl achlysur. Er na chafodd protestwyr Cymru erioed mo'u trin yn yr un modd â phrotestwyr yn America ac yn Ewrop – lle y dioddefodd amddiffynwyr hawliau pobl dduon, heddychwyr a myfyrwyr ymosodiadau â phastynau trymion neu hyd yn oed â drylliau – cafwyd sawl cwyn yn erbyn yr heddlu am gam-drin aelodau o'r Gymdeithas. Bu'r heddlu yn 'dyrnio a chicio'r' protestwyr, yn ôl un llygad-dyst mewn rali brotest yn erbyn carcharu Neil ap Siencyn yng Nghaerdydd ym mis Mai 1966, ac yn ystod ymweliad y Tywysog Charles ag Eisteddfod Genedlaethol Y Fflint ym 1969 llusgwyd nifer o brotestwyr allan o'r pafiliwn gerfydd eu coesau a'u gwallt gan ddwsinau o blismyn, yn eu 'dyrnu'n filain a'u cicio', yn ôl un adroddiad yn y wasg. Brathwyd protestiwr gan un o gŵn yr heddlu yn ystod protest yng Nghaerdydd ym mis Ionawr 1973, ac yn ystod protest ar faes Eisteddfod Genedlaethol Caerdydd ym 1978 torrwyd trwyn Angharad Tomos, a datgymalwyd ysgwydd aelod arall wrth i'r heddlu geisio arestio nifer o aelodau.[32] Serch hynny, eithriadau oedd digwyddiadau fel hyn.

At ei gilydd, yr oedd perthynas gymharol dda rhwng y Gymdeithas a'r heddlu, a hynny yn bennaf oherwydd y perchid ymrwymiad y mudiad i'r dull di-drais. Mewn gwirionedd, nid oedd yr heddlu yn awyddus i roi gormod o sylw i'r ymgyrchwyr, ac ar sawl achlysur ymataliwyd yn fwriadol rhag arestio protestwyr, megis ym mhrotest dorfol gyntaf y mudiad yn Aberystwyth ym mis Chwefror 1963. Ymataliwyd rhag arestio aelodau'r Gymdeithas yn ystod y protestiadau yn erbyn Swyddfa'r Post ym 1965–6 yn ogystal. Meddai Cynog Dafis:

> Ymddygiad yr heddlu a'r awdurdodau oedd y broblem – nid camymddygiad, hynny yw, ond ymatal tactegol. Roedd hi'n amlwg bod penderfyniad wedi'i wneud gan rywrai go uchel yn yr hierarchaeth bod yn rhaid osgoi arestiadau ac erlyniadau a'r esgaleiddio a fyddai'n dilyn hynny.[33]

Bu'r heddlu yn dra chyfrwys hefyd yn ystod y protestiadau y tu allan i Frawdlys Abertawe ym 1971, gan arestio pobl ifainc a myfyrwyr yn hytrach na phobl mewn oed neu bobl barchus. Caniatawyd i unigolion megis Dr Meredydd Evans, Dr Pennar Davies a Ned Thomas gerdded yn rhydd o orsaf yr heddlu heb gyhuddiad yn eu herbyn. Ar adegau eraill, y dacteg fyddai arestio ychydig o aelodau yn unig, yn enwedig yr arweinwyr. Er bod holl aelodau Senedd y Gymdeithas wedi hawlio cyfrifoldeb am y difrod a wnaed i drosglwyddydd Blaen-plwyf ym 1977, dim ond Wynfford James a Rhodri Williams a gyhuddwyd. Yn ystod rali brotest ar faes yr Eisteddfod Genedlaethol yng Nghaerdydd ym 1978, Wayne Williams yn unig a arestiwyd am achosi difrod i arddangosfa Rheilffyrdd Prydain, er bod dros ddeg ar hugain o aelodau wedi cymryd rhan yn y brotest.[34]

Gellir bod yn weddol sicr hefyd i'r heddlu cudd gadw llygad barcud ar weithgareddau Cymdeithas yr Iaith trwy gydol y cyfnod dan sylw. Er bod bodolaeth a gweithgareddau cyfrinachol heddluoedd cudd yn America a Rwsia yn hysbys, go brin y credai neb ar y pryd fod heddlu cudd yn weithgar yng Nghymru, ond erbyn heddiw y mae digon o dystiolaeth iddynt fod yn weithredol yn ystod yr Arwisgo ac ymgyrch ffrwydron y chwedegau. Datgelodd George Thomas yn ei hunangofiant fod heddlu cudd yn brysur yn Aberystwyth am wythnosau cyn i'r Tywysog Charles ddod i'r coleg ym 1969, a bod rhai ohonynt wedi eu lleoli ar y campws ac yn cymryd arnynt eu bod yn arddwyr. Ceir hefyd ddigon o dystiolaeth fod gan yr heddlu cudd ran yn helynt blwch ffôn Tal-y-sarn ym 1980, yn ogystal ag yn y cynllwyn yn erbyn aelodau honedig y 'Workers Army of the Welsh Republic' (WAWR) yng Nghaerdydd ym 1983, a'r ymchwiliad i'r ymgyrch llosgi tai haf trwy gydol yr wythdegau.[35]

Sylwyd ar bresenoldeb heddlu cudd yn nifer o brotestiadau'r Gymdeithas, megis yn y rali a drefnwyd yng Nghaernarfon ym 1969 i wrthwynebu'r Arwisgo ac yn y rali ddarlledu yn Yr Wyddgrug ym mis Medi 1971. Sylwyd ar aelodau o'r heddlu yn tynnu lluniau o aelodau'r Gymdeithas mewn nifer o ralïau a phrotestiadau hefyd, er enghraifft, yn ystod y rali arwyddion ffyrdd ar risiau'r Swyddfa Gymreig ym mis Mai 1973, mewn rali brotest yn erbyn Awdurdod Iechyd Gwynedd ar faes Eisteddfod Genedlaethol Llangefni ym 1983, ac mewn rali o blaid Deddf Iaith newydd yng Nghaerfyrddin ym 1990.[36] Pan ddygwyd Hywel Pennar ac Eryl Fychan gerbron Llys y Goron, Caerdydd ym mis Hydref 1980, honnwyd bod aelod cudd o'r heddlu, gŵr o'r enw Gordon William Davies, wedi bod yn byw yn yr ystafell nesaf at Fychan yn Neuadd Breswyl John Williams, gan esgus ei fod yn fyfyriwr yng Ngholeg Prifysgol Cymru, Aberystwyth. Yn sgil cyfres o erthyglau yn y *New Statesman* a'r *Sunday Times* ar ddechrau 1980 yn trafod pwyslais newydd heddluoedd cudd ar fudiadau gwrth-sefydliadol ac undebau llafur Prydain, galwodd Dafydd Elis Thomas A.S. ar yr Ysgrifennydd Cartref i ddatgelu faint o ymyrryd ar ffonau yng Nghymru a oedd yn digwydd dan oruchwyliaeth yr heddlu cudd.[37]

Gwyddai'r Gymdeithas yn dda am weithgareddau gwleidyddol yr heddlu. Yng Nghyfarfod Cyffredinol 1969, penderfynwyd: 'Oherwydd dulliau presennol yr heddlu yng Nghymru, ein bod yn galw ar ein haelodau i beidio â chydweithredu ag aelodau o'r heddlu cudd yn eu hymholiadau politicaidd.' Mewn cyfres o erthyglau yn *Tafod y Ddraig* ym 1971 awgrymodd Emyr Llewelyn fod heddlu cudd yn cadw llygad barcud ar aelodau'r Gymdeithas drwy ddefnyddio offer clustfeinio soffistigedig, agor llythyrau arweinwyr a thapio ffonau. Awgrymodd hefyd fod heddlu cudd wedi treiddio i rengoedd y Gymdeithas, yn enwedig i gelloedd y mudiad yn y colegau, ac ychwanegodd yn ogleisiol ar ddiwedd ei ymdriniaeth: 'Bydded hysbys iddo ein bod yn gwybod pwy ydyw.'[38] O ganlyniad, bu'r Gymdeithas yn ofalus iawn wrth gynllunio ymgyrchoedd torcyfraith, yn enwedig yn ystod ymgyrch y sianel yn y saithdegau. Ni chynhwyswyd manylion y cynlluniau hynny yng nghofnodion y Senedd, ac ni ddatgelwyd erioed pwy oedd arweinydd y Grŵp Gweithredol, person y cyfeirid ato'n gellweirus fel y dirgel Mr X. Pwrpas hyn oedd cadw'r wybodaeth rhag cyrraedd yr heddlu, gan fod 'clustiau mawr gan foch bach', fel y rhybuddiwyd aelodau'r Senedd yn ystod achos cynllwyn Blaen-plwyf.[39] Serch hynny, bu'n bolisi gan Gymdeithas yr Iaith o'r cychwyn i weithredu'n agored ac yn gyhoeddus, i dderbyn cyfrifoldeb am ei gweithredoedd ac i dderbyn y gosb. Gan hynny, nid oedd llawer gan y Gymdeithas i'w ofni o du aelodau cudd o'r heddlu.

Cosbid aelodau Cymdeithas yr Iaith hefyd gan gynghorau lleol, awdurdodau addysg a chyflogwyr dicllon. Ym 1975 a 1978 bu Cyngor Sir Dyfed a Chyngor Sir Gorllewin Morgannwg yn ystyried gwrthod dyfarnu grantiau i fyfyrwyr a gafwyd yn euog o achosi difrod i eiddo'r ddau gyngor. Yn sgil protest ym mis Mehefin 1977, pan feddiannwyd siambr Cyngor Sir Dyfed yng Nghaerfyrddin gan ddeunaw aelod o ranbarth Dyfed, bygythiwyd diswyddo tri o'r protestwyr a oedd yn athrawon yn y sir, ac atal grant un arall a oedd yn fyfyrwraig yng Ngholeg Prifysgol Cymru, Aberystwyth.[40] Cosbwyd aelodau'r Gymdeithas gan awdurdodau'r colegau yng Nghymru. Ym 1977 gwrthodwyd caniatâd i Glynis Williams sefyll ei harholiadau terfynol ar gyfer cwrs ymarfer dysgu tra oedd yn y carchar, gan fod Is-ganghellor Prifysgol Cymru, Dr Aubrey Trotman-Dickenson, yn mynnu y gellid bod wedi osgoi'r carchariad petai'r diffynnydd wedi talu'r ddirwy wreiddiol yn brydlon. Diarddelwyd disgybl o Ysgol Gyfun Ystalyfera am bythefnos ym 1979 oherwydd ei gysylltiad â deiseb gan y Gymdeithas yn beirniadu'r prifathro am beidio â rhoi statws priodol i'r Gymraeg yn yr ysgol. Gallai landlordiaid a chyflogwyr hefyd ymateb yn chwyrn iawn i weithgareddau Cymdeithas yr Iaith. Bu bron i Gareth Miles a'i deulu gael eu gyrru o'u fflat yn Wrecsam gan landlordiaid piwis oherwydd ei weithgaredd torcyfraith.[41] Ond diau mai'r aelod a ddioddefodd y driniaeth fwyaf gwaradwyddus o du ei gyflogwyr oedd Wayne Williams, a ddiswyddwyd gan lywodraethwyr Ysgol Uwchradd Llanidloes ym 1981 yn sgil ei garcharu am naw mis ar ddiwedd yr ymgyrch dros sianel deledu Gymraeg. Ni dderbyniwyd ef yn ôl yn derfynol i'w swydd fel athro Cymraeg tan fis Medi 1983, a hynny wedi dwy flynedd hir o ymgyrchu dygn.[42]

Digon llym, felly, oedd ymateb y 'Sefydliad' a'r awdurdodau i Gymdeithas yr Iaith Gymraeg. Pan nad oeddynt yn erlyn ac yn cosbi'r aelodau am eu rhan yn yr ymgyrchoedd anghyfansoddiadol a thorcyfraith, byddid yn ceisio tanseilio hygrededd y mudiad drwy gyhoeddi bod ei amcanion yn wyrdroëdig, ei bolisïau yn eithafol, a'i ddulliau yn ymylu ar drais peryglus.

Pwrpas ysgogi ymateb

Ond nid gweithredu megis 'chwannen ym mlew y Llywodraeth a'r sefydliad yng Nghymru', chwedl Paul Flynn, A.S. Llafur Casnewydd, oedd unig nod Cymdeithas yr Iaith Gymraeg wrth hyrwyddo polisïau beiddgar ac ymgyrchu drwy ddulliau anghyfansoddiadol. Dibynnai llawer o ymgyrchu'r Gymdeithas ar ymateb y cyhoedd yng Nghymru, gan mai rhan annatod o'i strategaeth oedd cynhyrfu a chyffroi, a gorfodi pobl i ddwys ystyried sefyllfa'r iaith Gymraeg. Tybiai Dafydd Glyn Jones fod tair athroniaeth wrth wraidd dulliau anghyfan-soddiadol y Gymdeithas. Yn gyntaf, ceisio ennyn cydymdeimlad y cyhoedd a'u gorfodi i ystyried cymhellion y gweithredwyr wrth droseddu, a thrwy hynny ennill cefnogaeth trwch y boblogaeth i'w hamcanion. Merthyrdod oedd hanfod yr ail athroniaeth, gan y credai arweinwyr y mudiad fod ennyn llid yn rhan hanfodol yn y proses o geisio 'achub y bobl'. Ac yn drydydd, wrth geisio cyffroi ymateb i'w pholisïau a'i gweithgareddau anghyfansoddiadol, y gobaith oedd y byddai carfan o bobl y tu allan i'r Gymdeithas yn raddol gael eu radicaleiddio nes eu bod yn fodlon ymgyrchu'n ddygn trwy ddulliau cyfansoddiadol o blaid y Gymraeg.[43] Ystyriwn yn awr y tair elfen hyn yn eu tro.

Profodd y dull cyntaf yn gymharol lwyddiannus yn ystod y cyfnod dan sylw. Llwyddwyd i ddenu llawer o bobl i ralïau a chyfarfodydd cyhoeddus a phrotest, a chafwyd cryn dipyn o gefnogaeth hefyd i ddeisebau'r mudiad. Gwelwyd uchafbwynt y gefnogaeth gyhoeddus i achosion llys y Gymdeithas ym 1971 pan dyrrodd 1,500 o bobl i Abertawe yn ystod yr achos cynllwyn pan ymddangosodd wyth aelod gerbron Brawdlys y ddinas. Yr oedd y deisebau a drefnwyd hefyd yn ernes o'r cefnogaeth gyhoeddus a oedd i'r mudiad. Ym 1987 torrodd 29,000 o bobl eu henwau ar y ddeiseb Deddf Iaith newydd. Pan wahoddwyd pobl Cymru i ddewis rhwng gofynion y Gymdeithas ac argymhellion Bwrdd yr Iaith Gymraeg yn Refferendwm 1989, pleidleisiodd 13,482 o bobl o blaid y Gymdeithas o'i gymharu â dim ond 109 o blaid Bwrdd yr Iaith.[44] Profodd y dull hwn o ennill cydymdeimlad y cyhoedd yn arbennig o lwyddiannus ar adegau carcharu aelodau'r mudiad. Cafwyd ymateb cyhoeddus ffyrnig iawn i benderfyniad ynadon Penarth i garcharu Dafydd Iwan ym mis Ionawr 1970 am wrthod talu dirwy am beintio arwyddion ffyrdd. Yn wir, cynhaliwyd protest bron pob dydd mewn mwy na deg o drefi a dinasoedd ledled Cymru yn ystod y pythefnos y bu Dafydd Iwan dan glo. Dangosodd y cyhoedd eu cydymdeimlad hefyd trwy dalu dirwyon y troseddwyr er mwyn iddynt gael eu rhyddhau yn gynnar o'r carchar neu eu harbed rhag mynd i'r carchar yn y lle cyntaf.[45]

Diolchwyd droeon i'r Gymdeithas am ymyrryd mewn ymgyrchoedd lleol, megis yr ymgyrch yn erbyn cau ysgol gynradd Bryncroes a'r un yn erbyn boddi Cwm Senni ym 1970. Diolchodd yr Undebau Llafur i'r Gymdeithas am sefyll y tu cefn i weithwyr Shotton yn eu hymgyrch yn erbyn cau'r gwaith dur ym 1973, ac am gefnogi Streic y Glowyr ym 1984 drwy gasglu bwyd i deuluoedd y glowyr a threfnu gwyliau i'w plant. Fel arwydd o werthfawrogiad, gwahoddwyd y Gymdeithas gan yr NUM i anfon siaradwyr i'w cyfarfodydd cyhoeddus ledled Cymru ym mis Tachwedd a mis Rhagfyr 1984, a gwahoddwyd cynrychiolydd o'r Gymdeithas i ymuno â Phwyllgor Canol Cyngres y Glowyr ym mis Chwefror 1985.[46] Ym mis Mawrth 1982 gofynnodd trigolion pentref Y Gaerwen yn Ynys Môn yn swyddogol am gymorth y Gymdeithas i wrthwynebu cynlluniau gan gwmni o ddatblygwyr ym Mangor i godi ystad o dai yng Ngaerwen Uchaf. Llwyddwyd i wyrdroi'r caniatâd cynllunio, a derbyniodd y Gymdeithas lythyr o ddiolch gan Gyngor Cymuned Llangeinwen, Môn, am arwain yr ymgyrch lwyddiannus.[47]

Gallai'r wasg hefyd fod yn gefnogol iawn i'r Gymdeithas ar brydiau. Trwy gydol y cyfnod dan sylw bu'r wasg Gymraeg yn hynod o gefnogol i'w hamcanion a'i hymgyrchoedd – os nad bob tro i'r dulliau a ddefnyddid – fel y dengys colofnau golygyddol *Y Cymro, Y Faner* a *Barn* bron yn ddieithriad. Yr oedd 85 y cant o'r llythyrau hynny a oedd yn trafod Cymdeithas yr Iaith yn *Y Cymro* yn gefnogol i'r mudiad, a 90 y cant o'r rhai a gyhoeddwyd yn *Y Faner.* Wrth ymateb i garchariad Ffred Ffransis am naw mis yn yr ymgyrch dros Gorff Datblygu Addysg Gymraeg ym 1986, meddai golygydd *Y Cymro:* 'Heb ymroddiad cnewyllyn fel Ffred Ffransis yn y chwarter canrif diwetha' ni fyddai Cymraeg ar ffurflen nac arwydd ffordd, ni byddai S4C, a byddai'r iaith yn marw mewn hedd. Heb ymrwymiad fel hyn eto, chwit chwat a di-gynllun fydd datblygiad addysg Gymraeg, a du fydd dyfodol yr iaith.' Pan ryddhawyd Ffred Ffransis ac y sefydlwyd y Pwyllgor Datblygu Addysg Gymraeg, meddai golygydd *Y Cymro* eto: 'I'r rhai sy'n amheus o werth gweithredu uniongyrchol fel ffordd i achub iaith rhaid gofyn sut y byddai hi ar y Gymraeg heddiw pe na bai pobl fel Ffred wedi ymgyrchu i gryfhau ei statws dros y chwarter canrif diwetha.' Yr oedd papurau bro Cymru hefyd yn fynych yn gefnogol i weithgareddau'r Gymdeithas. Cafwyd dadl ffyrnig ar dudalennau papur bro *Y Glannau* ym mis Rhagfyr 1983, pan feirniadwyd golygyddion y papur gan ei bwyllgor gwaith am anfon llythyr at ynadon Prestatyn yn galw arnynt i ryddhau yn ddiamod aelodau o'r Gymdeithas a gyhuddwyd o achosi difrod i arwydd ffordd uniaith Saesneg yn Llanelwy.[48]

Yr oedd y wasg Saesneg yng Nghymru fel rheol yn llawer llai cefnogol i'r Gymdeithas, er y byddai Clive Betts yn dweud pethau dymunol amdani yn y *Western Mail* o bryd i'w gilydd. Pan drefnwyd cyfarfod rhwng ei swyddogion a Syr Wyn Roberts ym mis Ionawr 1992, yr oedd y *Western Mail* yn hael iawn ei ganmoliaeth: 'The Society should be valued for its special experience of today's living springs of Welsh cultural life, and for its home-bred political drive . . . The Welsh Office must now be seen to take fully effective direct action of its own.' Nid yn aml, fodd bynnag, y ceid geiriau fel hyn yn y *Western Mail.* Ar y llaw arall, yr oedd papurau a chylchgronau megis *Planet, Welsh Nation, Radical Wales,* a chyhoeddiadau Gwasg Rydd Caerdydd, yn hael eu cefnogaeth. Yn wir, beirniadwyd *Planet* ym 1972 am ymdebygu'n ormodol i bapur swyddogol Cymdeithas yr Iaith.[49] Er y gallai papurau tabloid Lloegr fod yn ddirmygus iawn o ymgyrchoedd y Gymdeithas, gan drafod ymgyrch y sianel dan frasbenawdau megis 'Terror of the Taffia', yr oedd rhai newyddiaduron safonol yn dra chefnogol ar brydiau. Ym 1972, er enghraifft, pwysleisiodd golygydd y *Guardian* mai pobl gyfrifol a chymedrol oedd aelodau'r Gymdeithas, a mynegwyd gofid mawr fod yr aelodau hynny wedi gorfod brwydro am bob mân gonsesiwn o blaid yr iaith ac wedi dioddef dirwyon a charchar.[50] Ceid adroddiadau digon cytbwys a theg hefyd yn achlysurol yn y wasg ryngwladol.[51]

Diau fod cefnogaeth amryw o bobl ddylanwadol a mawr eu parch yng Nghymru yn fanteisiol iawn i fudiad fel y Gymdeithas, gan fod hynny yn rhoi hygrededd iddi ac i'w dulliau anghyfansoddiadol o weithredu. Gwelwyd y to parchus ar sawl achlysur yn datgan eu cefnogaeth i'r Gymdeithas, megis yn y gyfres 'Barn Ein Gwŷr Amlwg' yn *Tafod y Ddraig* ym 1967, pan gyhoeddodd Cymry amlwg megis y Parchedig Lewis Valentine: 'Yr wyf yn llwyr gefnogi amcanion y Gymdeithas a'i dulliau, ac y mae ymarweddiad y Gymdeithas hon yn codi fwy ar fy nghalon na dim sy'n digwydd yng Nghymru heddiw.'[52] Yn ystod y saithdegau gwelwyd llawer o'r genhedlaeth hŷn yn cefnogi Cymdeithas yr Iaith drwy ymuno â 'Chyfeillion yr Iaith', fel y nodwyd yn y bennod gyntaf. Yr oedd amryw ohonynt yn Gymry tra amlwg, megis Ned Thomas, Maldwyn Jones, Dr Pennar Davies, Dr R. Tudur Jones, y Cynghorydd Dafydd Orwig, y Parchedig R. S. Thomas, Dr Gwyn Thomas, yr Athro Dafydd Jenkins, E. G. Millward, Mari Ellis a Millicent Gregory. Yr oedd bodolaeth 'Cyfeillion yr Iaith' yn fodd i brofi i'r wasg, a oedd mor barod i bortreadu'r Gymdeithas fel mudiad o fyfyrwyr hirwallt ac anghyfrifol, fod cefnogaeth gref i'w hamcanion o du'r genhedlaeth hŷn a pharchus.[53]

Bu'r Gymdeithas yn ffodus hefyd i ennill cefnogaeth amryw o ddeallusion dylanwadol ar hyd y blynyddoedd, yn enwedig yr Athro J. R. Jones, Alwyn D. Rees, Gwilym R. Jones a Dr Meredydd Evans. Wrth drafod dulliau anghyfansoddiadol y Gymdeithas o weithredu mewn ysgrif a gyhoeddwyd yn *Tafod y Ddraig* ym 1967, meddai J. R. Jones: 'Dadleuaf fod lle i'w gweithgarwch hwy ochr yn ochr â'r gweithredu cyfansoddiadol dros Gymru', gan mai 'brwydr dros gadw ein *gwahanrwydd* cenedligol ydyw – brwydr diogelu ein gwahaniaeth *ffurfiannol* fel Pobl'.[54] Defnyddiodd Alwyn D. Rees ei ddylanwad fel golygydd y misolyn *Barn* er mwyn ennill cefnogaeth i amcanion a dulliau'r Gymdeithas. Ym mis Rhagfyr 1965, meddai: 'Cawsom hen ddigon ar siarad a thrafod; *gweithredu* sydd eisiau nawr. Nid peth i ddal pen rheswm yn ei gylch yn dragywydd yw cyfiawnder, ond peth i'w *wneud.* ' Wrth ateb y sawl a fu'n beirniadu dulliau'r Gymdeithas, gofynnodd: 'Beth felly a fu eich ffordd chwi ar hyd eich hoes o gyrraedd yr un amcan, a ble mae ffrwyth eich gweithredoedd?'[55] Manteisiodd Gwilym R. Jones hefyd ar ei safle fel golygydd *Y Faner,* a bu ei gefnogaeth i'r Gymdeithas mor daer nes peri i Dafydd Morgan Lewis gyffelybu cyfraniad yr wythnosolyn hwnnw i ymgyrchoedd y Gymdeithas i gyfraniad *Pravda* i'r Blaid Gomiwnyddol yn Rwsia. Yr oedd cefnogaeth Dr Meredydd Evans i ymgyrchoedd y Gymdeithas drwy gydol y cyfnod hefyd yn ddifesur. Bu'n cyfiawnhau ymgyrchoedd anghyfansoddiadol y mudiad ar sawl achlysur a chymerodd ran flaenllaw yn yr ymgyrch anghyfansoddiadol dros Ddeddf Iaith ddiwygiedig.[56]

Mawr hefyd fu canmoliaeth y beirdd i Gymdeithas yr Iaith, fel y dengys yr adran ar ddiwedd y flodeugerdd *Cadwn y Mur.* Yn ei gerdd i Ddafydd Iwan, er enghraifft, geilw Huw Llew Williams wrthrych y gerdd yn un 'glew dros ein hiaith a'n gwlad' a disgrifia aelodau'r Gymdeithas yn 'oreuon ein gwŷr ieuainc'. Nid oedd cefnogaeth llenorion eraill damaid yn llai. Mynychodd D. J. Williams amryw o brotestiadau'r mudiad, dirwywyd y dramodydd W. S. Jones (Wil Sam) am beintio arwyddion ffyrdd, a charcharwyd y nofelydd Emyr Humphreys am ddefnyddio teledu heb drwydded. Yn sgil y feirniadaeth lem ar y Gymdeithas am drefnu protest ar faes Eisteddfod Genedlaethol Dyffryn Lliw ym 1980, cyhoeddodd y llenor a'r Archdderwydd Geraint Bowen ei gefnogaeth lwyr i'r mudiad.[57] Pan gyhoeddodd Peter Walker ym 1989 ei fod am roi tair blynedd arall i Fwrdd yr Iaith Gymraeg i ymgynghori ar fater Deddf Iaith, mynegodd yr Archdderwydd Emrys Roberts ei siom drwy gyhoeddi:

> Trwy wrthod y syniad o Ddeddf Iaith newydd, mae'r Bwrdd wedi dangos o ba ddefnydd y mae o wedi ei wneud – hen bren sâl . . . A does dim ond un peth i'w wneud efo bwrdd wedi pydru ac yn llawn o dylla pryfed – ei roi yn y fflamau.

Ni fu ef erioed yn rhy swil i ddatgan ei gefnogaeth i ymgyrchu anghyfansoddiadol y Gymdeithas.[58] Cafwyd cefnogaeth i ymgyrchoedd y Gymdeithas hefyd o gyfeiriadau tipyn llai amlwg. Yn ystod yr ymgyrch i Gymreigio siopau a banciau ar ddiwedd y saithdegau, llwyddwyd i recriwtio cymorth Clwb Rygbi Llanelli a Chlwb Pêl-droed Abertawe yn y gwaith o anfon llythyrau at fusnesau lleol yn eu hannog i fabwysiadu polisi dwyieithog.[59]

Derbyniwyd cryn dipyn o gefnogaeth hefyd o du amryw o wleidyddion o bob plaid, megis Gwynfor Evans, A.S. Caerfyrddin, Tom Ellis, A.S. Wrecsam, Geraint Howells, A.S. Ceredigion a Gogledd Penfro, Dafydd Wigley, A.S. Arfon, Dr Roger Thomas, A.S. Caerfyrddin, a Dafydd Elis Thomas, A.S. Meirionnydd. Bu Dafydd Elis Thomas yn amlwg gefnogol i ymgyrch y Gymdeithas dros sianel deledu Gymraeg trwy gydol y saithdegau, gan rannu llwyfan â'i haelodau ar sawl achlysur, megis mewn rali brotest yng Nghaer-fyrddin ar adeg achos cynllwyn Blaen-plwyf, er mawr ddicter i rai o swyddogion Plaid Cymru. Bu hefyd yn ŵr gwadd yng Nghyfarfod Cyffredinol Arbennig y Gymdeithas ym mis Mai 1979 a Chyfarfod Cyffredinol 1982. Mewn llythyr at y Gymdeithas ym 1984 yn ailddatgan ei gefnogaeth i'r mudiad, cyhoeddodd fod 'anufudd-dod sifil yn rhan hanfodol o'r ymgyrch i gynyddu defnydd o'r Gymraeg ym mhob agwedd ar ein bywyd cenedlaethol'.[60] Bu Gwilym Prys Davies hefyd yn gefnogol iawn i ymgyrchoedd y Gymdeithas; mewn cyfweliad a gynhwyswyd yn *Tafod y Ddraig* ym 1988, dywedodd: 'a fyddai'r Cymry Cymraeg wedi eu deffro o'u difaterwch at yr iaith heb weithgarwch ymosodol y Gymdeithas? Amheuaf yn fawr a fyddai hynny wedi digwydd.'[61]

Llwyddodd y Gymdeithas hefyd i rwydo cefnogaeth nifer fawr o sefydliadau, mudiadau ac unigolion i'w pholisïau. Nodwyd mewn cyfarfod o'r Senedd ym mis Ionawr 1978 fod Plaid Cymru ac Undeb Cenedlaethol Athrawon Cymru wedi derbyn llawer o'i hargymhellion ar gyfer eu polisïau addysg. Rhestrir 111 o fudiadau a oedd yn cefnogi sianel deledu Gymraeg yn y ddogfen *Sianel Deledu Gymraeg: Yr Unig Ateb*, a gyhoeddwyd ym 1979, gan gynnwys y Blaid Lafur, Plaid Cymru, Plaid Ryddfrydol Cymru, BBC Cymru, chwe Chyngor Sir, 22 Cyngor Dosbarth, 52 Cyngor Cymuned, a chwe chorff eglwysig cenedlaethol. Ym 1984 cyhoeddodd Undeb Amaethwyr Cymru eu cefnogaeth i alwad y Gymdeithas am ragor o gyrsiau trwy gyfrwng y Gymraeg yng Ngholeg Amaethyddol Llysfasi, Rhuthun. Cefnogwyd amcanion ac ymgyrchoedd y Gymdeithas ar sawl achlysur gan aelodau Cyngor Dosbarth Llŷn ac Eifionydd a'u holynwyr yng Nghyngor Dosbarth Dwyfor. Yr oedd Cyngor Llŷn gyda'r cyntaf i gefnogi'r ymgyrch o blaid ffurflen treth ffordd Gymraeg, a rhoddwyd arweiniad cadarn i awdurdodau lleol Cymru gan gyngor Dwyfor pan benderfynodd roi statws cynllunio i'r iaith.

Cafwyd cefnogaeth i ymgyrchoedd y Gymdeithas o du enwadau crefyddol Cymru yn ogystal. Ym 1969 beirniadwyd ynadon Betws-y-coed gan Dr Glyn Simon, Archesgob Cymru, am osod dirwyon mor erlitgar ac anghyfiawn ar ddeunaw o aelodau a fu'n peintio arwyddion ffyrdd. Ym mis Hydref 1970 penderfynodd Presbyteriaid Cymru ymuno â'r frwydr o blaid statws yr iaith drwy gefnogi aelodau ifainc y Gymdeithas. Ym mis Medi 1972 penderfynodd Undeb yr Annibynwyr annog 'holl Gristnogion Cymru' i ddwys ystyried ymuno yn ymgyrch dorcyfraith y Gymdeithas dros sianel deledu Gymraeg drwy wrthod codi trwyddedau, ac ym mis Ionawr 1976 anfonwyd llythyr at y Gymdeithas gan y Canon Saunders Davies ar ran Cyngor Eglwysi Rhyddion Cymru yn datgan eu cefnogaeth lwyr i'w pholisïau, ac yn cyhoeddi eu bod am bwyso ar John Morris, Ysgrifennydd Gwladol Cymru, i'w cefnogi.[62]

Ond diau mai'r prawf sicraf o lwyddiant y Gymdeithas yn ei hymgais i ennyn cydymdeimlad i'w hamcanion a'i hymgyrchoedd oedd y gefnogaeth a gafwyd yn y llysoedd barn. Seiliwyd y strategaeth hon ar greu gwrthdrawiad rhwng y gyfraith a chymhellion yr aelodau wrth droseddu. Defnyddiwyd y dull hwn o apelio at 'gydwybod' y Cymry gan Saunders Lewis, Lewis Valentine a D. J. Williams, pan losgasant adeiladau'r Ysgol Fomio ym Mhenyberth ym 1936. Yn yr achos ym Mrawdlys Caernarfon ym mis Hydref 1936, apeliodd Saunders Lewis ar y rheithwyr i'w farnu ef a'i gyd-droseddwyr yn ôl y Ddeddf Foesol yn hytrach na deddfau Cyfraith Lloegr:

> Y mae hefyd yn rhan o draddodiad cyffredinol Cristnogaeth mai dyletswydd pob unigolyn yw ufuddhau i'r Ddeddf Foesol yn hytrach nag i ddeddf wladol os tery'r naill yn erbyn y llall. Y mae'n rhan o ddysgeidiaeth gyffredinol Cristnogaeth mai dyletswydd aelodau teulu neu genedl yw amddiffyn bywyd y genedl, neu ei chadw hi rhag perygl tranc, drwy bob dull a modd y gellir, ond heb gymryd bywyd dyn yn anghyfiawn oddi arno, neu dorri'r ddeddf foesol rywsut arall.

Esboniodd fod pob ymdrech gyfansoddiadol gan genedlaetholwyr i wrthwynebu adeiladu'r Ysgol Fomio wedi ei hanwybyddu, a'u bod wedi cael eu gorfodi i weithredu yn ôl eu cydwybod. Eu nod wrth losgi'r adeiladau ac yna dderbyn y canlyniadau o'u gwirfodd oedd gorfodi rheithwyr o Gymry i ystyried eu cymhelliad ac i benderfynu a oedd y weithred yn un gyfiawn ai peidio.[63]

Peri gwrthdrawiad rhwng gofynion y Ddeddf Foesol a Chyfraith Lloegr a oedd wrth wraidd strategaeth y Gymdeithas hithau, wrth i'w haelodau alw ar ynadon a rheithwyr i ystyried eu cymhellion yn hytrach na'r drosedd ei hun, ac i ddangos eu cefnogaeth i amcanion y mudiad drwy beidio â'u cosbi.[64] Fel hyn y mynegwyd y safbwynt gan Dafydd Orwig gerbron ynadon Bangor ym mis Tachwedd 1967: 'Nid yw eich llw fel ynadon yn gofyn ichwi weinyddu'r gyfraith fel y mae, ond yn hytrach weinyddu cyfiawnder yn unol â'r gyfraith.' Er ei gael yn euog o dorri'r gyfraith drwy wrthod codi trwydded radio a theledu, fe'i rhyddhawyd yn ddiamod gan yr ynadon. Llwyddodd y strategaeth hon ar sawl achlysur a chafwyd ynadon ar hyd a lled Cymru yn datgan eu bod yn deall rhwystredigaeth aelodau ifainc y Gymdeithas ac yn cefnogi eu hamcan. Mynegodd J. C. Gibbs, cadeirydd ynadon Castell-nedd, ei farn yn bendant yn ystod achos llys yn erbyn Emyr Llewelyn ym mis Awst 1967 am yrru cerbyd heb dreth ffordd:

Yn wyneb Deddf yr Iaith Gymraeg a ddaeth i rym yn ddiweddar teimlwn, er bod yn rhaid i ni eich dedfrydu ar y cyhuddiad hwn, fod hawl gennym i gadw mewn cof mor belled ag y mae gweithrediadau'r llys yn y cwestiwn, fod yr hawl i gyhoeddi dogfennau Cymraeg wedi ei sefydlu, ac yr ydym yn adlewyrchu ein teimladau ar ddefnydd ehangach o'r dogfennau hyn drwy'r gosb a ddedfrydwn.

Rhyddhawyd y diffynnydd yn ddiamod. Ym mis Mai 1967 gohiriwyd achos Emrys Davies – a ymddangosodd gerbron ynadon Dosbarth Penllyn ar gyhuddiad o ddefnyddio cerbyd heb dreth ffordd – ac anfonwyd llythyr at Gyngor Sir Meirionnydd yn gofyn paham nad oedd ffurflenni Cymraeg ar gael ar gyfer trethu car. Rhyddhawyd Elwyn Hughes yn ddiamod gan ynadon Blaenau Ffestiniog, er iddo wrthod codi trwydded radio a theledu, a gorchmynnwyd y Postfeistr Cyffredinol i dalu costau'r achos. Yr oedd yr ymateb o du'r sefydliad yn ffyrnig iawn pan fyddai ynadon Cymru yn rhyddhau aelodau a chefnogwyr Cymdeithas yr Iaith yn ddiamod. Yn sgil rhyddhau pump o gefnogwyr yn ddiamod gan ynadon Y Bala ym mis Gorffennaf 1972 am ddefnyddio setiau teledu heb drwydded, galwodd George Thomas, A.S. Llafur Gorllewin Caerdydd, a Michael Roberts, A.S. Ceidwadol Gogledd Caerdydd ar i'r ynadon ymddiswyddo ar unwaith. Yn ei ymchwiliad i'r achos, mynnodd yr Arglwydd Hailsham yntau eu bod yn ymddiswyddo am iddynt ddangos rhagfarn wrth weinyddu'r gyfraith. Rhwng 1962 a 1992 rhyddhawyd oddeutu cant o unigolion yn ddiamod gan lysoedd ynadon ledled Cymru, er eu cael yn euog o dorri'r gyfraith.[65]

Ym mis Ionawr 1970 cafwyd yr enghraifft fwyaf trawiadol erioed o gefnogaeth gan ynadon heddwch Cymru i safiad aelodau Cymdeithas yr Iaith. Yn sgil carcharu Dafydd Iwan am dri mis gan ynadon Penarth am wrthod talu dirwyon am beintio arwyddion ffyrdd, trefnwyd cronfa i'w ryddhau gan Alwyn D. Rees, golygydd *Barn*, ac E. D. Jones, cyn-Lyfrgellydd Llyfrgell Genedlaethol Cymru. Dan arweiniad Dr Glyn Simon, Archesgob Cymru, cyfrannodd oddeutu ugain ynad heddwch i'r gronfa a rhyddhawyd Dafydd Iwan o'r carchar wedi cwta fis. Ym 1972, yn sgil carcharu Gerallt Rhun am bythefnos gan ynadon Abertawe am wrthod talu dirwy gwerth £5, talwyd y ddirwy ar ei ran gan un o'r ynadon, Mrs Margaret Davies, am ei bod yn anghytuno â'r ddedfryd lem. Pan orfodwyd iddi ymddiswyddo o'r fainc gan yr Arglwydd Ganghellor Hailsham, mynegodd ei barn yn ddiflewyn-ar-dafod:

> In the opinion of the Swansea bench and Lord Hailsham, the first duty of a magistrate is to enforce the law whether it is just or unjust. In my opinion one's first duty is to do justice. When justice and the letter of the law conflict, justice must prevail. I think there are more and more magistrates in Wales finding it difficult to enforce the law in these Welsh language cases.

Ychydig ddiwrnodau yn ddiweddarach rhyddhawyd Iestyn Garlick o garchar Abertawe wedi i nifer o ynadon anhysbys dalu'r ddirwy o £10 a gawsai am rwystro trafnidiaeth. Ym mis Awst 1980 ymddiswyddodd Dilys Thomas fel ynad heddwch wedi pedair blynedd ar ddeg o wasanaeth ar fainc Nant Conwy am na allai weithredu'n ddiragfarn mewn achosion yn ymwneud â'r ymgyrch dros sianel deledu Gymraeg. Yn wir, ymunodd nifer o ynadon heddwch ag ymgyrch gwrthod talu trwyddedau teledu Cymdeithas yr Iaith a Phlaid Cymru ym 1980 ac fe'u condemniwyd yn llym iawn gan Wyn Roberts, Is-Ysgrifennydd Gwladol Cymru.[66]

Yr oedd rheithwyr hefyd yn ei chael yn anodd i ddedfrydu aelodau Cymdeithas yr Iaith, yn enwedig pan fyddai diffynyddion yn apelio arnynt i ystyried cymhellion eu gweithredoedd. Fel yn achos Penyberth, methodd y rheithgor â chytuno'n unfrydol nac o fwyafrif wedi pedair awr o drafod ar ddiwrnod olaf achos cynllwyn Blaen-plwyf gerbron Brawdlys Caerfyrddin ym mis Gorffennaf 1978. Cynhaliwyd ail achos yn erbyn y ddau ym Mrawdlys Caerfyrddin ym mis Tachwedd 1978, a'r tro hwnnw fe'u cafwyd yn euog o gynllwynio ac fe'u dedfrydwyd i chwe mis o garchar. Yn achos Eryl Fychan gerbron Brawdlys Caerdydd, methodd y rheithgor â chytuno ar y cyhuddiad cynllwyn yn ei erbyn, a bu'n rhaid cynnal ail achos.[67] Nid ynadon a rheithwyr oedd yr unig rai a ddangosai eu cefnogaeth i safiad aelodau'r Gymdeithas. Pan ddeddfodd Llys Ynadon Yr Wyddgrug mai Saesneg fyddai iaith yr achos cynllwyn yn erbyn dau ar bymtheg o aelodau'r Gymdeithas ym 1971, gan ganiatáu cyfieithiadau i'r Gymraeg yn unig, gwrthododd cyfieithwyr y llys â chyfieithu a bu'n rhaid symud yr achos i Lys y Goron. Pan wrthododd ugain o bobl leol weithredu fel cyfieithwyr yn yr achos ym Mrawdlys Yr Wyddgrug, bu'n rhaid i bedwar swyddog o'r heddlu gyflawni'r gwaith. Cafwyd problemau eto wrth geisio dod o hyd i gyfieithwyr a oedd yn fodlon cynorthwyo mewn achos yn erbyn tri aelod o Gymdeithas yr Iaith ym Mrawdlys Abertawe ym mis Chwefror 1972.[68]

Eto i gyd, eithriadau oedd yr achosion hynny pan fynegwyd cydymdeimlad â safiad aelodau a chefnogwyr y Gymdeithas, neu pan ryddhawyd troseddwyr yn ddiamod. Er bod rhai ynadon yn fodlon datgan cydymdeimlad â'r protestwyr teimlent fod dyletswydd arnynt i weinyddu'r gyfraith. Byddai mwyafrif llethol yr ynadon yn gweinyddu'r gyfraith heb feddwl ddwywaith am gymhelliad y drosedd, a rhoddwyd cosbau llym iawn gan rai meinciau. Ym 1968 cynddeiriogwyd cadeirydd mainc ynadon Aberystwyth gan ymddangosiad Ffred Ffransis, ac fe'i siarsiodd: 'Remember, you are not the only Welshmen. You are doing the language more harm by behaving in this way.' Meddai cadeirydd ynadon Dolgellau yn ystod achos llys yn erbyn Eryl Owain am achosi difrod i arwydd ffordd, 'mae'n hen bryd rhoi stop ar y stiwdants 'ma sy'n mynd o gwmpas y wlad yn malu petha'.[69]

Ail strategaeth y Gymdeithas oedd creu ymateb trwy gythruddo eraill. Fel y gwelwyd eisoes, cythruddwyd yr awdurdodau, amryw o sylwebyddion a llawer aelod o'r wasg hefyd yn ystod y cyfnod dan sylw. Profodd y Gymdeithas lid y gwleidyddion mewn cyfarfod o'r Uwch-Bwyllgor Cymreig ym mis Chwefror 1970 yn sgil cyrch nifer o fyfyrwyr Aberystwyth ar yr Uchel Lys yn Llundain. Ni fu gan George Thomas erioed air da i'w ddweud am aelodau'r Gymdeithas, ac meddai ym 1990, â'i ormodiaith chwedlonol: 'They seek a society based on language apartheid as brutally as the South African Boers seek a society based on colour apartheid.' Yr oedd aelodau seneddol eraill hefyd yn drwm eu llach ar y Gymdeithas; yn eu plith yr oedd Idwal Jones, Delwyn Williams, Leo Abse, Keith Best, Neil Kinnock, Nicholas Bennett, Kim Howells, Dr Alan Williams ac Ian Grist.[70] Bu llu o gynghorwyr Cymru hefyd yn feirniadol iawn o'r mudiad ar sawl achlysur, yn enwedig ar adeg penllanw yr ymgyrchoedd arwyddion a thai haf. Cyhuddwyd aelodau'r Gymdeithas o fod yn 'louts' a 'fandaliaid' mewn cyfarfod o Gyngor Tref Aberteifi ym mis Ebrill 1972 yn sgil rali arwyddion yn y dref, ac yn ystod trafodaeth Pwyllgor Polisi ac Adnoddau Cyngor Sir Gwynedd ar y ddogfen dai *Wynebwn yr Her* ym mis Tachwedd 1976, cyhuddwyd y Gymdeithas o ledaenu 'racialist filth' gan y Cynghorydd William Pierce.[71]

Yr oedd y berthynas rhwng y Gymdeithas a Phlaid Cymru yn un anodd iawn ar adegau. Ym mis Mai 1969 cyhoeddodd Elwyn Roberts, ysgrifennydd cyffredinol Plaid Cymru, mai ar Gymdeithas yr Iaith yr oedd y bai am ganlyniadau gwael y Blaid yn yr etholiadau lleol. Meddai yn y *Liverpool Daily Post:* 'The campaign by the Welsh Language Society to obliterate road-signs where they are in English only, has done us a great deal of harm.' Honnwyd mai gweithgareddau anghyfansoddiadol y Gymdeithas a barodd i Gwynfor Evans golli ei sedd yn San Steffan ym 1970. Ni fu protest y mudiad yn yr Uchel Lys yn Llundain ym mis Chwefror 1970, pan roddwyd dedfryd o garchar i'w ferch Meinir, o les i'w achos. Cyhoeddodd Jac L. Williams ym mis Rhagfyr 1970:

> Mae pawb sy'n adnabod Cymru'n cydnabod erbyn hyn nad unrhyw wendid na llacrwydd yn Gwynfor ei hun a barodd iddo golli'r sedd nac ychwaith gryfder ei wrthwynebwyr o'r pleidiau Seisnig, ond campau difeddwl nifer o Gymry ieuainc twymgalon yn gwneud môr a mynydd o adloniant digri a diniwed a gynhaliwyd flwyddyn o flaen yr etholiad yng Nghastell Caernarfon.[72]

Ac eithrio ambell enghraifft gynnar, megis gohirio protest yn erbyn Swyddfa'r Post yn Nolgellau ym 1964 rhag ofn amharu ar ymgais Elystan Morgan i ennill yr Etholiad Cyffredinol ym Meirionnydd y flwyddyn honno, gwrthod galwadau Plaid Cymru arnynt i atal eu hymgyrchoedd anghyfansoddiadol a wnâi'r Gymdeithas. Gwrthodwyd cais gan gangen y Blaid yn Waunfawr i atal yr ymgyrch peintio tai haf dros gyfnod yr etholiadau bro. Gwrthodwyd cais hefyd i roi'r gorau i ymgyrchu anghyfansoddiadol yn etholaeth Caerfyrddin dros gyfnod yr ail Etholiad Cyffredinol ym 1974.[73] Nid oedd y berthynas rhwng Plaid Cymru a'r Gymdeithas yn annhebyg i'r berthynas led braich a fodolai rhwng y Blaid Lafur a'r mudiad diarfogi yn ystod y pumdegau a dechrau'r chwedegau. Er condemnio'n hallt ymddygiad llawdrwm yr heddlu wrth drafod protestwyr y mudiad diarfogi, yr oedd aelodau Llafur yn ofalus iawn i'w datgysylltu eu hunain o'r mudiad, gan feirniadu'n llym ddefnydd y protestwyr o ddulliau anghyfansoddiadol o weithredu. Galwyd aelodau'r 'Direct Action Committee' yn 'utter idiots' gan Sidney Dye, A.S. Llafur de orllewin Norfolk, a dechreuodd Anthony Greenwood araith gerbron y Senedd ym mis Hydref 1961 yn cyfeirio at brotest CND yn Sgwâr Trafalgar trwy ddweud, 'I want to emphasize that I strongly disapprove of civil disobedience as a method of political expression . . .'[74]

Yr oedd ymateb y wasg hefyd i'r Gymdeithas yn gallu bod yn hynod feirniadol, fel y nodwyd eisoes, ac fel y dengys bron y cyfan o ysgrifau golygyddol a cholofnau gwadd y *Liverpool Daily Post* a'r *Western Mail*, lle y rhoddwyd cryn dipyn o lwyfan i ddatganiadau pobl megis George Thomas ac Elwyn Jones.[75] Er bod y wasg Gymraeg yn tueddu i fod yn llawer mwy cefnogol, byddai rhai colofnau yn gyson feirniadol o'r Gymdeithas, megis colofn 'Isambard' (Jac L. Williams) yn *Barn*, 'Trwy Sbectol Sosialydd' (Glyn Roberts) a 'Dyddiadur Daniel' (Frank Price Jones) yn *Y Faner*. Awgrymodd Ned Thomas i'r wasg gael ei defnyddio'n fwriadol gan y sefydliad i daenu propaganda o blaid yr hyn yr oedd y Gymdeithas yn ymgyrchu yn ei erbyn, yn enwedig adeg yr Arwisgo. Yn ei dyb ef, llwyddodd y peiriant cyhoeddusrwydd, trwy daenu propaganda ar raglenni teledu, darllediadau radio, ac erthyglau papurau newydd, i beri i'r Cymry ymserchu yn y tywysog ac i ennyn gwrthwynebiad milain i safiad Cymdeithas yr Iaith.[76] Rhoddai'r wasg hefyd lwyfan i'r cyhoedd i fynegi eu gwrthwynebiad a'u gelyniaeth i ymgyrchoedd y

Gymdeithas. Defnyddid iaith eithafol gan amryw o'r gohebwyr hyn, a rhwng 1962 a 1992 disgrifiwyd aelodau'r Gymdeithas fel 'hipis', 'anarchwyr', 'ffasgwyr', 'terfysgwyr', 'fandaliaid', 'hwliganiaid', a 'Natsïaid', ac fe gymysgwyd yn fynych rhwng y Gymdeithas, yr IRA, ETA a Meibion Glyndŵr.[77] Aeth Mr E. Jones o Flaenau Ffestiniog mor bell â chyhoeddi yn *Y Cymro* mai 'criw Cymdeithas yr Iaith ac Adfer yw'r diafol ei hun'.[78] Serch hynny, rhaid nodi mai dim ond hanner y llythyrau a gyhoeddwyd yn y *Liverpool Daily Post* a'r *Western Mail* a oedd yn elyniaethus i'r Gymdeithas, a bod mwy na phedwar o bob pum llythyr a oedd yn trafod y Gymdeithas yn *Y Cymro* a'r *Faner* yn gefnogol i'r mudiad.

Deil Alan Butt Philip yn *The Welsh Question* fod gweithredoedd anghyfansoddiadol y mudiad wedi achosi 'vehement reaction among the public'.[79] Ar sawl golwg yr oedd hyn yn wir, gan y gallai ymateb y cyhoedd i brotestiadau'r Gymdeithas fod yn ffyrnig o elyniaethus ar brydiau, cymaint, yn wir, fel yr ymosodid yn gorfforol ar rai aelodau. Ymosododd nifer o yrwyr ceir a glaslanciau lleol ar y protestwyr hynny a rwystrodd y drafnidiaeth ar bont Trefechan yn Aberystwyth ym mis Chwefror 1963. Ymosodwyd ar aelodau'r Gymdeithas gan nifer o drigolion Dolgellau yn ystod y brotest yn llythyrdy'r dref ym mis Tachwedd 1965, a chynddeiriogwyd rhai o drigolion Rhaeadr Gwy i'r fath raddau gan ymgyrch arwyddion y Gymdeithas fel yr ymosodwyd ar ei haelodau yn ystod protest yno ym 1969. Ymosodwyd ar aelodau hefyd gan staff y BBC yn Llandaf ym mis Ionawr 1973 pan rwystrwyd mynediad i'r stiwdios. Ym 1983 taflwyd bom betrol at gartref un o gyn-ysgrifenyddion y Gymdeithas yn sgil gwrthwynebiad lleol i gyfres o sloganau a beintiwyd ym Mhorthaethwy.[80] Serch hynny, yn anaml iawn y cafwyd ymateb mor ffyrnig â hyn i brotestiadau'r Gymdeithas, a chynhaliwyd mwyafrif llethol ei ralïau a'i chyfarfodydd protest mewn heddwch. Ni welwyd ychwaith erledigaeth gyffelyb i'r hyn a gafwyd yn hanes ymgyrchwyr y mudiad hawliau duon yn America, megis llofruddio Dr Martin Luther King ym 1968, a'r erlid ar fyfyrwyr ar y Cyfandir, megis pan saethwyd yn farw Rudi Dutschke, arweinydd y myfyrwyr yng Ngorllewin Berlin, ym mis Ebrill 1968.[81]

Diau mai dwy ymgyrch fwyaf amhoblogaidd y Gymdeithas erioed oedd yr un yn erbyn arwyddion ffyrdd uniaith Saesneg a'r un yn erbyn Arwisgo'r Tywysog Charles yn 'Dywysog Cymru'. Enynnodd yr ymgyrch arwyddion gryn dipyn o wrthwynebiad a chasineb gan nad oedd pobl yn hoffi gweld arwyddion ffyrdd yn cael eu hanharddu, a chwynodd llawer wrth Dafydd Iwan eu bod wedi colli eu ffordd wrth deithio o amgylch Cymru. Yr oedd ymateb y cynghorau hefyd yn dra ffyrnig, ac y mae'n debyg y bu gweiddi am waed y peintwyr mewn cyfarfod o Bwyllgor Ffyrdd Gogledd Ceredigion ym mis Mawrth 1969, gydag un cynghorydd yn cyfeirio at y peintio fel 'sacrilege'.[82] Cafwyd ymateb ffyrnig iawn hefyd i brotestiadau'r Gymdeithas yn erbyn yr Arwisgo. Ar faes Eisteddfod yr Urdd yn Aberystwyth ym 1969 gorymdeithiodd oddeutu hanner cant o aelodau, yn dal posteri gwrth-Arwisgo uwch eu pennau, drwy'r pafiliwn wrth i'r Tywysog ddod i'r llwyfan i annerch y gynulleidfa. Boddwyd y babell gyfan gan weiddi a churo dwylo, y rhan fwyaf yn croesawu'r Tywysog ac yn anghymeradwyo'r brotest. Rhuthrodd sawl hen wraig at y protestwyr a'u curo â'u bagiau llaw a cheisio rhwygo eu posteri. Codwyd gwrychyn llawer o'r cyhoedd gan agwedd ddychanol ac amharchus y Gymdeithas tuag at ddathliadau'r Arwisgo. Cyhoeddwyd cerddi gwatwarus a dramâu dychanol, cynhyrchwyd bathodynnau a sticeri 'Dim Sais yn Dywysog Cymru', a thrafodwyd cyhoeddi cyfrol deyrnged yn cynnwys darluniau, cartwnau a chaneuon gwrth-Arwisgo. Rhan o'r ymgyrch hefyd, wrth gwrs, oedd caneuon Dafydd Iwan, 'Croeso 69' a 'Carlo'.[83] Diau nad oedd gŵr mwy amhoblogaidd yng Nghymru ym 1969 na Dafydd Iwan, cadeirydd y Gymdeithas. Yn ei hunangofiant sonia am y llythyrau a'r galwadau ffôn bygythiol a dderbyniodd yn ystod y cyfnod hwnnw.[84]

Er gwaethaf y gefnogaeth a dderbyniai'r Gymdeithas o du'r genhedlaeth hŷn o bryd i'w gilydd, nid pawb ymhlith gwŷr parchus a dylanwadol Cymru a oedd yn fodlon cymeradwyo ei dulliau herfeiddiol o weithredu. Bu hyd yn oed Saunders Lewis yn feirniadol ar brydiau, gan ymddiswyddo ym 1975 fel Llywydd Anrhydeddus y Gymdeithas mewn protest yn erbyn 'fandaliaeth gynyddol' y mudiad. Serch hynny, y mae'n debyg mai'r hyn a oedd wrth wraidd ei ymddiswyddiad oedd ei anfodlonrwydd yn sgil y ffaith fod y Gymdeithas yn troi gormod at heddychiaeth a bod ei harweinwyr yn gwrthwynebu i goron Eisteddfod Genedlaethol Aberteifi 1976 gael ei rhoi gan Adran Ymchwil Arfau, Aber-porth.[85] Yn y gyfres 'Barn Ein Gwŷr Amlwg' yn *Tafod y Ddraig* ym 1967, cyhoeddodd nifer o ddeallusion Cymru eu bod yn cytuno ag amcanion y Gymdeithas, ond yn bur wyliadwrus o'i dulliau. Yr hyn a gynddeiriogai Bobi Jones fwyaf ynglŷn ag ymgyrch wrth-Arwisgo'r Gymdeithas oedd ei 'pharodrwydd ecstatig i heglu ar ôl pob sgadenyn coch anieithyddol sy'n dod ar draws ei llwybr'. Condemniodd yr Athro Jac L. Williams bolisi darlledu'r Gymdeithas oherwydd credai y byddai neilltuo'r holl raglenni Cymraeg i un sianel yn alltudio'r iaith o holl aelwydydd y genedl. Bu poethder y ddadl yn ddigon i beri iddo droi ei gefn ar y Gymdeithas ym 1977.[86]

Atgoffwyd y Gymdeithas sawl tro am y 'Cymry Da' hynny a oedd yn gwneud llawer o 'waith tawel diymhongar dros Gymru', chwedl Dafydd Glyn Jones. Mewn ysgrif fileinig yn ei golofn wythnosol yn *Y Faner*, 'Trwy Sbectol Sosialydd', meddai Glyn Roberts:

> Y mae mor hawdd gweiddi a strancio ar faes Eisteddfod Genedlaethol, y mae'n gymharol hawdd hefyd i eistedd a gorweddian ar loriau Swyddfeydd Post ar hyd a lled y wlad. Gall pob ffŵl wneud hynny a chael llond colofnau o hysbysrwydd am ei drafferth. Nid mor hawdd yw byw Cymreictod yn syml a diffwdan o ddydd i ddydd a llawer mwy anodd yw brwydro'n dawel bach ar gyngor a phwyllgor dros hawliau sylfaenol Cymru a'i phobl. Gweithwyr ac nid gwaeddwyr y mae ar Gymru eu hangen heddiw.

Fodd bynnag, yr oedd herio'r 'Cymry Da' bondigrybwyll a'u cenedlaetholdeb diwylliannol, anwleidyddol a diogel yn rhan allweddol o strategaeth y Gymdeithas. Meddai Dafydd Iwan yn ei ateb i Glyn Roberts:

> Mae gelynion Cymdeithas yr Iaith, pregethwyr llwybr y 'Rheswm' a'r 'Gweithio'n Dawel' a'r 'Amynedd' a'r 'Cam-wrth-gam', yn elynion i Gymru . . . Onid eu gweithio'n dawel nhw yw peidio â dangos ochr os yw hynny'n codi gwrychyn undyn byw . . .? Onid eu hamynedd nhw yw'r taeogrwydd a ddangoswyd gan y Cymry . . . ar hyd y canrifoedd? Ac onid eu cam-wrth-gam nhw yw athroniaeth dwyllodrus Cledwyn Hughes a'i gyfeillion sy'n cymeradwyo pob cam pitw ymlaen fel digwyddiad hanesyddol, gan lwyr anwybyddu'r llithro'n ôl a ddigwyddodd yn y cyfamser?[87]

Pan wahoddodd Emyr Llewelyn y genhedlaeth hŷn i ymuno ym mhrotest ddarlledu'r Gymdeithas yng Nghaerdydd ym mis Mai 1968, rhybuddiodd bob un ohonynt: 'Bydd perygl i ti gael dy ystyried yn baraseit diwylliannol os wyt fodlon i'r iaith gael ei thrin yn y modd gwaradwyddus presennol.'[88] Credai'r Gymdeithas yn gryf iawn fod angen gweithredu ar unwaith er mwyn diogelu'r iaith Gymraeg, a gweithredu yn y dull mwyaf trawiadol posibl – ac yr oedd hynny'n cynnwys ysgwyd y 'Cymry Da' yn rhydd oddi wrth yr hyn a alwodd Gareth Miles yn 'anasthetig Llundain'.[89]

Ceisiwyd cythruddo'r Cymry claear drwy ymosod ar eu difaterwch. Dyna hefyd oedd bwriad Emrys ap Iwan pan ymosododd ar ei gyd-wladwyr, sef 'datgelu hylltod eu hanffurfiad ag awch cywiriol dychanwr diarbed', yn ôl Hywel Teifi Edwards. Yn yr un modd ag yr ymrwymodd Emrys ap Iwan i 'arfer pob moddion – hyd yn oed y fflaim a'r wermod, os bydd raid' i ddeffro cydwybod y Cymry difater, felly y defnyddiodd y Gymdeithas hithau bob dull i atgoffa'r Cymry o'u dyletswydd i ddiogelu'r iaith Gymraeg.[90] Canlyniad anorfod hynny, wrth gwrs, oedd peri bod y Gymdeithas yn fudiad amhoblogaidd. Ond, fel y nododd Owain Owain, nid ennill cyfeillion a chlod oedd nod yr aelodau wrth weithredu'n eofn:

> Nid 'cydymdeimlad' yw angen Cymru yn ei hargyfwng. Nid 'cadw'r iaith' fel dylluan glwt mewn câs gwydr yw'r nod. Nid oes lle yng Nghymru i 'gydymdeimlwyr sy'n deisyfu cadw'r iaith'. Gwell hebddynt – nid yw ein pobl ifainc argyhoeddedig a hunan-aberthol yn deisyfu eu 'cydymdeimlad' llyffetheiriol.[91]

Yr oedd creu gwrthdaro yn rhan hanfodol o strategaeth y Gymdeithas, gan fod ei harweinwyr yn credu, fel y gwnâi Mahatma Gandhi, y deuai newid yn ei sgil. Meddai Dafydd Iwan ym 1968: 'Mae Cymdeithas yr Iaith yn ein gorfodi i gyd i ddewis pa un ai ydym o ddifri am weld newid y drefn neu a ydym yn fodlon ar bethau fel y maent,' a chyhoeddodd Emyr Hywel yntau ym 1974 mai priod waith y mudiad oedd 'creu tyndra yn y gymdeithas er gosod y materion llosg sy'n bygwth parhad ein cenedl yn flaenaf ym meddyliau ein pobl'.[92] I'r graddau hynny llwyddodd y Gymdeithas i gyflawni ei nod, er iddi barhau yn amhoblogaidd ymhlith mwyafrif pobl Cymru.

Er gwaethaf amhoblogrwydd Cymdeithas yr Iaith yn ystod yr ymgyrch yn erbyn arwyddion ffyrdd uniaith Saesneg, datgelwyd mewn arolwg barn a wnaed ar ran Pwyllgor Roderic Bowen fod tri chwarter poblogaeth Cymru erbyn haf 1971 o blaid arwyddion ffyrdd dwyieithog. Serch gwrthwynebiad, onid gelyniaeth, trigolion lleol Sanclêr i ymgyrch anghyfansoddiadol y Gymdeithas yn erbyn arwyddion uniaith Saesneg yr ardal ym 1975, beirniadwyd Cyngor Sir

Dyfed yn llym iawn pan godwyd arwyddion uniaith Saesneg i gymryd lle y rhai a ddifrodwyd. Erbyn heddiw byddai'r rhan fwyaf o bobl yn gytûn fod codi arwyddion dwyieithog yn beth naturiol ac yn angenrheidiol ledled Cymru, ac mai sarhad mwyach fyddai codi arwyddion uniaith Saesneg.[93] Cafwyd cefnogaeth hefyd i ymgyrch y Gymdeithas yn erbyn yr Arwisgo. Mynychodd pedair mil o bobl rali yng Nghaernarfon ar Ddydd Gŵyl Dewi 1969, a daeth mil o bobl ynghyd i wrando ar yr Athro J. R. Jones, Dr R. Tudur Jones, Jâms Nicholas, Waldo Williams, a D. J. Williams yng Nghilmeri ar y dydd Sadwrn cyn yr Arwisgo. Yn wir, er gwaethaf ei hamhoblogrwydd yn sgil yr ymgyrch arwyddion ffyrdd a'r Arwisgo, cyrhaeddodd aelodaeth y Gymdeithas ei huchafbwynt ar ddechrau'r saithdegau, fel y gwelwyd yn y bennod gyntaf.[94]

Nid oedd llwyddiant y strategaeth hon yn brofiad anghyffredin i fudiadau eraill ychwaith. Er bod mudiadau fel 'Greenpeace', 'Cyfeillion y Ddaear', CND, 'Cynghrair Gwrth-Niwclear Cymru' a 'Pandora' wedi ymgyrchu'n anghyfansoddiadol yn erbyn ynni niwclear a chladdu gwastraff niwclear yng nghanolbarth Cymru, dangosodd arolwg a wnaed gan y Cynghrair ym 1981 fod 58 y cant o'r rhai a holwyd yn cefnogi safiad y mudiadau hyn ac yn gwrthwynebu cynlluniau'r Llywodraeth Geidwadol i ehangu ynni ac arfogaeth niwclear. Dangosodd arolwg tebyg yn yr Alban fod 89 y cant o'r bobl a holwyd yn credu bod modd cyfiawnhau protestiadau cyhoeddus yn erbyn claddu gwastraff niwclear dan rai amgylchiadau, a bod 41 y cant yn credu bod defnyddio dulliau anghyfansoddiadol o weithredu, a hyd yn oed dorcyfraith, yn gyfiawn ar adegau. Yn wir, dangosodd yr un arolwg fod mwy o gefnogaeth i ddulliau anghyfansoddiadol o wleidydda yng Nghymru ym 1979 nag mewn unrhyw wlad arall a gynhwyswyd yn yr astudiaeth. Credai 26 y cant o'r bobl a holwyd ei bod yn angenrheidiol i gymryd rhan mewn protestiadau anghyfansoddiadol os am sicrhau newid mewn polisïau llywodraethol, a chredai 34 y cant fod protestiadau anghyfan-soddiadol yn ddull effeithiol o wleidydda.[95] Erbyn 1995 dangosodd arolwg barn a wnaed ar ran Bwrdd yr Iaith Gymraeg fod mwyafrif llethol poblogaeth Cymru yn gefnogol i'r iaith Gymraeg, gan chwalu honiadau'r doethion hynny ar hyd y blynyddoedd a fuasai'n proffwydo y byddai gweithredoedd torcyfraith y Gymdeithas yn milwrio yn erbyn 'ewyllys da' tuag at yr iaith.[96]

Y drydedd elfen yn strategaeth anghyfansoddiadol Cymdeithas yr Iaith oedd bod yr ymgyrchu hy, di-dderbyn-wyneb yn radicaleiddio carfan o bobl y tu allan i'r mudiad ac yn eu hysbrydoli i ymgyrchu'n gyfansoddiadol o blaid y Gymraeg. Dyna oedd barn Emrys ap Iwan: 'Dyweder os mynnir y bûm yn wrthwynebydd eithafol; ond cofier bod yn rhaid wrth ddynion eithafol i fagu dynion cymedrol.'[97] Er i rai o bolisïau a dulliau gweithredu'r Gymdeithas gael eu beirniadu am fod yn rhy eithafol, llwyddai'r mudiad bob tro i sicrhau cefnogaeth gwleidyddion ac unigolion 'parchus' a oedd yn fodlon dwyn pwysau ar y llywodraeth i weithredu o blaid yr iaith. Pan ofynnwyd i Ffred Ffransis, mewn cyfweliad yn *Y Cymro* ym mis Gorffennaf 1973, pa werth a oedd i weithredu anghyfansoddiadol, atebodd:

> Ond nid Cymdeithas yr Iaith sy'n mynd i wneud i'r awdurdodau blygu. Ein gwaith ni yw rhoi dimensiwn o ddwyster i'r sefyllfa. Mae yna her yn ein gweithredoedd ni ac yn y ffordd rydyn ni'n derbyn y canlyniadau. Trwy fynd yn fwy difrifol rydyn ni'n cael eraill i roi pwysau cyfansoddiadol y tu ôl inni. Iddyn nhw mae'r awdurdodau'n mynd i blygu. Mae angen y naill fel y llall.

Camp fawr y Gymdeithas, felly, oedd gorfodi llawer o Gymry i ddwys ystyried sefyllfa'r Gymraeg ac i ddewis pa ochr yr oeddynt hwy am sefyll.[98] Profwyd bod y grym angenrheidiol i ddiogelu'r Gymraeg yn nwylo'r Cymry eu hunain.

Cefnogwyd amcanion ac ymgyrchoedd y Gymdeithas ar sawl achlysur gan wleidyddion a Chymry 'parchus'. Droeon rhwng 1962 a 1992 atgyfnerthwyd ymgyrchoedd anghyfansoddiadol o blaid yr iaith gan ymgyrchu cyfansoddiadol gan fudiadau ac unigolion eraill. Yr oedd trefnu cynhadledd 'niwtral' yn ddull traddodiadol o gychwyn ymgyrch gymedrol yn sgil cyfnod o ymgyrchu anghyfansoddiadol gan y Gymdeithas. Wedi pum mlynedd o ymgyrchu cyfansoddiadol ac anghyfansoddiadol gan y Gymdeithas o blaid sianel deledu Gymraeg a thonfedd radio Gymraeg, trefnwyd cynhadledd genedlaethol ym mis Gorffennaf 1973 dan nawdd Arglwydd Faer Caerdydd i drafod yr angen am ehangu'r gwasanaeth Cymraeg ar y teledu a'r radio. Mynychwyd y gynhadledd gan gynrychiolwyr nifer helaeth o fudiadau a chymdeithasau Cymru, a phenderfynwyd yn unfrydol i bwyso ar y Llywodraeth Geidwadol i neilltuo'r bedwaredd sianel deledu ar gyfer rhaglenni Cymraeg.[99] Cefnogwyd ymgyrch y

Gymdeithas o blaid dyrchafu statws y Gymraeg a diwygio Deddf
Iaith 1967 gan gynhadledd genedlaethol a gynullwyd gan Urdd
Gobaith Cymru yng Nghaerdydd ym mis Hydref 1984. Llywyddwyd
y gynhadledd gan Dr G. O. Williams, Archesgob Cymru, ac fe'i
mynychwyd gan gynrychiolwyr dros gant o awdurdodau lleol, cyrff
cyhoeddus, sefydliadau cenedlaethol, pleidiau gwleidyddol, a
mudiadau gwirfoddol. Cafwyd areithiau gan Keith Best, Gillian
Clarke, John Morris a Winston Roddick. O gofio'r hyn a ddigwyddodd
wedi hynny, y mae'n briodol nodi bod Dafydd Elis Thomas wedi
datgan yn ddwys iawn yn ystod yr un cyfarfod na ddylid sefydlu
'cwango gogoneddus' i ddiogelu'r Gymraeg.[100]

Byddai'r to parchus yn fynych iawn yn cefnogi galwadau'r
Gymdeithas hefyd trwy drefnu ymgyrchoedd llythyru a deisebu. Ym
mis Tachwedd 1970 trefnodd Mrs Millicent Gregory apêl
genedlaethol i gasglu enwau i'w hanfon at Peter Thomas, yr
Ysgrifennydd Gwladol, yn galw am ganiatáu gosod arwyddion
dwyieithog ledled Cymru cyn diwedd y flwyddyn. Casglwyd oddeutu
10,000 o enwau i gyd, 5,000 o fewn y pythefnos cyntaf. Ddeuddydd
cyn i'r Gymdeithas gynnal 'Diwrnod o Weithredu' yn Rhuddlan ym
mis Rhagfyr 1977 er mwyn pwyso ar Gyngor Sir Clwyd i godi
arwyddion ffyrdd dwyieithog, anfonwyd deiseb at y Cyngor wedi ei
harwyddo gan ddeg a thrigain o gynghorwyr tref, cymuned a dosbarth
yn galw arnynt i weithredu polisi arwyddion dwyieithog yn ddi-oed.
Yn ystod penllanw'r ymgyrch dros sefydlu sianel deledu Gymraeg ym
1980, anfonwyd llythyr at William Whitelaw, yr Ysgrifennydd
Cartref, wedi ei arwyddo gan 78 o Gymry amlwg, gan gynnwys
Archesgob Cymru, cyn-Reolwr BBC Cymru, cyn-gadeirydd Cyngor
Darlledu Cymru, a thri ar ddeg o aelodau seneddol o bob plaid, yn
galw ar y Llywodraeth Doriaidd i anrhydeddu ei haddewid etholiadol
i sefydlu'r sianel. Dri mis yn ddiweddarach cyhoeddwyd llythyr yn y
Times gan dri ar ddeg o Gymry amlwg dan arweiniad Syr Cennydd
Traherne, Arglwydd Raglaw Morgannwg, yn galw am sefydlu'r sianel
deledu Gymraeg ar unwaith.[101]

Ond hoff ddull y to parchus oedd defnyddio eu dylanwad yn
uniongyrchol trwy anfon dirprwyaethau at yr awdurdodau, a fyddai
yn fynych yn amharod iawn i gyfarfod â chynrychiolwyr y
Gymdeithas ei hun. Penllanw'r ymgyrch gyfansoddiadol o blaid
sianel deledu Gymraeg oedd ymweliad y 'Tri Gŵr Doeth', sef yr

Arglwydd Cledwyn Hughes, Dr G. O. Williams, Archesgob Cymru, a
Syr Goronwy Daniel, cyn-Brifathro Coleg Prifysgol Cymru,
Aberystwyth, a chyn-Ysgrifennydd Parhaol yn y Swyddfa Gymreig, â
William Whitelaw a Nicholas Edwards, Ysgrifennydd Cymru, yn
Llundain ar 10 Medi 1980. Wythnos yn ddiweddarach cafwyd
datganiad y byddai'r llywodraeth yn sefydlu sianel deledu Gymraeg.[102]
Ym mis Mehefin 1990 trefnodd Merched y Wawr lobi yn Nhŷ'r
Cyffredin, ac ym mis Chwefror 1991 cyfarfu dirprwyaeth dan nawdd
Llys yr Eisteddfod Genedlaethol â David Hunt i drafod yr alwad am
Ddeddf Iaith ddiwygiedig.[103]

Ond nid oedd ofn ar rai aelodau o'r to parchus i ddilyn ôl traed y
Gymdeithas a thorri'r gyfraith eu hunain. Mewn ysgrif yn *Tafod y
Ddraig* ym 1972, meddai J. Caradog Williams: 'Dywedodd rhywun
mai'r hen sydd wedi ysgogi'r ifanc i sefyll dros yr Iaith, ond mwy gwir
yw mai'r ifanc sydd wedi deffro'r hen.' Nodwyd yn y bennod gyntaf
fel y cefnogwyd ymgyrch anghyfansoddiadol y Gymdeithas o blaid
cael disg treth ffordd ddwyieithog gan Alwyn D. Rees a 642 o Gymry
parchus yn y cylchgrawn *Barn,* gan sicrhau buddugoliaeth bwysig ym
Medi 1969. Fel y dywedodd Ned Thomas: 'The whole story is a kind
of bureaucratic farce, but it also illustrates how something initiated by
young demonstrators drew older and more respectable Welshmen into
the field of direct action.'[104] Mewn rali arwyddion ffyrdd yng
Nghaerfyrddin ym mis Ebrill 1971, cododd deugain o weinidogion ac
offeiriaid a oedd yn cynrychioli amryw o enwadau arwydd dwyieithog
dros arwydd ffordd uniaith Saesneg ar bont y dref a oedd yn cyfeirio
ceir i Abertawe. Yn ystod rali arwyddion 'Cyfeillion yr Iaith' yn
Aberystwyth wythnos yn ddiweddarach, codwyd arwydd dwyieithog
dros arwydd yn dwyn yr enw 'Cardigan' a safai ger yr orsaf.[105]

Yn ystod achos yn erbyn tri aelod yn Llys Ynadon Caerfyrddin ym
mis Gorffennaf 1971 arestiwyd naw o bobl hŷn am ddwyn nifer o
arwyddion Saesneg. Wrth ddedfrydu'r naw ym Mrawdlys Caerfyrddin
ym mis Ebrill 1972, meddai'r Barnwr Meurig Evans: 'It is a pity adult
people of your intelligence should behave in this way. By your
conduct and example you have provided the occasion for young
people to find themselves committing offences, and these young
people suffer accordingly.'[106] Trefnodd Cyfeillion yr Iaith rali fawr a
fynychwyd gan fwy na 1,500 o gefnogwyr yn ystod yr achos
cynllwyn gerbron Brawdlys Abertawe ym 1971, ac eisteddodd degau

o bobl mewn oed yn ogystal ag aelodau ifainc y Gymdeithas yng nghanol y ffordd y tu allan i'r llys er mwyn rhwystro faniau'r heddlu rhag cyrchu'r diffynyddion i garchar Abertawe. Dangoswyd cryn dipyn o ddychymyg yn ystod rhai o brotestiadau'r genhedlaeth hŷn. Ar ddiwrnod cyntaf achos a oedd i'w gynnal yn Saesneg yn unig gerbron y Barnwr Croome-Johnson ym Mrawdlys Caerfyrddin ym mis Hydref 1971, herwgipiwyd y tri diffynnydd a'u rhwystro rhag ymddangos yn y llys gan 28 o wŷr amlwg (yn cynnwys pymtheg o ddarlithwyr, ac amryw ddarlledwyr, athrawon, gweinidogion, ac un cyfreithiwr). Fe'u cadwyd dros nos mewn tŷ gwair. Yn ystod achos cynllwyn Blaen-plwyf ym Mrawdlys Caerfyrddin ym mis Gorffennaf 1978, herwgipiwyd Rhodri Williams gan 66 o bobl amlwg yng Nghymru fel protest yn erbyn cyndynrwydd y Llywodraeth Lafur i sefydlu sianel deledu Gymraeg.[107]

Yn ystod yr ymgyrch ddarlledu, trefnodd Gwilym R. Jones, golygydd *Y Faner,* ymgyrch anghyfansoddiadol ar gyfer y genhedlaeth hŷn, a bu hyd yn oed y gohebydd Clive Betts gerbron ei well ym 1972 am wrthod codi trwydded deledu.[108] Ym mis Hydref 1979, yn sgil cyhoeddiad y Llywodraeth Geidwadol nad oeddynt am gyflawni eu haddewid etholiadol i sefydlu sianel deledu Gymraeg, lansiwyd ymgyrch 'Mil i'r Carchar' mewn cynhadledd genedlaethol a gynullwyd gan Dafydd Elis Thomas A.S., Geraint Howells A.S. a Tom Ellis A.S. Erbyn mis Awst 1980 yr oedd dros ddwy fil o bobl wedi ymrwymo i wrthod talu eu trwydded deledu mewn ymgyrch ar y cyd rhwng y Gymdeithas a Phlaid Cymru. Un o weithredoedd anghyfansoddiadol mwyaf yr ymgyrch ddarlledu oedd gweithred Dr Meredydd Evans, prif ddarlithydd Adran Efrydiau Allanol, Coleg Prifysgol Cymru, Caerdydd, Dr Pennar Davies, Prifathro Coleg Diwinyddol Abertawe, a Ned Thomas, uwch-ddarlithydd yn Adran y Saesneg, Coleg Prifysgol Cymru, Aberystwyth. Torrodd y tri hyn i mewn i orsaf drosglwyddo Pencarreg, ger Llanbedr Pont Steffan, ym mis Hydref 1979, gan ddiffodd darllediad rhaglenni i gyfran helaeth iawn o gartrefi gorllewin a chanolbarth Cymru. Cyflawnwyd y weithred mewn protest yn erbyn cyndynrwydd y llywodraeth i sefydlu sianel deledu Gymraeg, ac er mwyn dangos cefnogaeth i'r bobl ifainc a oedd wedi cario baich y frwydr ddarlledu am ddegawd cyfan. Fis yn ddiweddarach, meddiannwyd gorsaf drosglwyddo Blaen-plwyf gan ugain o aelodau'r Gymdeithas, gan gynnwys dau ddarlithydd

Prifysgol, dau ŵr busnes, ac Is-Geidwad un o adrannau'r Llyfrgell Genedlaethol a diffoddwyd darllediad rhaglenni i filoedd o gartrefi yng ngorllewin Cymru.[109]

Ysbrydolwyd eraill hefyd i weithredu mewn dull beiddgar o blaid sianel deledu Gymraeg. Picedwyd cartref Nicholas Edwards, Ysgrifennydd Gwladol Cymru, ger Y Fenni, gan aelodau Plaid Cymru; cerddodd tri o swyddogion y Blaid ar faes tanio Pontsenni; a chadwynodd Eric Roberts, cyn-ymgeisydd seneddol y Blaid, ei hun wrth ddrysau'r Swyddfa Gymreig. Meddiannwyd stiwdios y BBC yn Abertawe gan wyth aelod o 'Bwyllgor Gorllewin Morgannwg dros Sianel Deledu Gymraeg' ym mis Gorffennaf 1980, a meddiannwyd swyddfeydd yr IBA yng Nghaerdydd gan bedwar ar ddeg o weinidogion yr Annibynwyr ym mis Medi. Ond diau mai'r weithred ddewraf a phwysicaf oedd cyhoeddiad Gwynfor Evans ar 5 Mai 1980 y byddai'n cychwyn ar ympryd hyd at farwolaeth ar 6 Hydref 1980 oni fyddai'r llywodraeth yn y cyfamser yn cytuno i sefydlu sianel deledu Gymraeg. Cafwyd gweithredu cyffelyb hefyd yn ystod yr ymgyrch am Ddeddf Iaith. Ym mis Tachwedd 1988 gallai'r Gymdeithas gyhoeddi bod 33 o Gymry amlwg wedi eu harestio am beintio sloganau o blaid Deddf Iaith newydd ar y Swyddfa Gymreig er mis Awst.[110]

Canlyniad arall i'r strategaeth hon o eiddo Cymdeithas yr Iaith oedd i fudiadau a chymdeithasau newydd – tebyg i Gwmni Adfer, Antur Aelhaearn, Cymdeithas Tai Gwynedd ac Antur Teifi – gael eu sefydlu yn ystod y saith a'r wythdegau, a hynny gan gyn-arweinwyr neu aelodau o'r Gymdeithas. Felly, er nad oedd gan y Gymdeithas fel y cyfryw ran yn eu sefydlu, nid yw'n syndod fod y mudiadau hyn yn gweithredu yn unol â llawer o bolisïau a dysgeidiaeth y Gymdeithas.[111] Yn sgil cynhadledd Cymdeithas yr Iaith ym mis Chwefror 1983 yn galw am 'Ddeddf Iaith Newydd', ffurfiwyd 'Gweithgor Deddf Iaith Newydd' dan ysgrifenyddiaeth yr Athro Dafydd Jenkins, mewn cyfarfod yn Y Drenewydd ychydig fisoedd yn ddiweddarach. Cynnyrch yr un radicaleiddio oedd ffurfio mudiad 'Cefn' ym 1985 gyda'r bwriad o ymgyrchu yn erbyn cyflogwyr a oedd yn gwahardd staff rhag siarad Cymraeg, neu unigolion a oedd wedi dwyn achosion gerbron y Cyngor Cydraddoldeb Hiliol. Yr un radicaleiddio hefyd a oedd wrth wraidd cyfuno dros ugain o fudiadau a chymdeithasau iaith yng Nghymru dan faner y 'Fforwm Iaith Genedlaethol' ym 1988; bu hyn yn ysbardun i ymgyrch annibynnol o blaid Deddf Iaith ddiwygiedig mewn cynhadledd ym mis Hydref 1989.[112]

Serch hynny, er mai radicaleiddio unigolion a mudiadau eraill i ymgyrchu dros yr iaith oedd canlyniad amlycaf ymgyrchu'r Gymdeithas, gallai hefyd ysgogi'r lleiafrif gwrth-Gymraeg i ffurfio mudiadau gwasgedd gyda'r bwriad o ymgyrchu yn erbyn statws cyfartal i'r iaith, ac yn enwedig yn erbyn addysg Gymraeg. Bygythiodd George Thomas sefydlu 'English Language Society' ym 1973 er mwyn dad-wneud yr hyn a gyflawnwyd gan ymgyrchoedd y Gymdeithas.[113] Ym mis Mai 1977 ffurfiwyd y 'Language Freedom Movement' dan arweiniad Dr John Hughes, meddyg lleol yn Aberystwyth, Dr Michael Hughes, Dr John Marek, a Geraldine Walker, darlithwyr yn adrannau hanes, mathemateg a llyfrgellyddiaeth Coleg Prifysgol Cymru, Aberystwyth. Yn eu maniffesto, a gyhoeddwyd fis yn ddiweddarach, cychwynnwyd ymgyrchoedd yn erbyn gwneud y Gymraeg yn bwnc gorfodol yn yr ysgolion ac o blaid sefydlu sianel deledu Gymraeg (er mwyn cael gwared ar raglenni Cymraeg o'r prif sianeli Prydeinig). Ym 1978 ffurfiwyd y mudiad 'Parents for Optional Welsh' er mwyn ymgyrchu yn erbyn polisi addysg Gwynedd. Yn y nawdegau hefyd cafwyd mudiad o'r enw 'Education First', eto gydag aelod seneddol Llafur yn amlwg yn yr ymgyrch, sef Dr Alan Williams, A.S. Caerfyrddin.[114] Er nad ymgyrchu yn uniongyrchol yn erbyn y Gymdeithas a wnâi'r mudiadau hyn, teg dweud eu bod yn ceisio tanseilio'r hinsawdd ffafriol o blaid y Gymraeg a feithrinwyd er 1962.

Llwyddiant y mudiad

Ceir cryn anghytundeb barn ymhlith ysgolheigion ynghylch llwyddiant mudiadau gwasgedd ac ymgyrchu anghyfansoddiadol. Yn ôl Bridget Pym: 'The weight of evidence suggests that government and Parliament exercise a decisive control over the business of lawmaking and that the role of pressure groups is at best indirect, at worst negligible.' Fodd bynnag, ceir nifer o awduron sy'n argyhoeddedig fod mudiadau gwasgedd sy'n defnyddio dulliau anghyfansoddiadol yn llwyddiannus iawn. Meddai Robert Benewick:

> Direct action is a traditional and legitimate form of political behaviour in a democratic State. Ruling groups have rarely released or shared

their power with others voluntarily. Institutional changes have seldom occurred in the absence of pressure. New policies and programmes have been introduced frequently by means outside the conventional boundaries of Parliamentary politics. As new demands and needs arise, their advocates have resorted to direct action in order to achieve recognition, participation and acceptance in the political system. When more established groups perceive the system as unresponsive or ineffective, they may well adopt more militant tactics to articulate their grievances. And although it is sad commentary, it is often through forms of direct action that the moral basis of politics is kept before the government and the public.

Aiff Norman F. Cantor ymhellach, gan ddadlau: 'Most of the important political and social changes of the twentieth century have been accelerated, if not caused, by protest movements.'[115] Dengys hanes Cymdeithas yr Iaith Gymraeg rhwng 1962 a 1992 fod yr ymgyrchoedd cyfansoddiadol ac anghyfansoddiadol a drefnwyd ganddi wedi profi llwyddiant mawr, yn enwedig yn sicrhau amgenach statws i'r Gymraeg gan lywodraeth ganol a lleol, a chan gyrff cyhoeddus a phreifat.

Yn ystod y cyfnod dan sylw hawliodd y Gymdeithas nifer fawr o fuddugoliaethau, gan gynnwys sicrhau amryw byd o ffurflenni a dogfennau swyddogol dwyieithog, arwyddion ffyrdd dwyieithog, cynnydd mewn addysg ddwyieithog, a'r sianel deledu Gymraeg – S4C. Ni fu raid aros yn hir am rai o'r buddugoliaethau hyn. Yn yr ymgyrch o blaid cael gwysion Cymraeg, er enghraifft, darparodd nifer o feinciau ynadon ledled Cymru fersiynau Cymraeg o'u gwysion o fewn ychydig wythnosau i'r brotest yn Aberystwyth ym mis Chwefror 1963, a rhoes y Swyddfa Gartref hawl i ynadon heddwch i wysio yn Gymraeg o'r mis Ebrill hwnnw ymlaen. Gellid dadlau mai ymgyrchu anghyfansoddiadol y Gymdeithas o blaid ffurflenni dwyieithog a barodd i'r Llywodraeth Dorïaidd brysuro i sefydlu Pwyllgor Ymgynghorol dan gadeiryddiaeth Syr David Hughes-Parry i ymchwilio i 'Statws Cyfreithiol yr Iaith Gymraeg' ym 1963. Ddwy flynedd wedi cyhoeddi Adroddiad Hughes-Parry cyhoeddwyd Deddf yr Iaith Gymraeg 1967, deddf a oedd yn datgan am y tro cyntaf fod y Gymraeg yn iaith ddilys yng Nghymru.[116] Un o fuddugoliaethau amlycaf y Gymdeithas oedd ennill yr ymgyrch arwyddion ffyrdd dwyieithog, ac erbyn heddiw ceir arwyddion dwyieithog ledled

Cymru. Llwyddwyd hefyd i Gymreigio amryw o siopau a banciau yng Nghymru; ymrwymodd Bwrdd Post Cymru a'r Gororau ym 1975 i fabwysiadu polisi iaith cynhwysfawr; a chytunodd Rheilffyrdd Prydain ym mis Mai 1979 i wario £50,000 dros gyfnod o ddwy flynedd er mwyn gosod arwyddion a llenyddiaeth ddwyieithog yng ngorsafoedd Cymru.[117]

Llwyddiant pennaf y Gymdeithas oedd creu'r hinsawdd angenrheidiol yng Nghymru i ysgogi amryw o fudiadau, cymdeithasau ac unigolion i ymgyrchu ar y cyd o blaid yr iaith. Trwy hynny, gwireddwyd nifer fawr o bolisïau'r mudiad. Un o fuddugoliaethau enwocaf a phwysicaf y Gymdeithas oedd sefydlu'r sianel deledu Gymraeg. Er na chafwyd y fuddugoliaeth derfynol tan 1980, llwyddwyd i ennill cefnogaeth yr awdurdodau darlledu a phwyllgorau ymchwil Annan, Crawford a Siberry rhwng 1971 a 1978, ac erbyn 1978 yr oedd pob un o'r prif bleidiau gwleidyddol wedi ymrwymo i sefydlu sianel Gymraeg yn ystod eu tymor cyntaf mewn llywodraeth wedi'r etholiad cyffredinol ym 1979.[118] Wedi ymgyrch ddygn i ddarbwyllo'r Llywodraeth Geidwadol newydd ym 1979–80 i anrhydeddu eu haddewid etholiadol, penderfynodd William Whitelaw, ym mis Medi 1980, ganiatáu sefydlu sianel deledu Gymraeg ynghyd ag Awdurdod Darlledu Cymreig.[119] Sicrhawyd buddugoliaethau hefyd yn yr ymgyrch dros Gorff Datblygu Addysg Gymraeg ym 1986, ac yn sgil ymgyrchu brwd y Gymdeithas ac eraill y pasiwyd Deddf yr Iaith Gymraeg 1993 gan y Senedd ar 21 Hydref 1993.[120]

Cafodd y Gymdeithas gryn lwyddiant hefyd ar raddfa leol. Cymreigiwyd gweinyddiaeth y cynghorau lleol, er enghraifft, drwy eu cymell i gyhoeddi ffurflenni dwyieithog a chodi arwyddion dwyieithog ar adeiladau cyhoeddus, a sefydlwyd sawl pwyllgor i hybu'r iaith. Yn Aberystwyth, er enghraifft, dan arweiniad medrus Cyril Hughes, cynhaliodd Cyd-bwyllgor Hybu'r Gymraeg gyrsiau Cymraeg i weithwyr siopau, yn ogystal â sefydlu panel cyfieithu ar gyfer defnydd cyhoeddus a Chymreigio cryn dipyn ar weinyddiaeth llywodraeth leol.[121] Cafwyd llwyddiant hefyd yn yr ymgyrch dai a statws cynllunio. Yn sgil trafodaeth ar y mewnlifiad a dogfen dai y Gymdeithas, *Wynebwn yr Her,* penderfynodd Cyngor Sir Gwynedd ym 1977 gyfyngu ar bob cynllun adeiladu yn y sir lle nad oedd galw lleol am dai drwy wrthod ceisiadau cynllunio. Ysbrydolwyd nifer o gynghorau, gan gynnwys Cyngor Sir Dyfed ym 1979, Cyngor

Dosbarth Glyndŵr ym 1982, a Chyngor Bwrdeistref Colwyn ym 1983, i baratoi adroddiadau manwl ar sefyllfa'r Gymraeg yn eu tiriogaethau.[122] Ym 1984 cytunodd y Swyddfa Gymreig i ganiatáu'r hawl i awdurdodau cynllunio roi statws cynllunio i'r iaith Gymraeg, ac ym mis Tachwedd 1987 gwrthododd y Swyddfa Gymreig apêl datblygwyr yn Llanrhaeadr Dyffryn Clwyd yn erbyn penderfyniad y cyngor lleol ar y sail y byddai'r datblygiad yn effeithio'n andwyol ar Gymreictod yr ardal.[123] Yn sgil Cynhadledd Cynllunio Ceredigion ym mis Medi 1989, arweiniwyd dirprwyaeth i'r Swyddfa Gymreig ym mis Chwefror 1990 gan Gyngor Dosbarth Ceredigion ar ran y deuddeg cyngor dosbarth a fynychodd y gynhadledd er mwyn trafod y sefyllfa dai yng Nghymru a chyflwyno cais am ryddhau arian ar gyfer prynu tai i'w gosod yn lleol.[124]

Ond erbyn diwedd y cyfnod dan sylw nid oedd yn ymddangos fel petai'r Gymdeithas yn cyflawni cymaint ag a wnâi yn ystod y blynyddoedd cynnar. Nid oedd prinder doethion – cyn-aelodau a chyn-arweinwyr yn eu plith – a oedd yn barod i broffwydo ei thranc. Mantais fawr yr ymgyrchoedd pwnc unigol cynnar oedd y gellid sicrhau buddugoliaethau cyson ym mrwydr yr iaith heb ddilyn strategaeth wleidyddol gynhwysfawr. Yr oedd yr ymgyrchoedd hynny yn syml ac yn effeithiol, a gellid yn hawdd ennyn cefnogaeth yr aelodau a'r cyhoedd drwy dynnu sylw at anghyfiawnder ffurflenni ac arwyddion uniaith Saesneg, er enghraifft. Yr oedd israddoldeb yr iaith ym myd darlledu hefyd yn amlwg i bawb, gan mai ychydig iawn o raglenni Cymraeg a ddarlledid ar y radio a'r teledu, a'r rheini yn fynych yn digwydd yn ystod oriau anghyfleus. Datgelodd Ffred Ffransis mewn llythyr i'r *Cymro* ym 1976, mai 'prif nerth Cymdeithas yr Iaith . . . yw gosod iddi'i hun amcanion cyraeddadwy a'u hennill nhw'.[125] Fodd bynnag, yn sgil datblygu athroniaeth wleidyddol y mudiad yn ystod y saith a'r wythdegau, nid oedd mor hawdd esbonio ymgyrchoedd cymhleth dros ddatblygu addysg Gymraeg ac o blaid statws cynllunio i'r iaith mewn termau du a gwyn. Gan fod y Gymdeithas wedi llwyddo i sicrhau nifer o fân gonsesiynau, nid oedd israddoldeb yr iaith bellach mor weledol amlwg, ac anodd oedd darbwyllo'r cyhoedd fod angen ymgyrchu dros bethau mwy annelwig a haniaethol megis Corff Datblygu Addysg Gymraeg, Deddf Iaith Newydd a Deddf Eiddo. A chan fod yr ymgyrchoedd hyn wedi eu seilio ar bolisïau cymunedol a sosialaidd nid oeddynt yn debygol o ddylanwadu ar Lywodraeth Geidwadol a roddai gymaint o bwyslais ar gystadleuaeth a'r farchnad rydd.

Amharod iawn hefyd oedd gwleidyddion i gydnabod cyfraniad Cymdeithas yr Iaith i'r frwydr ieithyddol yng Nghymru. Ni chyfeiriodd William Whitelaw gymaint ag unwaith yn ei hunangofiant at ran y Gymdeithas yn y frwydr dros sefydlu sianel deledu Gymraeg, a bodlonodd (yn ei anwybodaeth efallai) ar roi'r argraff mai buddugoliaeth 'Y Tri Gŵr Doeth' oedd sefydlu S4C. Yn wir, hawliodd Wyn Roberts, Gweinidog Gwladol Cymru, mewn cyfweliad ym 1987 mai i'r Llywodraeth Geidwadol yr oedd y diolch am sefydlu S4C a'r Pwyllgor Datblygu Addysg Gymraeg, ac mai'r Llywodraeth Geidwadol hefyd a roes gychwyn ar y drafodaeth ynglŷn â Deddf Iaith newydd. Nid oedd yn fodlon cydnabod mai blynyddoedd lawer o ymgyrchu dygn a llawer o aberth gan aelodau Cymdeithas yr Iaith a orfododd y llywodraeth i roi sylw i'r materion hyn.[126] Bu'r awdurdodau yn gyndyn iawn i blygu i ofynion y Gymdeithas ac ni fyddent byth yn cyfaddef bod dulliau anghyfansoddiadol mudiad o ddwy fil o Gymry ifainc wedi llwyddo i ennill cynifer o gonsesiynau. Y gwir yw mai cyndyn iawn i blygu i ofynion y Gymdeithas fu'r llywodraeth a defnyddid pob ystryw posibl i osgoi gorfod gweithredu'n gadarnhaol o blaid y Gymraeg. Nododd Ned Thomas yn *The Welsh Extremist:*

> the British Government has acquired no merit in all this because it has always acted late, grudgingly, and as if its concern were to make the minimum concession rather than to transform the administration of Wales which is what giving Welsh equal treatment would really mean.[127]

Byddai'r awdurdodau yn fynych yn pwysleisio pa mor 'anymarferol' oedd gofynion y Gymdeithas. Dadleuai ei gelynion fod pethau megis ffurflenni ac arwyddion dwyieithog yn gostus iawn. Gwrthodwyd ymgyrch y Gymdeithas i Gymreigio Swyddfa'r Post sawl tro gan E. E. Neale, y Postfeistr Cyffredinol, a fynnai nad oedd yn ymarferol i weinyddu polisi dwyieithog oherwydd y gost ychwanegol o gynhyrchu popeth mewn dwy iaith. Condemniwyd codi arwyddion dwyieithog gan Ednyfed Hudson Davies ym 1970 am eu bod mor ddrudfawr; cymaint gwell, meddai, fyddai codi ysbytai ac ysgolion newydd. Yr oedd George Thomas yn argyhoeddedig fod arwyddion dwyieithog yn beryglus, ac er i Bwyllgor Roderic Bowen ym 1974 argymell codi arwyddion dwyieithog gyda'r Gymraeg yn flaenaf, gorchmynnodd John Morris na ellid rhoi'r Gymraeg uwchlaw'r Saesneg oherwydd ystyriaethau 'diogelwch'.[128]

Yn aml iawn, byddai'r awdurdodau yn llusgo eu traed ac yn gohirio ymateb i alwadau'r Gymdeithas. Defnyddid pwyllgorau ymgynghorol a chomisiynau brenhinol yn fynych iawn fel tacteg i rwystro cynnydd yr ymgyrchoedd. Er enghraifft, penodwyd Syr David Hughes-Parry a'i bwyllgor i gynnal ymchwiliad cyhoeddus i statws cyfreithiol yr iaith Gymraeg ym 1963. Cyhoeddwyd yr adroddiad ym 1965, ond treuliwyd dwy flynedd hir arall, yn nannedd beirniadaeth y Gymdeithas, yn ystyried yr adroddiad yn hytrach na deddfu ar unwaith yn unol ag argymhellion y pwyllgor. Er mwyn tawelu ychydig ar y dyfroedd yng Nghymru hefyd y sefydlwyd Pwyllgor Cyfieithu Dogfennau y Swyddfa Gymreig ym mis Awst 1966, dan gadeiryddiaeth yr Athro Glanmor Williams. Yn hytrach na derbyn yr alwad am arwyddion ffyrdd dwyieithog, penderfynwyd sefydlu Pwyllgor Roderic Bowen i ymchwilio i'r mater. Tacteg i amharu ar yr ymgyrch iaith hefyd a barodd i Peter Thomas, yr Ysgrifennydd Gwladol, sefydlu Cyngor yr Iaith Gymraeg ym 1973, a hynny union ddiwrnod cyn i Urdd Gobaith Cymru gynnal cynhadledd yn galw am sefydlu cyngor parhaol o'r fath. Galwodd y Gymdeithas ar aelodau'r Cyngor i ymddiswyddo ym mis Mehefin 1976, gan mai ei unig bwrpas oedd cysgodi'r Llywodraeth Lafur rhag trafodaeth gyhoeddus ar fater yr iaith. Yr enghraifft olaf o'r dacteg rhwystro yn y cyfnod dan sylw oedd sefydlu Gweithgor Ymgynghorol yr Iaith Gymraeg gan Peter Walker ym 1987 yn hytrach na phlygu i'r alwad am Ddeddf Iaith ddiwygiedig.[129]

Oherwydd cyndynrwydd yr awdurdodau i blygu i ofynion y Gymdeithas, buddugoliaethau anghyflawn a geid yn fynych. Cyfieithiadau llac, teipiedig, oedd y gwysion llys Cymraeg cyntaf, a'r rheini'n aml mewn Cymraeg gwael. Nid oedd unrhyw 'rwymedigaeth statudol' ar y llysoedd i gynhyrchu gwysion Cymraeg, fel y nododd clerc ynadon Castell-nedd wrth ateb cais Geraint Jones. Pan ganiatawyd tystysgrifau genedigaeth dwyieithog ym 1968 rhoddwyd y dewis i rieni gofrestru genedigaeth eu plant yn Saesneg neu yn ddwyieithog, ond ni chaniateid eu cofrestru yn Gymraeg yn unig. Pan gytunwyd yn grintachlyd i gyhoeddi ffurflen y dreth ffordd yn ddwyieithog, cyfarwyddwyd staff Swyddfa'r Post i gadw'r ffurflenni o dan y cownter, a'u rhoi yn unig i'r rheini a oedd yn gofyn yn benodol amdanynt. Nid oes ryfedd, felly, fod aelodau Cymdeithas yr Iaith yn cynddeiriogi pan fyddai'r llywodraeth yn rhoi halen ar y briw drwy gyhoeddi ffigurau yn profi cyn lleied o ddefnydd a wneid o ffurflenni Cymraeg. Ym marn Alwyn D. Rees, gweithredu 'policy of containment' oedd yr awdurdodau drwy weithredu fel hyn, gan gadw'r Gymraeg a'r rheini a oedd yn dymuno ei defnyddio o fewn terfynau cyfyng. 'Y peth i'w wneud', meddai Rees, 'yw didoli'r rhain i ddosbarth ar wahân, creu *apartheid* ieithyddol, *ghetto* ffurflennol, a dyfnhau'r gagendor rhyngddynt a'r Cymry normal hynny sy'n fodlon cydymffurfio â'r drefn Seisnig.'[130]

Cyfyng iawn hefyd oedd Deddf yr Iaith Gymraeg 1967. Dim ond argymhellion cymedrol Adroddiad Hughes-Parry a dderbyniwyd a gwrthodwyd neu anwybyddwyd yr argymhellion mwy cynhwysfawr a phellgyrhaeddol. Nid oedd hyd yn oed Syr David Hughes-Parry yn gwbl fodlon â chynnwys y Ddeddf Iaith, a beirniadodd y Llywodraeth Lafur yn hallt am beidio â datgan yn bendant 'bod i'r Gymraeg ddilysrwydd cyfartal â'r Saesneg yng Nghymru'. Yn ôl Cynog Dafis: 'The Labour government's policy towards the official use of Welsh was a mixture of grudging concession and stubbornness – there was no question of implementing actual official status.' Er i Cledwyn Hughes, yr Ysgrifennydd Gwladol, ganiatáu codi arwyddion dwyieithog mewn egwyddor ym 1967 yn sgil cais gan Gyngor Gwledig Llŷn, cyhoeddwyd y byddai'n ystyried pob cais yn unigol. Pan ganiatawyd hawl i'r awdurdodau lleol godi arwyddion dwyieithog ym 1974, cawsant wneud hynny ar yr amod fod y Saesneg yn ymddangos uwchlaw'r Gymraeg.[131] Cynnydd graddol iawn a gafwyd hefyd yn yr ymgyrch i Gymreigio siopau a banciau yng Nghymru, yn enwedig pan fyddai rheolwyr tebyg i un cangen 'Marks & Spencer' yn Llanelli yn datgan mai Saesneg oedd unig iaith Prydain (er bod y cwmni yn ddigon parod i godi arwyddion dwyieithog yn Quebec).[132] Gallai'r awdurdodau fod yn gyfrwys iawn wrth ystyried galwadau'r Gymdeithas drwy gynnig consesiynau eraill yn eu lle. Yn hytrach na sefydlu Corff Datblygu Addysg Gymraeg, penderfynodd y Llywodraeth Dorïaidd ym 1985 gynyddu maint y cymhorthdal a roddid at addysg Gymraeg i £400,000 y flwyddyn. Pan gytunwyd yn y diwedd i sefydlu'r corff yn haf 1986, mynnodd yr awdurdodau sefydlu 'Pwyllgor' di-rym a digyllid yn hytrach na'r 'Corff' etholedig ac annibynnol y bu'r Gymdeithas yn galw amdano.

Drwy sefydlu Bwrdd yr Iaith Gymraeg ym 1989, nod Peter Walker oedd ennill cefnogaeth y to parchus yng Nghymru yn hytrach nag apelio at ymgyrchwyr mwy radical y Gymdeithas.[133]

Ond er gwaethaf cyndynrwydd yr awdurdodau i blygu i ofynion y Gymdeithas, ni ellir gwadu bod newid sylweddol iawn wedi digwydd mewn agweddau swyddogol tuag at yr iaith Gymraeg yn ystod y deng mlynedd ar hugain rhwng 1962 a 1992. Gwelwyd hynny'n amlwg iawn yn y ffaith fod Peter Thomas, Ysgrifennydd Gwladol Cymru (1970–4) wedi teimlo rheidrwydd i ffurfio Cyngor yr Iaith Gymraeg ym 1973 dan gadeiryddiaeth Ben G. Jones, a bod Peter Walker, Ysgrifennydd Cymru (1987–90) wedi ffurfio Bwrdd yr Iaith Gymraeg ym 1989. Ymateb oedd hyn i'r ffaith fod y Gymdeithas wedi llwyddo i brofi maint argyfwng yr iaith Gymraeg ac i ddarbwyllo'r awdurdodau fod angen mesurau adferol cadarn o du'r llywodraeth os oedd yr iaith i oroesi. Treiddiodd syniadau Cymdeithas yr Iaith mor ddwfn i galon y consensws gwleidyddol yng Nghymru nes eu bod yn dderbyniol hyd yn oed yn uchelfannau'r 'Sefydliad' Cymreig. Cafwyd prawf o hynny yn llawer o argymhellion Cyngor yr Iaith yn ei adroddiad terfynol, *Dyfodol i'r Iaith Gymraeg* (1978). Galwodd y Cyngor am sefydlu corff parhaol gyda'r cyllid angenrheidiol ar gyfer hybu'r iaith Gymraeg ym mhob agwedd ar fywyd, a gwnaed argymhellion pendant iawn o blaid sefydlu sianel deledu Gymraeg ar unwaith, datblygu system addysg gyflawn ddwyieithog o oedran meithrin hyd at addysg bellach, gweithredu polisi o 'ddwyieithrwydd effeithiol' mewn llywodraeth a chyfraith, rhoi statws cynllunio i'r iaith wrth ystyried datblygiadau, a chymell ymgyrch gyhoeddusrwydd i hybu'r iaith. Yn wir, yn ôl Dafydd Glyn Jones, 'Sections of the report . . . could hardly have been more forthright had they been drafted by Cymdeithas yr Iaith.'[134] Dyma awgrym cryf, felly, o'r modd y dylanwadodd polisïau ac ymgyrchoedd y Gymdeithas ar yr awdurdodau a'r sefydliad yng Nghymru.

Ymateb cymysg a dderbyniodd gweithgarwch Cymdeithas yr Iaith Gymraeg o du'r cyhoedd yn ystod y deng mlynedd ar hugain rhwng 1962 a 1992. Er bod llawer o bobl yn gefnogol i'r nod o ddiogelu'r iaith Gymraeg rhag difancoll, yr oedd llawer mwy yn feirniadol o'r dulliau milwriaethus a ddefnyddid wrth geisio cyrraedd y nod hwnnw. Ond oherwydd parodrwydd aelodau'r Gymdeithas i aberthu a dioddef o blaid y Gymraeg, gorfodwyd yr awdurdodau, y wasg a'r cyhoedd i ddewis eu hochr, ac ysbrydolwyd llawer o bobl na fyddent fel rheol wedi meddwl am brotestio i sefyll gyda'r mudiad anghyfansoddiadol hwn. Llwyddwyd hefyd i gymell adrannau llywodraeth ganol, yr awdurdodau lleol, ac amryw byd o gyrff cyhoeddus a mentrau preifat i roi statws dyladwy i'r iaith Gymraeg. Trwy ddylanwad ymgyrchu Cymdeithas yr Iaith a'r gefnogaeth gref a gâi ei gofynion a'i pholisïau, sicrhawyd nifer o gonsesiynau, megis sianel deledu, addysg ddwyieithog a statws cynllunio, a fyddai'n gymorth i gynnal y Gymraeg fel iaith hyfyw.

Ond nid yn ôl nifer y consesiynau a enillwyd y mae mesur llwyddiant y Gymdeithas, ond yn hytrach yn ôl y gefnogaeth eang a roddwyd iddi. Wedi'r cyfan, nod pennaf mudiad gwasgedd fel Cymdeithas yr Iaith Gymraeg yw cyffroi a chynhyrfu. Trwy lunio polisïau mentrus neu weithredu'n anghyfansoddiadol, y mae'n gorfodi pobl i ystyried ei *raison d'être*, sef yr angen i weithredu'n ymosodol ac yn ddigyfaddawd er mwyn achub yr iaith. Fel y dywedodd Dafydd Iwan ym 1974: 'nid ei "mân lwyddiannau" sy'n bwysig, ond yr effaith a gafodd ar feddyliau pobl Cymru'.[135] Er bod llawer yn parhau i feirniadu dulliau anghyfansoddiadol a thorcyfraith Cymdeithas yr Iaith, y mudiad hwn a fu'n bennaf cyfrifol am weddnewid agweddau'r Cymry tuag at yr iaith Gymraeg. Ni allwn lai na chytuno â barn Ffred Ffransis, mewn cyfweliad i'r wasg ym 1983, y byddai Cymru heddiw yn wlad dra gwahanol pe na bai Cymdeithas yr Iaith Gymraeg wedi gweithredu mor arwrol o blaid y Gymraeg.[136]

Nodiadau

[1] Wilson, *Introduction to Social Movements,* t.252; Bhikhu Parekh, 'Liberal Rationality and Political Violence', t.68.

[2] R. Williams Parry, 'Cymru 1937', yn idem, *Cerddi'r Gaeaf* (Dinbych, 1952), t.63.

[3] James Griffiths, *Pages From Memory* (London, 1969), t.183; Cledwyn Hughes, 'Barn ein gwŷr amlwg', *TDd*, 1 (8/1967); LlGC, Papurau'r Is-iarll Tonypandy, 109. Nodiadau George Thomas i Bwyllgor Bowen ar Arwyddion Dwyieithog. Cymal 7; Edwards, *Yr Iaith Gymraeg: Ymrwymiad a Her,* passim; Wyn Roberts A.S., 'Tynged yr Iaith '87', *Sbec,* 17/1/1987.

[4] Glyn Roberts, 'Trwy sbectol Sosialydd: a oes heddwch', *Y Faner,* 27/7/1967; Ivor Wynne Jones, 'Boycott blow', *LDP,* 8/2/1986.

5 'A policy for dividing Wales', *WM*, 21/9/1977; Rhys David, 'What is the future for language campaigners now?', *WM*, 10/1/1972.

6 Butt Philip, *The Welsh Question*, t.274. Gw. honiadau tebyg ar tt.235, 245.

7 Harold Finch, *Memoirs of a Bedwellty M.P.* (Newport, 1972), tt.115–16.

8 'Thomas: I won't be bullied', *WM*, 10/2/1970; Charles Quant, 'Violence "could kill the language"', *LDP*, 13/8/1980; *WM* a'r *LDP*, 10/7/1990.

9 Trevor Fishlock, 'Battle for Welsh tongue at crossroads', *The Times*, 8/2/1972; Butt Philip, *The Welsh Question*, tt.332–3.

10 Bernard Levin, 'The language of fanaticism', *The Times*, 28/10/1986; 'Court protesters like "IRA Baboons", says Hailsham', *WM*, 24/4/1972; Lenman, *The Eclipse of Parliament*, t.224.

11 'Misguided move by Cymdeithas', *WM*, 20/11/1985; *WM* a'r *LDP*, 9/12/1985; *WM*, 14/2/1987, 16/2/1987, 17/2/1987; ac adroddiadau dyddiol, bron, yn y *LDP*, 2/2/1987–18/2/1987.

12 Gavin Drewry, 'Political Parties and Members of Parliament', tt.250–64; Robert Benewick, 'The Threshold of Violence', yn Benewick a Smith (goln.), *Direct Action and Democratic Politics*, tt.49–61; Hall, *The Morality of Civil Disobedience*, t.123.

13 Norman F. Cantor, 'The Feminist Crusade', t.19; George Clark, 'Remember Your Humanity and Forget the Rest', t.183; Parkin, *Middle Class Radicalism*, t.5; Peter Hain, 'Direct Action and the Springbok Tours', t.199; Gavin Drewry, 'Political Parties and Members of Parliament', t.264. Trafodir pwyslais cyfyng y cyfryngau torfol ar 'drais' mudiadau gwasgedd a phrotestiadau yn James D. Halloran, Philip Elliott a Graham Murdock, *Demonstrations and Communications: a Case Study* (London, 1970).

14 Thomas, *The Welsh Extremist*, t.61; Gronw ab Islwyn, 'Torcyfraith', *TDd*, 51 (8/1972), ac idem, 'Torcyfraith ac ewyllys', *TDd*, 52 (9/1972). Gw. rhybudd tebyg gan Ffred Ffransis yn *Daw Dydd*, tt.49–58.

15 Trevor Smith, 'Protest and Democracy', t.312.

16 Clive Betts, 'Inside the Welsh Language Society', *WM*, 5/7/1977.

17 Driver, *The Disarmers*, tt.124–5, 164; George Clark, 'Remember your Humanity and Forget the Rest', tt.183–4.

18 Ar yr achos annog, gw. *WM*, 16/10/1969, a'r *Faner*, 23/10/1969; Ned Thomas, 'Is somebody bungling?', *London Welshman* (12/1969), tt.8–9, 13; *TDd*, 28 (1/1970).

19 Gw. Samuel A. Bleicher, 'Nonviolent action and world order', t.515.

20 Tudur, *Wyt Ti'n Cofio?*, t.49; *TDd*, 1 (8/1967), ac 'Eu cadw yn y llys', *Y Cymro*, 20/8/1969.

21 'Dwyn cyflogau', *TDd*, 12 (8/1968); LlGC, PCYIG 1/4. Cyf. Cyff. 1970; 'Dirwyon ar brotestwyr yr iaith', *Y Faner*, 22/7/1971; 'Achosion', *TDd*, 71 (5/1974); *WN*, 7/6/1974.

22 *Y Faner*, 21/9/1967, 28/9/1967, 25/1/1968, 30/5/1968; 'Achosion darlledu', *TDd*, 50 (7/1972); *Y Cymro*, 9/11/1972, a'r *LDP*, 9/3/1978.

23 Gw. *WM*, 20/4/1971, 11/3/1975, 26/10/1979, 13/2/1985, 13/12/1985, 4/10/1988, 11/4/1991; *Y Cymro*, 7/5/1985, 19/9/1990.

24 Iwan, *Dafydd Iwan*, tt.61, 83–5; Gareth Meils, 'Tynged Cymdeithas yr Iaith', *Y Faner Goch* (Gwanwyn 1981).

25 John Owen, 'Conspiracy trials: are judges agents of the Government', *WN,* 10/3/1972; 'Storm on jury-list check by policeman', *WM,* 18/5/1979. Gw. yr hanes hefyd yn Peter Hain, *Political Trials in Britain* (London, 1984), tt.160–2, 172–84; 'Cynllwyn arall?', *Y Cymro,* 28/2/1984. Gw. hefyd LlGC, PCYIG 30. Senedd, 8/3/1986.

26 Gw. *Y Cymro,* 11/5/1967, a'r *Faner,* 18/5/1967; *Y Faner,* 5/5/1966, 16/6/1966, a'r *Cymro,* 9/6/1966; *WM* a'r *LDP,* 11/12/1970; 'Gwrthod eu profi yn Gymraeg', *Y Faner,* 10/11/1972.

27 LlGC, PCYIG 1/4. Senedd, 17/10/1971. Gw. *WM,* 28/4/1971; *Y Cymro,* 5/5/1971; a'r *WM,* 12/10/1971.

28 Gw. *WM,* 23/12/1969, 23/10/1980, 15/12/1987, *Y Faner,* 7/1/1972, a'r *Cymro,* 21/12/1976; *WM,* 30/3/1971, a'r *Cymro,* 31/3/1971, 25/8/1971; 'Tri mis o garchar', *Y Faner,* 27/9/1974; *TDd,* 76 (10/1974); *WM,* 8/10/1976, 14/10/1976, *Y Cymro,* 12/10/1976, a *TDd,* 95 (10/1976).

29 Gw. *WM,* 29/4/1972, 4/12/1978, *Y Cymro,* 3/5/1972, 5/12/1978; 'Protest at Welsh ban in Cardiff Prison', *WM,* 28/4/1972; 'Cymdeithas say Home Office held up prisoners' letters', *WM,* 21/10/1977; *WM,* 26/6/1981, a'r *Cymro,* 30/6/1981.

30 David G. T. Williams, 'Policy-Making', tt.226–7.

31 Gw. *WM,* 18/11/1967, *Y Cymro,* 14/12/1967, *Y Faner,* 28/12/1967, 14/3/1968; *WM,* 16/10/1969, a'r *Faner,* 23/10/1969; *CN,* 2/2/1979, *Y Cymro,* 6/2/1979, a *TDd,* 119 (2/1979).

32 LlGC, PCYIG 40. Geraint Jones, 'Cymdeithas yr Iaith – Y Llywiawdwyr Cynnar (1962–67)'; ar gyfer protest Eisteddfod Y Fflint, gw. *WM,* 7/8/1969, a'r *Faner,* 9/8/1969; 'Eisteddfod scuffle as B.R. display is wrecked', *WM,* 8/8/1978.

33 LlGC, PCYIG 40. Cynog Dafis, 'Cymdeithas yr Iaith Ganol y Chwedegau'.

34 Iwan, *Dafydd Iwan*, tt.64–81; *WM,* 9/2/1977, a'r *CN,* 10/2/1977; *WM,* 8/8/1978, 9/8/1978, a'r *Cymro,* 17/10/1978.

35 Thomas, *My Wales,* t.105; Phil Williams, 'Yr heddlu cudd', *Planet,* 12 (1972); Roy Clews, *To Dream of Freedom* (Talybont, 1980); John Jenkins, *Prison Letters* (Talybont, 1981); John Davies, Yr Arglwydd Gifford, a Tony Richards, *Heddgadw Gwleidyddol yng Nghymru* (Caerdydd, 1984); Dafydd Wigley, *Dal Ati* (Caernarfon, 1993), tt.226–32; John Osmond, *Police Conspiracy* (Talybont, 1984).

36 Gw. *WM,* 3/3/1969, *Y Cymro* a'r *Faner,* 6/3/1969, a'r *Faner,* 30/9/1971; *WM,* 21/3/1983, 5/8/1983; *TDd,* 228 (12/1990–1/1991).

37 Gw. *WM* a'r *LDP,* 15/10/1980; 'M.P. demands Welsh phone-taps facts', *WM,* 5/2/1980; gw. hefyd 'Big Buzby is watching you', *New Statesman,* 1/2/1980; 'The eavesdroppers', *Sunday Times,* 3/2/1980.

38 LlGC, PCYIG 1/4. Cyf. Cyff. 1969; Emyr Llewelyn, 'Yr Heddlu Cudd', 'Y Special Branch', a 'Yr S.S.', yn *TDd,* 42 (10–11/1971), 44 (1/1972), 45 (2/1972). Atseiniwyd y rhybudd fod yr heddlu cudd wedi treiddio i rengoedd y Gymdeithas yn 'Pwy yw'r bradwyr sy'n y gwersyll', erthygl flaen *Y Faner,* 2/9/1971, t.1.

39 LlGC, PCYIG 2/1 (rh.2). Senedd, 17/6/1978.

40 Gw. *WM*, 25/11/1975, *Carmarthen Times*, 28/11/1975, *WM*, 24/6/1978; *WM*, 22/6/1977, 14/12/1977.

41 Gw. *WM*, 10/6/1977, *Y Cymro*, 14/6/1977, *TDd*, 103 (6/1977); *WM*, 14/6/1979, 15/6/1979; 'Mewn perygl o golli ei gartref', *Y Cymro*, 4/7/1968.

42 Gw. adroddiad cynhwysfawr ar helynt Wayne Williams yn *Y Cymro*, 12/7/1983.

43 'Barn y bobl bwysig', *TDd*, 200 (12/1987); Dafydd Glyn Jones, 'The Welsh Language Movement', tt.331–2.

44 Gw. *WM*, 10/5/1971, *Y Cymro*, 12/5/1971, a'r *Faner*, 13/5/1971; *WM* a'r *LDP*, 31/3/1987; LlGC, PCYIG 39. Senedd, 8/7/1989. Gw. hefyd 'Refferendwm '89 – y canlyniad', *TDd*, 218 (10–11/1989); *Y Cymro*, 14/6/1989, 16/8/1989, a'r *WM*, 26/6/1989.

45 Gw. *WM*, 16/1/1970, 17/1/1970, 21/1/1970–23/1/1970, 29/1/1970; *Y Cymro*, 10/11/1966, *Y Faner*, 2/2/1967, a'r *Cymro*, 28/9/1967. Gw. hefyd Tudur, *Wyt Ti'n Cofio?*, tt.41–4.

46 LlGC, PCYIG 1/4, 30. Pwyllgor Canol, 2/5/1970, 30/8/1970; Senedd, 10/11/1984, 16/2/1985. Gw. adroddiadau yn y *WM*, 12/5/1970, 6/8/1970, a'r *Cymro*, 12/8/1970; *Y Cymro*, 19/4/1973, 28/8/1984, 4/9/1984; *WM*, 25/6/1984, 9/8/1984.

47 'Gwewyr Gaerwen', *Y Cymro*, 23/3/1982, a 'Herio'r Swyddfa Gymreig', *Y Cymro*, 4/5/1982; LlGC, PCYIG 30. Senedd, 8/1/1983.

48 'Ffred Ffransis', *Y Cymro*, 10/9/1986; *Y Cymro*, 1/3/1987; 'Wrangle over letter to court', *LDP*, 5/12/1983.

49 'Time to act', *WM*, 23/12/1991; Robert Cagewell, llythyr, 'On wrong orbit?', *WM*, 13/7/1972.

50 John Dodd, 'Terror of the Taffia', *The Sun*, 2/4/1979; 'Cyfiawnder i'r Iaith', *The Guardian*, 23/4/1972.

51 John Horgan, *The Irish Times*, 9/3/1967; Colin McCullough, *Toronto Globe & Mail*, 22/8/1972–24/8/1972. Gw. adroddiadau hefyd yn *Andersonstown News* (Gogledd Iwerddon), 2/11/1985, 28/2/1987, 25/3/1989; *Wall Street Journal*, 11/2/1983; *New York Times*, 11/3/1988; *Anglo-American Spotlight* (10/1988); *Maclean's* (Gogledd America), 12/12/1988; *International Viewpoint*, 9/4/1990.

52 'Barn ein gwŷr amlwg', *TDd*, 1 (8/1967). Ymhlith y Cymry amlwg eraill a gefnogodd y Gymdeithas yn y gyfres hon oedd y Parchedig Gwyndaf Evans, John Gwilym Jones, Dr Kate Roberts, yr Athro A. O. H. Jarman, y Tad John Fitzgerald, Gwilym R. Jones, y Parchedig Brifathro Pennar Davies, Alun R. Edwards, Gwilym Prys Davies a Victor Hampson Jones.

53 LlGC, PCYIG 4/3. Senedd, 20/12/1975. Gw. hefyd *Y Cymro*, 5/4/1977, a'r *WM*, 30/5/1977; Iwan, *Dafydd Iwan*, tt.64–81.

54 Gw. J. R. Jones, 'Cymdeithas yr Iaith Gymraeg', *TDd*, 4 (11/1967); idem, 'Protestio protestio', *TDd*, 11 (6/1968).

55 Alwyn D. Rees, 'Statws yr iaith Gymraeg', *Barn*, 38 (1965); idem, 'Brwydr yr iaith', *Barn*, 50 (1966). Gw. casgliad o ysgrifau Alwyn D. Rees, *Ym Marn Alwyn D. Rees* (Abertawe, 1976).

56 Gw., e.e., Meredydd Evans, 'Anufudd-dod dinesig' ac 'Anerchiad yn Llys y Goron, Caerfyrddin, 1980', yn Ann Ffrancon a Geraint H. Jenkins (goln.), *Merêd: Detholiad o Ysgrifau* (Llandysul, 1994), tt.79–95, 338–43.

57 Huw Llew Williams, 'Dafydd Iwan', yn Edwards (gol.), *Cadwn y Mur,* t.583; Gw. *Y Cymro,* 17/12/1969, *Y Faner,* 25/12/1969, *TDd,* 20 (4/1969), *WM,* 21/12/1971, *LDP,* 23/5/1973; *LDP* a'r *WM,* 7/8/1980.

58 '"Pren sâl" Bwrdd Iaith', *Y Cymro,* 5/7/1989; *WM,* 3/7/1989, *Y Cymro,* 5/7/1989, a *TDd,* 217 (8–9/1989).

59 LlGC, PCYIG 11/1. Senedd, 25/8/1979.

60 Tony Heath, 'Twenty years on', *New Statesman,* 21/1/1983; *Y Cymro,* 22/5/1979, 26/10/1982; LlGC, PCYIG 31. Gohebiaeth (i mewn). Gw. hefyd 'Plaid MP backs law-breaking', *WM,* 13/11/1984.

61 'Barn y bobl bwysig', *TDd,* 202 (3/1988).

62 LlGC, PCYIG 2/1 (rh.2). Senedd, 14/1/1978; *Sianel Deledu Gymraeg: Yr Unig Ateb* (Aberystwyth, 1979); 'FUW yn cefnogi CIG', *Y Cymro,* 24/7/1984; *WM,* 14/4/1969, 'Cefnogi ymgyrch y bobl ifanc', *Y Cymro,* 29/10/1970; *Y Cymro,* 20/9/1972, *WM,* 5/10/1972, a'r *Faner,* 13/10/1972; LlGC, PCYIG 4/3. Senedd, 31/1/1976.

63 Lewis, *Paham y Llosgasom yr Ysgol Fomio,* t.15; Jenkins, *Tân yn Llŷn,* tt.93–184.

64 Gw. Alwyn D. Rees, *The Magistrate's Dilemma vis-à-vis the Welsh Language Offender* (Llandybïe, 1968); Zenon Bankowski a Geoff Mungham, 'Political Trials in Contemporary Wales: Cases, Causes and Methods', yn idem (goln.), *Essays in Law and Society* (London, 1980), tt.53–70.

65 Gw. *Y Cymro,* 9/11/1967, a'r *Faner,* 16/11/1967; *WM,* 16/8/1967, *Y Cymro,* 17/8/1967, *Y Faner,* 24/8/1967, *TDd,* 2 (10/1967); 'Gwrthod ffurflenni Cymraeg', *Y Faner,* 11/5/1967; *Y Cymro,* 9/11/1967, a'r *Faner,* 16/11/1967; 'Magistrates face inquiry by Hailsham', *Daily Telegraph,* 8/7/1972; 'Lord Chancellor points the way', *WM,* 31/7/1972. Gw. hefyd *TDd,* 49 (6/1972), *Y Cymro,* 12/7/1972, a'r *Faner,* 28/7/1972.

66 Gw. *Y Cymro,* 28/1/1970, 18/2/1970, a'r *WM,* 30/1/1970; *WM,* 4/2/1972, 23/5/1972, a'r *Faner,* 26/5/1972. Gw. hefyd lythyrau Margaret Davies at yr Arglwydd Ganghellor Hailsham yn 'The Magistrate's dilemma – an exchange of letters', *Planet,* 12 (1972), tt.46–58; *Evening Post* a'r *WM,* 10/2/1972; 'J.P. quits: "I can't be unbiased over TV dispute"', *WM,* 20/8/1980; *WM,* 2/1/1980, 3/1/1980, 7/1/1980, a'r *Cymro,* 8/1/1980.

67 'Jury fail to agree in language case', *WM,* 19/7/1978; 'Cymdeithas men gaoled for six months in conspiracy trial', *WM,* 25/11/1978; 'Judge orders re-trial in transmitter damage case', *WM,* 22/10/1980.

68 *WM,* 28/9/1971, 27/10/1971; 'Interpreter snag holds up road signs case', *WM,* 3/2/1972.

69 Gw. *WM,* 24/10/1967, a'r *Cymro,* 30/11/1967, 9/5/1968, 16/4/1969, 13/10/1971; 'Court: stop propaganda', *WM,* 9/5/1968; 'Achosion', *TDd,* 62 (7/1973).

70 Welsh Grand Committee, 'Minutes of the Proceedings on Consideration of the Matter of the Welsh Language', *Parliamentary Papers,* 25/2/1970 (HMSO, 1970); 'Grapevine', *Sunday Times,* 9/9/1990; a chondemniwyd y Gymdeithas a'i chefnogwyr gan Bwyllgor Gwaith Plaid Lafur Cymru ym 1980 yn ystod yr ymgyrch anghyfansoddiadol o blaid sianel deledu Gymraeg. LlGC, Archif Plaid Lafur Cymru. Pwyllgor Gwaith Plaid Lafur Cymru, Cyf. 200, 16/9/1980.

71 'Protest', *TDd*, 48 (5/1972); gw. *WM*, 22/11/1976, *Y Cymro*, 23/11/1976, a'r *LDP*, 8/12/1976.

72 *LDP*, 10/5/1969; 'Plaid leader blames Language Society for loss of seat', *WM*, 15/3/1971; Jac L. Williams, 'Argraffiadau o gynhadledd Plaid Cymru', *Barn*, 98 (1970). Gw. hefyd Pennar Davies, *Gwynfor Evans: Golwg ar ei Feddwl a'i Waith* (Abertawe, 1976), t.112; Butt Philip, *The Welsh Question*, tt.239–40; Gwynfor Evans, 'Hanes twf Plaid Cymru 1925–1995', t.176.

73 'Y Post a'r Gymraeg', *Y Cymro*, 12/11/1964; 'Cymdeithas reject Plaid plea to halt campaigns', *WM*, 10/7/1974; LlGC, PCYIG 1/4. Senedd, 2 Chwefror, 1/6/1974, 22/6/1974. Gw. hefyd John Davies, 'Blynyddoedd Cynnar', t.32; Tudur, *Wyt Ti'n Cofio?*, t.29.

74 Driver, *The Disarmers*, t.68; Gavin Drewry, 'Political Parties and Members of Parliament', t.262.

75 Gw. *LDP*, 8/2/1973, 14/1/1988, 10/7/1990, a'r *WM*, 19/9/1966, 17/2/1970, 7/8/1972, 28/5/1973, 4/6/1988, 16/6/1988.

76 Ned Thomas, *The Welsh Extremist: A Culture in Crisis* (argraffiad cyntaf, London, 1971), t.92.

77 Gw. llythyrau Eirwen Celyn Jones, *Y Cymro*, 9/6/1971; B. Lewis, *WM*, 3/8/1972; G. Arthur Jones, *Caernarvon & Denbigh Herald*, 24/9/1976; John H. Hughes, *CN*, 25/2/1977; Arthur Williams, *WM*, 23/5/1977; Anglo-Welshman, *LDP*, 21/8/1980; E. Morris, *LDP*, 28/5/1981; Caradog Humphreys, *LDP*, 15/4/1983; Mark Anthony Craig, *LDP*, 20/2/1987.

78 E. Jones, 'Criw Adfer a Chymdeithas – y Diafol ei hun', *Y Cymro*, 13/3/1979.

79 Butt Philip, *The Welsh Question*, tt.239–40.

80 'Pam y cadwodd yr heddlu draw?', *Y Cymro*, 7/2/1963; *WM*, 29/11/1965, *Y Cymro* a'r *Faner*, 2/12/1965; '10 scuffle with sign daubers', *WM*, 17/2/1969; *South Wales Echo*, 11/1/1973, a'r *WM*, 12/1/1973; 'Carchar am daflu bom i garej aelod o Gymdeithas yr Iaith', *Yr Herald Gymraeg*, 26/4/1983.

81 Crawley, *A Degree of Defiance*, tt.173–4.

82 Iwan, *Dafydd Iwan*, t.55; *TDd*, 20 (4/1969).

83 Gw. *WM*, 2/6/1969, a'r *Cymro*, 4/6/1969; LlGC, PCYIG 1/4. Pwyllgor Canol, 7/1/1968; 'Yr Arwisgo', *TDd*, 3 (10/1967).

84 Iwan, *Dafydd Iwan*, t.43.

85 LlGC, PCYIG 4/3. Senedd, 15/3/1975, 5/4/1975; Griffiths, *Saunders Lewis*, tt.82–4.

86 'Barn ein gwŷr amlwg', *TDd*, 1 (8/1967). Yn eu plith yr oedd Ednyfed Hudson Davies, Dr Iorwerth C. Peate, y Prifathro Thomas Parry, Elystan Morgan A.S., a'r Gwir Barchedig G. O. Williams, Esgob Bangor; Bobi Jones, 'Plaid a Chymdeithas', *Barn*, 98 (1970); LlGC, PCYIG 4/3. Senedd, 19/2/1977.

87 Dafydd Glyn Jones, 'His Politics', t.61; Glyn Roberts, 'Trwy sbectol Sosialydd: a oes heddwch', *Y Faner*, 27/7/1967; Dafydd Iwan, 'Glyn Roberts a Chymdeithas yr Iaith', *Y Faner*, 10/8/1967.

88 Emyr Llewelyn, 'At y Cymry Da', *Y Cymro*, 2/5/1968, a'r *Faner*, 9/5/1968. Ailadroddwyd y rhybudd yn ei araith yn rali brotest Caerdydd, 11/5/1968. Fe'i cyhoeddwyd fel 'Seithennyn sâf di allan', *Y Faner*, 23/5/1968. Yr oedd yr Athro

J. R. Jones wedi rhybuddio'r genhedlaeth hŷn rhag yr un peth ym 1966 yn Jones, *Prydeindod,* tt.43–7.

89 *TDd*, 27 (cyfres I, 12/1965).

90 Hywel Teifi Edwards, 'Emrys ap Iwan a Saisaddoliaeth', tt.141–3; Emrys ap Iwan, *Baner ac Amserau Cymru*, 27/3/1878, t.5. Hywel Teifi Edwards, 'Emrys ap Iwan a Saisaddoliaeth', t.164.

91 Owen Owen, 'Anghwrteisi yw lladd iaith', *Y Faner* a'r *Cymro*, 28/5/1964. Cyhoeddodd Gareth Miles eto ym 1972 nad 'cydymdeimlad' y 'Cymry Da' oedd ei angen ar y Gymdeithas na'r iaith, 'Cymru rydd, Gymraeg, Sosialaidd', *TDd*, 47 (4/1972).

92 Dafydd Iwan, 'Nid protest mo hyn', *Y Cymro*, 9/8/1968; Emyr Hywel, 'Amser i daro', *TDd*, 71 (5/1974).

93 Gw. *WM*, 20/7/1971, *Y Cymro*, 21/7/1971, a'r *Faner*, 29/7/1971; Clive Betts, 'Inside the Welsh Language Society', *WM*, 6/7/1977; dengys arolwg a wnaed ar ran Bwrdd yr Iaith Gymraeg ym 1995 fod 82 y cant o bobl Cymru yn credu bod arwyddion dwyieithog yn 'syniad da'. Datganiad i'r wasg, Bwrdd yr Iaith Gymraeg, 15/1/1996.

94 Gw. *WM*, 30/6/1969, *Y Cymro*, 2/7/1969, a'r *Faner*, 3/7/1969. Am aelodaeth Cymdeithas yr Iaith rhwng 1962 a 1992, gw. t.63, Graff 1.4. Noder hefyd mai cynyddu a wnaeth rhifau aelodaeth Plaid Cymru yn sgil llosgi'r Ysgol Fomio ym 1936, er gwaethaf yr ymateb chwyrn a gafwyd i'r weithred. Davies, *The Green and the Red*, t.25.

95 *Report of the Welsh Energy Survey* (Llanbedr Pont Steffan, 1981), Atodiad A. Dyfynnwyd yn Hugh Ward, 'The Anti-Nuclear Lobby', t.205; W. L. Miller et al., 'Democratic or Violent Protest?', tt.13–14, 31–5, 45–7. Serch hynny, dangosodd yr astudiaeth hefyd fod cryn nifer o'r bobl a holwyd yng Nghymru yn elyniaethus i ddulliau anghyfansoddiadol o weithredu o blaid y Gymraeg, tt.42–3, 49–51.

96 Datganiad i'r wasg, Bwrdd yr Iaith Gymraeg, 15/1/1996.

97 Dyfynnwyd yn *TDd*, 30 (3/1970).

98 Ffred Ffransis, 'Mae yna her yn ein gweithredoedd', *Y Cymro*, 12/7/1973; gw hefyd Duncan Campbell, 'Welsh language guerillas win some battles in a long war', *New Statesman*, 11/8/1978.

99 Gw. *LDP*, 5/7/1973, a'r *Cymro*, 13/7/1973. Gw. hefyd Ned Thomas, 'The Welsh Language in Broadcasting', yn Stephens (gol.), *The Welsh Language Today,* t.202.

100 LlGC, PCYIG 30. Senedd, 8/1/1983, 12/3/1983. Gw. *LDP*, 2/11/1984; *WM*, 5/11/1984; a'r *Cymro*, 6/11/1984. Gw. hefyd Gwilym Prys Davies, *Llafur y Blynyddoedd* (Dinbych, 1991), tt.142–3. Cynullwyd cynhadledd arall gan yr Urdd dros ddiwygio'r Ddeddf Iaith ym mis Chwefror 1990. LlGC, PCYIG 30. Senedd, 10/3/1990.

101 'Uno i anfon deiseb at yr Ysgrifennydd Gwladol' a 'Mae rhyw wefr ynghylch yr holl ymgyrch', *Y Cymro*, 25/11/1970, 9/12/1970; 'Bilingual signs plea to council', *LDP*, 1/12/1977; 'Hwb i'r sianel', *Y Cymro*, 17/6/1980; 'Don't let Gwynfor die, warning to Government', *WM*, 6/9/1980.

102 Gw. *WM*, 18/8/1980, *Y Cymro*, 9/9/1980, a'r *WM*, 11/9/1980, 12/9/1980. Gw. hefyd Emyr Price, *Yr Arglwydd Cledwyn o Benrhos* (Bangor, 1990), tt.110–11.

103 LlGC, PCYIG 30. Senedd, 7/4/1990; PCYIG, Swyddfa Aberystwyth. Senedd, 9/2/1991, 9/3/1991.

104 J. Caradog Williams, 'Yr iaith Gymraeg', *TDd*, 51 (8/1972); Thomas, *The Welsh Extremist*, t.98.

105 Gw. *WM*, 17/4/1971, 26/4/1971; *Y Cymro*, 21/4/1971, 28/4/1971; *Y Faner*, 29/4/1971.

106 Gw. *WM*, 5/7/1971, *Y Cymro*, 7/7/1971, a'r *Faner*, 15/7/1971; 'Nine found guilty of handling road signs', *WM*, 21/4/1972.

107 Gw. *WM*, 10/5/1971, *Y Cymro*, 12/5/1971, a'r *Faner*, 13/5/1971; *WM*, 10/10/1971, a'r *Cymro*, 13/10/1971; *Y Cymro* a'r *WM*, 11/7/1978; *TDd*, 112 (7–8/1978).

108 LlGC, PCYIG 1/4. Senedd, 10/1/1971. Gw. hefyd 'Gwrthod talu am "ladd ein hiaith"', *Y Faner*, 1/4/1971; *WM*, 5/10/1972; *TDd*, 54 (11/1972).

109 Gw. *WM*, 11/9/1979, 15/9/1979, *Y Cymro*, 16/10/1979, a'r *WM*, 26/10/1979; *WM*, 15/8/1980; *WM*, 12/10/1979–13/10/1979, *Y Cymro*, 16/10/1979, a'r *CN*, 19/10/1979; *WM*, 20/11/1979–21/11/1979, *CN*, 23/11/1979, a'r *Cymro*, 27/11/1979.

110 Gw. *WM*, 17/6/1980, *LDP*, 1/7/1980, a'r *WM*, 16/9/1980; *WM*, 22/7/1980, 9/9/1980; Rhys (gol.), *Bywyd Cymro*, tt.310–20; *WM*, 14/5/1980; LlGC, PCYIG 30. Senedd, 6/11/1988.

111 Dafydd Glyn Jones, 'The Welsh Language Movement', t.336.

112 LlGC, PCYIG 30. Senedd, 8/1/1983, 12/3/1983, 8/6/1985; Cyf. Cyff. 1985. Gw. hefyd Davies, *Llafur y Blynyddoedd*, tt.142–3; *WM*, 26/5/1988, *Y Cymro*, 1/6/1988, a'r *WM*, 2/10/1989.

113 David Blundy, 'Welsh Nats out to capture Labour votes', *Sunday Times*, 7/1/1973. Ceir rhai llythyrau yng nghasgliad papurau George Thomas yn Archif Wleidyddol LlGC yn datgan cefnogaeth i'w safiad yn erbyn Cymdeithas yr Iaith, ac yn gofyn am gael ymaelodi â'r 'English Language Society' arfaethedig. LlGC, Papurau'r Is-iarll Tonypandy 48, 51, 56, 93, 115.

114 'Call for language ombudsman by Freedom Group', *WM*, 3/6/1977; *LDP*, 10/8/1978, 26/2/1979, *WM*, 24/3/1979, *Y Cymro*, 29/5/1979, *WM*, 6/7/1979, 11/10/1979; *Cardigan & Tivyside Advertiser*, 15/6/1990, a'r *WM*, 30/6/1990, 23/7/1990, 30/7/1991, 11/6/1992.

115 Pym, *Pressure Groups and the Permissive Society*, t.115; Robert Benewick, 'Introduction', yn Benewick a Smith (goln.), *Direct Action and Democratic Politics*, t.13; Norman F. Cantor, 'Epilogue: The Nature of Protest', yn idem, *The Age of Protest*, t.324.

116 Tudur, *Wyt Ti'n Cofio?*, t.21; John Davies, 'Blynyddoedd Cynnar', tt.14–15; *Y Faner*, 15/8/1963, *Y Cymro*, 28/10/1965, *Y Faner*, 4/11/1965, *Y Cymro*, 13/6/1967, a'r *Faner*, 15/6/1967.

117 LlGC, PCYIG 4/3. Senedd, 13/9/1975; *WM*, 10/10/1973; *LDP*, 10/10/1973; *Y Cymro*, 14/10/1973; *Y Cymro*, 22/5/1979.

118 LlGC, PCYIG 1/4. Senedd, 23/11/1974; *WM*, 20/2/1971, 27/3/1971; *Y Cymro*, 26/11/1974; *WM*, 27/7/1978.

119 LlGC, PCYIG 11/1. Senedd, 20/9/1980; *WM*, 18/9/1980; *Y Cymro*, 23/9/1980; *LDP*, 2/10/1980; *Y Cymro*, 7/10/1980.

[120] Gavin O'Toole, 'New Forum on language education wins support', *WM*, 29/11/1986.

[121] Gw. *Y Cymro*, 14/12/1976, 3/5/1977.

[122] Gw. *WM*, 2/3/1977, *LDP*, 4/3/1977; *WM*, 14/7/1979, *Y Cymro*, 30/11/1982, *LDP*, 2/12/1982, *The Guardian*, 6/12/1982, a'r *Cymro*, 12/5/1983.

[123] LlGC, PCYIG 12/1, 51/4. Senedd, 10/11/1984, 12/12/1987. Gw. hefyd Toni Schiavone, 'Cynllunio: buddugoliaeth Llanrhaeadr', *TDd*, 201 (2/1988), 202 (3/1988). Mewn ateb i gwestiwn seneddol gan Dafydd Elis Thomas A.S. ym mis Hydref 1986, cyhoeddodd Wyn Roberts ei bod yn gymwys i awdurdodau cynllunio roi statws cynllunio i'r iaith Gymraeg. *Parliamentary Debates: Commons*, cyf. 103, 27/10/1986, t.5.

[124] LlGC, PCYIG 30. Senedd, 11/11/1989, 10/2/1990.

[125] Ffred Ffransis, 'Ni allwn wadu grym y cynghorau a'r Llywodraeth ganolog', *Y Cymro*, 3/8/1976.

[126] Wyn Roberts A.S., 'Tynged yr Iaith '87', *Sbec*, 17/1/1987.

[127] Thomas, *The Welsh Extremist*, t.93.

[128] Dafydd Iwan, 'Cost yr arwyddion', *Y Cymro*, 25/2/1970; *WM*, 5/5/1969, *Y Cymro*, 7/5/1969, *WM*, 30/11/1972, *Y Cymro*, 7/12/1972, 2/7/1974, a'r *Faner*, 5/7/1974.

[129] 'Anesmwytho am adroddiad yr iaith', *Y Cymro*, 10/8/1965; Price, *Yr Arglwydd Cledwyn o Benrhos*, tt.51–4; *WM*, 30/11/1972, a'r *Cymro*, 7/12/1972; 'Language Council is told to resign', *WM*, 25/6/1976; 'Wrexham "cool" on language discussions', *LDP*, 25/4/1977; LlGC, PCYIG 24. Cyf. Cyff. 1987.

[130] *TDd*, 20 (cyfres I, 5/1965); John Davies, 'Blynyddoedd Cynnar', tt.15–17; LlGC, PCYIG 1/4, 40. Pwyllgor Canol, 7/1/1968; 'Gair i'r Cyhoedd', taflen protest bost Bangor, 10/12/1966; Golygyddol, 'Apartheid – neu dogfennau dwyieithog?', *Barn*, 51 (1967). Credai'r Gymdeithas hefyd yng Nghyf. Cyff. 1971 fod yr awdurdodau yn fwriadol yn ei gwneud hi'n anodd i'r cyhoedd gael gafael ar ddogfennau dwyieithog er mwyn cyfyngu ar y defnydd a wneid o'r Gymraeg. LlGC, PCYIG 1/4. Cyf. Cyff. 1971.

[131] *Y Cymro*, 10/8/1967, a *TDd*, 3 (10/1967). Gw. hefyd Cynog Davies, 'Cymdeithas yr Iaith Gymraeg', t.274; Robyn Lewis, *Second Class Citizen* (Llandysul, 1969), tt.88–101; Tudur, *Wyt Ti'n Cofio?*, t.49.

[132] Gw. *Llanelli Star*, 23/10/1976, 30/10/1976, a'r *Evening Post*, 1/11/1976.

[133] 'Welsh language education grants boosted', *WM*, 15/2/1985; LlGC, PCYIG 30. Senedd, 16/8/1986; Joanna Walters, 'Walker secret angers Society', *WM*, 4/8/1988.

[134] Cyngor yr Iaith Gymraeg, *Dyfodol i'r Iaith Gymraeg* (Caerdydd, 1978); Dafydd Glyn Jones, 'The Welsh Language Movement', t.351.

[135] Dafydd Iwan, 'Pam y safaf dros y Blaid', *TDd*, 68 (1/1974).

[136] Betts, 'It started with a wobbly bike', *WM*, 3/2/1983.

Diweddglo

Yn ei ddarlith radio, *Tynged yr Iaith,* ym mis Chwefror 1962, dywedodd Saunders Lewis: 'Nid dim llai na chwyldroad yw adfer yr iaith Gymraeg yng Nghymru. Trwy ddulliau chwyldro yn unig y mae llwyddo.' Chwe mis yn ddiweddarach canlyniad y ddarlith radio enwog honno oedd sefydlu Cymdeithas yr Iaith Gymraeg yn Ysgol Haf Plaid Cymru ym Mhontarddulais. Bu'r mudiad yn ymgyrchu 'o ddifri a heb anwadalu' dros y deng mlynedd ar hugain wedi 1962 o blaid cyflawni'r chwyldro y cyfeiriwyd ato yn *Tynged yr Iaith,* sef adfer yr iaith Gymraeg i'w phriod le fel iaith genedlaethol Cymru. Cychwynnwyd y genhadaeth trwy ymgyrchu o blaid statws swyddogol i'r Gymraeg, a chan fynnu bod yr awdurdodau lleol a llywodraeth ganol yn darparu pob papur treth, pob trwydded, gwŷs llys barn, papur etholiad a ffurflen swyddogol yn Gymraeg. Yn raddol dros y blynyddoedd datblygodd galwadau ac ymgyrchoedd Cymdeithas yr Iaith ymhell y tu hwnt i argymhellion gwreiddiol Saunders Lewis, a bu'r mudiad yn ymgyrchu o blaid dwyieithrwydd naturiol cymunedol, addysg gyflawn ddwyieithog, statws cynllunio i'r iaith a rheolaeth gymunedol dros y farchnad dai ac eiddo. Ond er bod ymgyrchoedd a pholisïau'r Gymdeithas wedi datblygu ac aeddfedu yn ystod y cyfnod rhwng 1962 a 1992, nid oedd yr amcan gwreiddiol wedi newid dim; ailgyhoeddodd *Maniffesto* 1992 mai 'cred sylfaenol Cymdeithas yr Iaith Gymraeg yw na wna unrhyw beth llai na newid llwybr hanes Cymru achub yr iaith Gymraeg'.[1]

Er ei sefydlu ym 1962, felly, y mae Cymdeithas yr Iaith Gymraeg wedi ei hystyried ei hun yn fudiad chwyldro. Fodd bynnag, rhaid gofyn beth yn union yw ystyr y gair 'chwyldro' i Gymdeithas yr Iaith? Ai gair diystyr, gwag, rhethregol ydyw? Neu a oes sylwedd i'r honiad fod y Gymdeithas yn fudiad chwyldro? Rhaid gofyn hefyd beth yn union oedd ystyr 'dulliau chwyldro' i Saunders Lewis ym 1962? Nid yr un peth yw 'dulliau chwyldro' a 'dulliau anghyfansoddiadol'; y mae 'chwyldro' yn wahanol iawn i 'brotest'. Rhaid, felly, bod yn ofalus iawn wrth ystyried honiad y Gymdeithas ei bod yn fudiad chwyldro. Ystyr wreiddiol y gair 'chwyldro' yw ymdrech fwriadol gan garfan o bobl i ddymchwel neu danseilio awdurdod y garfan lywodraethol a meddiannu ei grym a'i goruchafiaeth. Bydd chwyldro yn fynych yn waedlyd, megis yn achos chwyldroadau Ffrainc, Rwsia a Chiwba pan ddiorseddwyd y dosbarth llywodraethol gan werin anniddig yn gwrthryfela yn erbyn gormes cymdeithasol ac economaidd. Yn ôl diffiniad felly, teg yw datgan nad oedd arweinwyr Cymdeithas yr Iaith yn pori yn yr un cae â'u harwyr chwyldroadol – gwŷr megis Karl Marx, Friedrich Engels, Fidel Castro, Mao Tse Tung a Che Guevara.

Er bod amryw o arweinwyr y Gymdeithas wedi sôn llawer am ddymchwel y drefn Brydeinig yng Nghymru, go brin y gellir cyfiawnhau galw'r mudiad yn 'fudiad chwyldro' yn ystyr wreiddiol yr ymadrodd. Er mai defnyddio'r iaith Gymraeg fel arf gwleidyddol i ddymchwel y drefn Brydeinig a phrysuro dyfodiad y Gymru Rydd oedd hanfod neges Saunders Lewis ym 1962, nid oedd ymgyrchoedd y Gymdeithas o blaid cael ffurflenni swyddogol neu arwyddion ffyrdd dwyieithog yn bygwth y drefn mewn unrhyw fodd. Yn wir, yr oedd parodrwydd Cymdeithas yr Iaith i geisio gwelliannau y tu mewn i'r *status quo* gwleidyddol, fel y nododd Cynog Dafis, yn golygu derbyn sefyllfa ranbarthol Cymru o fewn gwladwriaeth Prydain.[2] Ymgyrchu o blaid consesiynau y tu mewn i'r drefn Brydeinig yng Nghymru, yn hytrach na cheisio dymchwel y drefn a chodi yn ei lle drefn newydd, oedd hanfod ymgyrchoedd a strategaeth y Gymdeithas. Gan hynny, mwy priodol yw disgrifio'r Gymdeithas fel 'mudiad protest', gan ei bod yn ymosod ar y drefn mewn modd trefnus a chyfrifol yn hytrach nag arwain gwrthryfel i'w dymchwel.[3] I raddau helaeth, o ganlyniad i natur 'anchwyldroadol' yr ymgyrchu hwn y cafwyd buddugoliaethau cymharol gyflym yn llawer o ymgyrchoedd y mudiad, megis pob math o ffurflenni swyddogol ac arwyddion ffyrdd dwyieithog. Nid oedd mynnu'r pethau hyn yn bygwth y drefn na'r *status quo* gwleidyddol, er eu bod yn cael eu hystyried ar y pryd yn ymgyrchoedd anodd iawn.

Yr un fu hanes llawer o ymgyrchoedd diweddarach y mudiad. Ymgyrchu o blaid sianel deledu Gymraeg a thonfedd radio Gymraeg o fewn y gyfundrefn ddarlledu a fodolai ar y pryd a wnâi ymgyrch ddarlledu'r Gymdeithas. Pwyso am ragor o addysg Gymraeg a chwricwlwm mwy Cymreig o fewn y gyfundrefn addysg a fodolai eisoes yng Nghymru a wnâi ymgyrchoedd addysg y mudiad. Diwygio deddfwriaeth wantan Deddf Iaith 1967 oedd nod yr ymgyrchoedd o blaid statws yr iaith, a galw am newidiadau i'r rheolau cynllunio cyfredol er mwyn caniatáu statws cynllunio i'r iaith a wnâi ymgyrchoedd tai a chynllunio y mudiad. Yr oedd rhai o'r arweinwyr yn effro iawn i'r paradocs sylfaenol hwn yn strategaeth y mudiad. Rhybuddiodd Ieuan Wyn, mewn cyfarfod o'r Senedd ym mis Hydref 1971, mai atgyfnerthu'r sefydliad Prydeinig yng Nghymru a wnâi ymgyrch y Gymdeithas i Gymreigio iaith y llysoedd barn, yn hytrach na cheisio ei danseilio. Mynegwyd pryder eto mewn cyfarfod o'r Senedd ym mis Ionawr 1977 ynglŷn â thuedd gynyddol ymgyrchoedd statws y Gymdeithas i gysylltu dyfodol yr iaith â'r drefn Brydeinig.[4]

Ni ellir ychwaith ystyried Cymdeithas yr Iaith yn fudiad chwyldro oherwydd, yn y bôn, yr oedd yn ymddwyn yn dra chyfrifol. Amod pwysicaf ymgyrchoedd anghyfansoddiadol y Gymdeithas oedd bod ei haelodau (neu'r Senedd fel corff) yn derbyn cyfrifoldeb am bob gweithred a thorcyfraith a gyflawnid yn enw'r mudiad. Torrid y gyfraith yn benodol er mwyn sicrhau achosion llys a fyddai'n rhoi cyhoeddusrwydd i alwadau a pholisïau'r mudiad. Y mae derbyn cyfrifoldeb am dorcyfraith yn golygu bod mudiad protest yn gweithredu y tu mewn i'r drefn gyfreithiol a gwleidyddol sydd ohoni, yn hytrach nag o'r tu allan iddi. Meddai Robert T. Hall:

> civil disobedience is to be defined as an act undertaken for moral reasons which is in violation of a law or a specific group of laws. By specifying the violation of a single law or group of laws, a distinction is established between civil disobedience on the one hand and rebellion or revolution on the other. According to this definition, the one who commits an act of disobedience does not object to law as such or to all of the laws of his society. His objection, and consequently his moral rationale, is directed toward only a part of the positive law of the state.

Credai Martin Luther King fod derbyn cyfrifoldeb am dorcyfraith yn dangos parch mawr i'r gyfraith.[5] Gan hynny, yr oedd aelodau Cymdeithas yr Iaith, trwy dorri'r gyfraith a derbyn y gosb, nid yn unig yn gweithredu mewn dull cyfrifol a democrataidd, ond hefyd yn gweithredu mewn dull a oedd yn ei hanfod yn 'anchwyldroadol'.

Fodd bynnag, defnyddir y gair 'chwyldro' yn fynych hefyd i ddisgrifio unrhyw newid radical mewn awdurdod neu o fewn cymdeithas. Er nad oedd ymgyrchu dros iaith trwy ddulliau anufudd-dod sifil a thorcyfraith yn peri bod Cymdeithas yr Iaith yn fudiad chwyldro, yr oedd nod y mudiad – sef adfer y Gymraeg yn briod iaith y genedl – yn sicr yn chwyldroadol. Cyn gallu cyflawni'r nod hwnnw, yr oedd yn rhaid nid yn unig gorfodi awdurdodau cyndyn a chrintachlyd i ganiatáu nifer o gonsesiynau er mwyn rhoi statws i'r iaith, ond hefyd newid holl agwedd pobl Cymru at yr iaith. Oddi ar Ddeddf Uno 1536 bu'r Gymraeg i bob pwrpas yn iaith esgymun ym mywyd cyfreithiol, gwleidyddol a gweinyddol Cymru, ac oddi ar Frad y Llyfrau Gleision ym 1847 fe'i hystyrid yn anfantais ddybryd i gynnydd economaidd, cymdeithasol a deallusol y genedl. O ganlyniad i'r cyflyru hwn yr oedd y Gymraeg yn wynebu argyfwng difrifol erbyn 1962 a mawr oedd pryder nifer o ddeallusion ynghylch ei dyfodol. Y dasg fawr a wynebai Cymdeithas yr Iaith, felly, oedd dad-wneud effeithiau diraddiad y Gymraeg er 1536 ar feddyliau'r Cymry a dileu eu hagwedd daeog at yr iaith. Dyma hanfod nod chwyldroadol Cymdeithas yr Iaith Gymraeg.

Credai amryw o arweinwyr y Gymdeithas mai newid chwyldroadol fyddai newid agwedd y Cymry tuag at y Gymraeg, yn yr un modd ag y credai'r llenor Jean-Paul Sartre mai gweithred chwyldroadol i'r Basgwr fyddai iddo siarad iaith ei genedl.[6] Yn ystod cyfweliad ym 1966 cyhoeddodd Saunders Lewis fod yr ymgyrch dros gydnabyddiaeth i'r iaith Gymraeg yn ymgyrch o blaid ennill parch i'r Cymry eu hunain, gan fod safle israddol y Gymraeg yn peri bod y Cymry yn genedl israddol. Nid ennill annibyniaeth oedd tasg bwysicaf y mudiad cenedlaethol yng Nghymru, yn ôl Gwynn Jarvis, yn gymaint â 'chael ein pobl i werthfawrogi'r ffaith eu bod yn fodau annibynnol ag y dylent feddwl a gweithredu'n annibynnol fel Cymry'.[7] Yn ôl Gronw ab Islwyn, mewn erthygl a gyhoeddwyd yn *Tafod y Ddraig* ym 1972: 'Chwyldro ym meddwl ac yn syniadaeth pobl' fyddai chwyldro Cymdeithas yr Iaith, drwy 'greu ewyllys y rheidiol ym mhobl Cymru . . . yr ewyllys i fod yn Gymry ac i ail-feddiannu'r Gymraeg . . .'.[8] Dyna paham y bu aelodau'r Gymdeithas yn gweithio ledled Cymru yn ceisio bywiocáu'r bywyd cymdeithasol Cymraeg yn eu hardaloedd, yn mynd o ardal i ardal yn cyfathrebu â'r cyhoedd ynglŷn â gwerth cynhenid yr iaith a phwysigrwydd ei diogelu, ac yn trefnu dosbarthiadau ar gyfer dysgwyr er mwyn adennill y Cymry di-Gymraeg.[9] Bu'r ymdrech i greu yn y Cymry 'ewyllys y rheidiol' yn dra llwyddiannus, fel y gwelwyd yn y bennod olaf, wrth i ymgyrchu anghyfansoddiadol a beiddgar y Gymdeithas berswadio elfennau llai radical i ymgyrchu o blaid y Gymraeg.

Ond cam cyntaf y chwyldro yn unig, yn ôl Ffred Ffransis, oedd adfer hunan-barch y Cymry. Gobaith pennaf Cymdeithas yr Iaith oedd y byddid rhyw ddydd yn tanseilio'r drefn Brydeinig yng Nghymru. Yn ôl Ffred Ffransis, byddai raid gwneud hynny os oedd yr iaith Gymraeg i fyw, oherwydd bod gwerthoedd economaidd, gwleidyddol, cymdeithasol, a diwylliannol y drefn Brydeinig yn milwrio yn erbyn yr iaith. Ac wedi dymchwel y drefn gyfalafol Brydeinig, nod arweinwyr y Gymdeithas fyddai gosod yn ei lle drefn Gymreig gydweithredol a democrataidd. Canlyniad eithaf chwyldro'r Gymdeithas, felly, fyddai ennill rhyddid cenedlaethol i Gymru.[10] Datblygiad pellach oedd hyn ar neges Saunders Lewis yn *Tynged yr Iaith*. Yr oedd Lewis yn argyhoeddedig y byddai ymgyrchu dros adfer yr iaith a mynnu ei defnyddio wrth ymdrin â'r sefydliad ac awdurdodau cyhoeddus yn fodd i fygwth grym ac awdurdod llywodraeth Prydain yng Nghymru, ac yn fodd i wireddu'r nod o ryddhau Cymru rhag gafael Lloegr. Ond yr oedd hefyd yn argyhoeddedig fod yn rhaid sefydlu ymgyrch o blaid yr iaith cyn y gellid ymgyrchu o blaid hunanlywodraeth.[11] Gan hynny, ffurfiwyd Cymdeithas yr Iaith ym 1962 o ganlyniad i bryder cynyddol nifer o genedlaetholwyr y byddai'r iaith Gymraeg wedi hen drengi erbyn i'r mudiad cenedlaethol lwyddo i sicrhau mesur o hunanlywodraeth i Gymru.

Priod faes Cymdeithas yr Iaith, felly, oedd ymgyrchu o blaid y Gymraeg. Gadawyd y gwaith o ymgyrchu o blaid hunanlywodraeth i aelodau Plaid Cymru, ac yr oedd y ddau fudiad yn ddigon hapus i lynu wrth eu priod feysydd, er bod cryn dipyn o orgyffwrdd rhyngddynt. Yr oedd arweinwyr Cymdeithas yr Iaith yn argyhoeddedig y deuai rhyddid i Gymru yn sgil ymgyrchoedd yr iaith, gan y byddai creu 'ewyllys y rheidiol' yn y Cymry i ailfeddiannu'r Gymraeg hefyd yn plannu ynddynt yr awydd i fyw mewn gwlad rydd. Meddai Gwynfor Evans ym 1973: 'Mae'r frwydr genedlaethol yn dyfnhau'r ymwybod cenedlaethol, yn cryfhau'r ymwybod o berthyn i gymdeithas arbennig, yn dileu'r meddwl taeogaidd ac yn creu cenedlaetholwyr sydd â'u teyrngarwch i Gymru.'[12] Nid oedd ymgyrchu o blaid hunanlywodraeth yn rhan o raglen ymgyrchu'r Gymdeithas, er bod ei harweinwyr yn cydnabod erbyn dechrau'r saithdegau mai dim ond mewn Cymru rydd y gellid adfer yr iaith Gymraeg. Nid tan ei *Maniffesto* ym 1992 y galwodd y Gymdeithas yn swyddogol am hunanlywodraeth i Gymru, a mynegwyd hynny o fewn cyd-destun ei gweledigaeth gymunedol.[13] Ers hynny, fodd bynnag, y mae'r Gymdeithas wedi datblygu ymgyrch gynhwysfawr newydd o blaid hunanlywodraeth ac iddi'r gadlef 'Rhyddid i Gymru'.

Trwy gydol y gyfrol hon cafwyd prawf o'r modd y datblygodd ac yr aeddfedodd Cymdeithas yr Iaith yn ystod y deng mlynedd ar hugain rhwng 1962 a 1992. Er 1992 y mae'r Gymdeithas wedi ceisio datblygu ymhellach, gan ddiwygio ei chorff rheoli, addasu swyddogaeth ei staff cyflogedig, a chychwyn ymgyrchoedd newydd ym meysydd addysg, statws, darlledu a chynllunio er mwyn ymateb i'r bygythiadau diweddaraf i'r iaith Gymraeg. Serch hynny, ni fu unrhyw ddatblygiad sylweddol yng nghyfundrefn na nifer aelodau'r Gymdeithas er 1992, a'r un problemau affwysol sy'n ei hwynebu heddiw, sef prinder cyllid, diffyg adnoddau proffesiynol, diffyg rhwydwaith cenedlaethol o gelloedd lleol, a diffyg cyfundrefn gyfathrebu effeithiol. Yr un dulliau gweithredu a ddefnyddir heddiw ag a ddefnyddiwyd trwy gydol y cyfnod dan sylw, a'r un hefyd yw'r ymateb o du'r awdurdodau, y cyfryngau a'r cyhoedd, sef cymysgedd o gydymdeimlad a gwrthwynebiad ffyrnig. Eto i gyd, cafwyd datblygiad ac aeddfedu pendant a phwysig iawn yn syniadaeth wleidyddol y Gymdeithas er 1992. Yr oedd wedi troi mewn cylch cyflawn er 1962 pan seiliwyd polisïau'r mudiad ar ymgyrchu o blaid yr iaith gyda'r nod annelwig o sicrhau rhyddid cenedlaethol. Erbyn 1996 seiliwyd polisïau'r mudiad ar ymgyrchu o blaid rhyddid cenedlaethol gyda'r nod pendant iawn o adfer a diogelu'r iaith.

Serch hynny, y mae nod chwyldroadol y Gymdeithas, sef adfer y Gymraeg, yn parhau. Er bod rhai o'i beirniaid wedi honni ei bod wedi newid cyfeiriad, ac eraill wedi awgrymu ei bod wedi colli cyfeiriad yn llwyr, y mae strategaeth newydd y Gymdeithas unwaith eto yn ddatblygiad naturiol ar brofiad ymgyrchu'r mudiad.[14] Bellach y mae'n dadlau na ellir diogelu'r Gymraeg heb sicrhau bod y penderfyniadau a'r polisïau hynny sy'n effeithio ar yr iaith yn cael eu llunio gan Senedd ddemocrataidd sy'n atebol i bobl Cymru. Yn sgil ei hymgyrch yn erbyn yr amryfal gwangos yng Nghymru, datblygwyd polisïau yn galw am sefydlu cynghorau addysg a darlledu annibynnol i Gymru, corff statudol annibynnol i weinyddu Deddf Iaith newydd, a fforwm economaidd cenedlaethol i ffurfio polisïau i ateb anghenion economaidd cymunedau Cymru.[15] Nid yw hanfod y chwyldro wedi newid, sef dymchwel y drefn Brydeinig yng Nghymru a gosod yn ei lle drefn Gymreig, gydweithredol. Yr unig wahaniaeth bellach yw fod y Gymdeithas yn ymgyrchu'n uniongyrchol o blaid y chwyldro drwy gyfrwng polisïau diriaethol a phendant yn hytrach na disgwyl i'r chwyldro ddigwydd yn sgil ei hymgyrchoedd eraill. Deil aelodau Cymdeithas yr Iaith Gymraeg i gredu bod yn 'rhaid i *bopeth* ym mywyd Cymru newid os yw'r Gymraeg am fyw'.[16]

Nodiadau

1 Lewis, *Tynged yr Iaith*, t.32; *Maniffesto* (1992), t.2.
2 Cynog Davies, 'Cymdeithas yr Iaith Gymraeg', t.268.
3 Gw. Norman F. Cantor, 'The Age of Protest', yn idem, *The Age of Protest*, t.xiii.
4 LlGC, PCYIG 1/4, 4/3. Senedd, 17/10/1971, 21/1/1977.
5 Hall, *The Morality of Civil Disobedience*, tt.20–1; Davies, *Martin Luther King*, tt.114–16.
6 Jean-Paul Sartre, 'The Burgos Trials', *Zutik*, 61. Cyfieithwyd gan Harri Webb yn *Planet*, 9 (1971–2).
7 'The cause of dignity', cyfweliad â Saunders Lewis yn *LDP*, 1/11/1966; Gwynn Jarvis, 'Arwahanrwydd meddwl', *Y Faner*, 11/12/1969.
8 Gronw ab Islwyn, 'Tor-cyfraith ac ewyllys', *TDd*, 52 (9/1972). Yr oedd yr Athro J. R. Jones eisoes wedi pregethu'r neges honno ym 1968: 'I edfryd yr "ewyllys i barhau" y mae'n rhaid . . . adfer rhyferthwy o falchder [yn yr iaith] – ie yn arbennig felly yn y rhai a'i collodd – fel unig iaith ein ffurfiant, unig iaith ein bodolaeth fel Pobl, unig iaith tarddiad a gwneuthuriad ein gwahanrwydd.' J. R. Jones, 'Ni Fyn y Taeog mo'i Ryddhau', yn idem, *Gwaedd yng Nghymru*. Mynegwyd yr un neges yn *Maniffesto* (1972): 'Yng nghalonnau a meddyliau pobl Cymru y mae'r frwydr bwysicaf . . . mae a wnelo brwydr yr iaith â hunan-barch a hyder sylfaenol y Cymry.' *Maniffesto* (1972), tt.44–5.
9 Ffred Ffransis, 'The steps of the revolution in Wales', *Peace News*, 20/4/1973.
10 Ffransis, *Daw Dydd*, tt.27–48; idem, *Blwyddyn Ymhlith ein Pobl*, tt.2–4; idem, 'Nid yw'r holl wirionedd gan Adfer', *Y Cymro*, 3/9/1974.
11 Lewis, *Tynged yr Iaith*; idem, 'Arf hunan-lywodraeth', *TDd*, 23 (cyfres I, 8/1965).
12 Gwynfor Evans, *Cenedlaetholdeb Di-drais* (Abertawe, 1973), t.19.
13 *Maniffesto* (1992), t.45.
14 Gw., e.e., 'Ail agor rhwyg yn y Gymdeithas', *Golwg*, 8/7 (19/10/1995); 'Cymdeithas opposes plans for assembly or parliament', *WM*, 23/10/1995. Gw. esboniad Alun Llwyd ar ddatblygiad y Gymdeithas, 'Rhyddid i Gymru – ond sut ryddid?', *Y Tafod*, 262 (12/1995).

[15] Ceir cynlluniau manwl ar y mathau o gyrff a argymhellir gan y Gymdeithas yn *Grym yn Ein Dwylo: Cynigion am Drefn Addysg Annibynnol Ddemocrataidd i Gymru* (Aberystwyth, 1994); 'Yn lle trefn y quangos?', *Y Tafod*, 258 (4/1995); 'Rhyddid i Gymru: cynllunio ar gyfer y gymuned', a 'Rhyddid i Gymru: Deddf Iaith Newydd', *Y Tafod*, 260 (8/1995).

[16] Ffred Ffransis, 'Y Dull Di-drais', yn Toni Schiavone (gol.), *Y Grym Di-drais: Nodion Ffred Ffransis* (Aberystwyth, 1986), t.14.

Atodiad

Tabl 2.1: Cadeiryddion Cymdeithas yr Iaith, 1962–92

Cadeirydd	Cyfnod	Cadeirydd	Cyfnod
Siôn Daniel	1963–5	Rhodri Williams	1977–9
Cynog Dafis	1965–6	Wayne Williams	1979–81
Emyr Llewelyn	1966	Meri Huws	1981–2
Gareth Miles	1966–8	Angharad Tomos	1982–4
Dafydd Iwan	1968–71	Karl Davies	1984–5
Gronw ab Islwyn	1971–3	Toni Schiavone	1985–7
Emyr Hywel	1973–4	Helen Prosser	1987–9
Ffred Ffransis	1974–5	Siân Howys	1989–90
Wynfford James	1975–7	Alun Llwyd	1990–2

Tabl 2.2: Ysgrifenyddion Cymdeithas yr Iaith, 1962–92

Ysgrifennydd	Cyfnod		Ysgrifennydd	Cyfnod	
E. G. Millward	1962–4		Trebor Roberts	1974–5	✓
John Davies	1962–5		Marc Phillips	1974–6	✓
Gareth Miles	1964–5		William Owen	1975–6	✓
Geraint Jones	1965–6		Emyr Tomos	1976–7	✓
Siôn Daniel	1965–7		Anne Uruska	1976–7	✓
Huw Ceredig	1966–8		Aled Eirug	1977–8	✓
Emyr Llewelyn	1967–8		Angharad Tomos	1977–8	✓
Rheinallt Llwyd	1968		Siôn Aled	1978–9	—
Morys Rhys	1968–70		Huw Roberts	1978–9	✓
Ffred Ffransis	1970–1	✓	Linda Williams	1978–81	✓
Dyfrig Siencyn	1971–2	✓	Claire Richards	1979–81	✓
Arfon Gwilym	1971–3	✓	Jên Dafis	1981–5	✓
Meinir Ffransis	1972–3	✓	Helen Greenwood	1985–91	✓
Ieuan Roberts	1972–3	✓	Dafydd Morgan Lewis	1991–2	✓
Meg Elis	1973–4	✓	Kate Crockett	1991–2	—
Siôn Myrddin	1974	✓			

[Defnyddir: ✓ i ddynodi ysgrifenyddion a swyddogion gweinyddol a gyflogwyd yn llawn amser gan y Gymdeithas, a

— i ddynodi ysgrifenyddion a chynorthwywyr gweinyddol a gyflogwyd yn rhan amser.

Trwy Ddulliau Chwyldro . . .?

Tabl 2.3: Trefnyddion Cymdeithas yr Iaith, 1962–92

Trefnydd cenedlaethol	Cyfnod
Walis Wyn George	1982–5

Trefnyddion y de	Cyfnod	Trefnyddion y gogledd	Cyfnod
Terwyn Tomos	1973–4	Siôn Myrddin	1973–4
Walis Wyn George	1985	Ifan Roberts	1979–80
Steffan Webb	1986	Siân Howys	1985–8
Dylan Williams	1986–7	Dafydd Frayling	1989–90
Dafydd Morgan Lewis	1988–91	Angharad Tomos	1990
[Ceri Evans	1989–90]	Branwen Nicholas	1990–2
[Llŷr Huws Gruffydd	1990]	Huw Gwyn	1990–2
Gill Stephen	1991–2		

Llyfryddiaeth

A. LLAWYSGRIFAU
B. ADRODDIADAU SWYDDOGOL
C. PAPURAU NEWYDD, CYLCHGRONAU A CHYFNODOLION
Ch. LLYFRAU
D. YSGRIFAU AC ERTHYGLAU
Dd. DARLITHOEDD A THRAETHODAU ANGHYHOEDDEDIG

A. LLAWYSGRIFAU

Llyfrgell Genedlaethol Cymru, Aberystwyth

Archif Plaid Cymru
Archif Plaid Lafur Cymru
Casgliad Tŷ Cenedl
Cofnodion Plaid Lafur Aberystwyth
Pamffledi amrywiol ADFER Cyf.
Papurau'r Arglwydd Cledwyn o Benrhos
Papurau'r Is-iarll Tonypandy
Papurau Richard I. Aaron
Papurau Cymdeithas Awdurdodau Lleol Cymru
Papurau Cymdeithas yr Iaith Gymraeg (yn cynnwys:–)
    Tafod y Ddraig, cyfres 1, 1963–5
    Tafod y Ddraig, cyfres 2, 1967–91
    Y Tafod, 1991–2
    Cylchgronau a Chylchlythyrau Rhanbarthol
    Llyfrau, Dogfennau a Memoranda, 1962–92
    Taflenni a Phamffledi amrywiol, 1962–92
Papurau Cymdeithas yr Iaith Gymraeg: Cangen Ceredigion
Papurau Cymdeithas yr Iaith Gymraeg: Cell Casnewydd
Papurau Cynog Dafis
Papurau Dr John Davies
Papurau Gwynfor Evans
Papurau Idris Foster
Papurau Raymond Garlick
Papurau James Griffiths
Papurau Ben G. Jones
Papurau E. G. Millward
Papurau Dr George Morrison
Papurau Plaid Cymru: Rhanbarth Ceredigion
Papurau Plaid Ryddfrydol Cymru

Papurau Alwyn D. Rees
Papurau ar Statws yr Iaith Gymraeg, 1970–88
Papurau Ben Bowen Thomas
Papurau Undeb Cymru Fydd
Papurau Jac L. Williams
Papurau Rhodri Williams
Papurau Ymchwil Dylan Phillips (yn cynnwys:–)
    Papurau Gareth Miles
    Papurau Dafydd Iwan
    Papurau Rheinallt Llwyd
    Papurau Ann Ffrancon

Prif swyddfa Cymdeithas yr Iaith Gymraeg, Aberystwyth

Papurau ychwanegol Cymdeithas yr Iaith Gymraeg

B.   ADRODDIADAU SWYDDOGOL

Cyngor Cymru a Mynwy — *Adroddiad ar yr Iaith Gymraeg Heddiw* (London, 1963)

Y Swyddfa Gymreig — *Statws Cyfreithiol yr Iaith Gymraeg: Adroddiad y Pwyllgor Ymchwil dan gadeiryddiaeth Syr David Hughes-Parry* (London, 1965)

Y Swyddfa Gymreig — *Deddf yr Iaith Gymraeg, 1967* (London, 1967)

Y Swyddfa Gymreig — *The Use of the Welsh Language: Circular* (Caerdydd, 1969)

Uwch-Bwyllgor Cymreig — *Parliamentary Papers: The Welsh Language* (London, 25 Chwefror 1970)

Y Swyddfa Gymreig — *Arwyddion Ffyrdd Dwyieithog: Adroddiad y Pwyllgor Ymchwil dan gadeiryddiaeth Roderic Bowen* (London, 1972)

Y Swyddfa Gymreig — *Ffurflenni Cymraeg a Dwyieithog* (Caerdydd, 1973)

Plaid Lafur Cymru — *Labour and the Welsh Language* (Caerdydd, 1973)

Cyngor Darlledu Cymru — *Memorandum from the Broadcasting Council for Wales* (Caerdydd, 1975)

Cyngor yr Iaith Gymraeg — *Teledu yng Nghymru: Memorandwm i Ysgrifennydd Gwladol Cymru* (Caerdydd, 1975)

Y Swyddfa Gymreig — *Report of the Working Party on a Fourth Television Service in Wales* (London, 1975)

Y Swyddfa Gartref — *Report of the Working Party on the Welsh Television Fourth Channel Project* (London, 1978)

Cyngor yr Iaith Gymraeg — *Dyfodol i'r Iaith Gymraeg* (Caerdydd, 1978)

Edwards, Nicholas — *Yr Iaith Gymraeg. Ymrwymiad a Her: Polisi'r Llywodraeth ar gyfer yr Iaith Gymraeg* (Caerdydd, 1980)

Bwrdd yr Iaith Gymraeg	*Yr Iaith Gymraeg: Strategaeth i'r Dyfodol* (Caerdydd, 1989)
Bwrdd yr Iaith Gymraeg	*Argymhellion ar gyfer Deddf Newydd i'r Iaith Gymraeg* (Caerdydd, 1991)
Y Swyddfa Gymreig	*Arolwg Cymdeithasol Cymru 1992: Adroddiad ar yr Iaith Gymraeg* (London, 1995)

C. PAPURAU NEWYDD, CYLCHGRONAU A CHYFNODOLION

Papurau Newydd

Caernarvon and Denbigh Herald
Cambrian News
Carmarthen Journal
Golwg
Guardian
Herald Cymraeg
Liverpool Daily Post
Llanelli Star

South Wales Argus
Sunday Times
The Times
Western Mail
Y Cymro
Y Ddraig Goch
Y Faner

Cylchgronau a Chyfnodolion

Barn
Cymru ein Gwlad
Llais y Lli
Planet

Radical Wales
Welsh Nation
Y Crochan
Y Faner Goch

Ch. LLYFRAU

a. Cefndir

Alderman, Geoffrey, *Pressure Groups and Government in Great Britain* (New York, 1984).

Anderson, Terry H., *The Movement and the Sixties: Protest in America from Greensboro to Wounded Knee* (Oxford, 1995).

Barbrook, Alec & Bolt, Christine, *Power and Protest in American Life* (Oxford, 1980).

Bell, Daniel, *The End of Ideology: On the Exhaustion of Political Ideas in the Fifties* (New York / London, 1965).

Benewick, Robert & Smith, Trevor (goln.), *Direct Action and Democratic Politics* (London, 1972).

Berry, Jeffrey M., *Lobbying for the People: The Political Behavior of Public Interest Groups* (Princeton, 1977).

Bondurant, Joan, *The Conquest of Violence: The Gandhian Philosophy of Conflict* (Princeton, 1958).
   Conflict: Violence and Nonviolence (Chicago, 1971).
Bracey, John H. Jr., Meier, August & Rudwick, Elliott, *Black Nationalism in America* (Indianapolis / New York, 1970).
Brown, Michael & May, John, *The Greenpeace Story* (London, 1989).
Cantor, Norman F., *The Age of Protest* (London, 1970).
Carter, April, *Direct Action and Liberal Democracy* (London, 1973).
Colaiaco, James A., *Martin Luther King, Jr.: Apostle of Militant Nonviolence* (London, 1988).
Cole, John, *The Thatcher Years: A Decade of Revolution in British Politics* (London, 1987).
Coxall, W. N., *Parties and Pressure Groups* (London, 1981).
Crawley, Harriet, *A Degree of Defiance: Students in England and Europe Now* (London, 1969).
Crouch, Colin, *The Student Revolt* (London, 1970).
Davies, Malcolm, *Politics of Pressure* (London, 1985).
Davies, T. J., *Martin Luther King* (Abertawe, 1969).
Driver, Christopher, *The Disarmers: A Study in Protest* (London, 1964).
Edwards, John (gol.), *Linguistic Minorities: Policies and Pluralism* (London, 1984).
Ellison, Mary, *The Black Experience: American Blacks since 1865* (London, 1974).
Finer, Samuel Edward, *Anonymous Empire* (London, 1958).
   The Changing British Party System, 1945–1979 (Washington, 1980).
Frost, Brian (gol.), *The Tactics of Pressure* (London, 1975).
Grant, Wyn, *Pressure Groups, Politics and Democracy in Britain* (Hertfordshire, 1989).
Greenpeace, *Greenpeace Annual Review 1995* (London, 1995).
Grote, G., *Torn between Politics and Culture. The Gaelic League 1893–1993* (New York, 1994).
Hain, Peter, *Don't Play with Apartheid: The background to the Stop the Seventy Tour Campaign* (London, 1971).
   Political Trials in Britain (London, 1984).
Hall, Christopher, *How to Run a Pressure Group* (London, 1974).
Hall, Robert T., *The Morality of Civil Disobedience* (New York, 1971).
Halloran, James D., Elliot, Philip & Murdock, Graham, *Demonstrations and Communications: A Case Study* (Harmondsworth, 1970).
Hindley, Reg, *The Death of the Irish Language: A Qualified Obituary* (London, 1990).
Holdsworth, Angela, *Out of the Doll's House: The Story of Women in the Twentieth Century* (London, 1991).
Holmes, Robert L. (gol.), *Nonviolence in Theory and Practice* (California, 1990).
Jordan, A. G. & Richardson, J. J., *Government and Pressure Groups in Britain* (Oxford, 1987).
Kimber, Richard & Richardson, J. J. (goln.), *Pressure Groups in Britain: A Reader* (London, 1974).

Lenman, Bruce P., *The Eclipse of Parliament: Appearances and Reality in British Politics since 1914* (London, 1992).

Lewis, Jane, *Women in Britain since 1945. Women, Family, Work and the State in the Post-War Years* (Oxford, 1993).

Liddington, Jill, *The Long Road to Greenham. Feminism & Anti-Militarism in Britain since 1820* (London, 1989).

Lord Hailsham, *A Sparrow's Flight: The Memoirs of Lord Hailsham of Marylebone* (London, 1990).

Lowe, Philip & Goyder, Jane, *Environmental Groups in Politics* (London, 1983).

Mahood, H. R., *Pressure Groups in American Politics* (New York, 1967).

Marsh, David, *Pressure Politics: Interest Groups in Britain* (London, 1983).

Meier, August & Rudwick, Elliott, *Black Protest in the Sixties* (Chicago, 1970).

Meier, August, Rudwick, Elliott & Broderick, Francis L., *Black Protest Thought in the Twentieth Century* (Indianapolis / New York, 1971).

Miller, W. L., et al., *Democratic or Violent Protest? Attitudes Towards Direct Action in Scotland and Wales. Studies in Public Policy,* 107 (Glasgow, 1982).

Oberschall, Anthony, *Social Conflict and Social Movements* (New Jersey, 1973).

Parkin, Frank, *Middle Class Radicalism: The Social Bases of the British Campaign for Nuclear Disarmament* (Manchester, 1968).

Porritt, Jonathon & Winner, David, *The Coming of the Greens* (London, 1988).

Presthus, Robert, *Elites in the Policy Process* (Cambridge, 1974).

Punnett, R. M., *British Government and Politics* (London, 1987).

Purdie, Bob, *Politics in the Streets: The Origins of the Civil Rights Movement in Northern Ireland* (Belfast, 1990).

Pym, Bridget, *Pressure Groups and the Permissive Society* (Newton Abbott, 1974).

Randle, Michael, *Civil Resistance* (London, 1994).

Rees, D. Ben, *Mahatma Gandhi: Pensaer yr India* (Pontypridd, 1969).

Roberts, Geoffrey K., *Political Parties and Pressure Groups in Britain* (London, 1970).

Rover, Constance, *Women's Suffrage and Party Politics in Britain, 1866–1914* (London, 1967).

Seale, Patrick & McConville, Maureen, *French Revolution 1968* (Harmondsworth, 1968).

Sharp, Gene, *The Politics of Non-violent Action* (Boston, 1973).

Shipley, Peter, *Directory of Pressure Groups and Representative Associations* (London, 1979).

Stacey, Frank, *The Government of Modern Britain* (Oxford, 1968).

Stephens, Meic, *Linguistic Minorities in Western Europe* (Llandysul, 1976).

Stewart, J. D., *British Pressure Groups* (Oxford, 1958).

Thayer, George, *The British Political Fringe: A Profile* (London, 1965).

Thomas, R. H., *The Politics of Hunting* (Aldershot, 1983).

Thomas, T. Glyn, *Heb Amser i Farw* (Dinbych, 1964).

Walker, Peter, *Staying Power* (London, 1991).

Wells, Tom, *The War Within: America's Battle over Vietnam* (Berkeley, 1994).

Whitelaw, William, *The Whitelaw Memoirs* (London, 1989).

Williams, Colin H., *The Cultural Rights of Minorities: Recognition and Implementation* (Staffordshire Polytechnic, 1991).

Williams, Raymond, *Keywords: A Vocabulary of Culture and Society* (London, 1988). *What I Came to Say* (London, 1989).

Wilson, Des, *Pressure: The A to Z of Campaigning in Britain* (London, 1984).

Wilson, John, *Introduction to Social Movements* (New York, 1973).

Wootton, Graham, *Interest Groups* (New Jersey, 1970). *Pressure Politics in Contemporary Britain* (Massachusetts, 1978).

b. Cymru a'r Gymraeg

Aaron, Jane, et al., *Our Sisters' Land* (Caerdydd, 1994).

Adamson, David L., *Class, Ideology and the Nation: A Theory of Welsh Nationalism* (Caerdydd, 1991).

Adler, Max K., *Welsh and the Other Dying Languages in Europe: A Sociolinguistic Study* (Hamburg, 1977).

Aitchison, John & Carter, Harold, *A Geography of the Welsh Language 1961–1991* (Caerdydd, 1994).

Allison, Steffan (gol.), *Symbolau Cyfiawnder: Arwyddion Dwyieithog yng Nghymru. Hanes Cyflawn Ymgyrch Arwyddion Ffyrdd Dwyieithog* (Caerdydd, 1972).

Allison, Steffan, et al., *Tai Haf: Adroddiad 3* (Caerdydd, 1972).

Andrews, J. A. & Henshaw, L. G., *The Welsh Language in the Courts* (Aberystwyth, 1984).

ap Iwan, Emrys, *Breuddwyd Pabydd wrth ei Ewyllys* (Wrecsam, 1931).

ap Nicholas, Islwyn, *R. J. Derfel: Welsh Rebel Poet and Preacher* (London, 1945).

Baker, Colin, *Aspects of Bilingualism in Wales* (Clevedon, 1985).

Balsom, Denis, *The Nature and Distribution of Support for Plaid Cymru* (Studies in Public Policy, 36) (Glasgow, 1979).

Betts, Clive, *Culture in Crisis: The Future of the Welsh Language* (Wirral, 1976).

Bowen, Ivor (gol.), *The Statutes of Wales* (London, 1908).

Butler, Gareth (gol.), *Deg Ceiniog dros yr Iaith: Ymateb Plaid Cymru i'r Ddeddf Iaith* (Aberystwyth, 1993).

Carrog, Eleri, *Cenedl y Cymry v. British Telecom* (Caernarfon, 1990).

Carter, Harold, *Diwylliant, Iaith a Thiriogaeth* (London, 1988). *Mewnfudo a'r Iaith Gymraeg* (Caerdydd, 1988).

Clews, Roy, *To Dream of Freedom: The Struggle of M.A.C. and the Free Wales Army* (Talybont, 1980).

Clowes, Carl, *Antur Aelhaearn* (Caernarfon, 1982).

Dafis, Cynog, *Effeithiau Mewnfudiad ar Iaith mewn Cymdeithas ac mewn Ysgol* (Aberystwyth, 1985).

Davies, Aneirin Talfan, *Darlledu a'r Genedl* (London, 1972).

Davies, Cassie, *Undeb Cymru Fydd 1939–1960* (Aberystwyth, 1960).

Davies, Charlotte Aull, *Welsh Nationalism in the Twentieth Century: The Ethnic Option and the Modern State* (New York, 1989).

Davies, D. Hywel, *The Welsh Nationalist Party 1925–1945: A Call to Nationhood* (Caerdydd, 1983).

Davies, D. J., *Towards Welsh Freedom* (Dinbych, 1958).

Davies, Gwilym Prys, *Deddf i'r Iaith?* (Caerdydd, 1988).

Llafur y Blynyddoedd (Dinbych, 1991).

Davies, Janet, *The Welsh Language* (Caerdydd, 1993).

Davies, John, *The Green and the Red: Nationalism and Ideology in 20th Century Wales* (Aberystwyth, 1982).

Hanes Cymru (Harmondsworth, 1990).

Broadcasting and the BBC in Wales (Caerdydd, 1994).

Davies, John (gol.), *Cymru'n Deffro: Hanes y Blaid Genedlaethol 1925–75* (Talybont, 1981).

Davies, John, Yr Arglwydd Gifford & Richards, Tony, *Heddgadw Gwleidyddol yng Nghymru* (Caerdydd, 1984).

Davies, Pennar, *Gwynfor Evans: Golwg ar ei Waith a'i Feddwl* (Abertawe, 1976).

Davies, Pennar (gol.), *Saunders Lewis: Ei Feddwl a'i Waith* (Dinbych, 1950).

Edwards, Elwyn (gol.), *Cadwn y Mur: Blodeugerdd Barddas o Ganu Gwladgarol* (Barddas, 1990).

Edwards, Huw T., *Troi'r Drol* (Dinbych, 1963).

Edwards, Hywel Teifi, *Codi'r Hen Wlad yn ei Hôl, 1850–1914* (Llandysul, 1989).

Edwards, Philip, *Achos y Naw and Contempt Cases: Adroddiad Llygad Dyst gan Phil Bach* (Caerdydd, 1972).

Eirug, Aled, *Tân a Daniwyd: Cymdeithas yr Iaith 1963–76* (Abertawe, 1976).

Ellis, Peter Berresford, *The Celtic Revolution: A Study in Anti-Imperialism* (Talybont, 1988).

Erfyl, Gwyn & Llywelyn, Emyr, *Cofio J. R. Jones* (Caernarfon, 1990).

Evans, Gwynfor, *'Eu Hiaith a Gadwant . . .' A Oes Dyfodol i'r Iaith Gymraeg?* (Caerdydd, 1946).

We Learn From Tryweryn (Caerdydd, 1958?).

Cyfle Olaf y Gymraeg (Abertawe, 1962).

Rhagom i Ryddid (Bangor, 1964).

Aros Mae (Abertawe, 1971).

Cenedlaetholdeb Di-drais (Abertawe, 1973).

Byw Neu Farw? Y Frwydr dros yr Iaith a'r Sianel Deledu Gymraeg (Caerdydd, 1980).

Wales: A Historic Community. Who Are We? What Are We? (Caerdydd, 1988).

Fighting for Wales (Talybont, 1991).

Evans, Gwynfor, et al., *Wales Against Conscription* (Caerdydd, 1956).

Evans, Meredydd, *Proffwyd ac Argyfwng* (Llandybïe, 1982).

Ffrancon, Ann & Jenkins, Geraint H. (goln.), *Merêd: Detholiad o Ysgrifau* (Llandysul, 1994).

Ffransis, Ffred, *Daw Dydd . . .* (Dinbych, 1974).

Finch, Harold, *Memoirs of a Bedwellty M.P.* (Newport, 1972).

Foulkes, David, Jones, J. Barry & Wilford, R. A. (goln.), *The Welsh Veto: The Wales Act 1978 and the Referendum* (Caerdydd, 1983).

Griffith, R. E., *Urdd Gobaith Cymru, 1922–1972* (3 cyfrol, Aberystwyth, 1971–3).

Griffiths, Bruce, *Saunders Lewis (Writers of Wales)* (Caerdydd, 1989).

Griffiths, Dylan, *Thatcherism and Territorial Politics: A Welsh Case Study* (Aldershot, 1996).

Griffiths, James, *Pages From Memory* (London, 1969).

Griffiths, Robert, *S. O. Davies: A Socialist Faith* (Llandysul, 1983).

Griffiths, Robert & Miles, Gareth, *Sosialaeth i'r Cymry* (Caerdydd, 1979).

Gruffydd, R. Geraint (gol.), *Meistri'r Canrifoedd* (Caerdydd, 1973).

Gweithgor Deddf Newydd yr Iaith Gymraeg, *Deddf Newydd i'r Iaith: Argymhellion* (Caerdydd, 1984).

Hechter, Michael, *Internal Colonialism: The Celtic Fringe in British National Development, 1536–1966* (London, 1975).

Herbert, Trevor & Jones, Gareth Elwyn (goln.), *Post-War Wales* (Caerdydd, 1995).

Hughes, J. Elwyn, *Arloeswr Dwyieithedd. Dan Isaac Davies, 1839–1887* (Caerdydd, 1984).

Hume, I. & Pryce, W. T. R. (goln.), *The Welsh and Their Country: Selected Readings in the Social Sciences* (Llandysul, 1986).

Hunston, Ramon, *Order! Order!* (London, 1981).

Ifans, Dafydd (gol.), *Annwyl Kate, Annwyl Saunders: Gohebiaeth 1923–1983* (Aberystwyth, 1992).

Iwan, Dafydd, *Oriau gyda Dafydd Iwan. Llyfr Un* (Talybont, 1969).

Dafydd Iwan (Cyfres y Cewri 1) (Caernarfon, 1981).

James, Arnold J. & Thomas, John E., *Wales at Westminster: A History of the Parliamentary Representation of Wales 1800–1979* (Llandysul, 1981).

Jenkins, Dafydd, *Tân yn Llŷn: Hanes Llosgi'r Ysgol Fomio* (Caerdydd, 1937).

Jenkins, John, *Prison Letters* (Talybont, 1981).

Jones, Alun R. & Thomas, Gwyn, *Presenting Saunders Lewis* (Caerdydd, 1973).

Jones, D. Elwyn, *Y Rebel Mwyaf?* (Caernarfon, 1991).

Jones, D. Gwenallt (gol.), *Detholiad o Ryddiaith Gymraeg R. J. Derfel. I a II* (Aberystwyth, 1945).

Jones, Dafydd Glyn, et al., *Emrys ap Iwan: Tair Darlith Goffa* (Yr Wyddgrug, 1991).

Jones, Frank Price, et al., *Y Chwedegau* (Caerdydd, 1970).

Jones, Gwilym R., *Rhodd Enbyd: Hunan-gofiant* (Y Bala, 1983).

Jones, J. E., *Tros Gymru: J. E. a'r Blaid* (Abertawe, 1970).

Jones, J. R., *Prydeindod* (Llandybïe, 1966).

Yr Ewyllys i Barhau (Aberdâr, 1968).

Ac Onide (Llandybïe, 1970).

Gwaedd yng Nghymru (Pontypridd, 1970).

A Raid i'r Iaith Ein Gwahanu? (Aberystwyth, 1978).

Jones, Kenneth E., *Dulliau Di-Drais yng Nghymru* (Abertawe, 1972).

Jones, R. Gerallt, *A Bid for Unity: The Story of Undeb Cymru Fydd 1941–1960* (Aberystwyth, 1971).

Jones, Thomas Gwynn, *Emrys ap Iwan: Dysgawdr, Llenor, Cenedlgarwr* (Caernarfon, 1912).

Jones, Watcyn L., *Cofio Tryweryn* (Llandysul, 1988).

Khleif, Bud B., *Language, Ethnicity, and Education in Wales* (The Hague, 1980).

Lewis, Robyn, *Second-Class Citizen* (Llandysul, 1969).

Lewis, Saunders, *Egwyddorion Cenedlaetholdeb* (Caernarfon, 1926).

Braslun o Hanes Llenyddiaeth Gymraeg Hyd 1535: I (Caerdydd, 1932).

Canlyn Arthur: Ysgrifau Gwleidyddol (Aberystwyth, 1937).

Paham y Llosgasom yr Ysgol Fomio (Aberystwyth, 1937).

Argyfwng Cymru (Dinbych, 1947).

Tynged yr Iaith (Caerdydd, 1962).

Llewelyn, Emyr, *Y Chwyldro a'r Gymru Newydd* (Abertawe, 1972).

Adfer a'r Fro Gymraeg (Pontypridd, 1976).

Lloyd, D. Myrddin (gol.), *Erthyglau Emrys ap Iwan I: Gwlatgar, Cymdeithasol, Hanesiol* (Dinbych, 1937).

Seiliau Hanesyddol Cenedlaetholdeb Cymru (Caerdydd, 1950).

Emrys ap Iwan (Writers of Wales) (Caerdydd, 1979).

Lloyd, D. Tecwyn, *John Saunders Lewis – Y Gyfrol Gyntaf* (Dinbych, 1988).

Lloyd, D. Tecwyn & Hughes, Gwilym Rees, *Saunders Lewis* (Abertawe, 1975).

Löffler, Marion, *'Iaith Nas Arferir, Iaith I Farw Yw': Ymgyrchu dros yr Iaith Gymraeg rhwng y Ddau Ryfel Byd* (Aberystwyth, 1995).

Maro, Judith, *Hen Wlad Newydd: Gwersi i Gymru* (Talybont, 1974).

Matthews, E. Gwynn, *Dyma Blaid Cymru* (Caerdydd, 1969).

Miles, Gareth, *The National Question of Wales* (Yr Wyddgrug, 1987).

Morgan, Derec Llwyd (gol.), *Adnabod Deg: Portreadau o Ddeg o Arweinwyr Cynnar y Blaid Genedlaethol* (Dinbych, 1977).

Morgan, Kenneth O., *The Red Dragon and the Red Flag* (Aberystwyth, 1989).

Rebirth of a Nation. Wales 1880–1980 (Oxford, 1990).

Morgan, W. J. (gol.), *The Welsh Dilemma: Some Essays on Nationalism in Wales* (Llandybïe, 1973).

Osmond, John, *Creative Conflict: The Politics of Welsh Devolution* (Llandysul, 1977).

Police Conspiracy? (Talybont, 1984).

Osmond, John (gol.), *The National Question Again: Welsh Political Identity in the 1980s* (Llandysul, 1985).

Philip, Alan Butt, *The Welsh Question: Nationalism in Welsh Politics 1945–1970* (Caerdydd, 1975).

Phillips, Dewi Z., *J. R. Jones* (Caerdydd, 1995).

Pierce, Gwynedd (gol.), *Triwyr Penllyn* (Caerdydd, 1956).

Plaid Cymru, *Mewnlifiad: Ymateb i'r Her* (Caerdydd, 1988).

Powell, Dewi Watkin, *Iaith, Cenedl a Deddfwriaeth: Tuag at Agweddau Newydd* (Caerdydd, 1990).

Price, Emyr, *Yr Arglwydd Cledwyn o Benrhos* (Bangor, 1990).

Pwyllgor Cydenwadol yr Iaith Gymraeg, *Gwerth dy Grys* (Llandysul, 1963).

Pwyllgor Deiseb yr Iaith Gymraeg, *The Welsh Language Petition* (Aberystwyth, 1939).

Rees, Alwyn D., *The Magistrate's Dilemma vis-à-vis the Welsh Language Offender* (Llandybïe, 1968).

Dear Sir Harry Pilkington (Caerfyrddin, 1969).

Ym Marn Alwyn D. Rees (Abertawe, 1976).

Rees, Chris, *Iaith ein Dyfodol* (Caerdydd, 1971).

Rees, Ioan Bowen, *The Welsh Political Tradition* (Caerdydd, 1961).

    Cymuned a Chenedl: Ysgrifau ar Ymreolaeth (Llandysul, 1993).

Rhys, Manon (gol.), *Bywyd Cymro (Cyfres y Cewri 4)* (Caernarfon, 1982).

Rhys, Robert, *Cloi'r Clwydi: Hanes y Frwydr i Atal Boddi Cwm Gwendraeth Fach, 1960–1965* (Llandybïe, 1983).

Roberts, O. M., *Oddeutu'r Tân (Cyfres y Cewri 12)* (Caernarfon, 1994).

Robertson, Edwin H., *George: A Biography of Viscount Tonypandy* (London, 1992).

Smith, J. Beverley, et al., *James Griffiths and His Times* (Caerdydd, 1978).

Stephens, Meic (gol.), *The Welsh Language Today* (argraffiad diwygiedig, Llandysul, 1979).

Thomas, Brinley, *Welsh Economy* (Caerdydd, 1962).

Thomas, Dafydd Elis, *Bywyd i'r Iaith* (Caerdydd, 1994).

Thomas, George, *Mr Speaker* (London, 1985).

    My Wales (London, 1986).

Thomas, Ned, *The Welsh Extremist: A Culture in Crisis* (argraffiad cyntaf, London, 1971).

    The Welsh Extremist: Modern Welsh Politics, Literature and Society (argraffiad diwygiedig, Talybont, 1991).

Tudur, Gwilym, *Wyt Ti'n Cofio?* (Talybont, 1989).

Undeb yr Annibynwyr Cymraeg, *Gwerth Cristnogol yr Iaith Gymraeg* (Abertawe, 1967).

Urdd Gobaith Cymru, *Iaith a Diwylliant Cymru: Yr Achos dros Gomisiwn Brenhinol* (Aberystwyth, 1973).

Wigley, Dafydd, *Agenda i'r Iaith* (Caernarfon, 1988).

    O Ddifri (Cyfres y Cewri 10) Cyf. I (Caernarfon, 1992).

    Dal Ati (Cyfres y Cewri 10) Cyf. II (Caernarfon, 1993).

Williams, Colin H., *Called Unto Liberty: On Language and Nationalism* (Clevedon, 1994).

Williams, Elis Wynne & Evans, Gwynfor, *Darlith Flynyddol Cymdeithas Emrys ap Iwan, Cyf. I a II, 1981 a 1982* (Abergele, 1983).

Williams, Glyn (gol.), *Social and Cultural Change in Contemporary Wales* (London, 1978).

    Crisis of Economy and Ideology: Essays on Welsh Society, 1840–1980 (Bangor, 1983).

Williams, Gwyn A., *When Was Wales?* (Harmondsworth, 1985).

Williams, J. G., *Maes Mihangel* (Dinbych, 1974).

Williams, Owain, *Cysgod Tryweryn* (Caernarfon, 1979).

Williams, Phil, *Voice from the Valleys* (Aberystwyth, 1981).

D. YSGRIFAU AC ERTHYGLAU

a. Ysgrifau

Bankowski, Zenon & Mungham, Geoff, 'Political trials in contemporary Wales: cases, causes and methods', yn Zenon Bankowski & Geoff Mungham (goln.), *Essays in Law and Society* (London, 1980), tt.55–70.

Inglehart, R. F. & Woodward, M., 'Language conflicts and political community', yn Pier Paolo Giglioli (gol.), *Language and Social Context* (Harmondsworth, 1972), tt.358–77.

Jones, J. Graham, 'Y Blaid Lafur, datganoli a Chymru, 1900–1979', yn Geraint H. Jenkins (gol.), *Cof Cenedl VII* (Llandysul, 1992), tt.167–200.

Jones, R. Tudur, 'Michael D. Jones a thynged y genedl', yn Geraint H. Jenkins (gol.), *Cof Cenedl [I]* (Llandysul, 1986), tt.95–123.

Lloyd, D. Tecwyn, 'Chwilio am Gymru', yn Geraint H. Jenkins (gol.), *Cof Cenedl IV* (Llandysul, 1989), tt.121–51.

Madgwick, P. J., 'The politics of language', yn P. J. Madgwick (gol.), *The Politics of Rural Wales: A Study of Cardiganshire* (London, 1973), tt.105–22.

Moran, Michael, 'Power, policy and the city of London', yn Roger King (gol.), *Capital and Politics* (London, 1983), tt.49–68.

Morgan, Kenneth O., 'Twf cenedlaetholdeb fodern yng Nghymru, 1800–1966', yn Geraint H. Jenkins (gol.), *Cof Cenedl [I]* (Llandysul, 1986), tt.147–78.

Morris, Dylan, 'Dehongli Thatcheriaeth', yn W. Arthur Thomas & D. Roy Thomas (goln.), *Cymru a'r Byd: Detholiad o Drafodion Economaidd a Chymdeithasol 1981–1986* (Caerdydd, 1988), tt.33–45.

Powell, Dewi Watkin, 'Y llysoedd, yr awdurdodau a'r Gymraeg: y Ddeddf Uno a Deddf yr Iaith Gymraeg', yn T. M. Charles-Edwards, Morfydd E. Owen & D. B. Walters (goln.), *Lawyers and Laymen: Studies in the History of Law Presented to Professor Dafydd Jenkins* (Caerdydd, 1986), tt.287–315.

Price, Glanville, 'The present position and viability of minority languages', yn Antony E. Alcock, Brian K. Taylor & John M. Welton (goln.), *The Future of Cultural Minorities* (London, 1979), tt.30–43.

Turner, Ralph H., 'Determinants of social movement strategies', yn Tamotsu Shibutani (gol.), *Human Nature and Collective Behaviour* (New Jersey, 1970), tt.145–64.

Thomas, Dennis, 'Economi Cymru 1945–95', yn Geraint H. Jenkins (gol.), *Cof Cenedl XI* (Llandysul, 1996), tt.147–79.

Williams, Colin H., 'Separatism and the mobilization of Welsh national identity', yn Colin H. Williams (gol.), *National Separatism* (Caerdydd, 1982), tt.145–201.

'Minority nationalist historiography', yn R. J. Johnston, David Knight & Eleonore Kofman (goln.), *Nationalism, Self-Determination and Political Geography* (London, 1988), tt.203–21.

b. Erthyglau

Aaron, Richard I., 'The struggle for the Welsh language: some pre-census reflections', *Trafodion Anrhydeddus Gymdeithas y Cymmrodorion*, 2, 1969, tt.229–49.

Agnew, John A., 'Language shift and the politics of language: the case of the Celtic languages of the British Isles', *Language Problems and Language Planning*, 5/1, Gwanwyn 1981, tt.1–10.

Alderman, Geoffrey et al., 'Pressure groups symposium', *Contemporary Record*, 2/1, Gwanwyn 1988, tt.2–15.

Balsom, D. et al., 'The political consequences of Welsh identity', *Ethnic and Racial Studies*, 7/1, Ionawr 1984, tt.160–81.

Bleicher, Samuel A., 'Nonviolent action and world order', *International Organization*, 29/2, Gwanwyn 1975, tt.513–33.

Brookes, S. K. & Richardson, J. J., 'The environmental lobby in Britain', *Parliamentary Affairs*, 28/3, Haf 1975, tt.312–28.

Cotgrove, Stephen & Duff, Andrew, 'Environmentalism, middle-class radicalism and politics', *Sociological Review*, 28/2, Mai 1980, tt.333–51.

Daniel, Iestyn, 'Saunders Lewis a Marcsiaeth', *Y Traethodydd*, 627, Gorffennaf 1993, tt.88–102.

Davies, Alun, 'Michael D. Jones a'r Wladfa', *Trafodion Anrhydeddus Gymdeithas y Cymmrodorion*, 1, 1966, tt.72–87.

Davies, E. Hudson, 'Welsh nationalism', *Political Quarterly*, 39/3, Gorffennaf – Medi 1968, tt.322–32.

Davies, Emyr, 'Pam achub iaith', *Y Traethodydd*, 617, Hydref 1990, tt.174–91.

Davies, Ithel, 'Tynged yr Iaith', *Y Genhinen*, 13/11, Gwanwyn 1963, tt.64–70.

Davies, John, 'Wales in the nineteen-sixties', *Llafur*, 4/4, 1987, tt.78–88.

Edwards, Owen, 'Sianelu', *Trafodion Anrhydeddus Gymdeithas y Cymmrodorion*, 1990, tt.293–309.

Ellis, T. I., 'Undeb Cymru Fydd', *Lleufer*, 2, 1945, tt.17–19.

Hughes, Glyn Tegai, 'Cysylltiad iaith â'r ymwybyddiaeth genedlaethol', *Efrydiau Athronyddol*, 24, 1961, tt.31–8.

Hywel, Emyr, 'Brwydr yr iaith yng ngorllewin Cymru', *Y Traethodydd*, 624, Gorffennaf 1992, tt.148–56.

Jones, Ben G., 'The Council's final report – A Future for the Welsh Language', *Trafodion Anrhydeddus Gymdeithas y Cymmrodorion*, 1979, tt.259–70.

Jones, Bobi, 'Sut i adfer y Gymraeg?', *Y Traethodydd*, 135, Ebrill 1980, tt.73–88.

Jones, D. Gwenallt, 'Tynged yr Iaith – sylwadau'r Golygydd', *Taliesin*, 4, 1962, tt.83–94.

Jones, J. R., 'Y syniad o genedl', *Efrydiau Athronyddol*, 24, 1961, tt.3–17.

Jones, R. Tudur, 'Cenedlaetholdeb J. R. Jones', *Efrydiau Athronyddol*, 35, 1972, tt.26–38.

Jones, Richard Wyn, 'From "community socialism" to quango Wales: the amazing odyssey of Dafydd Elis Thomas', *Planet*, 118, Awst / Medi 1996, tt.59–70.

Lewis, Saunders, 'Eu hiaith a gadwant', *Y Crynhoad,* Hydref 1949, tt.10–13.

'Dwy iaith neu un?', *Empire News,* 5 Rhagfyr 1954, t.7.

'Tranc yr iaith', *Empire News,* 23 Ionawr 1955, t.6.

Martin, Colin & Martin, Dick, 'The decline of Labour Party membership', *Political Quarterly,* 48/4, Hydref – Rhagfyr 1977, tt.459–71.

McAllister, Ian, 'The Labour Party in Wales: the dynamics of one-partyism', *Llafur,* 3/2, Gwanwyn 1981, tt.79–89.

McAllister, Ian & Mughan, Anthony, 'The fate of the language: determinants of bilingualism in Wales', *Ethnic and Racial Studies,* 7/3, Gorffennaf 1984, tt.321–41.

McCrystal, Cal, 'Warlords of the fringe', *Sunday Times Magazine,* 12 Hydref 1986, tt.36–43.

Myers, Frank E., 'Civil disobedience and organizational change: the British Committee of 100', *Political Science Quarterly,* 86/1, Mawrth 1971, tt.92–112.

Phillips, Dewi Z., 'Pam achub iaith?', *Efrydiau Athronyddol,* 56, 1993, tt.1–12.

Rawkins, Phillip M., 'An approach to the political sociology of the Welsh nationalist movement', *Political Studies,* 27/3, 1979, tt.440–57.

'The role of the state in the transformation of the nationalist movements of the 1960s: comparing Wales and Quebec', *Ethnic and Racial Studies,* 7/1, Ionawr 1984, tt.86–105.

Rees, Ioan Bowen, 'The official status of the Welsh language', *Justice of the Peace and Local Government Review,* 129/51, 18 Rhagfyr 1965, tt.844–6.

Roberts, Alwyn, 'Some political implications of S4C', *Trafodion Anrhydeddus Gymdeithas y Cymmrodorion,* 1989, tt.211–28.

Thomas, C. J. & Williams, Colin H., 'A behavioural approach to the study of linguistic decline and nationalist resurgance: a case study of the attitudes of sixth-formers in Wales', *Cambria* 3/2, 1976, tt.102–24, ibid., 4/2, 1977, tt.152–73.

Williams, Colin H., 'Non-violence and the development of the Welsh Language Society, 1962–c.1974', *Cylchgrawn Hanes Cymru,* 8/4, Rhagfyr 1977, tt.426–55.

'Some spatial considerations in Welsh language planning', *Cambria,* 5/2, Hydref 1978, tt.173–81.

'Language contact and language change in Wales, 1901–1971: a study in historical geolinguistics', *Cylchgrawn Hanes Cymru,* 10/4, Rhagfyr 1980, tt.207–38.

'Language planning and minority group rights', *Cambria,* 9/1, 1982, tt.61–74.

'Perspectives on contemporary Welsh language maintenance', *Études Celtiques,* 22, 1985, tt.335–41.

'When nationalists challenge: when nationalists rule', *Government and Policy: Environment and Planning, C,* 3/1, 1985, tt.27–48.

Williams, G. O., 'Brwydr yr iaith', *Trafodion Anrhydeddus Gymdeithas y Cymmrodorion,* 1, 1971, tt.7–15.

Williams, Gwyn A., 'Women workers in contemporary Wales, 1968–82', *Cylchgrawn Hanes Cymru,* 11/4, 1983, tt.530–48.

Williams, Jac L., 'Lladd neu adfer yr iaith', *Y Traethodydd*, 563, Ebrill 1977, tt.66–75.
Williams, Rhodri, 'Anufudd-dod dinesig', *Efrydiau Athronyddol*, XLII, 1979, tt.42–56.
Williams, Stephen Wyn, 'Language erosion: a spatial perspective', *Cambria*, 6/1, Gwanwyn 1979, tt.54–69.
Winckler, V., 'Women in post-war Wales', *Llafur*, 4/4, 1987, tt.69–77.

Dd. DARLITHOEDD A THRAETHODAU ANGHYHOEDDEDIG

a. Darlithoedd

Löffler, Marion, '"Gwnewch bopeth yn Gymraeg" – The Work and Effect of the Undeb Cenedlaethol y Cymdeithasau Cymraeg 1913 to 1941' (papur anghyhoeddedig ar gyfer seminar yn Y Ganolfan Uwchefrydiau Cymreig a Cheltaidd, Mawrth 1995).
Williams, Phil, 'Plaid Cymru's policy of self-managing Socialism' (darlith anghyhoeddedig, Mawrth 1996).

b. Traethodau

McAllister, Laura, 'Community in Ideology: The Political Philosophy of Plaid Cymru' (Prifysgol Cymru, PhD, 1995).
Thomas, Alys, 'An Investigation into the Relationship between Language Policy and Nationalism in Wales' (Prifysgol Cymru, PhD, 1993).
Williams, Colin H., 'Language Decline and Nationalist Resurgence in Wales' (Prifysgol Cymru, PhD, 1978).

Mynegai